CHÂTIMENT DIVIN

SERGIO RAMÍREZ

Châtiment divin

Denoël

roman traduit de l'espagnol
par Claude Fell

Ouvrage publié sous la direction
de Cynthia Liebow

Titre original :
Castigo divino
(Mondadori, Espagne)
© Sergio Ramirez, 1988
Et pour la traduction française
© by Éditions Denoël, 1994
9, rue du Cherche-Midi, 75006 Paris
ISBN 2.207.24151.3
B 24151.9

TRADUIT AVEC LE CONCOURS DU CENTRE NATIONAL DU LIVRE

Aux combattants
qui sur tous les fronts
ont rendu ce livre possible.

A Gertrudis, qui a inventé
les heures pour l'écrire.

Je sens ici
la chair humaine.
Comme tu ne m'en donnes pas,
c'est toi que je mange

FEDERICO GARCIA LORCA,
Les Marionnettes au gourdin

I

PUISQU'IL Y A LIEU, QU'ON INSTRUISE L'AFFAIRE

Oubliez qui oublie,
n'aimez point qui ne vous aime;
celui qui n'y obéirait pas
en grand danger verrait sa vie.
Et du mal qui le plus vous soucie
ne guérissez pas,
mon cœur, ou vous en mourrez.

Chanson
JUAN DE TAPIA
Chansonnier de Stúñiga

1
Des aboiements déchirent la nuit

Le 18 juin 1932 vers neuf heures du soir, Rosalío Usulutlán, âgé de quarante-deux ans, divorcé, journaliste de son état et au demeurant rédacteur en chef au journal *El Cronista*, quitte son fauteuil d'orchestre à la fin de la première de *Châtiment divin*, un film de la Metro Goldwyn Mayer interprété, dans les rôles principaux, par Charles Laughton et Maureen O'Sullivan.

Mêlé à la foule des spectateurs, il se dirige vers la porte du foyer et quand il passe sous le rideau de peluche rouge alourdi par la poussière qui s'y est accumulée, il sent un doigt espiègle lui frapper l'épaule; il se retourne et se retrouve face à son ami Cosme Manzo, âgé de cinquante ans, célibataire et grossiste en épicerie, qui lui sourit de toute sa denture où scintillent, sous l'épaisse moustache aux pointes gominées, des plaques d'or massif.

Manzo, qui lui a passé le bras autour des épaules, lui fraie un passage avec son chapeau orné d'un large ruban rouge et il l'invite à se rendre *Chez Prío*, établissement situé à une centaine de mètres du théâtre González, face à la place Jerez, afin d'y prendre ensemble une bière Xolotlan, la première bière de fabrication nationale récemment mise sur le marché, dont Manzo, qui a aussi le monopole de la distribution de l'émulsion Scott, est le distributeur exclusif pour la ville. Tout en se coiffant de son chapeau, le journaliste accepte avec plaisir l'invitation.

Une fois dans la place, lieu de rencontre habituel, à cette heure, de la clientèle qui sort du cinéma, ils gagnent une table disposée dans un coin proche du comptoir, où le propriétaire, Agustin Prío, un jeune homme de vingt-neuf ans, affectueusement surnommé « le capitaine » par ses clients, s'occupe personnellement d'eux. Cette table, particulièrement redoutée, est la principale potinière de León et on l'appelle « la table maudite » : c'est là que se réunit régulièrement la confrérie dont font partie les deux nouveaux arrivants et que préside le Dr Atanasio Salmerón, médecin et chirurgien, absent ce soir-là mais dont nous aurons l'occasion de faire amplement connaissance plus tard.

C'est à cette table que l'on dissèque et confirme l'authenticité de toutes sortes d'histoires scabreuses, telles qu'adultères, fiançailles rompues, avortements forcés, grossesses réglées avec un pistolet braqué et liaisons clandestines; on y tient un compte scrupuleux des enfants nés d'accouplements contre nature, des veuves qui ouvrent leur porte sur le coup de minuit et des prouesses de sacristie des curés coureurs de jupons; on y enregistre aussi avec beaucoup de soin divers scandales où sont impliquées les familles les plus huppées de la ville, comme les spoliations d'héritage, les escroqueries, les remises de dettes, la carambouille et les faillites frauduleuses.

Le capitaine Prío extrait les bières Xolotlan du réfrigérateur de marque Kelvinator équipé de brûleurs à essence et, en plissant les yeux à cause de la fumée de la cigarette qui pend à ses lèvres, il les ouvre près du comptoir d'un geste énergique, à l'aide du décapsuleur qu'il porte en permanence sur lui accroché à son trousseau de clefs. Et comme s'il cherchait à compenser l'inconvénient de sa petite taille, il se dresse sur ses ergots en apportant les bouteilles à la fameuse table.

Il s'assied en posant commodément ses pieds sur les barreaux du tabouret et il commence par féliciter Rosalío Usulutlán pour les chroniques qu'il a signées dans l'édition du soir de *El Cronista* et qui portent sur des sujets d'une actualité brûlante.

La première de ces chroniques occupe une place de choix à la une du journal de quatre pages format standard et elle traite des débats en cours au sein du conseil municipal à propos de la signature d'un nouveau contrat avec la Compagnie métropolitaine des eaux qui fournit l'eau potable à la ville. Les propriétaires de cette compagnie insistent pour modifier les contrats, ce qui aurait comme seule conséquence d'augmenter les tarifs pour les particuliers, tarifs qui deviendraient ainsi prohibitifs pour de nombreuses bourses et priveraient du liquide vital les foyers les plus pauvres. Rosalío appuie avec véhémence le groupe de conseillers conduit par le maire, le Dr Onesíffero Rizo, qui renâcle à autoriser une telle augmentation qu'il considère non seulement comme léonine, mais aussi comme inconséquente et intempestive; et le journaliste fustige le reste des édiles dont les tergiversations inexplicables portent un tort incommensurable aux intérêts de la commune.

Les deux autres billets occupent également la première page. L'un se rapporte à la prolifération de moustiques anophèles à cette époque de pluies intenses, car l'hiver se présente comme exceptionnellement arrosé; on y dénonce l'incurie des services sanitaires, coupables de la reproduction débridée de ces insectes nuisibles, qui se complaisent dans les flaques putrides et les torrents d'eaux usées provenant des cuisines et des lavoirs et dévalent à tombeau ouvert dans les rues, y compris dans les plus passantes, à tel point que si les coléoptères étaient des poules, on croulerait sous les œufs, et que si c'était des vaches, on nagerait dans le lait. Une telle anomalie présente un grave danger pour les citoyens, car c'est à la piqûre des moustiques que l'on doit les épidémies de fièvres pernicieuses, stade aigu de la maladie paludéenne, qui a déjà provoqué plusieurs issues fatales, particulièrement chez les enfants et les adolescents.

Le dernier des articles porte sur la quantité excessive de chiens errants qui vaquent librement sur la voie publique et en d'autres lieux très fréquentés, tels que marchés, parvis et places publiques ; ils importunent la clientèle qui se presse aux portes des officines et des merceries, de même que les passagers des trains sur les quais mêmes de la gare du chemin de fer du Pacifique, et ils constituent une gêne pour les cochers et les automobilistes. La poudre Bayer à base de soufre importée par la droguerie Argüello a démontré son inefficacité, et malgré tout les habitants s'acharnent à en parsemer le seuil des portes et les trottoirs, attentant par là au bon ordonnancement des lieux publics.

Et comme si cela ne suffisait pas on a constaté d'indubitables cas de rage, causés par la morsure des susdits cabots. On demande par conséquent au chef de la police, le capitaine Edward Wayne U.S.M.C., d'autoriser comme le commandement de la marine de guerre des États-Unis l'a déjà louablement fait par le passé, l'achat de poison dans les pharmacies par les citoyens responsables ; la strychnine étant la plus efficace à cette fin parmi les alcaloïdes mortels.

Quand l'horloge du Sagrario sonne dix heures du soir, les amis prennent congé et le journaliste Rosalío Usulutlán se dirige vers la rue Royale afin de regagner son domicile de la rue La Españolita, dans le quartier du Laborío. Vêtu de blanc et en manches de chemise, car il trouve la veste plus gênante que pratique, le col fermé par un bouton de cuivre, il sifflote doucement en arpentant le trottoir désert et il repense au film *Châtiment divin.*

« Il faut interdire ce film franchement indécent » : tel est le titre de l'article qu'il va écrire demain avec l'intention de prévenir ses lecteurs des dangers que recèle l'argument du film, dans la mesure où, par le simple fait de se rendre au cinéma, des personnes sans scrupule peuvent devenir expertes dans l'art de préparer des poisons mortels ; le jeune aristocrate magistralement interprété par Charles Laughton se sert de stratagèmes raffinés pour empoisonner l'une après l'autre les plus belles jeunes filles de la haute société de Boston, tout en consignant dans un journal secret, qui plus tard tombe aux mains de la police, la liste de ses innocentes victimes. Mais il est déjà trop tard, le cyanure a fait son œuvre irréparable et l'exemple est donné sur l'écran. Il exprimera également sa réprobation devant le dénouement : l'assassin Charles Laughton, avant de mourir exécuté sur la chaise électrique, refuse de recevoir l'aide spirituelle de l'aumônier du pénitencier et, au contraire, il se gausse du prêtre dans un éclat de rire sinistre.

Dans le lointain les éclairs illuminent le ciel chargé de nuages noirs. Tout au long de la rue Royale les lumignons brasillent sous leur abat-jour de laiton au sommet des réverbères sans que leur lumière blafarde parvienne à dissiper les ténèbres où est plongée la longue rangée de portails, d'entrées et de balcons fermés qui s'étend de *Chez Prío* à l'église San Francisco : éclairage public déficient, qui ne protège nullement les honnêtes citoyens des malandrins dans les principales artères de la ville. Où va, messieurs les Conseillers, l'argent des contribuables ?

Ses réflexions sont interrompues par un concert cacophonique d'aboiements. Le charivari se produit dans la rue Royale, mais les jappements retentissent également derrière les portes et dans les corridors, comme si tous les animaux s'étaient réveillés en même temps à l'intérieur des maisons claquemurées et en proie à une même frayeur. Quelques pas plus loin il découvre un chien étendu sur le trottoir, qui vomit et se débat dans d'horribles convulsions ; quelques mètres encore et il tombe sur une autre bête accolée au linteau d'une porte, rampant péniblement, l'arrière-train paralysé.

Alors qu'il se rapproche du coin de la rue débouchant sur l'église San Francisco, il distingue nettement, face au cabinet du Dr Juan de Dios Darbishire, deux silhouettes qui se battent. Il se plaque contre le mur de la maison du Dr Francisco Juárez Ayón, qui fait angle avec le cabinet, face au parvis de l'église, et il reconnaît dans l'un des deux combattants le Dr Darbishire lui-même, qu'il avait vu sortir de la séance de cinéma une heure auparavant. Sa cape noire bordée de rouge voletant dans son dos, il se jette canne à la main sur un homme à la stature massive, tout en ahanant des injures. Compte tenu du savoir-vivre proverbial et des manières affables du vieux praticien, Rosalío Usulután s'étonne de l'entendre proférer de telles horreurs.

Le gros, qui tente d'enlever sa canne au vieillard avec des gestes guillerets, glisse accidentellement et tombe à genoux ; alors qu'il tente, à quatre pattes, de se redresser, le Dr Darbishire profite de l'occasion et lui assène sur le dos de vigoureux coups de canne qui lui arrachent des plaintes justifiées. Le journaliste assure que c'est à ce moment qu'il a entendu surgir de l'ombre un rire moqueur ; et en se retournant sur le coup de la surprise, il remarque à côté d'un des cyprès plantés sur le parvis un homme portant d'austères habits de deuil qui, appuyé des deux mains sur le pommeau de sa canne, surveille la scène de l'échauffourée d'un air inquiet et amusé.

Pendant un instant, le Dr Darbishire détourne sa canne, montrant avec colère un chien qui essaie difficilement de gravir les marches menant à la porte du cabinet de consultation; instant dont le gros profite pour s'éclipser et courir à quatre pattes avec une agilité surprenante, en dépit de sa corpulence; il ramasse son canotier tombé par terre et s'enfuit à toutes jambes vers une voiture attelée de chevaux qui, leurs rênes relâchées, s'étaient éloignés vers le bas de la rue.

Le gros parvient à rejoindre le véhicule et, freinant les chevaux, il s'y hisse précipitamment; une fois sur le siège du cocher, il adresse de loin des signes à l'homme en deuil, qui, après avoir tranquillement abandonné son poste d'observation, se dirige d'un pas serein vers la voiture. En passant devant le Dr Darbishire, il le salue de sa canne brandie avec désinvolture.

Le susnommé Dr Juan de Dios Darbishire, âgé de soixante-trois ans, veuf en secondes noces et médecin de profession, déclare devant le juge d'instruction, le 19 octobre 1933, qu'il n'a pas vu passer la personne indiquée et qu'il n'a pas prêté attention à son salut, penché qu'il était sur le chien lui appartenant, nommé Esculape, qu'il enveloppait dans sa cape avant de l'introduire dans le cabinet de consultation et de pratiquer sur lui plusieurs interventions urgentes afin de neutraliser l'action du poison ingéré; interventions qui avaient échoué, puisque le chien a trépassé en dépit de ses soins.

De son côté, le témoin Rosalío Usulutlán, d'âge, profession et autres caractéristiques décrits plus haut, dans sa déposition du 17 octobre 1933, où il relate de façon détaillée, à la requête du juge, les faits de cette nuit-là, affirme que, selon son intime et franche conviction, l'homme à la constitution robuste est Me Octavio Oviedo y Reyes, originaire de cette ville de León, à l'époque juriste stagiaire et aujourd'hui avocat et notaire, qu'il connaît et avec lequel il entretient des relations mondaines. Et toujours à la requête du juge, il déclare que la personne qui surveillait l'incident depuis le parvis de l'église et qui ensuite a salué le Dr Darbishire au passage, est Me Oliverio Castañeda Palacios, originaire du Guatemala, juriste stagiaire lui aussi à l'époque et aujourd'hui avocat et notaire, qui fait également partie de ses fréquentations.

Et pour donner plus de poids à ses affirmations, le témoin soutient qu'il a eu l'occasion de rapporter le soir même ces incidents au bachelier Alí Vanegas, qui travaillait toutes portes ouvertes dans sa chambre de la rue Royale, quelques maisons plus bas, près de la demeure où vécut Rubén Darío et où l'on garde enchaîné, aujourd'hui, le poète dément Alfonso Cortés; et qu'on peut vérifier auprès du bachelier Vanegas s'il est vrai qu'il lui a déclaré ce soir-là, comme en vérité il l'a fait, que les empoisonneurs de chiens étaient les susdits Oviedo et Castañeda.

Le bachelier Alí Vanegas, présent dans l'enceinte du tribunal en sa qualité de secrétaire du juge, s'abstient de tout commentaire parce qu'il lui est interdit d'intervenir et il se borne à transcrire la déposition sur des feuillets de papier administratif qui ensuite, dûment cousus de fil, iront s'ajouter au dossier; mais quand son tour viendra d'être interrogé en qualité de témoin, le 18 octobre 1933, il confirmera totalement les déclarations de Rosalío Usulutlán.

Pressé par le juge d'être plus explicite sur l'identité de l'homme en deuil qui surveillait la scène des coups de canne depuis le parvis de l'église, le témoin Rosalió Usulutlán confirme sa conviction qu'il s'agissait, sans aucun doute possible, d'Oliverio Castañeda; car bien qu'incontestablement il fît très noir et que l'éclairage public fût déficient, il a pu identifier ses traits à la lueur d'un des éclairs qui se succédaient sans relâche cette nuit-là, où la pluie menaçait. De plus il a parfaitement reconnu son allure et sa mine caractéristiques quand il l'a vu s'éloigner par la rue Royale et saluer au passage le Dr Darbishire, utilisant pour ce faire la canne à pommeau de nacre qu'il a constamment avec lui.

2

A la recherche du poison mortel

Esculape, le chien du Dr Juan de Dios Darbishire, fut la dernière victime de la curée déclenchée dès l'après-midi du 18 juin 1932 par les avocats stagiaires Oliverio Castañeda et Octavio Oviedo y Reyes, qui utilisèrent à de telles fins des rations de viande cuite, empoisonnées à la strychnine. C'est ce qui est pleinement prouvé à travers plusieurs dépositions et témoignages soumis à l'autorité du président de la cour d'assises de León.

La première de ces dépositions est le fait de M. Alejandro Pereyra, âgé de soixante-deux ans, marié et militaire en retraite, à l'époque secrétaire au commissariat de police placé sous la responsabilité du capitaine Morris Wayne, du corps des Marines des États-Unis. Prostré en raison d'une attaque d'hémiplégie, il atteste depuis son lit de douleur :

Qu'à environ dix heures du matin, un jour dont il croit se souvenir qu'il se situe au mois de juin 1932, se présentèrent dans le bureau du capitaine Wayne les avocats stagiaires Oliverio Castañeda Palacios et Octavio Oviedo y Reyes, que le déposant connaissait comme des personnes de caractère facétieux et très porté sur le canular et la pagaille; mais qui, par ailleurs, avaient une conduite irréprochable dans le traitement des différentes affaires légales et de droit commun qui les menaient à se présenter fréquemment au commissariat.

Que le capitaine Wayne étant absent de son bureau, les visiteurs, en l'attendant, avaient lié conversation avec le témoin; et que parmi divers sujets ils avaient abordé celui des hausses des tarifs de l'eau potable pour les particuliers, affaire qui agitait les citoyens; il fut également question de la prolifération des chiens errants, point sur lequel le témoin était d'accord avec la requête du journal *El Cronista* sur la nécessité d'autoriser des citoyens responsables à se servir de poison; et c'est à cet instant de la conversation qu'ils lui avaient révélé le motif de leur visite, qui était de solliciter auprès du capitaine Wayne un mandat qui leur permettrait d'acheter, dans une des pharmacies de la ville, un flacon de strychnine qu'ils pensaient utiliser pour éliminer des chiens pour leur propre compte.

Que comme il s'agissait de personnes d'une probité et d'une fiabilité reconnues, le témoin s'était cru autorisé à accéder à leur requête sans avoir à attendre le retour du capitaine Wayne ; en foi de quoi il avait procédé à la remise à ces personnes d'un flacon de strychnine presque plein que son supérieur gardait dans le tiroir de son bureau, d'une taille et d'une présentation identiques à ceux que l'on écoule dans les officines ; ce qui explique qu'il n'avait pas été nécessaire de leur établir un mandat.

Le Dr David Argüello, pharmacien de profession, marié et âgé de cinquante-deux ans, propriétaire et exploitant de la droguerie Argüello sise dans la rue du Commerce, et qui a son domicile dans les locaux de ladite droguerie, affirme dans sa déposition du 19 octobre 1933 qu'au vu d'une déclaration soussignée par la chef de la police, qu'il conserve dans ses archives et qu'il peut produire, il a vendu à Oviedo et à Castañeda un flacon d'un huitième d'once, plein et scellé, contenant 30 grammes de strychnine, suffisants pour la préparation de vingt doses mortelles, d'un gramme et demi chacune, pour un nombre égal de chiens ; et il décrit le flacon comme ressemblant à ceux contenant les pilules roses du Dr Ross, aux propriétés laxatives.

Le juge d'instruction, intrigué par la dualité de ces informations et déterminé à vérifier si effectivement le couple d'empoisonneurs de chiens avait reçu de la strychnine à deux dates différentes, procède à l'interrogatoire sur ce point d'Octavio Oviedo y Reyes lui-même, marié, âgé de vingt-six ans, avocat de profession, et domicilié dans le quartier San Juan, dans le périmètre central de la ville.

Le témoin, connu sous le sobriquet populaire de « Oviedo la Baudruche », répond au juge, dans le cadre de sa longue déposition effectuée le 17 octobre 1933, que ce n'est qu'à la date du 18 juin 1932 que Pereyra les avait adressés à la droguerie Argüello, avec le mandat signé par le capitaine Wayne à son retour au bureau, et que c'était là la seule fois où ils avaient obtenu de la strychnine avec l'agrément des autorités policières ; à aucun moment on ne leur avait remis directement du poison pris dans le tiroir d'un bureau ; en conséquence il estime que l'affirmation de Pereyra, à laquelle il est confronté, est due à une confusion de la mémoire de ce dernier. Par ailleurs, l'ordre écrit remis plus tard au juge par le Dr David Argüello et qui fut adjoint au dossier, indique la date du 18 juin 1932.

Au soir du 26 septembre 1933, alors que l'information judiciaire dans lequel il doit figurer comme témoin n'a pas encore commencé, Oviedo la Baudruche est appelé par Cosme Manzo à comparaître devant les participants de la table maudite ; et il se présente *Chez Prío* à peine sorti de la séance de cinéma du théâtre González, où il se rend par principe, quel que soit le film, sauf pour des raisons de force majeure.

L'intention du Dr Atanasio Salmerón, qui, comme nous l'avons déjà expliqué, préside cette table, est d'interroger consciencieusement Oviedo la Baudruche sur les faits survenus lors de cette battue contre les chiens dans les rues de la ville; information que pour des raisons que l'on nous fera connaître plus tard il se dispose à consigner dans son agenda offert par la maison Squibb. Et Oviedo la Baudruche, sous l'effet des verres de rhum qu'il alterne avec du Kola Shaler, la boisson tonique des convalescents, raconte avec force démonstrations les péripéties de cette aventure, sans soupçonner les sous-entendus de l'interrogatoire.

En ce matin du 18 juin 1932, simplement vêtu de sa chemise de nuit et de son caleçon, appuyé sur la table sans nappe où gisent les reliefs de son copieux petit déjeuner, Oviedo la Baudruche lit *El Cronista* de la veille qui, selon la coutume établie par la direction, circule avec la date du lendemain. Tout en arrosant les plantes de la cour, Yelba, son épouse, comme tous les matins, lui reproche de loin d'avoir trop mangé.

Comme tous les matins également, Oviedo la Baudruche boit son verre de sels de raisin Picott destiné à combattre les malaises gastriques qui commencent déjà à le torturer. Posant son verre, il revient à la chronique qui traite des chiens errants. Il ne pense qu'à la meute du Dr Darbishire, le vieux médecin diplômé de la Sorbonne, qui depuis la mort de sa seconde épouse vit sans autre compagnie que celle de sa troupe de dogues dans son cabinet de la rue Royale. Et l'idée de les empoisonner se fiche comme une épine guillerette dans sa tête.

A neuf heures tapantes du matin, dans son costume de lin châtain clair, avec sa cravate à pois verts et son canotier en biais sur ses boucles luxuriantes enduites de brillantine, Oviedo la Baudruche sort de chez lui dans le quartier San Juan et se dirige vers l'*Hôtel Métropolitain* pour aller y prendre Oliverio Castañeda, avec qui il doit commencer le jour même les révisions de leur examen de fin d'études.

L'*Hôtel Métropolitain* est distant de quelques centaines de mètres de son domicile et ce matin-là il se sent plein d'allant pour faire le trajet à pied. En chemin il s'étonne de ne pas rencontrer autant de chiens que le signale l'article alarmant de *El Cronista*; mais il n'en abandonne pas pour autant son projet de décimer la tribu canine du Dr Darbishire.

Oliverio Castañeda, vêtu de son austère costume noir et la canne à la main, l'attend déjà à la porte de la chambre qu'il occupe à l'*Hôtel Métropolitain* avec sa femme depuis son arrivée dans la ville, et tous deux traversent la rue pour gagner, une centaine de mètres plus loin, la bibliothèque de l'université, afin d'y chercher codes et livres de consultation nécessaires pour débuter leur révision, ce qui les amène à passer devant la maison de la famille Contreras.

A ce moment don Carmen Contreras fait son apparition à la porte du coin qui donne accès au salon de sa maison, tenant à la main *El Cronista*. Ils le saluent, sans intention de s'arrêter ; mais c'est don Carmen, qui, en leur faisant signe avec le journal, les appelle.

Ils traversent la rue et sur le trottoir du magasin *La Renommée* ils attendent qu'il les rejoigne, et ils se mettent tous les trois à converser sous la grande bouteille d'eau médicinale Vichy-Célestins taillée dans du bois et attachée par deux chaînes à l'auvent.

« Cette poudre », Oliverio Castañeda pointe sa canne sur la semelle de son soulier maculée de jaune, « sert à quelque chose ?

– A rien du tout, mon ami, répond don Carmen en remuant la tête d'un air affligé.

– Il n'y a rien de tel que le poison, comme on le dit là », dit précipitamment Oviedo la Baudruche en signalant des lèvres le journal que don Carmen tient à la main.

« Cette feuille de chou ? Elle ne dit que des mensonges. » Don Carmen leur montre le journal en soupirant d'impuissance. « Maintenant ils s'en prennent à moi. Ils veulent peut-être que la Compagnie des eaux fasse faillite et que nous mourions de soif ? Je n'y arrive plus avec les tarifs actuels.

– Je vais vous aider dans cette affaire, ne vous inquiétez pas. »

Oliverio Castañeda change sa canne de main et passe son bras autour des épaules de don Carmen. « Je vais parler à Rosalío, je vous l'ai déjà promis. Rosalío est un brave type. »

Oviedo la Baudruche n'a pas lu l'article contre les tarifs de la Compagnie des eaux, et il n'a pas d'avis sur la question. Il ne pense qu'aux chiens et à la façon la plus efficace de les éliminer, étant donné les tracas constants qu'ils causent aux citoyens sans défense, qui, dérangés sur la voie publique par ces hordes turbulentes, se voient exposés à la morsure imprévue de ces animaux.

« A la place de cette poudre, don Carmen », Oviedo la Baudruche frotte les semelles de ses souliers dans le caniveau, « vous qui êtes un homme de poids, vous devriez demander l'autorisation d'utiliser le poison. De la sorte, les chiens n'importuneraient plus la clientèle de votre magasin.

– Vous avez raison, mon ami, soupire Don Carmen, si vous voyiez comme ils nous emmerdent aussi quand je prends ma voiture avec l'ingénieur pour aller jusqu'aux bassins contrôler les pompes.

– Ils nous emmerdent plus que Chalío Usulutlán dans *El Cronista* », sourit Castañeda en s'applaudissant lui-même après avoir coincé sa canne sous son aisselle.

Don Carmen sourit à son tour, mais sans enthousiasme ; le journal qu'il tient à la main semble lui peser.

« Nous pourrions nous charger des chiens du réservoir d'eau. » Oviedo la Baudruche s'évente le visage avec son canotier. « Si nous obtenons du poison, bien entendu. »

Don Carmen le regarde avec le plus grand intérêt. Oviedo la Baudruche se rappelle l'éclat faussement ironique dans ses yeux à fleur de tête sous les sourcils broussailleux ; son nez aquilin pointant avec inquiétude, comme s'il flairait avant de répondre par un sarcasme ; les lèvres fines qui se préparent à glisser une pique, mais qui finalement ne laissent échapper qu'un chaos de phrases craintives. Un faible, malgré sa fortune, affirmera Oviedo la Baudruche aux hôtes de la table maudite ! et sa bouche s'emplit de mépris comme s'il y retenait une gorgée de rhum Champion.

« Si vous trouvez le poison, moi je fournis la viande. » Don Carmen baisse les yeux, affligé. « On pourrait faire cuire les rations chez moi, ici même.

– Les appâts n'ont pas besoin d'être cuits. » Oliverio Castañeda, qui semblait commencer à s'ennuyer, tire de son gousset sa montre attachée à une chaîne, au grand désespoir d'Oviedo la Baudruche. « Au Guatemala, la viande empoisonnée pour les chiens, on appelle ça des bouchées. Mais on la donne crue.

– Ici on a l'habitude de la proposer cuite », bégaie don Carmen, troublé de ne pas parvenir à leur expliquer cette divergence capitale dans les comportements.

« La chair est la chair, crue ou cuite. » Oliverio Castañeda baisse la voix, en les invitant à s'approcher pour leur faire partager ses allusions grivoises. « Comment aimez-vous la chair, don Carmen ? La chair céleste dont parlait Rubén Darío.

– Allez chez le Yankee, qu'il vous fasse une autorisation pour acheter le poison. C'est ça, c'est ça même. » Don Carmen, feignant de ne rien avoir entendu, cherche son portefeuille et en tremblant d'effroi en sort un billet de cinq cordobas. « Dites à Wayne que vous venez de ma part. »

Oviedo la Baudruche se jette sur le billet, il le lui arrache presque des doigts. Et le rire secoue son double menton quand il se rappelle le visage contrarié qu'afficha Oliverio Castañeda, offensé qu'il eût accepté l'argent.

« Quand vous aurez obtenu le poison, je veux aller avec vous tuer les chiens du réservoir d'eau », dit don Carmen en rangeant son portefeuille.

Oliverio Castañeda fait une révérence et effleure de ses doigts le rebord de son chapeau en signe d'adieu. Ils poursuivent leur route sans parler, Oviedo la Baudruche craignant que Castañeda ne refuse de s'intéresser plus avant à l'acquisition du poison ; mais quand ils atteignent le coin de la rue, c'est lui qui lui indique de sa canne la direction de la place Jérez. Et ils se dirigent vers le commissariat de police.

Comme nous l'avons déjà vu, Oviedo la Baudruche dut comparaître le 17 octobre 1933 devant le tribunal de juridiction criminelle pour faire sa déposition, laquelle englobe différents faits que nous rapporterons plus loin; pour le moment, il convient de nous occuper uniquement de la chasse aux chiens du 18 juin 1932. Les curieux qui remplissent le prétoire se pressent contre l'escabeau qu'il occupe face au bureau du juge, et ils transmettent ce qui se dit à ceux qui sont obligatoirement restés dans les couloirs et qui ne peuvent entendre les détails de son récit. Il sue copieusement, comme si on venait de lui faire prendre un bain tout habillé; et, en proie à une fébrilité intense, il ne manifeste plus cet aplomb enjoué qu'il arborait quelques semaines auparavant, devant les hôtes de la table maudite.

Aux questions du juge, il répond, tout en buvant sans relâche un verre d'eau que les curieux s'empressent de remplir.

Le déclarant affirme qu'une fois obtenu le poison à la droguerie Argüello ils renoncèrent à réviser l'examen d'obtention du diplôme comme ils l'avaient prévu, mais qu'ils revinrent à son domicile dans le quartier San Juan afin d'y préparer les appâts empoisonnés; Castañeda s'absentant le temps nécessaire pour se rendre jusqu'à la maison de la famille Contreras et aller chercher la viande promise par don Carmen.

Qu'une fois vidé le contenu du flacon sur une plaque de verre enlevée à un présentoir de photos du salon, le déclarant divisa l'ensemble avec un couteau, pour aboutir à un total de vingt petits tas; avec le même couteau on enduisit les morceaux de viande, opération qui fut menée au fond de la cour, loin de la cuisine, afin de ne contaminer aucun aliment. Chaque portion fut attachée avec du fil pour pouvoir être manipulée sans craindre de se remplir les mains de poison; il préleva le fil utilisé à cette fin sur une bobine qu'il trouva dans le tiroir de la machine à coudre de son épouse. Qu'une fois prêtes les vingt rations empoisonnées, il peut affirmer sans la moindre erreur qu'il ne resta absolument plus rien de la strychnine contenue dans le tube, qu'il jeta, vide, dans les waters, de sa propre main, afin d'éviter que ses enfants, particulièrement turbulents, ne s'en emparent.

Que son intention était de commencer la battue très tôt, mais que Castañeda l'avait freiné en alléguant qu'il n'était pas convenable que les gens de la bonne société les voient empoisonner des chiens en plein jour, car on allait les prendre pour des vagabonds, même si *El Cronista* affirmait que c'était là une tâche pour des personnes respectables; madame son épouse était du même avis, elle qui n'arrêta pas de se moquer de lui pendant la préparation des appâts et refusa de collaborer en quoi que ce soit.

Il ajoute par ailleurs que Castañeda était revenu en expliquant que don Carmen insistait pour les accompagner, nouvelle qui l'étonna et l'indisposa, car il n'avait pas pris au sérieux ses paroles du matin; et le fait qu'il les accompagnât était de nature à perturber le déroulement de ses plans.

Il affirme que Castañeda le rassura sur la présence de don Carmen, en lui précisant qu'il allait les accompagner uniquement dans leur extermination des chiens rôdant aux alentours du réservoir d'eau, comme il le leur avait indiqué le matin même. Et il lui fit valoir en outre, sur le ton de la plaisanterie, que puisque *El Cronista* réclamait de confier l'usage du poison à des personnes honorablement connues, on ne pouvait rien rêver de mieux que la compagnie de don Carmen dans cette première étape afin de garantir la moralité de la battue; madame son épouse était à nouveau intervenue sur ce point pour dire que ce ne serait pas don Carmen qui serait collé si les examinateurs les surprenaient à jouer les godelureaux dans la rue, au lieu d'étudier.

Le déclarant poursuit en précisant que vers six heures du soir don Carmen était arrivé à bord de son automobile, une Packard de couleur noire, et que tous les trois ils étaient allés déposer le poison autour du réservoir d'eau. Don Carmen en personne tenait le volant et il se montra en l'occurrence exceptionnellement jovial et blagueur; et quand à chaque appât qu'ils jetaient il voyait un chien attraper le petit morceau de viande empoisonnée et l'avaler, il lâchait le volant, se frottait les mains et riait tout bas avec délectation.

Que quand ils eurent terminé l'expédition au réservoir et avant de les laisser à nouveau à la porte de la maison du déclarant, don Carmen leur demanda de ne pas oublier de lancer un appât au chien de don Macario Carrillo, un musicien qui vivait à quatre portes de son domicile en allant vers l'est, car il venait fréquemment faire ses besoins sur le trottoir du magasin *La Renommée* et il fallait constamment jeter de la sciure sur les excréments. Qu'à ce chien on lui avait effectivement administré une dose de première, vers huit heures un quart du soir, en l'attirant avec des grimaces depuis le seuil alors qu'il était tranquillement assis au fond du couloir d'entrée.

Que c'est vers huit heures du soir qu'ils montèrent dans la voiture à chevaux appartenant au père du déposant, après l'avoir attelée eux-mêmes dans la remise, pour achever leur équipée; ils y transportaient les rations restantes, au nombre de quinze à cette heure de la nuit, dans une de ces petites boîtes en sapin qui servent d'emballage au savon « L'Étoile », et parcourant plusieurs rues au trot, comme s'ils faisaient une promenade, ils avaient jeté d'une main discrète les appâts de viande empoisonnée aux chiens qu'ils rencontraient sur leur route, en provoquant une véritable hécatombe dans la rue Royale, en fin de parcours.

Qu'ils avaient laissé le cabinet de consultation du Dr Darbishire pour la fin en calculant qu'ils atteindraient l'église San Francisco à dix heures du soir, heure à laquelle le docteur serait certainement déjà couché. Qu'il ne leur restait plus à ce moment-là qu'une seule ration disponible et qu'ils l'administrèrent au seul dogue qu'ils avaient trouvé sur le seuil du cabinet médical; bien qu'en général il y eût plusieurs chiens à monter la garde à la porte pendant toute la nuit, parmi tous ceux dont est propriétaire le susnommé Dr Darbishire.

Que le déclarant descendit de la voiture en portant le morceau de viande empoisonnée suspendu à son fil; et avec les précautions requises il s'approcha du trottoir, en se demandant si le chien n'allait pas se jeter sur lui car il s'agit d'une race très agressive; et faisant usage de mille mimiques et cajoleries il finit par obtenir que le chien vînt ramasser l'appât fatal et le dévorât pacifiquement.

Il se préparait déjà à regagner la voiture, quand soudain le Dr Darbishire était apparu dans la rue, alors qu'on le croyait depuis longtemps endormi dans ses appartements; d'un seul coup d'œil il nota l'attitude suspecte du déclarant et vit son chien en train de dévorer l'appât, ce qui lui suffit à déduire qu'il s'agissait d'un empoisonnement; c'est pour cette raison qu'il réagit avec une violence si inhabituelle chez lui.

« J'ai glissé et ce vieux fils de pute m'est tombé dessus à coups de canne. » Oviedo la Baudruche fend les airs comme s'il frappait avec une canne. Ensuite, il se jette par terre, en se protégeant la tête avec de grands moulinets.

« Et Oliverio Castañeda, il t'a défendu? » Le Dr Salmerón fait craquer, lentement, les doigts de chacune de ses mains.

« Il est descendu à toute allure de la voiture et il est allé se réfugier derrière un cyprès sur le parvis de l'église, ce porc immonde. » Oviedo la Baudruche reste recroquevillé sur le sol, attendant le châtiment des coups de canne.

« Et tu dis qu'il y a eu vingt chiens d'empoisonnés. » Le Dr Salmerón mouille de salive son doigt et il tourne les pages de l'agenda de la maison Squibb.

« Vingt, je vous ai déjà fourni la liste. » Oviedo la Baudruche s'ébroue, comme s'il récupérait après la course qui l'avait précipité vers la voiture, dans sa fuite des coups de canne. « Nous avons distribué les appâts à tort et à travers avant d'arriver au cabinet médical. Mais de toute façon il n'y avait qu'un chien. Il a mangé la dernière ration qui restait.

– Tout le poison a donc été utilisé. » Le Dr Salmerón pose son crayon et décapuchonne son stylo. Il écrit maintenant avec hâte, comme s'il rédigeait une ordonnance.

« Absolument tout y est passé. Vingt doses, vingt chiens envoyés *ad patres.* » Oviedo la Baudruche pousse un hurlement et, en imitant les râles d'un chien empoisonné, il fait gémir sa chaise.

3

Je suis innocent!
clame-t-il du fond de son cachot

Interview exclusive accordée par le Dr Oliverio Castañeda
à notre reporter Rosalío Usulutlán

Les portes de la prison XXI s'ouvrent généreusement pour *El Cronista* *. Portrait physique et biographie succincte *. Le cas de la mort soudaine du jeune Rafael Ubico survenue au Costa Rica *. Il assure que son épouse a toujours été très malade *. Ses relations avec la famille Contreras *. « Je n'ai jamais procuré d'aliments ni de remèdes à don Carmen, pas plus qu'à Mathilde. » * Les examens de laboratoire pratiqués à l'université ne sont pas fiables *. Ce qu'il pense de l'exhumation possible des cadavres *. Les raisons qui expliquent son retour au Nicaragua *. Il parle de jalousie et de persécution politique *. Il se défendra lui-même *.

Le jour décline. Il est six heures du soir le 15 octobre 1933; la noble cité qui prie encore à genoux l'angélus frémit d'émotion. Au rythme des six légers coups de cloche qu'égrène l'horloge de la basilique, je gravis les marches du bagne. Le capitaine Anastasio Ortiz me conduit aimablement vers l'intérieur et, en arrivant à l'extrémité orientale de l'obscur et humide couloir de pierre, il me dit : « Voilà la cellule. » Il règne ici un silence saisissant, uniquement semblable à celui que l'on rencontre dans les temples déserts et dans les cimetières. Je m'arrête quelques secondes et je regarde, au fond, une fenêtre par où pénètre une lumière crépusculaire découpée en carrés; un grabat modestement aménagé, un accusé pensif, assis, les bras croisés, appuyé sur une petite table de pin non époussetée qui tient lieu de bureau et de salle à manger; des livres, des journaux, une petite tasse de faïence et une bouteille d'eau. Rien d'autre.

Brusquement, un regard. Un homme de taille moyenne, blanc, la barbe et la moustache rasées; le cheveu noir et lisse, le regard calme et brouillé derrière les lunettes; la bouche petite et les lèvres minces, les sinus frontaux affaissés, le front normal, la base du nez affaissée elle aussi, le nez droit. Une physionomie qui dans son ensemble révèle de la détermination, de la ruse et du calcul, et sur laquelle les criminalistes pourraient éprouver, à partir de la mesure du crâne et de l'évaluation précise des traits et des proportions morphologiques, leurs thèses retentissantes sur l'hérédité et la prédétermination au délit. Mais au-delà de ces considérations scientifiques, nous ne manquerions pas non plus de reconnaître qu'il s'agit d'un spécimen masculin séduisant, que le beau sexe de la haute société de León s'est accordé à considérer, de façon pratiquement unanime, comme irrésistible. Irrésistible, cruel? L'un cache-t-il l'autre?

Il porte un costume de cachemire noir, une cravate noire. Même dans la solitude de sa cellule il n'abandonne pas la tenue de deuil rigoureux qui a toujours été son attribut distinctif et qui, aux yeux de ses connaissances et des autres, a ajouté une touche de mystère à sa personnalité de jeune étranger. D'après les bruits qui courent, il s'obstine à porter cette tenue en signe de deuil perpétuel pour la mort de sa mère, survenue alors qu'il était encore un jouvenceau imberbe. D'après les mêmes bruits, cet événement tragique – la dame était morte au milieu d'invraisemblables douleurs auxquelles l'enfant avait assisté – non seulement décida de la couleur funèbre de ses vêtements, mais influença au fond, le temps s'écoulant, les avatars de sa conduite.

Quand il m'aperçoit à la porte de sa cellule, il me scrute avec un mouvement de sourcils caractéristique et m'invite à entrer. Je le salue. Il m'en remercie, ému. Cet accusé solitaire et affligé est-il le gentleman qui brillait de mille feux dans les salons de la meilleure société de León, le préféré des belles? Est-ce là le jeune homme à l'élocution facile et alerte, à la plaisanterie à fleur de lèvre, à l'intelligence exceptionnelle et aux manières si séduisantes? C'est lui, il n'y a pas de doute, mais aujourd'hui il est terrassé par la foudre de l'infortune.

L'interview commence.

« Docteur Castañeda : la presse nationale et étrangère donne des versions différentes d'une tragédie qui ébranle León; votre personne fait l'objet de commentaires acerbes et autour de vous fleurissent les conjectures les plus variées. Voudriez-vous répondre à quelques questions pour les avides lecteurs de *El Cronista?* »

Il réfléchit quelques secondes. Il remue lentement la tête comme s'il s'interrogeait et il répond :

« Avec plaisir, monsieur Usulutlán. » Une pause.

Il se prend le front entre les deux mains; il se penche, en proie à une angoisse visible, vers la table, il me regarde à nouveau; je vois de la fatigue et du désespoir dans ses yeux. Il ôte ses lunettes.

« Votre âge? Votre famille?

— Je suis né à Zacapa, République du Guatemala, le 18 janvier 1908. » Une ride légère se dessine sur son front. « Mon père s'appelle

Ricardo Castañeda Paz, il est militaire retraité et depuis six mois il souffre de rhumatismes. Mon frère Gustavo, un jeune homme de dix-neuf ans, prépare actuellement ses examens de troisième année à la faculté de médecine et de chirurgie du Guatemala. Mon autre frère, Ricardo Castañeda, termine ses études de médecin chirurgien, à l'université de Munich, en Allemagne.

– Vos études?

– J'ai suivi le primaire à l'école des enfants de troupe du Guatemala. J'ai obtenu mon baccalauréat au lycée national d'Oriente, à Chiquimula; j'ai commencé mes études de droit à l'université San Carlos Borromeo, et je les ai terminées ici, à León, où j'ai obtenu mon titre d'avocat le 21 février de cette année 1933.

– Votre vie publique?

– J'ai exercé la charge de chef de cabinet au ministère de l'Éducation nationale, au Guatemala, en 1926; et ensuite j'ai occupé, la même année, le poste de vice-ministre dans le même ministère.

– Vous voulez dire que vous avez fait partie du cabinet du Gouvernement suprême du Guatemala à dix-huit ans? »

Il me regarde, surpris, comme si je lui avais demandé une sottise. Mais bientôt il me sourit avec bienveillance et il répond :

« Oui, effectivement. Et quelques années plus tard je suis entré dans le service diplomatique. En 1929 j'ai été envoyé comme attaché à la légation du Guatemala au Costa Rica; et à la fin de la même année on m'a envoyé comme secrétaire de la légation au Nicaragua. Depuis cette époque j'éprouve une affection particulière pour ce pays.

– Avez-vous connu, au Costa Rica, le jeune Rafael Ubico? »

La sévérité et la méfiance se marquent à la fois sur son visage. Ses doigts tambourinent sur la surface mal dégrossie de la table.

« Parfaitement. Il est décédé le 22 novembre 1929 à San José, alors qu'il était secrétaire de la légation, dont j'étais, comme je vous l'ai déjà dit, l'attaché. Nous étions devenus des amis intimes.

– Quelle est la cause de sa mort? »

Son regard se fait plus inquiet; ses gestes plus saccadés et plus impatients.

« Le diagnostic unanime des médecins qui l'ont suivi a été: " déficience rénale en raison d'une intoxication alcoolique ". Mon ami, le jeune Ubico, vivait à la Pension allemande, près de la Poste centrale, place de l'Artillerie; moi je vivais ailleurs, à la Pension de Nice, sur le flanc oriental de l'Édifice métallique, près du parc Morazán.

« La veille au soir de la mort d'Ubico on avait fêté à San José le mariage de Mlle Lilly Rohrmoser » (avec complaisance le Dr Castañeda m'aide à écrire ce nom de famille sur mon cahier) « avec don Guillermo Bargas Facio, et cette noce avait constitué un événement mondain sans précédent dans la haute société de San José, en raison de sa splendeur.

– Avez-vous assisté à cette fête ?

– Moi, non, mais Ubico y était ; il y a vidé d'innombrables verres, comme il en avait malheureusement l'habitude. Vers trois heures du matin, un groupe d'amis l'a emmené se coucher dans sa chambre de la Pension allemande, après l'avoir laissé se reposer pendant une heure dans un des salons de la maison de la fiancée, où se tenait la fête. Il a fallu, sur place, lui administrer divers médicaments afin de dissiper son ivresse.

– L'avez-vous aidé, par la suite ? »

Une ombre traverse son regard et d'un geste de la main il tente de l'écarter, comme s'il s'agissait d'une grosse mouche importune.

« Je me suis porté à son secours comme l'ami que j'étais pour lui, vers neuf heures du matin. J'ai été appelé au téléphone par une servante de la Pension allemande, de la part du jeune Ubico, qui réclamait ma présence près de lui ; j'ai constaté son état de prostration et, après avoir téléphoné au médecin guatémaltèque le Dr Pedro Hurtado Peña, je me suis rendu à la légation pour aller chercher l'ambassadeur, le Licenciado Alfredo Skinner Klee. Celui-ci est arrivé et c'est en sa présence que le médecin a déclaré que le cas était extrêmement grave, étant donné l'état de faiblesse du malade. Un autre médecin, le Dr Mariano Figueres, appelé par la pension, s'est présenté à son tour et a émis le même diagnostic.

– Pardonnez ma question, mais lui avez-vous administré un médicament ?

– Ubico avait l'habitude de prendre, quand son organisme était perturbé par l'alcool, un remède homologué appelé Liqueur de Zeller, qui est un sel. Comme il ne ressentait aucun soulagement et que le Dr Hurtado Peña tardait à venir, il m'a demandé d'aller à la pharmacie lui acheter du bicarbonate de soude. Sur le conseil du pharmacien je lui ai apporté du Bromo-Seltzer. Ça ne lui a pas produit d'effet non plus. Les médecins lui ont fait des piqûres et des lavements. Tout a été inutile.

– Et après le décès d'Ubico ?

– M. l'Ambassadeur Skinner Klee a demandé qu'on pratique sur lui une autopsie et un examen du liquide provenant des viscères, et qu'on procède à une analyse des médicaments qui avaient été administrés au défunt.

– Pourquoi toutes ces précautions ? Soupçonnait-on l'intervention d'une main criminelle dans sa mort ? »

Le jeune avocat a remis précautionneusement ses lunettes et le regard triste qu'il me lance semble empreint d'un peu de pitié.

« Parce que cela est de rigueur, d'après le règlement diplomatique du Guatemala, qui oblige à procéder ainsi dans de tels cas.

– Et quel a été le résultat de ces recherches scientifiques?

– Le chef du laboratoire national du Costa Rica, M. Gaston Michaud, a joint son rapport officiel au dossier des recherches qui ont été menées : au terme de l'analyse rigoureuse à laquelle viscères et liquides ont été soumis, on a constaté que ces matières ne contenaient aucune substance toxique. On doit en dire de même pour les médicaments. »

L'ombre de la nuit est désormais tombée. Une ampoule solitaire brille au plafond de la cellule, pendant à un fil électrique. Quelques instants plus tôt l'accusé s'est levé pour l'allumer.

« Est-ce la première interview que vous accordez à la presse?

– Oui. C'est la première fois que je peux m'exprimer, j'ai été maintenu pendant une semaine dans un isolement total, tandis qu'on a dit de moi dans les journaux tout ce qu'on a voulu, sans la moindre preuve. Je vous remercie, monsieur Usulutlán, de la chance que vous m'offrez de faire ces déclarations qui vont quelque peu rassurer mes nombreux amis, qui doivent savoir que ma conscience est aussi pure que le cristal.

– Connaissez-vous les motifs de votre emprisonnement? »

Énergiquement, bouillant d'indignation, l'accusé arpente la pièce exiguë.

« J'ai été arrêté sur l'ordre de M. le Chef de la Garde nationale, le général Anastasio Somoza. Mais ce n'est qu'aujourd'hui qu'on m'a notifié mon mandat d'arrêt de la part de l'autorité judiciaire compétente, ce qui ne fait que confirmer l'illégalité de la procédure. »

Mon interlocuteur ne répond pas directement à ma question. Je ne voudrais pas le brusquer, mais le devoir journalistique s'impose et je m'exécute.

« Avez-vous eu connaissance des versions qui circulent sur la mort de votre épouse Marta? »

Arrêtant sa déambulation, il revient à son siège où il semble s'effondrer, écrasé par un chagrin immense.

« Oui, hélas, je les connais. Mon épouse était d'une santé très fragile, elle souffrait fréquemment d'hémorragies cataméniales et ici, malheureusement, elle a contracté une grave affection paludéenne. J'ai demandé à M. le Juge d'instruction de bien vouloir faire procéder à l'exhumation du cadavre de mon épouse, si douloureux que cela soit pour moi, dans le but de prouver une fois pour toutes qu'elle n'est pas morte empoisonnée, mais, comme les médecins qui l'ont assistée l'ont confirmé à l'époque, qu'elle est décédée des suites d'une attaque de fièvre maligne. Tous ces bruits blessent ma sensibilité à un point que vous ne pouvez pas imaginer; et on peut dire la même chose des versions qu'avec une cruauté et une malveillance inouïe on a fait courir sur le décès, qu'à mon avis on n'a pas assez pleuré, de Mlle Mathilde Contreras. Le cadavre de Mlle Contreras doit être exhumé lui aussi. »

A présent l'accusé croise les bras sur sa poitrine, lève le menton comme s'il voulait me défier, et pas seulement moi mais toute la bonne société. Cette société brillante qui jadis le fêtait et qui aujourd'hui se retourne contre lui.

« Vous avez vous-même fait mention de la mort de Mlle Mathilde Contreras. Les autorités judiciaires sont également en train de déterminer si elle est morte empoisonnée, compte tenu des circonstances brutales de son décès. Qu'avez-vous à dire ? »

Les larmes montent aux yeux de l'accusé. Il les essuie d'un revers de doigt, à défaut d'avoir un mouchoir à sa disposition.

« Soyez assuré que si j'étais en liberté, je m'attacherais avec la plus ferme détermination à me défendre de ces calomnies infâmes. La petite Mathilde a été pour moi le creuset de toutes les vertus, un filon inépuisable de bontés et d'enchantements. Par malheur il a fallu qu'elle disparaisse, comme mon épouse, à la fleur de l'âge, frappées toutes les deux par le même mal, par cette fièvre maligne. Étant donné l'affection et l'estime qu'elle me dispensait, elle doit souffrir, depuis l'au-delà, en constatant la situation où je me trouve, par la faute d'insinuations malveillantes et d'ignobles calomnies. »

Nouvelle pause. L'accusé semble troublé par ses souvenirs, comme si les ombres de sa vie écoulée se promenaient main dans la main dans cette triste cellule et venaient donner l'aubade à sa solitude. Il pressent ce que je vais lui demander maintenant et il me jette un regard abattu.

« Vous vous retrouvez en prison à la suite du décès brutal de M. Carmen Contreras, dont vous partagiez le toit en qualité d'hôte de cette famille aujourd'hui affligée. Qu'avez-vous à répondre à nos lecteurs ?

– La mort inattendue de don Carmen a été pour moi un motif de douleur sincère et profonde. Il s'est toujours montré bienveillant à mon égard, et je m'honore de me compter parmi ceux qui ont pu, de son vivant, se targuer d'être ses amis, qu'il a toujours choisis selon des critères très rigoureux.

– Avez-vous donné de la nourriture ou des médicaments à don Carmen le jour de sa mort ?

– Jamais. Que ses familiers disent s'ils ont le moindre soupçon sur la droiture de ma conduite. J'en appelle à doña Flora, sa veuve inconsolable, pour corroborer mes affirmations. Ce sont les gens de la famille et les domestiques qui servaient dans la salle à manger. Don Carmen s'administrait ses médicaments lui-même et il s'occupait de les ranger. Quelles raisons avais-je de lui donner des remèdes ? Je n'ai jamais non plus donné d'aliments à Mathilde, comme mes accusateurs sans preuves s'acharnent à l'affirmer. Imaginez qu'ils prétendent que je lui ai fait manger une cuisse de poulet empoisonnée à la strychnine. Je les défie d'approcher leurs langues de vipère d'une cuisse de poulet ainsi empoisonnée pour qu'ils constatent leur fourberie et leur ignorance.

– Les prélèvements pratiqués sur les viscères du cadavre de don Carmen par le laboratoire de la faculté de pharmacie de l'université ont démontré qu'il est mort empoisonné. Les animaux à qui on a injecté des substances provenant de ses organes ont trépassé après de violentes convulsions. Considérez-vous ces résultats comme probants ? »

Un faible sourire, d'où le sarcasme n'est pas absent, se dessine sur les lèvres décolorées de l'accusé.

« On peut faire bien des objections à de tels procédés et, quoique je n'aie aucune formation scientifique, les lacunes sautent aux yeux. Ces expériences sont dérisoires, même pour un profane en la matière. Dans le laboratoire de la faculté de pharmacie les étudiants fabriquent, sous la direction de leurs professeurs, des sirops et des brillantines parfumées. Voilà le niveau scientifique auquel on se situe. Et comment voulez-vous que j'accepte comme preuve à charge, même si ce n'était pas moi qui étais visé, l'assassinat d'un chien errant, d'un chat de gouttière ou d'une pauvre grenouille, tel qu'il a été pratiqué avec tous ces flonflons dans ce laboratoire ?

– Vous avez parlé de l'exhumation des cadavres de votre épouse et de Mlle Mathilde Contreras, et vous vous déclarez favorable à une telle opération. Une fois les corps déterrés et l'autopsie pratiquée, croyez-vous que les examens scientifiques doivent se faire à León ? Ou bien suggérez-vous que les viscères soient transportés dans des laboratoires de la capitale ?

– Ce n'est pas à moi de prendre cette décision mais au juge de cette affaire. Mais notez-la, monsieur le reporter, comme une idée non négligeable. Il est évident que dans la capitale on peut tabler sur des moyens plus appropriés et plus sérieux, et au moins on épargnerait ainsi la vie d'autres malheureux animaux, qui mourront à coup sûr si on leur injecte des substances en provenance d'un cadavre en décomposition. »

Malgré la pugnacité de ses remarques, il a l'air exténué, sans forces. Cependant il faut aborder d'autres sujets ; je le lui propose, il accepte.

« Pardonnez-moi : après la mort de Marta, votre épouse, vous avez quitté le Nicaragua, soi-disant pour toujours. Comment expliquer alors votre retour, si rien ne vous retenait ici ? »

Il a un sourire mélancolique.

« Je suis revenu avec l'intention de rassembler les matériaux pour le livre *Nicaragua, 1934,* tâche entreprise en collaboration avec M. Miguel Barnet, de nationalité cubaine, et expert en matière éditoriale. Il s'agit d'un annuaire contenant des informations sociales et économiques, diverses statistiques et des photographies ; et pour recueillir la documentation nécessaire nous nous proposions de parcourir les différentes régions du pays. Les projets de contrat et l'acte de société correspondant, de même que les lettres commerciales concernant cette affaire, se trouvent parmi les biens qui m'ont été confisqués.

– Et pourquoi avez-vous dû revenir loger chez la famille Contreras ?

– Pour répondre à l'extrême courtoisie de cette même famille. Doña Flora m'en a supplié, quand j'ai eu le bonheur de l'accompagner, elle et sa fille María del Pilar, alors qu'elles rentraient toutes deux du Costa Rica dans les derniers jours de septembre de cette année, car nous nous sommes retrouvés sur le même vapeur.

– Et que faisiez-vous au Costa Rica ? Aviez-vous une raison particulière de résider dans ce pays ? »

Le jeune prisonnier semble réagir sous l'action d'un léger courant interne, qui fait tressaillir son corps. Mais il sait parfaitement contenir ses émotions.

« Je dois vous le dire, pour que tout soit bien clair, j'y suis allé parce qu'on m'avait expulsé du Guatemala pour des raisons politiques et on ne m'a accordé de visa que pour ce pays. Ma rencontre avec doña Flora et sa fille à San José, où elles séjournaient elles aussi, est totalement due au hasard. Un hasard très agréable. Je voudrais d'ailleurs couper court à certaines interprétations fantaisistes qui n'hésitent pas à invoquer des motivations d'un autre genre. Autant de ragots absurdes.

– Et une fois à León, qu'est-ce qui vous a empêché de commencer vos visites aux différentes régions, comme vous l'aviez projeté ?

– La requête de don Carmen lui-même, qui avait tout intérêt à mener à bon terme le contrat de la Compagnie métropolitaine des eaux, un véritable casse-tête pour lui depuis des mois. Devant sa famille il m'a demandé de ne pas quitter León et de m'occuper de ces démarches, étant donné mes bons rapports avec les conseillers municipaux qui devaient approuver ce contrat.

« La municipalité de León et le peuple sont témoins de la loyauté de mes démarches, en tant qu'avocat et ami de M. Contreras, afin d'obtenir la signature d'un contrat que tout le monde n'approuvait pas. Il m'a fallu prolonger mon séjour à León, car à la mort de sa fille Mathilde don Carmen m'a redemandé de ne pas partir, étant donné qu'il était dans un tel état d'affliction et de tristesse qu'il était moins que jamais question pour lui de s'occuper de l'affaire de la Compagnie des eaux; affaire qu'il souhaitait laisser, à plus forte raison maintenant, totalement entre mes mains. »

Le temps s'écoule impitoyablement et votre serviteur, lecteurs, qui a presque rempli sa délicate mission, se voit dans l'obligation de poser ses dernières questions.

« A quoi attribuez-vous la malencontreuse situation où vous vous retrouvez aujourd'hui ? Vous qui avez toujours joui de la plus grande estime dans cette ville.

— A la malice et à l'habileté de ceux qui, par envie, s'acharnent à déshonorer mon nom, en se prêtant aux machinations perverses du tyran qui opprime ma patrie, le Guatelama. Il a le bras long, je suis son ennemi ; et il sait récompenser avec largesse ceux qui l'aident fidèlement à commettre ses forfaitures. Ces gens s'offusquent de me voir, moi, un étranger, briller plus qu'ils ne pourront jamais eux-mêmes y prétendre. Ils ne peuvent accepter que j'aie reçu tant de marques de considération et de sympathie dans les cercles les plus huppés de cette noble cité, sans avoir eu l'honneur d'y naître. Et ils aiguisent avec délectation le couteau de l'autocrate. »

La question que je dois maintenant lui poser est délicate, épineuse. Sans plus attendre, je la lui assène à brûle-pourpoint.

« Vous êtes-vous rendu compte que vous jouez votre vie dans ce procès ? »

L'inculpé me toise avec hauteur. Il ajuste ses lunettes d'un geste ferme et assuré.

« On ne joue pas seulement avec ma vie. On joue avec la justice, en accumulant les scandales. Tout d'abord on m'emprisonne, sans motif légal, et on me notifie tardivement mon mandat d'arrêt ; ensuite on me prive de mon droit inaliénable de me défendre, car on suit des procédures où je devrais, en tant qu'inculpé, être présent ; et on prend des dépositions dans mon dos. Personne ne m'a non plus formelle-ment accusé pour les prétendus délits qu'on m'impute.

« Mais sachez bien que je ne tremble pas le moins du monde quand je pense que ces affabulations pourront me mener à l'échafaud. S'il en est ainsi, j'irai la conscience tranquille, en bénissant doña Flora et sa famille, pour qui je ne nourris que de la gratitude. María del Pilar et elle ont tenté d'alléger par leurs égards les inconvénients de ma réclusion dans cette cellule ; et ce n'est que parce que les autorités de la prison les en ont empêchées qu'elles ont cessé de m'envoyer de la nourriture et d'autres choses nécessaires à mon hygiène et à mon confort. Croyez bien que ce qui m'afflige véritablement c'est d'être harcelé par la calomnie ; et que cette calomnie et cette goujaterie viennent de mes propres amis de jadis, de mes propres compagnons d'études.

— Comptez-vous le juge de cette affaire parmi ces anciens amis qui à présent agissent de la sorte ?

— M. le Juge, le Dr Mariano Fiallos, a été mon condisciple à la faculté de droit. Mais pardonnez-moi de préférer laisser cette ques-tion sans réponse, en ce qui le concerne. Ou plutôt, c'est la conscience du juge qui doit répondre.

— Comment allez-vous organiser votre défense ? »

En entendant le mot « défense », le Dr Castañeda ne peut esquiver un sourire méprisant.

« Je vous ai déjà indiqué que jusqu'à présent on m'a refusé tout droit de me défendre. Mais j'attends qu'on m'accuse formellement, si tant est que quelqu'un s'y risque, pour réclamer avec la plus grande énergie d'assumer moi-même ma défense. Je le ferai personnellement, si finalement on m'en offre la possibilité, bien que de nombreux avocats célèbres, y compris de Managua, m'aient fait déjà parvenir, jusque dans cette cellule, des offres d'assistance légale. »

Depuis l'obscurité du couloir, le capitaine Ortiz me signifie que j'ai dépassé de beaucoup le temps qui m'avait été imparti et que, par conséquent, l'interview doit s'achever. J'en fais part à mon malheureux interlocuteur et je me prépare à prendre congé.

« Avez-vous quelque chose à ajouter, docteur Castañeda?

– A travers vous, monsieur Usulutlán, je recommande à la presse du pays de traiter cette affaire avec toute la sérénité et la pondération possibles. Et de tenir compte de ma qualité sacrée d'accusé.

– Vous pouvez y compter. Au revoir, docteur Castañeda. »

Je laisse derrière moi, plongée dans les ténèbres de la nuit, la sinistre prison XXI, derrière les murs de laquelle nous n'aimerions, ni vous cher lecteur, ni moi, nous retrouver un jour enfermés.

4

L'amour n'apparaît qu'une seule fois dans la vie

Sur réquisition du premier juge d'instruction de León, à onze heures du matin, le 11 octobre 1933, on procède à la confiscation des bagages d'Oliverio Castañeda, dans le logement qu'il partageait avec don Carmen Contreras. L'acte d'inventaire, dressé sur place, avant que les bagages ne soient transférés et déposés au tribunal, révèle le contenu suivant :

a) un coffre de voyage, de grande taille et de facture métallique, qui, après ouverture, s'avère renfermer : des journaux, de dates différentes, publiés au Guatemala, au Costa Rica et au Nicaragua ; des livres concernant la profession d'avocat ; des liasses de correspondance personnelle ; des contrats ; des reçus ; des factures acquittées et divers documents comptables ; des poésies tapées à la machine, portant la signature de l'accusé et traitant de thèmes variés ; un travail inachevé, également à la machine, intitulé : « Les maux économiques de l'Amérique centrale et leurs remèdes », dont l'auteur est toujours l'accusé, et des matériaux prêts à être donnés à l'imprimerie, eux aussi tapés à la machine et contenus dans une chemise sur laquelle était inscrit à la main en lettres gothiques : « Couronne funèbre pour Mlle Mathilde Contreras, un hommage de ceux qui la pleurent » ;

b) une grande valise en carton-pâte, contenant des vêtements d'usage personnel : pantalons, vestes et gilets de cachemire anglais, tous de couleur noire, ainsi qu'un smoking de la même couleur, avec sa ceinture de soie ;

c) une valise moyenne, en fibre tressée, contenant du linge de corps d'usage personnel, ainsi que des chemises, des cols et des poignets amovibles de bakélite ; des nœuds papillons et des bretelles élastiques ;

d) une machine à écrire portative, de marque Remington, dans son étui, dont la serrure du couvercle est endommagée ;

e) un phonographe à manivelle, de marque Victor, lui aussi dans son étui;

f) une malle de bois, au couvercle décoré de volcans et d'un lac peints à la main, contenant des chapeaux de feutre, de couleur noire, des cannes et des souliers, ainsi que différents instruments de toilette, tels que pots de talc, fioles de brillantine et flacons d'eau de Cologne.

A l'intérieur de cette même malle on trouve un cylindre de fer-blanc et à l'intérieur du cylindre les diplômes professionnels d'avocat et de notaire du suspect; un exemplaire du livre *Manuel de l'étiquette et du cérémonial diplomatique*, sans nom d'auteur, imprimé à Madrid en 1912; et un Code de droit criminel, portant le cachet de la Bibliothèque centrale de l'université de León, lequel, une fois examiné, lui est restitué.

On découvre également dans ladite malle deux disques de gramophone, de marque Peerless, l'un avec les morceaux suivants: « L'amour n'apparaît qu'une seule fois dans la vie » (valse) et « Ridge Moon » (blues); et l'autre avec les compositions suivantes: « Douce Jenny Lee » (blues) et « Sing you Sinners » (fox-trot).

Entre les pages du code on trouve une lettre, sans signature ni destinataire, écrite au crayon sur deux feuilles de papier ordinaire, du type de celui qu'on utilise pour envelopper des marchandises, et dont la partie supérieure du premier feuillet avait été mutilée par la vermine. Une fois terminé l'examen des bagages, le juge ordonne d'ajouter la lettre aux dossiers du procès. C'est là que nous pouvons la lire:

...où aboutit celle qui a été si fière. Je vous avoue qu'il y a deux mois j'ai cru que c'était M. P. qui vous intéressait. Quelque chose dans sa conduite à votre égard me faisait craindre (je dis craindre car elle sentait que j'avais compris qu'elle vous aimait) qu'il n'y ait eu quelque chose entre vous, car avec les gens elle est fière et distante, et vous êtes la seule exception. Ne vous fâchez pas, mon petit amour, mais dites-moi ce que je voulais savoir. M. P. vous plaisait-elle et si c'était elle qui vous plaisait, pourquoi avez-vous changé d'avis? Dites-moi ce qui vous a fait changer? Vous n'avez pas idée des doutes qui me tenaillent parfois, mon cher amour, je dois vous le dire car parfois je me sens très seule et j'aimerais te prendre dans mes bras et te sentir tout près. Depuis quand m'aimez-vous? Et pourquoi? Je suis affligée à la pensée que peut-être vous n'avez pas assez réfléchi et que vous allez bientôt vous en repentir. J'en suis toute retournée car mon plus grand espoir est que nous puissions vivre à jamais ensemble, je te comprends mal, mon amour, mais tu ne laisses rien deviner de toi. J'ai l'impression que puisque je t'ai déjà donné tout ce que je pouvais te donner, je ne te fais plus rêver. Pardonne-moi, mais il faut que tu saches tout ce que je ressens, mes craintes et l'immensité de mon amour. Est-ce moi que tu aimes? Je sais que les hommes ont plaisir à avoir plusieurs femmes. Si un jour tu es convaincu que tu m'aimes moins qu'une autre femme, dis-le-moi, ce sera dur mais préférable à la tromperie. Mon amour, je t'aime, j'aimerais que tu sentes tout l'amour que j'ai pour toi. Mon petit amour, j'ai peur [ici quatre mots incompréhensibles]. Je souffre de beaucoup de choses que je veux que tu me dises avec sincérité, par moments j'ai très mal, à cause des idées qui me passent par la tête. Je t'aime beaucoup, plus que quiconque, je n'avais jamais rien ressenti de pareil. Pourquoi es-tu venu vers moi? Pourquoi es-tu apparu ici? Et toi qui ne me fais pas confiance. Je ne sais jamais ce que tu ressens, ce qui t'arrive. Je ne peux ni te consoler ni [ici un mot incompréhensible]. Est-ce parce que je suis idiote, laide et que je ne te mérite pas? Écoute, même [ici cinq mots incompréhensibles]. Maintenant je sais jouer au piano l'air que tu aimes, l'amour n'apparaît qu'une seule fois dans la vie. C'est la vérité? Ou bien cet amour, c'est M. P.? Je meurs d'angoisse, mon cher amour.

Oliverio Castañeda, une fois formellement inculpé pour les délits de parricide et d'assassinat aggravé, d'après le mandat d'arrêt délivré contre lui le 28 novembre 1933, comparut le premier décembre pour faire sa déposition à charge. Au cours du long interrogatoire, qui occupa presque toute la journée, le dialogue suivant s'établit entre le juge et l'accusé :

LE JUGE : Il vous est présenté une lettre écrite au crayon, sur du papier de mauvaise qualité, du type papier d'emballage, sans signature ni adresse d'aucune sorte, trouvée à l'intérieur d'un livre dans une malle faisant partie de vos bagages, et dont par conséquent je dois présumer qu'elle vous a été adressée. Dans cette lettre, une femme se montre jalouse d'une tierce personne identifiée par les initiales M. P.

Considérant que ladite lettre mentionne dans son dernier paragraphe la valse « L'amour n'apparaît qu'une seule fois dans la vie »; considérant que parmi les disques vous appartenant et confisqués dans vos bagages en figure un qui contient précisément ce morceau; et considérant que Mlle Mathilde Contreras jouait du piano, je dois présumer qu'elle est l'auteur du message anonyme, reçu par vous à une date vraisemblablement rapprochée et postérieure au décès de votre épouse, Marta Jerez de Castañeda, puisqu'on ne la cite pas une seule fois.

Par ailleurs, de certaines des dépositions enregistrées au cours de l'instruction on déduit que vous courtisiez les deux sœurs Contreras. Mlle María del Pilar Contreras elle-même, dans sa déposition du 12 novembre 1933, affirme que vous aviez à son égard des « attentions particulières »; mais surtout, la déposition du 17 octobre 1933, faite par Me Octavio Oviedo y Reyes, un de vos amis intimes, révèle que vous lui avez montré, autour du mois de janvier 1933, dans les jours qui ont précédé la mort de votre épouse, un autre message, écrit par María del Pilar Contreras et adressé également à vous-même, rédigé en des termes qui ne s'emploient qu'entre amoureux.

En raison de tout ce qui précède, je dois conclure, et vous devez l'accepter, que la lettre que je place devant vos yeux pour que vous l'examiniez et confirmiez mes dires, vous a été adressée par Mathilde Contreras; et que la personne qu'elle mentionne sous les initiales M. P. n'est autre que sa sœur María del Pilar, dont elle est jalouse. Elles vous écrivaient toutes deux des lettres d'amour et vous attisiez cette rivalité pour servir vos fins.

L'ACCUSÉ : Il s'agit, dans le premier cas, d'une lettre sans adresse ni signature aucune, comme vous l'indiquez vous-même, et dont le sens est totalement confus. Les initiales M. P. ne signifient rien, car elles peuvent désigner un nombre infini de personnes. Pourquoi, alors, devraient-elles correspondre à celles de Mlle María del Pilar Contreras? Et sur quoi vous appuyez-vous pour déduire que l'auteur de cette lettre, écrite sur du papier qui ne peut servir que d'emballage, dépourvue de toute authenticité et de toute valeur probante, car elle est informelle, elle ne provient de nulle part et n'est adressée à personne, est l'aimable demoiselle Mathilde Contreras, dont la mémoire mérite ma vénération?

Il est vrai que parmi les mille vertus dont elle était parée, il y avait sa façon exquise de jouer du piano; mais j'ai connu au cours de mon existence, ici et dans bien d'autres endroits, une infinité de femmes qui avaient reçu la même éducation. Et si à l'occasion quelqu'un l'a entendue interpréter sur le clavier la valse « L'amour n'apparaît qu'une seule fois dans la vie », et sur ce point je devance, monsieur le Juge, la médisance qui s'est donné pour tâche de me harceler, c'est parce qu'elle a dû l'apprendre à la radio, puisque la station « Le Franc » diffuse très souvent cet enregistrement.

Et en ce qui concerne l'affirmation de mon ami et fidèle compagnon d'études, le Dr Octavio Oviedo y Reyes, je dois présumer en ce qui me concerne qu'il s'agit d'une confusion dans ses souvenirs et qu'il n'a pas l'intention de me faire du tort, ni de porter préjudice à la réputation de María del Pilar.

LE JUGE : Selon toutes les évidences réunies sous mon autorité au cours de l'instruction, vous aviez un plan préconçu, de caractère criminel, qui ne s'achèverait que lorsque la plus jeune des filles du couple Contreras Guardia, María del Pilar, se retrouverait à votre merci et que vous pourriez sans encombre la prendre pour épouse. Ainsi vous deviez vous emparer de la fortune de don Carmen, ce qui était l'objectif que vous vous étiez fixé. C'est pour cette raison que vous avez d'abord éliminé votre épouse, Marta Jerez, le 1er février 1933, pour être libre de vous remarier; ensuite vous avez éliminé Mathilde Contreras, le 2 octobre 1933, car elle constituait un obstacle sentimental à vos plans. Et la chaîne de vos crimes a été interrompue par la justice lorsque survint la mort de don Carmen, le 9 octobre 1933. Il vous fallait éliminer don Carmen, car, comme vous l'avez affirmé vous-même, il n'était pas homme à confier ses affaires à qui que ce soit. Votre prochaine victime était sans aucun doute doña Flora, étant donné que vous aviez réussi à éloigner au Costa Rica le fils de la famille, Carmen Contreras Guardia, au moyen d'habiles machinations.

L'ACCUSÉ : Ce plan supposé ne résiste pas à une analyse sereine et impartiale fondée sur les faits. Si l'ambition que vous m'attribuez est d'ordre économique, sachez tous qu'à lui seul l'héritage de mon épouse, avec laquelle je n'ai pas réussi à procréer d'enfants en raison de son décès prématuré, à la fleur de l'âge, est cinq fois supérieur à tout ce que peut posséder l'ensemble de la famille Contreras, y compris les biens du père de don Carmen et ceux de tous ses frères et autres parents. La mère de mon épouse, doña Cristina, veuve Jerez, est propriétaire au Guatemala des plantations de café suivantes, dont la liste n'est pas close car je cite de mémoire : Chojojá, Salajaché, La Trinidad, Argentina, toutes situées à Mazatenango et produisant plus de six mille fanègues de café; de quatre des plus belles demeures au centre de Mazatenango et de l'hôtel particulier situé sur la Troisième

Avenue Sud de la ville de Guatemala ; sans parler de solides comptes en banque, de valeurs et d'actions. De sorte que, compte tenu de mon ambition, étant marié à une femme fortunée, de surcroît pieuse et serviable, dotée de tant d'attraits physiques, pourquoi allais-je lui ôter la vie ?

En outre, si j'étais ce bandit qu'on veut faire de moi au prix de tous ces artifices, sans que personne prenne la peine de songer à ma position sociale, à mon origine familiale, à mes sentiments d'homme profondément honnête ou à ma culture ; si j'étais ce criminel qu'on dit capable de faire commerce de la vie humaine, la justice devrait m'accorder au moins le degré d'intelligence indispensable à la préparation d'une manœuvre dépourvue de tout risque, comme j'aurais pu le faire en demandant à ma femme de souscrire une juteuse police d'assurance sur la vie en dollars et en me retirant après avoir commis ce crime bestial dans un endroit quelconque d'Amérique centrale, où le seul témoin de mon ignoble forfait aurait été Dieu.

LE JUGE : Le Dr Octavio Oviedo y Reyes, dans sa déposition en tant que témoin que j'ai déjà citée, explique que le papier signé par María del Pilar Contreras, que vous lui avez montré, disait à un de ses paragraphes, si sa mémoire est bonne :

« Mon amour : l'amour n'apparaît qu'une seule fois dans la vie. Souviens-toi de moi quand tu seras tout seul et mets sur ton phono notre chanson à tous deux. Fais-le également même si l'autre est là et qu'elle sache la jouer au piano, ce qui n'est pas mon cas. »

Bien qu'à la date où vous avez montré ce billet à votre ami intime le Dr Oviedo, votre épouse Marta Jerez fût encore vivante, je dois comprendre que cette « autre » qui savait jouer du piano était Mathilde Contreras. Ou bien s'agissait-il de María del Pilar faisant allusion à votre épouse ?

L'ACCUSÉ : Il me faut surmonter le dégoût que m'inspire l'évocation, dans les circonstances présentes, de ces deux êtres de pureté que furent mon épouse et Mlle Mathilde Contreras, qui jouissent aujourd'hui de la paix des élus, pour repousser, avec toute la force virile dont je suis capable, de telles imbécillités.

Cette fausse citation, tirée d'un billet qui n'a jamais existé, est due, je le répète, à une trahison de la mémoire du Dr Oviedo y Reyes, car je n'ose pas songer à une atteinte délibérée de sa part contre notre amitié.

Et en ce qui concerne les deux respectables demoiselles Contreras, je dois vous dire qu'elles ont toujours eu la même transparence à mes yeux et le même prestige dans mon estime. Et ce n'est que parce j'y suis contraint, victime d'un procès injuste, que je dois mettre dans la balance de votre jugement un critère qui lui aussi me répugne : Ne serait-il pas logique de m'attribuer pour le moins, puisqu'on me juge capable d'extravagantes machinations, un esprit de sélection pratique ? Si j'étais ce criminel qu'imaginent ceux qui, comme vous, m'accusent ; si j'avais courtisé en même temps les deux sœurs et si j'avais décidé, poussé par des penchants malsains, de n'en garder qu'une, n'aurait-il pas mieux valu pour moi éliminer María del Pilar, une jeune fille d'à peine quinze ans, et garder Mathilde, une des jeunes femmes les plus cultivées et les plus instruites du Nicaragua, qui avait fait ses études aux États-Unis, parlait l'anglais à la perfection et était une pianiste consommée. Ainsi mon ambition de devenir riche au prix d'un crime se serait vue plus sûrement récompensée en épousant une femme un peu plus jeune que moi, plutôt qu'une gamine, si séduisante fût-elle.

Quelques jours plus tard, le 6 décembre 1933, Oliverio Castañeda produisit un long et étonnant document où, entre autres choses, il contredisait catégoriquement les négations réitérées sur ses amours avec les sœurs Contreras contenues dans ses réponses à l'interrogatoire judiciaire cité plus haut; dans ce document, décisif pour le cours du procès et pour son propre sort, il reconnaissait que la lettre sans date ni signature trouvée entre les pages du code lui avait été adressée par Mathilde Contreras; et il demanda son examen par des experts graphologues.

Le juge dut se soumettre à cette requête, et le 12 décembre les experts Pedro Alvarado et Rafael Icaza firent valoir qu'après l'étude des caractéristiques graphiques de cette lettre, dûment comparées avec d'autres écrits de Mathilde Contreras, on pouvait conclure qu'elle en était bien l'auteur.

Dans ce même document, l'accusé reconnut l'existence du billet attribué à María del Pilar Contreras et mentionné par Oviedo la Baudruche dans sa déposition. Mais nous aurons amplement l'occasion de revenir plus tard sur ces lettres et missives sentimentales, et sur beaucoup d'autres.

Pour clore ce chapitre, précisons que le 25 octobre 1933 on procéda à l'exhumation des cadavres de Marta Castañeda et de Mathilde Contreras, enterrés dans le cimetière de Guadalupe. Nous reviendrons également sur cet épisode par la suite. Disons simplement pour le moment que le Dr Juan de Dios Darbishire, présent au cimetière pour certifier l'autopsie du cadavre de Mathilde Contreras en sa qualité de médecin de la famille, pratiqua de sa propre initiative un examen facultatif des organes génitaux de la victime; et qu'il demanda d'ajouter au rapport le témoignage qu'ils avaient été trouvés intacts. Ce qui fut fait.

5

Le jeune homme en deuil qui danse le fox-trot

Dans la soirée du 27 mars 1931, les sœurs Contreras ont sorti, comme d'habitude, les fauteuils d'osier à bascule sur le seuil de la porte à l'angle de chez elles; et, comme d'habitude, elles se sont attardées à s'habiller et à se pomponner devant leur miroir, même si ce n'est que pour s'asseoir sur le trottoir jusqu'à la tombée de la nuit et l'heure du dîner, comme le font d'autres jeunes filles sur d'autres seuils du voisinage, qui se balancent elles aussi avec indolence en regardant s'éloigner les passants. La chaleur est encore intense en cette journée d'été et tandis que des rafales de vent capricieuses soulèvent des brindilles et de la poussière au coin des rues, des vols d'oiseaux noirs claironnants vont se poser sur les arbres des cours voisines.

Mais ce jour-là la routine de leur réunion vespérale sur le trottoir a été rompue par un événement imprévu; tout en feignant de parcourir, joue contre joue, les pages du journal de mode *L'Idéal parisien* que leur mère vient de leur rapporter de la capitale avec d'autres revues, elles surveillent avec curiosité l'activité de l'autre côté de la rue. Un couple de nouveaux locataires est en train d'emménager dans une des chambres de l'*Hôtel Métropolitain.*

Devant le trottoir de l'hôtel les porteurs descendent d'une charrette attelée un ensemble de bagages : des malles, des valises, des boîtes en carton et un gramophone Victor dans son étui portatif. Un jeune homme aux manières enjouées et désinvoltes, portant le deuil, prend délicatement l'étui des mains d'un des porteurs pour aller le déposer, tout aussi précautionneusement, sur une petite table d'angle.

Du fond de leurs fauteuils à bascule elles le voient ouvrir le couvercle de l'étui; il donne un tour de manivelle au phonographe et en suivant la mesure d'une musique qu'on n'entend pas encore, il met un disque, le fox-trot « Sing you Sinners », qu'elles ont déjà entendu; et sans cesser de danser il va jusqu'au fond de la pièce où sa compagne, une jeune femme potelée et de petite taille, est occupée à sortir les vêtements de leurs malles.

Les sœurs se sentent rougir sans savoir pourquoi quand le jeune homme en deuil, une main levée et l'autre tendue vers la femme à la façon d'un escrimeur, la presse de venir danser. La jeune femme, qui porte encore les vêtements qu'elle avait à sa descente du train – cloche de feutre cachant sa chevelure, ample robe de percaline tombant à quelques centimètres au-dessus de ses sandales à talon moyen – commence par résister en souriant ; mais devant la démonstration et les invitations insistantes de l'homme, elle lâche la brassée de vêtements qu'elle tenait et elle le rejoint, en faisant entendre aux deux sœurs son rire chantant.

C'est ce soir-là qu'Oliveiro Castañeda et son épouse Marta Jerez arrivent à León, quelques jours avant le tremblement de terre du 31 mars qui détruisit la ville de Managua et en pleine occupation du pays par l'infanterie de marine des États-Unis. Leurs noms apparaissent consignés sur la liste des passagers en provenance du Guatemala qui étaient arrivés la veille sur l'aéroport de Xolotlan par le vol de la Panaire, liste publiée comme d'habitude par le journal *La Noticia* dans sa rubrique « Passagers qui vont, passagers qui viennent ».

Ils s'étaient mariés le 5 mars 1930, au cours d'une cérémonie religieuse célébrée à huit heures du soir dans l'église de la Merced, dans la ville de Guatemala. Marta, née à Mazatenango le 1er décembre 1913, n'avait pas encore dix-sept ans le jour de ses noces.

Oliverio Castañeda devait déclarer au juge, dans sa déposition faite le 11 octobre 1933, qu'il avait décidé de revenir au Nicaragua pour poursuivre ses études de droit, stimulé par le souvenir des innombrables amitiés qu'il avait engrangées pendant son premier séjour dans le pays, entre décembre 1929 et février 1930. Mais il s'agit d'un argument peu convaincant, comme devait le remarquer par la suite le Dr Atanasio Salmerón lors d'une séance de la table maudite, car ces amitiés avaient dû être nouées à Managua et non pas à León, où il n'avait jamais résidé auparavant.

La véritable raison de son départ forcé du Guatemala semble être plutôt en rapport avec un crime de sang. La nuit du 25 décembre 1930, alors qu'on fêtait Noël au Club social de Mazatenango, il avait blessé par balle un propriétaire terrien de San Francisco Zapotitlán, appelé Alfonso Ricci, qui, complètement ivre, s'était mis à uriner dans la salle de bal au milieu de la danse cubaine « Ojos relumbrones », interprétée par l'orchestre de marimba Ilusión Chapina.

Marta, scandalisée, poussa un cri, et devant la protestation énergique de Castañeda, Ricci répondit en orientant le jet d'urine vers le pantalon de l'époux offensé. Le grand propriétaire s'écroula au milieu du salon, la braguette encore ouverte, et Castañeda, au lieu de s'enfuir, attendit calmement, l'arme à la main, l'arrivée du chef de la police de Mazatenango, qui participait à la fête, pour se livrer. Il ne resta pas longtemps en prison, car le général Lázaro Chacón, alors Président du Guatemala, originaire de Zacapa et membre de sa famille, intervint en sa faveur; mais l'inimitié de Ricci représentait un danger pour lui.

Les deux sœurs qui, assises sur le seuil de chez elles, rougissent en voyant danser le couple au milieu des caisses ouvertes et des malles à moitié vides, ignorent qui sont ces nouveaux locataires de l'hôtel et ce qui les amène à León. Elles ont simplement appris qu'ils sont arrivés de la capitale par le train de quatre heures, dans le wagon de première classe où voyageait leur mère, car c'est elle qui les a informés; attirée par la musique, cette dernière est sortie quelques instants sur le seuil et elle a souri en les reconnaissant de loin.

Grâce à l'interview accordée au journaliste Rosalío Usulutlán dans sa cellule de la prison XXI et publiée dans *El Cronista* du 15 octobre 1933, nous savons déjà qu'Oliverio Castañeda est né à Zacapa le 21 janvier 1908 et qu'il est l'aîné de trois garçons. Cependant, il ne mentionne pas dans l'interview sa condition d'enfant illégitime, et Rosalío n'a rien osé lui demander à propos de sa mère, Luz Palacios, qu'il perdit quand il n'avait que quatorze ans. Les souffrances de sa longue agonie devaient le hanter à jamais dans ses rêves.

A la mort de leur mère, Oliverio et ses frères partirent vivre sous le toit de leur grand-mère, doña Luz Ursúa, veuve Palacios, hors du foyer de leur père, qui s'était remarié avec une autre femme. Il lui rendait régulièrement visite le midi en sortant de l'école, avoua-t-il un jour à Oviedo la Baudruche, et il le trouvait toujours en train de déjeuner dans la pénombre d'une salle à manger aux persiennes fermées, alors qu'au-dehors resplendissait la lumière de midi. Il traînait timidement ses bottines en entrant pour signaler sa présence, mais le vieux militaire ne daignait jamais relever la tête de son assiette de soupe; et il devait rester debout près de la table, sans oser s'asseoir.

Le père saisissait la louche pour se resservir de la soupe dans le récipient de porcelaine fumant et il continuait à s'entretenir avec son épouse, fouillant de temps à autre entre ses dents avec son ongle pour dénicher des fragments de viande qu'il examinait à contre-jour. Finalement, sans jamais le regarder, il posait une pièce sur la nappe. L'enfant la ramassait et partait.

Mais dans sa déposition sous serment du 11 octobre 1933, Castañeda affirme qu'il a pu vivre et faire ses études à León, tout en menant une vie modeste d'homme marié, grâce au virement de cent dollars mensuels que son père lui envoyait généreusement du Guatemala, somme qui devait descendre à trente dollars quand il se retrouverait veuf. Et nous connaissons également une demande d'aide qu'il lui adresse depuis la prison, le 21 octobre de cette même année, à son domicile, au numéro 46 de la 3ᵉ Rue Est de la ville de Guatemala.

Cher papa,

Après treize jours en prison, placé au secret et accusé d'avoir empoisonné notre Marta – les infâmes! –, Don Carmen Contreras et sa fille Mathilde – chez qui j'étais hébergé –, raison pour laquelle l'accusation demande par écrit aujourd'hui qu'on m'inflige la peine de mort; après d'innombrables calomnies suscitées par cette maudite politique, j'ai réussi à remettre cette lettre à un ami, mon associé cubain dans une entreprise que nous allions lancer ici, pour qu'il vous la fasse parvenir du Costa Rica, car il quitte à jamais ce pays et je ne lui jette pas la pierre.

Oui, papa, cette maudite politique. Exaspéré par mon expulsion du Guatemala, j'écrivis, au Costa Rica, à la demande des émigrés un article contre Ubico dans *La República* que j'intitulai : « Un Napoléon d'opérette »; je me repens aujourd'hui de m'être laissé entraîner. A peine arrivé ici, je vois apparaître le général Correa, l'envoyé d'Ubico, qui propose la construction d'un hospice de charité pour les vieillards dans le besoin, à condition que cet asile porte le nom du « bienfaiteur ». Je m'y suis opposé dans un article paru dans *El Cronista,* que j'ai intitulé « Charité ou chantage? », et voyez quelles en sont aujourd'hui les conséquences : Ubico me colle sur le dos une méchante affaire et me fait accuser d'empoisonnement. Il s'en tire blanc comme neige et moi je reste englué dans les embrouilles : il faut reconnaître que ses agents, qui pullulent dans toute l'Amérique centrale et qui traquent ses ennemis, ont du savoir-faire.

Ma vie est en danger, papa. Vous m'imaginez ôtant la vie à Marta, mon ange gardien. Son médecin attitré, qui la soignait pour de fréquentes hémorragies cataméniales, diagnostiqua au pied de son lit de mort une attaque foudroyante de fièvre pernicieuse, une infection de sous-malaria propre aux tropiques – *laveriana malariae* –, produite par des œufs de protozaires que le moustique anophèle dépose dans le plasma sanguin. C'est du même mal, très courant dans ces terres basses exposées à des pluies fréquentes, qui servent de bouillon de culture à ce type d'insectes, qu'est décédée Mlle Contreras; dans ce cas également, la cause de la mort fut identifiée par un rapport médical et elle apparaît sur l'acte de décès que j'aimerais pouvoir vous envoyer, mais je n'ai accès à rien et trouver du papier pour vous écrire a déjà constitué un exploit.

L'accusation affirme dans un document que j'ai donné à Mlle Contreras de la strychnine dans une cuisse de poulet à huit heures du soir et qu'elle est décédée à une heure du matin. Jugez un peu de l'absurdité de cette accusation : comment une personne peut-elle conserver de la strychnine dans l'estomac aussi longtemps et, après l'avoir absorbée, converser tranquillement, comme elle l'a fait en ma compagnie. Mais on a plus illogique encore : comment va-t-elle mordre à belles dents dans une cuisse de poulet saupoudrée de strychnine, la mâcher et la déglutir sans la rejeter à la première bouchée en raison de son goût caractéristique d'amande amère.

C'est la même chose dans le cas de don Carmen, qui m'échangeait contre des cordobas les virements que vous m'envoyiez et qui est mort lui aussi de fièvre maligne. Je l'ai vu mourir, il est mort dans mes bras et il n'a manifesté aucun des symptômes prémonitoires que cause la strychnine : inquiétude, agitation, contractions musculaires, sensation d'angoisse, hypersensibilité à la lumière, impressionnabilité exacerbée aux bruits et aux contacts. De plus, le malheur a voulu qu'il soit suivi, non pas par un médecin sérieux, mais par un charlatan appelé Salmerón qui s'est borné à lui prélever du liquide dans l'estomac, en partant du postulat qu'il avait été empoisonné ; mais il n'a pas eu la décence, si telle était sa conviction, d'utiliser les recours élémentaires de la science médicale dans de tels cas, comme les émétiques (eau chaude, ipéca, apomorphine) ou n'importe quel autre médicament comme le charbon, l'éther, le chloroforme ou les injections de camphre en solution huileuse. Et cet individu est aujourd'hui un de mes pires accusateurs : jugez vous-même de la grossièreté de ce complot et de l'évidence de mon innocence.

En tout cas ils veulent s'accrocher à une coïncidence, à un symptôme commun à la fièvre maligne et à l'empoisonnement par la strychnine, à savoir les crises de convulsions tétaniques ; mais elles ne sont pas propres à ces deux situations, on les retrouve en cas d'intoxication par urémie, mais là-dessus ils gardent le silence. Vous constatez où j'en suis arrivé, j'ai même dû m'informer en matière de médecine toxicologique.

Vous devez faire un sacrifice pour moi, papa. Vous-même, l'oncle Chema, maman Luz et le Dr Delgadillo y Pancho, vous pouvez réunir 1 000 (mille) dollars, qui représentent le montant des honoraires d'un grand pénaliste, le Dr Ramón Romero, pour la défense. Mon frère Gustavo peut me les apporter personnellement, car si on les vire à mon nom ils seront confisqués ; le juge, qui ne m'a jamais aimé quand nous étions compagnons de faculté, fait saisir ma correspondance. Envoyez un câble au Dr Romero, à Managua, en lui disant : accepte défense, paiement suit. Si vous me lâchez, il ne me reste plus qu'à me défendre moi-même et à m'en remettre à Dieu. Est-il possible que vous me laissiez mourir si loin. Sauvez-moi, papa, et faites vite, très vite, tout ce que je dis. Adieu.

Le Dr Atanasio Salmerón, dont nous aurons suffisamment à connaître plus avant la ténacité comme enquêteur, se proposa d'explorer de façon exhaustive le passé d'Oliverio Castañeda. Dans ce but, il trouva dans la ville de Guatemala un correspondant idéal en la personne du Licenciado Carlos Enrique Larrave, directeur de *El Liberal Progresista*, l'organe officiel du parti du général Jorge Ubico, qui lui fournit de nombreuses informations. L'incident sanglant avec Ricci est décrit dans la première de ses lettres.

Ces lettres, dûment classées dans le dossier que le Dr Salmerón constitua à titre privé sur cette affaire, nous confirment également que Castañeda fit effectivement ses études secondaires au lycée national d'Oriente, à Chiquimula, comme il le mentionne lui-même à Rosalío Usulutlán dans l'interview publiée dans *El Cronista* ; mais il s'y ajoute un fait nouveau, à savoir son expulsion de l'établissement en 1925.

Castañeda aurait organisé, en compagnie d'autres étudiants, une « société secrète ubiquiste » pour appuyer un coup d'État qui se tramait alors à Chiquimula, dans le but de porter au pouvoir le général Jorge Ubico. Peu après il devait trahir ce mouvement, en dénonçant ses compagnons ; mais il ne put éviter l'expulsion.

Larreva ajoute que lui-même, alors professeur de trigonométrie dans cet établissement, fut le mentor du club ubiquiste; cependant, c'est de son journal que viendront, des années plus tard, les attaques les plus virulentes lancées au Guatemala contre Castañeda, alors qu'il était soumis à un procès criminel au Nicaragua; et c'est dans ses lettres adressées au Dr Salmerón, où il le traite avec tout autant d'animosité, que nous pouvons trouver les raisons d'un tel changement. Voici quelques paragraphes de l'une d'elles :

Dès son adolescence Castañeda fit preuve d'une nature encline à la trahison et à la dérision, et il mettait tout son talent à élaborer les plaisanteries les plus atroces dans le seul but de se divertir lui-même de ses traquenards. Je me rappelle un cas : au lycée de Chiquimula la salle des professeurs était située au second étage et le règlement nous obligeait à nous rassembler à cet endroit avant le début de la journée et pendant les récréations, en attendant que la cloche sonne, pour nous diriger ensuite vers nos salles de classe respectives.

Les salles se trouvaient au premier étage et nous devions descendre par un escalier qui possédait une rampe noire et vernie. Le professeur de géométrie et de perspective, qui s'appelait Margarita Carrera, avait pour habitude d'y prendre appui pour descendre, sans en écarter la main jusqu'à la dernière marche. Castañeda avait dû le remarquer et il eut alors la subtilité infâme de badigeonner la rampe d'excréments, avec suffisamment d'habileté pour qu'on ne puisse pas le remarquer à première vue.

A la suite de cette ruse, la main de Margarita dégageait constamment une mauvaise odeur, sans qu'elle en sût la cause; elle se la lavait à tout bout de champ, mais l'odeur ne se dissipait pas, et en classe elle la portait sans relâche à son nez, avec le désespoir peint sur le visage. Elle finit par tomber malade et sombra dans un véritable état mental de folie; finalement, elle dut quitter le collège.

Ne vous étonnez pas, alors, qu'aujourd'hui cet individu soit responsable d'un chapelet de crimes abjects pour lesquels il a utilisé l'arme silencieuse du poison. Chez l'empoisonneur nous trouvons réunie la personnalité du traître, et cet homme en fut un dès qu'il eut l'âge de raison; du tortionnaire, et cette racaille se complaît à faire souffrir les autres, comme vous pouvez le constater par l'anecdote que je vous ai rapportée; et du présomptueux impénitent, et cet homme qui n'est qu'un pauvre diable sur le plan politique aime à se faire passer pour un persécuté du nouveau régime de paix et d'ordre établi au Guatemala sous la poigne sage et prudente du général Jorge Ubico. Il avait fondé ici un parti pompeusement baptisé Salut démocratique, dont la charte constitutive mentionne l' « adhésion consciente de paysans, d'ouvriers, de jeunes, de femmes... » et même d'enfants au sein, ajouterais-je pour ma part. De ce parti il n'existe que deux membres : l'empoisonneur Castañeda et un autre empoisonneur du même acabit, le « journaliste » Clemente Marroquín Rojas. Qui se proposaient-ils de sauver? A première vue ce parti ne compte que des victimes, la première d'entre elles étant don Rafael Ubico Zebadúa, assassiné au Costa Rica par Castañeda selon le même procédé : la strychnine.

Sans aucun doute, Castañeda se retourna contre Ubico, avec assez de conviction pour que Larrave devînt désormais son ennemi ; les articles mentionnés dans la lettre à son père furent réellement publiés et comme il l'affirme lui-même dans sa déposition *ad inquirendum* effectuée le 28 octobre 1933, quand il revint au Guatemala en provenance du Nicaragua, en mars 1933, après la mort de son épouse, il prit part à des activités de conspiration qui incluaient le trafic d'armes. C'est ce qu'il avait également confié à don Fernando Guardia Oreamuno, sous le sceau du secret, à l'occasion d'un voyage en train jusqu'au port de Puntarenas, dont on nous informera plus tard.

C'est pour cette raison, poursuit-il dans sa déclaration, qu'il fut expulsé du Guatemala, fait qu'il avait déjà mentionné, comme on s'en souvient, dans l'interview. Au mois de juin il reçut l'ordre impératif de déguerpir du pays dans un délai de dix jours qui fut ensuite ramené à quarante-huit heures. Rien ne prouve que la conspiration ait existé, mais il n'en est pas moins vrai qu'il fonda en compagnie de Clemente Marroquín Rojas, le directeur du journal *La Hora*, le Parti démocratique du salut, opposé à la dictature. Le dernier paragraphe de la lettre de Larrave peut également aider à comprendre son changement d'attitude vis-à-vis de son ancien disciple et compagnon de conspiration. Le jeune Rafael Ubico Zebedúa, mort de façon soudaine à San José de Costa Rica le 22 novembre 1929, était le neveu en ligne directe de l'homme qui quelques années plus tard allait devenir dictateur du Guatemala. Rosalío Usulutlán, dans l'interview réalisée dans la prison, anticipant des documents qui parviendraient par la suite du Costa Rica sur les circonstances de cette mort, reprend dans une de ses questions la version selon laquelle Oliverio Castañeda l'avait empoisonné ; question qu'il formula en obéissant à des motivations que nous connaîtrons bientôt. Pour différentes raisons, l'affaire était relancée.

Si Castañeda fut expulsé du lycée de Chiquimula, l'année suivante il avait été réintégré, car c'est là qu'en décembre 1926 il se présenta au baccalauréat ; le même mois, il partit pour la ville de Guatemala, où il ne tarda pas à être nommé chef de service au ministère de l'Instruction publique. A l'époque le Président du Guatemala était encore l'ennemi juré d'Ubico, don José María Orellana, qui, selon Larrave, avait ordonné personnellement la dissolution du « club ubiquiste ».

Les fonctions de sous-secrétaire à l'Instruction publique étaient alors tenues par Me Hugo Cerezo Dardón, dont la mort soudaine permit à Castañeda d'assumer lui-même cette charge à l'âge de dix-huit ans, comme nous le savons déjà grâce à l'interview. Larrave assure au Dr Salmerón, dans une autre de ses lettres, qu'aussi bien le titre de bachelier, qu'on lui décerna de façon précipitée, que le poste de chef de service et que son accession fulgurante au sous-secrétariat étaient le prix qu'en fin de compte Orellana lui payait pour sa trahison.

Si nous en croyons un des témoignages recueillis durant l'instruction, Castañeda prenait plaisir à évoquer sur un ton goguenard les mystères qui avaient entouré le décès subit de son supérieur, le sous-secrétaire Cerezo Dardón. A l'occasion d'une excursion à la plage de Poneloya, organisée par la famille Contreras en 1932, et après la mort de son épouse, Castañeda dut faire chambre commune dans la résidence de vacances de la famille avec Luis Gonzaga Contreras, frère de don Carmen, résidant dans la ville de Granada.

Dans sa déposition faite par voie de commission rogatoire devant le juge d'instruction de Granada le 21 octobre 1933, le témoin rapporte les révélations que Castañeda lui aurait faites, ce soir-là à Poneloya, sur la mort étrange de Cerezo :

Le déposant affirme qu'à l'occasion de l'excursion dont il a parlé, Oliverio Castañeda lui avait fait des confidences sur un décès survenu au Guatemala des années auparavant, celui d'un homme du nom de Cerezo, son supérieur au ministère de l'Instruction publique. Selon ces confidences, Cerezo était un homme méthodique et un travailleur assidu qui déjeunait tous les jours tôt le matin avant de se rendre seul à son bureau, où il arrivait à six heures, heure à laquelle aucun des employés sous ses ordres n'était encore arrivé ; il ouvrait la porte avec son passe, car le concierge lui-même n'était pas là, il s'asseyait à son bureau et, toutes portes closes, se mettait au travail ; au bout d'une heure la porte s'ouvrait ; ses subalternes recevaient l'emploi du temps de la journée et commençaient à vaquer à leurs occupations.

Un beau jour, comme la porte ne s'ouvrait pas selon l'habitude alors qu'on savait qu'il était dans son bureau, puisque sa canne et son chapeau étaient accrochés comme de coutume au portemanteau de l'entrée, on procéda à l'effraction de la serrure et on le trouva mort, la tête inclinée sur ses papiers et l'encrier renversé près de sa tempe, l'encre imprégnant dossiers et documents comme s'il s'était agi de son sang. Mais le cadavre ne présentait aucune lésion, on ne connaissait à Cerezo aucune maladie et personne n'était avec lui... « De quoi était-il bien mort ? Comment vous expliquez-vous cette affaire ? » s'enquérait avec insistance Castañeda, les yeux brillant de malice, si l'on en croit le témoin. Et comme la solution de cette énigme n'intéressait pas le déclarant, en proie au plus grand dégoût, il se taisait ; mais l'autre revenait à la charge, ornant son récit d'une profusion de détails et ajoutant de nouveaux points d'interrogation et de suspension.

Le témoin poursuit sa déposition et il affirme que ce n'est que de retour à León, après l'excursion, qu'il apprit par la bouche de son frère les circonstances qui avaient entouré la mort de l'épouse de Castañeda, fait survenu quelques semaines auparavant ; raison pour laquelle l'inquiétude que lui inspirait cet individu avait monté d'un cran, bien que ces circonstances aient semblé n'étonner personne, sauf le déposant ; de même que personne ne paraissait non plus disposé à partager ses inquiétudes ; et c'est en raison de cette méfiance qu'il s'était refusé à l'accepter comme compagnon lors d'un nouveau voyage à Chichigalpa pour rendre visite à Don Enrique Gil, un ami de la famille, bien que la proposition vînt de Don Carmen en personne, car ce dernier, loin de discerner chez Castañeda une personnalité suspecte et perverse, lui envoyait à Granada des missives chargées d'éloges et de marques de sympathie envers cet individu.

Le jeune homme en noir qui danse de façon si délurée le fox-trot au grand étonnement des deux sœurs aime, semble-t-il, les mystères; c'est ce qui ressort également d'autres informations contenues dans le dossier judiciaire. Alors qu'il entame son séjour au Costa Rica comme diplomate et avant que survienne la mort de son ami le jeune Rafael Ubico Zebadúa, les journaux de San José s'émeuvent à propos des « revenants de la légation du Guatemala ».

Si l'on en croit les chroniques du journal *La República*, publiées entre le 18 et le 27 juillet 1929 et ajoutées au dossier, toutes les nuits on entendait des bruits provenant du deuxième étage de la résidence en bois de style victorien, située dans le quartier Amón, dont la photographie illustre les articles. Des pierres tombaient sur les toits des maisons alentour, les robinets s'ouvraient tout seuls, les chasses d'eau se mettaient en marche dans les cabinets où il n'y avait personne, les lumières s'éteignaient et se rallumaient. L'alarme est telle que la police nationale prend l'affaire en charge; et dans le rapport que le colonel Alberto Cañas Escalante, chef du Service des investigations, présente au ministre de l'Intérieur en date du 2 août 1929, c'est Oliverio Castañeda qui apparaît comme responsable de la machination.

En accord avec les instructions reçues de votre part, j'ai envoyé à l'endroit indiqué plusieurs de mes collaborateurs, qui ont effectivement constaté que l'on jetait des pierres. Ayant été informé de tous les détails, je me suis rendu à la légation afin de conduire personnellement l'enquête. Ma première démarche a été de réunir au rez-de-chaussée tous les membres du personnel diplomatique et les préposés à l'entretien.

C'est ainsi que j'ai eu l'occasion d'observer à loisir le jeune Oliverio Castañeda, dont l'allure farouche et bizarre, dont le regard profond et instable, dont l'habitude de baisser le front lorsqu'il s'adresse à quelqu'un, m'ont produit, je dois le dire franchement, une impression très défavorable, que n'ont pu dissiper sa parfaite éducation ni l'aménité apparente de son abord. Je me suis entretenu avec lui et avec M. Ubico, premier secrétaire de la légation, sur l'affaire des « revenants », en leur faisant part de mes doutes et en leur démontrant qu'il s'agissait à coup sûr d'actes commis par des personnes anormales.

J'ai posté plusieurs de mes hommes autour de la maison, avec pour mission d'observer, et peu de temps après une pluie de pierres s'est produite. J'ai cherché Castañeda et j'ai remarqué qu'il avait disparu; presque aussitôt nous avons entendu comme des bruits de lutte au deuxième étage. J'allais monter lorsqu'il est descendu par l'escalier, tremblant d'énervement, les cheveux en désordre, la chemise déchirée et le corps couvert d'égratignures, les yeux exorbités et l'allure d'un fou complet. Il expliqua qu'il avait été attaqué par un individu corpulent, à qui il avait rendu coup pour coup et qu'il avait fini par mettre en fuite. Il ne sut pas répondre catégoriquement à mon interrogatoire; au contraire, il tomba dans des contradictions flagrantes;

mais avec un sang-froid et un calme surprenants, il persista dans sa fable. Inutile de dire que les bruits dans la légation et les chutes de pierres ne se sont jamais reproduits. L'affaire peut être considérée comme classée, mais je suis persuadé que le responsable était ce même M. Castañeda.

Après la mort de son ami Rafael Ubico, il fut transféré à Managua comme attaché auprès de la légation du Guatemala pendant quelques mois et il quitta ce pays en février 1930, comme on l'a dit; Larrave assure qu'on lui confia brièvement un nouveau poste, uniquement pour se débarrasser de lui, étant donné les forts soupçons qui pesaient sur sa personne; mais Castañeda affirme dans sa déclaration *ad inquirendum*, déjà citée, qu'il avait dû quitter le Nicaragua parce que ses projets matrimoniaux étaient sur le point d'aboutir et qu'il devait se marier.

A son arrivée à Managua en décembre 1929, il descendit à la pension *Petit Trianon* de la rue Candelaria, tenue par Mme Roxana Lacayo, où logeaient également l'ambassadeur du Honduras, Mᵉ Roberto Suazo Tomé; le jeune journaliste rédacteur à *La Prensa*, Luis Armando Rocha Urtecho; et l'illusionniste Reginaldo Moncriffe. Voici une partie de la déposition faite devant le premier juge d'instruction de Managua, le 7 novembre 1933, par la propriétaire :

Castañeda aimait beaucoup faire des blagues à ses compagnons de résidence, il cachait leurs vêtements et leurs chaussures, ce qui explique qu'un soir l'ambassadeur Suazo n'ait pu assister à une fête de gala au Club Managua, car le smoking qu'il venait de préparer disparut comme par enchantement. Castañeda soutint alors que celui qui pouvait faire apparaître l'habit c'était Moncriffe, puisque cela relevait de ses compétences. Le smoking fut retrouvé plusieurs jours plus tard par des ouvriers qui nettoyaient le faux plafond, avec une note attachée par une épingle au revers, qui disait plus ou moins : « Avec le salut de la main coupée », en référence à la main coupée d'un film fantastique que l'on projetait alors dans les cinémas de Managua.

J'essayais de le sermonner en lui montrant le manque de sérieux de son comportement; mais il me répondait : « Je suis jeune, madame, et nous les jeunes nous nous amusons en faisant d'innocentes plaisanteries. Je saurai retrouver mon sérieux quand les neiges du temps argenteront mes tempes », affirmait-il sur l'air du tango intitulé « Retour ».

Il avait l'habitude de cacher les marionnettes parlantes de Moncriffe et certains des instruments de magie avec lesquels il gagnait sa vie, mais ce qui m'a profondément déplu c'est qu'un jour le portefeuille de Mᵉ Suazo, contenant des dollars, a disparu. Le portefeuille vide fut découvert sous le lit de Moncriffe, qui à l'époque se produisait avec ses marionnettes dans le collège de doña Chepita Toledo de Aguerri. Je me vis dans l'obligation d'appeler la police américaine. Les officiers de l'armée d'occupation accusèrent Moncriffe, comme le voulait la logique, et partirent à sa recherche. Ils le capturèrent dans le collège même, en présence des jeunes pensionnaires et de leurs professeurs, mais ils ne trouvèrent pas un seul dollar sur lui; et bien qu'il fût remis en liberté par la suite, cet emprisonnement lui fit du tort dans son honnête travail de ventriloque et de prestidigitateur. Il me faisait pitié car il s'asseyait sur son lit avec don Roque, sa marionnette, et il lui demandait avec tristesse : « Dis-moi, camarade, on n'est pas des voleurs, pas vrai ? » Et la marionnette lui répondait : « Pas du tout, camarade, on est pauvres mais honnêtes. »

Dans les jours qui ont suivi cette pénible affaire, Castañeda et Rocha se sont éloignés l'un de l'autre, au point de ne plus s'adresser la parole, Rocha accusant Castañeda du vol, et j'ai été portée à partager le bien-fondé de cette accusation, sans en avoir aucune preuve, car je voyais Castañeda dépenser des fortunes dans des bouquets envoyés à des demoiselles de la capitale. Or son salaire à la légation du Guatemala ne lui permettait pas de telles largesses, d'autant plus qu'il était constamment en retard pour me payer les quinzaines de son logement et de ses repas.

Rocha Urtecho admet son hostilité à l'égard de Castañeda, quand il déclare devant ce même premier juge d'instruction de Managua, le 8 novembre 1933, profitant de l'occasion pour formuler d'autres charges à son encontre :

Le déposant ne souhaitait pas répondre à la question que lui pose le juge, mais, étant dans l'obligation d'obéir à la loi, il doit reconnaître qu'il a dû mettre un terme à son amitié avec Castañeda quelques semaines avant le retour de celui-ci au Guatemala. Cette rupture ne fut pas la conséquence du vol d'argent faussement imputé à l'illusionniste Moncriffe, mais cet événement lui apporta la confirmation de la bassesse morale de cet individu, car il était persuadé que c'était lui qui avait placé le portefeuille sous le lit de Moncriffe après avoir soustrait l'argent. Il avait la même attitude à l'égard des domestiques, puisqu'il avait un jour accusé l'une d'elles, nommée Auristela Benavides, pendant un déjeuner, de lui avoir servi de la soupe avec des cafards, ce qui amena Mme Lacayo à la congédier sur-le-champ, alors que c'était Castañeda lui-même qui avait mis les cafards dans l'assiette de soupe, sans se soucier de savoir que la pauvre femme perdrait son emploi.

Il avait pris ses distances car il avait remarqué chez Castañeda un penchant affirmé pour l'intrigue et la calomnie. En effet celui-ci lui avait fait à maintes reprises des commentaires désobligeants sur des personnes du sexe féminin qu'ils fréquentaient tous les deux et qui manifestaient une véritable estime au nommé Castañeda, pour ne pas parler d'idolâtrie. Le déposant lui-même avait été victime des fantaisies perverses de Castañeda, en dépit de l'amitié apparente qui les unissait jusque-là. Il ne pouvait pas citer de noms, mais les médisances de cet individu le mettaient en cause ainsi qu'une jeune femme récemment mariée.

Mais il y avait eu bien pire encore dans ce domaine de la calomnie. Un soir, alors qu'ils dînaient tous les deux au café *Florido*, alors très à la mode dans la capitale, Castañeda s'était caché brusquement le visage dans ses mains ; il lui demanda de quitter leur table avec lui et, l'emmenant dans un coin, il le supplia d'une voix pathétique de partir immédiatement ; une fois dans la rue il lui avoua qu'une dame, qui avait une liaison secrète avec lui, venait d'entrer dans le restaurant en compagnie de son mari et que ce dernier, au courant de cette liaison, lui avait envoyé des menaces de mort par lettre.

Le lendemain, quelle n'avait pas été sa surprise en entendant, de la bouche de l'ambassadeur Suazo, la version de l'incident que lui avait donnée Castañeda. Selon cette version truquée, il s'était vu dans l'obligation de quitter à l'improviste le café *Florido*, non pas par crainte d'un quelconque mari jaloux, mais parce que le déposant était un espion des marines américains, dont le numéro de code était 22, qui avait pour mission de rapporter ce que lui confieraient en privé les politiciens qu'il avait l'occasion d'interviewer en sa qualité de journaliste; et comme à cet instant entraient dans le café des personnes qui connaissaient la condition d'espion du déposant, Castañeda avait eu honte d'être vu en sa compagnie.

Le déposant, blessé au plus profond de son honneur, s'était immédiatement adressé à la légation du Guatemala, afin d'élever une protestation formelle et énergique à l'encontre de Castañeda devant l'ambassadeur, le Dr José Luis Balcárcel; mais en arrivant à la légation il s'était trouvé nez à nez avec Castañeda lui-même qui lui avait expliqué que « le pauvre Balcárcel n'était pas dans ce monde, mais dans l'autre », car il se trouvait sous l'influence d'une terrible dose de cocaïne et que s'il s'obstinait à entrer, il ne réussirait qu'à le voir tout nu et se roulant sur le sol, comme un pauvre imbécile. Au cas où l'affaire serait urgente, il pouvait parfaitement revenir dans la soirée, lorsque les effets de la drogue se seraient dissipés.

Effrayé et mortifié, il avait regagné la rue en oubliant ses récriminations contre Castañeda et ses calomnies. Mais il n'avait pas parcouru cinquante mètres lorsqu'il vit apparaître l'ambassadeur Balcárcel au volant de son automobile, dans un état parfaitement normal; ce qui démontre que personne n'échappait aux filets de l'infatigable perversité de cet être que le déposant n'hésite pas à qualifier de dépravé.

Ce jugement est confirmé par le fait qu'à maintes reprises il avait entendu Castañeda inventer des histoires fantastiques et adopter des attitudes étranges, feignant d'être la victime de graves hallucinations où sa défunte mère était couramment impliquée. Le tout dans le but de susciter la pitié de ses interlocuteurs, surtout s'il s'agissait de jeunes femmes.

Le phono finit de diffuser « Sing you Sinners » et le jeune homme en deuil gagne la porte, s'éventant avec son chapeau de feutre. Son regard souriant se pose sur les deux sœurs qui, rougissant jusqu'aux oreilles, font semblant de ne pas le voir et concentrent leur attention sur les pages de leur magazine de mode. Mais l'homme, sans cesser de s'éventer, traverse la rue de façon imprévue et il arrive jusqu'au trottoir où elles sont assises dans leurs fauteuils de rotin, afin de se présenter.

María del Pilar, la plus jeune des deux sœurs, qui va à l'époque sur ses quatorze ans, commet une grave infraction aux convenances en se levant pour tendre la main au visiteur au lieu de rester assise, comme le lui reprochera plus tard Mathilde, alors que la famille est réunie dans la salle à manger à l'heure du dîner et que tous se lancent dans des commentaires sur les nouveaux clients de l'hôtel.

Mathilde leur rapporte que le visiteur transpirait abondamment et qu'il avait le visage rouge à la suite de sa frénétique démonstration de fox-trot. Mais elle ne leur dit pas que tandis qu'elles échangeaient, saisies d'effroi, quelques mots de politesse avec lui, la jeune épouse était sortie sur le seuil de la porte pour regarder la scène de loin, avec un air farouche, sans sourire.

Avec un air farouche, sans sourire, Marta Jerez porte à sa bouche une petite médaille du Christ d'Esquipulas qui pend à son cou et elle la mord, en concentrant son regard sur le côté opposé de la rue.

6

L'enfant Jésus de Prague disparaît

En dehors de quelques pensions de famille où, en plus d'étudiants provenant d'autres localités du pays, descendent en général des voyageurs de commerce, il existe peu de lieux d'accueil décents dans la ville de León; deux ou trois d'entre eux se trouvent à proximité de la gare du chemin de fer du Pacifique, et ils sont très utiles pour les voyageurs qui doivent attendre les trains en direction du port de Corinto ou de Managua, la capitale, au sud; ou lorsque, moins souvent, ils doivent emprunter l'embranchement vers la région d'élevage d'El Sauce, dont l'inauguration en 1932, dernier geste du gouvernement du président José María Moncada, avait été perturbée par l'incursion d'une colonne sandiniste sous les ordres du général Juan Pablo Umanzor.

La maison Prío, dont les balcons donnent sur la place Jerez, face à la cathédrale, conserve au deuxième étage quelques chambres habitables, qui sont louées de façon circonstancielle, surtout à des patients étrangers qui ont recours au corps médical de la ville, abondant et réputé. En tant que lieu d'accueil, nous devons préciser qu'il avait connu des jours meilleurs : Rubén Darío occupa la plus belle et la mieux ventilée des chambres pendant son voyage triomphal au Nicaragua en 1907 et sous son balcon, nuit après nuit, s'étaient succédé des sérénades enthousiastes jusqu'à ce que le poète, privé de sommeil, les fasse taire.

Lorsqu'il hérita l'affaire de son père, le capitaine Prío laissa le second étage pratiquement à l'abandon, pour se concentrer sur le premier. C'est là que se tiennent le débit de sorbets, le bar, les billards et le service de restauration, qui sert également à domicile et dont le Dr Juan de Dios Darbishire, parrain du capitaine, est un des commensaux les plus réputés.

Au soir du 18 juin 1932, nous avons déjà vu entrer chez Prío le journaliste Rosalío Usulutlán en compagnie du commerçant Cosme

Manzo, à l'issue de la séance de cinéma ; et nous savons déjà que les amis de la table maudite, présidés par le Dr Atanasio Salmerón, se donnent régulièrement rendez-vous à cet endroit.

L'*Hôtel Métropolitain,* situé au coin de la Première Avenue et de la 3e Rue Nord, à une centaine de mètres de l'université, est en fait le seul établissement qui fonctionne en tant que tel. Il s'agit d'un immeuble de pierre de deux étages, du début du siècle, dont les deux ailes se déploient vers le nord et vers l'est à partir de l'angle occupé par le restaurant-bar, où en cette mémorable année 1907 eut lieu le banquet de gala offert par l'Athénée de León à Rubén Darío. C'est pourquoi, dans la chronique de ce fameux séjour du prince des lettres castillanes dans la ville, l'*Hôtel Métropolitain* partage les honneurs avec la Maison Prío. A condition d'oublier le malheureux détail qui veut que le poète, ivre à rouler par terre, ne s'est jamais présenté au banquet.

Dans le vestibule du premier étage qui donne sur la cour principale s'ouvrent la salle à manger réservée aux clients, entourée d'une claire-voie aux mailles fines, et la salle de séjour, où s'amoncellent en cercles différents types de rocking-chairs et de fauteuils. La cuisine et les toilettes sont situées au bout du deuxième étage. Vers la rue, on trouve quelques vastes suites, dotées d'un paravent de bois qui sépare la chambre à coucher du séjour et qui ont leurs propres commodités. Ces pièces sont louées pour des séjours de longue durée et c'est dans l'une d'entre elles que s'installèrent, en mars 1931, Oliverio Castañeda et son épouse, comme nous l'avons vu.

Au deuxième étage, auquel on accède par un escalier de bois aux rampes travaillées en forme de fleurs de lis, sont situées les chambres des clients de passage ; il y en a douze au total et elles donnent sur la rue par des doubles fenêtres, surmontées par des arcs en ogive dessinés sur le mur et eux-mêmes dominés par un arc plus grand, lui aussi en ogive. Ces triples arcs, peints en rouge, constituent le principal attrait de la façade.

En diagonale par rapport à l'*Hôtel Métropolitain* se trouve la maison de la famille Contreras. C'est une construction de briques, avec un toit recouvert de tuiles, à un seul étage. La porte d'angle, où un soir de mars 1931 les sœurs Contreras étaient assises, donne accès au salon de la maison ; le jour de la chasse aux chiens, nous avons également vu sortir don Carmen par cette porte, le journal à la main.

Il s'agit d'une haute porte à double battant, couronnée par un chapiteau triangulaire que soutiennent deux colonnes striées, de ciment, aménagées sur la surface passée à la chaux du mur. A l'angle, le mur forme un pan coupé pour se répartir des deux côtés d'une galerie aux portes, également à deux battants, flanquées à leur tour de colonnes et couronnées elles aussi de chapiteaux, peints, comme les colonnes, en bleu de Prusse. On peut constater que nous parlons d'une maison sans fenêtres.

Vers l'ouest, l'aile de la maison est occupée par les chambres à coucher de la famille et la moitié supérieure des portes est défendue par des volets de bois vernissés de vert. A mesure que l'on s'éloigne de l'angle, les portes donnent, respectivement, sur la chambre de don Carmen et de son épouse, doña Flora ; sur celle que partagent les deux sœurs, Mathilde et María del Pilar ; et sur celle du fils Carmen. Cependant, cet arrangement ne tardera pas à être bouleversé.

Dans le salon il y a un piano à queue Marshall & Wendell, un jeu de fauteuils Louis XV, recouverts de damas rouge, et un miroir à la moulure dorée, à hauteur d'homme, de même qu'un appareil de radio de marque Philco, dont la caisse de bois, terminée par un ovale, ressemble au portail d'une cathédrale gothique. La liste du mobilier apparaîtra dans un avis de liquidation pour cause de voyage, publié le 3 novembre 1933 dans les journaux locaux, avec la signature de doña Flora veuve Contreras.

A l'intérieur, toutes les portes des chambres, protégées elles aussi par des volets, donnent sur le vestibule ouvert sur le jardin, dont les feuillages touffus communiquent à toute la maison une atmosphère de pénombre. Dans ce même couloir il y a un jeu de chaises laquées de noir et quelques rocking-chairs de rotin, sur lesquels nous sommes déjà informés ; et à côté de la porte d'accès au salon, nous pouvons distinguer un cabinet où l'on garde, sous clef, une statue grandeur nature de l'Enfant Jésus de Prague, sur la tête duquel étincelle une couronne de laiton incrustée de fausses pierres. C'est de la disparition de cette statue que nous commençons à nous occuper dans le présent chapitre.

Quelques pas plus loin, au milieu du vestibule, nous voyons la table pour les repas, recouverte d'une toile cirée à fleurs bleues, et contre le mur un buffet assorti, aux portes de verre. Il ne nous reste à mentionner, au fond, que la cuisinière à bois, les commodités, le galetas où dorment les domestiques, les waters et la buanderie, cachés derrière les plantes du jardin.

Sur l'aile sud, nous avons déjà vu que les portes permettent l'accès de la clientèle du magasin *La Renommée,* propriété de don Carmen et tenu personnellement par son épouse. C'est un des commerces les mieux approvisionnés de la ville en matière de tissus : cachemires, coutils, lins et gabardines pour hommes ; fanfreluches, percales, taffetas et soies pour femmes. Il offre les meilleurs prix de la place en parfumerie et articles de toilette, de même qu'en vaisselle et cristallerie, en vins muscats, apéritifs et anis. Le magasin est également distributeur exclusif de l'eau médicinale Vichy-Célestins, dont l'annonce en forme de bouteille se balance sous l'auvent, attachée par deux chaînes.

Dans la partie du couloir située derrière le magasin fonctionnent les bureaux de la firme C. Contreras & Cie Ltd, qui se livrent à différentes démarches commerciales, y compris l'importation de marchandises en gros et l'exportation de peaux salées, de mélasse, de bois d'acajou et de palétuvier; et ses employés y traitent également la comptabilité et les recouvrements de la Compagnie métropolitaine des eaux.

Les bureaux sont séparés des appartements privés de la maison par une balustrade de bois, dont la porte, fermée par un loquet, ne peut être empruntée que par don Carmen et, lorsqu'il a besoin d'aller aux toilettes, par son frère Evenor, le chef comptable. Il est interdit aux employés de bureau et aux comptables de pénétrer dans la partie réservée à la famille, même si de temps à autre il leur est donné d'apercevoir à travers la claire-voie quelques-unes des choses qui se produisent de l'autre côté, comme nous le verrons.

La maison, par son architecture et sa distribution, ne se différencie pas beaucoup de celles qui appartiennent aux familles fortunées de León; ses dépendances se partagent équitablement entre les appartements familiaux et les locaux réservés au commerce. Rien d'extraordinaire ne s'est jamais produit sous ce toit, jusqu'à l'arrivée d'Oliverio Castañeda et de son épouse, qui s'y installent le 18 novembre 1932.

Don Carmen est l'actionnaire majoritaire, aussi bien de C. Contreras & Cie Ltd que de la Compagnie métropolitaine des eaux, entreprises auxquelles sont également associés ses frères et son père, don Carmen Contreras Largaespada, l'homme d'affaires le plus puissant de León. En plus de sa maison et du magasin *La Renommée*, il est l'unique possesseur d'une résidence d'été dans la station balnéaire de Poneloya et de l'exploitation laitière *Notre maître,* d'une superficie de 200 hectares, située sur la route asphaltée qui mène à cette même station balnéaire.

Sur cette propriété il y a une modeste maison de bois à deux étages, utilisée jadis comme lieu d'agrément et aujourd'hui totalement à l'abandon, car la sœur aînée de don Carmen, Mathilde Contreras Reyes, y était morte de tuberculose en 1929, après une longue réclusion. Cependant cette maison, dont l'unique balcon regarde vers la mer que l'on devine au loin comme une mince ligne de lumière, au-delà des pâturages, des collines et des palétuviers, jouera un rôle non négligeable à la fin de cette histoire.

Bien qu'à León don Carmen passe pour un homme riche, le bruit court à la table que ses affaires ne marchent pas bien; il doit une forte somme d'argent à son ami intime don Esteban Duquestrada; il a des problèmes pour défaut de paiement avec ses fournisseurs étrangers, et la propriété *Notre maître* est hypothéquée à la Banque nationale. On commente à la table que c'est peut-être pour ces raisons que don Carmen s'acharne à obtenir un nouveau contrat, en termes beaucoup plus avantageux, pour la Compagnie des eaux et que, pour le même motif, ses livres de comptabilité recèlent certaines affaires occultes, comme cela allait être révélé publiquement dans la dernière partie du procès.

Oliverio Castañeda et son épouse, Marta Jerez, quittèrent leur chambre à l'*Hôtel Métropolitain* le 18 novembre 1932, comme on l'a dit, et ils traversèrent la rue avec leurs malles, leurs valises et leurs cartons, en emportant également avec eux le gramophone Victor. Pourquoi ont-ils abandonné l'hôtel? Qui en a pris l'initiative? Dans sa déposition du 11 octobre 1933, Castañeda lui-même affirme :

Que peu de temps après s'être installés dans l'appartement qu'ils avaient pris à l'*Hôtel Métropolitain*, un voisinage fortuit leur permit de consolider rapidement une amitié franche et cordiale avec la famille Contreras, qui les invita à déjeuner le dimanche, ce qui devint vite une habitude. Ils avaient également coutume de participer, aussi bien le déposant que son épouse, à des réceptions familiales, à l'occasion, par exemple, de fêtes et d'anniversaires. De même ils étaient invités à fréquenter des réunions mondaines chez des amis et des parents de la famille.

Que lors d'une des visites dont doña Flora avait pour habitude de les honorer, elle leur avait fait sentir la nécessité de cultiver plus assidûment les relations avec la bonne société de León, comme leur position l'exigeait. Et étant donné que le fait qu'ils vivent tous les deux à l'hôtel ne favorisait pas ces contacts, elle leur offrit une chambre dans sa propre maison, offre qui avait reçu l'approbation de toute la famille. Ils paieraient pour cette chambre la moitié du prix que leur prenait l'hôtel. La générosité et la culture de la famille Contreras avaient suffi pour qu'ils acceptent une offre aussi aimable, au terme de démarches insistantes et répétées.

Evenor Contreras Reyes, le frère de don Carmen, âgé de quarante-cinq ans, employé de bureau et chef comptable de C. Contreras & Cie Ltd, affirme de son côté, lors de sa comparution devant le juge, le 16 octobre 1933 :

Le témoin considère qu'il mentirait en disant que le transfert du couple Castañeda dans la demeure de son frère ne s'était pas fait avec l'assentiment de tous, car les nouveaux hôtes étaient magnifiquement choyés et traités avec l'intimité que l'on réserve uniquement aux membres d'une même famille. Son frère lui-même en avait pris l'initiative et, malgré son caractère renfermé et revêche, il manifestait à Castañeda une confiance inhabituelle, au point de l'informer sur certains aspects délicats de ses affaires. Lui qui veillait à ne jamais ouvrir le coffre-fort en présence de qui que ce soit, pas même du déposant, n'hésitait pas à accorder ce privilège à Castañeda et il lui permettait même de parcourir ses livres de comptes. A une occasion le déposant avait signalé à son frère l'imprudence d'une telle conduite et pour toute réponse il s'était fait violemment rabrouer.

Le témoin ajoute également que son frère prenait plaisir à converser avec Castañeda dans le salon ou dans le vestibule, après les repas; il l'invitait à l'accompagner au Club social et Castañeda de son côté invitait son frère à prendre une bière au bar de l'*Hôtel Métropolitain, Chez Prío* et même dans d'autres endroits peu recommandables fréquentés par les étudiants. Invitations que son frère acceptait volontiers, chose étrange chez un homme peu enclin à traîner dans les bars. De telles incartades lui avaient valu à plusieurs reprises les récriminations de doña Flora, ainsi qu'à Castañeda, à qui elle reprochait d'entraîner son mari dans des endroits douteux. Et comme Castañeda répondait toujours par une plaisanterie habile, doña Flora oubliait sa colère et finissait par rire.

Encouragé par ce changement, le déposant se risqua à inviter son frère, un midi où ils avaient fini de travailler dans les bureaux, à se rendre ensemble au bar de Micaela Peluda pour y prendre un apéritif. Celui-ci lui rétorqua sèchement qu'il avait mal à la tête, ce qui était un mensonge, car le déposant vit de son bureau que Castañeda l'attendait dans la salle à manger avec des bières glacées et des amuse-gueule qu'il avait fait frire lui-même dans la cuisine. Ils s'attablèrent tous les deux pour boire et picorer et bien que son frère pût se rendre compte que le déposant était encore là, il ne prit même pas la peine de l'inviter.

Le jeune Carmen Contreras Guardia, célibataire, étudiant et âgé de vingt ans, contredit dans sa déposition du 1er décembre 1933 les affirmations de son oncle à propos de l'unanimité de la famille à accepter la présence du ménage dans la maison :

LE JUGE : Oliverio Castañeda vivait chez vos parents avec l'assentiment de tous?

LE TÉMOIN : J'ai toujours vu d'un mauvais œil l'installation chez nous de Castañeda et de son épouse. J'ai fait part plus d'une fois de ce désaccord à mes parents, en précisant que je n'approuvais pas la présence d'un étranger au sein de la famille. Et bien que son épouse fût sympathique, les autres membres de la famille et moi-même nous nous sommes réjouis quand ils ont décidé de changer de domicile.

LE JUGE : Sur quoi fondiez-vous un tel rejet à l'égard de Castañeda?

LE TÉMOIN : Sur le fait qu'il m'a toujours paru être un homme dangereux, peu digne de confiance et capable de mobiliser tout son talent pour tromper, séduire et convaincre. Maintenant je comprends pourquoi il a tant insisté pour que je parte faire mes études au Costa Rica : m'éloigner des miens faisait partie de son plan. A peine était-il entré dans notre maison que Castañeda a poussé mes parents à m'envoyer à San José, certainement avec l'idée préconçue de m'empêcher de le gêner lorsqu'il accomplirait ses desseins criminels.

LE JUGE : Dans quelles circonstances Oliverio Castañeda en est venu à s'installer chez vous?

LE TÉMOIN : Quelques jours avant de venir habiter chez nous, Castañeda et son épouse sont venus, tremblants d'émotion, nous informer, mes sœurs et moi, que le lieutenant Fonseca, un officier de la Garde nationale qui habitait également à l'*Hôtel Métropolitain,* menaçait de fouiller leur chambre parce qu'il les soupçonnait d'être communistes et sandinistes. Ils nous ont suppliés de leur garder quelques livres et brochures de contenu subversif. Nous avons accédé à leur prière, sans en parler à nos parents.

Quelques jours plus tard, Castañeda, prétextant que les officiers de la Garde nationale pourraient se livrer à toutes sortes de méfaits contre son épouse en son absence, pria instamment ma mère de les loger chez nous. Ma mère lui répondit que nous ne pourrions leur offrir aucun confort, qu'ils devraient supporter les mêmes inconvénients que nous, et elle ajouta que les appartements n'étaient pas assez vastes pour qu'ils puissent s'installer commodément... Mais comme il continuait à la harceler, ma mère se résigna finalement à accepter.

LE JUGE : Avez-vous remarqué pendant le séjour du couple chez vous qu'Oliverio Castañeda se soit conduit d'une façon qu'on pourrait qualifier d'étrange ?

LE TÉMOIN : Oui, je l'ai remarqué. Alors qu'ils habitaient déjà chez nous, la méfiance qu'il m'inspirait s'est accentuée, à partir de faits apparemment insignifiants à l'époque mais qui aujourd'hui prennent un relief particulier. Je me rappelle, par exemple, qu'une fois, peu après leur arrivée, une statue de l'Enfant Jésus de Prague disparut en plein jour de sa petite chapelle, dans le couloir. Cette disparition fut un mystère car la chapelle était fermée à double tour et seule ma mère possédait la clef. Cependant, poussé par un simple pressentiment, j'ai interpellé Castañeda en lui disant que c'était certainement lui le coupable ; et le lendemain, contre toute attente, l'Enfant Jésus de Prague réapparut dans sa niche, toujours fermée à clef. Je suis persuadé qu'il avait décidé de le voler et qu'il l'avait remis en place quand il avait remarqué mes soupçons.

LE JUGE : Dans ces conditions, pourquoi, alors que tout le monde se réjouissait du départ de Castañeda, l'avoir à nouveau reçu chez vous ?

LE TÉMOIN : Parce que, le jour même de la mort de son épouse, il a commencé à importuner ma mère, quand nous étions tous à la veillée funèbre, en lui racontant qu'il se sentait affreusement triste et qu'il ne supporterait pas de dormir une seule nuit dans cette maison désertée. A cause de ses insinuations persistantes, ma mère n'a pu faire autrement que de l'accepter à nouveau.

Je suis sûr qu'il n'aimait pas son épouse et que c'est pour ça qu'il l'a empoisonnée. Et comme il avait besoin d'être seul avec elle au moment de lui administrer la strychnine, il a loué une maison à part. Et son plan préconçu était de revenir chez nous afin de continuer ses crimes et d'éliminer tout le monde. Une fois les obstacles écartés, il aurait pu épouser María del Pilar et s'emparer ainsi de la fortune de ma famille. Personne n'aurait pu alors le déloger de la maison.

LE JUGE : Avez-vous connaissance d'éventuelles fiançailles de Castañeda avec votre sœur María del Pilar ?

LE TÉMOIN : Je ne peux pas l'affirmer. Mais je sais par contre que, du vivant de son épouse Marta et en sa présence, il avait vis-à-vis de María del Pilar des comportements et des attentions qui n'étaient pas de mon goût.

LE JUGE : Pouvez-vous décrire ces situations ?

LE TÉMOIN : Des regards furtifs, pendant que nous mangions. Le fait de découper la viande de María del Pilar dans sa propre assiette et de lui garder la meilleure part, si elle arrivait en retard à table. Des choses de ce genre.

LE JUGE : Et avez-vous remarqué quelquefois que ces attentions agaçaient tout particulièrement votre sœur Mathilde ?

LE TÉMOIN : Mathilde avait un tempérament à faire des chichis et elle avait toujours l'air assez triste. De telle sorte que je ne pourrais pas vous dire si ces prévenances agaçaient ma sœur. Bien qu'aujourd'hui, maintenant que je sais que cette canaille prétendait se faire aimer de mes deux sœurs, y compris du vivant de son épouse, je soutienne que je ne serais pas étonné que Mathilde ait souffert par sa faute.

LE JUGE : Savez-vous si votre sœur Mathilde avait l'habitude d'accompagner Oliverio Castañeda sur la tombe de son épouse Marta au cimetière de Guadalupe?

LE TÉMOIN : J'ai la certitude, monsieur le Juge, qu'elle l'accompagnait, car il le lui demandait. Ils prenaient la voiture de mon père et ils lui portaient des fleurs qu'ils coupaient dans le jardin de la maison.

Ces affirmations, extraites d'une déposition beaucoup plus longue que nous utiliserons en d'autres circonstances, furent prononcées par le jeune Contreras en présence de l'accusé, Oliverio Castañeda, qui se trouvait à l'intérieur du tribunal dans l'attente de poursuivre sa déposition à charge, après avoir été formellement inculpé.

Il se produisit alors un incident que le poète et journaliste Manolo Cuadra, envoyé permanent à León du quotidien *La Nueva Prensa* de Managua pour couvrir les péripéties du procès, décrit dans l'édition du 3 décembre 1933. La dépêche s'intitule « Comparution sur des charbons ardents ».

L'accusé ne fut pas extrait du bureau du juge lorsque le jeune Contreras dut entamer sa déposition; et une telle imprudence, que nous signalons ici en toute courtoisie à notre ami Mariano Fiallos, fut à l'origine d'une altercation à laquelle, étant donné la tension logique existant entre accusé et témoin, il fallait s'attendre. Castañeda commença par tenter d'interrompre la déclaration pour en contester les parties où le jeune Contreras signalait les aspects obscurs de la conduite du suspect. Le juge Fiallos décida de le rappeler à l'ordre, en lui remémorant que selon le Code d'instruction criminelle il n'avait pas le droit d'intervenir. Cependant, quand le jeune homme déclara que Castañeda à une occasion l'avait incité à utiliser la cocaïne comme moyen de séduire les femmes et de les amener à se plier à sa volonté, l'accusé éclata d'un rire sonore, suffisant pour que le témoin se lève de son siège et le provoque à se battre.

Castañeda fut finalement sorti de la pièce et on lui ordonna d'attendre dans le couloir jusqu'à la fin de la déposition; mais au moment de se retirer, le juge Fiallos ne put l'empêcher de clamer haut et fort : « Si je suis aussi malfaisant, corrupteur et pervers, pourquoi as-tu demandé ma liberté dans un radiogramme adressé au général Somoza? » Cette invective provoqua un tonnerre d'applaudissements parmi la foule des partisans de l'accusé, qui se réunit chaque jour dans le tribunal.

Une fois dans le couloir, Castañeda fut entouré par ses sympathisants, qui le félicitèrent d'avoir, comme le proclama l'un d'entre eux avec enthousiasme, « cloué le bec » du jeune Contreras; et comme toujours ils lui offrirent des rafraîchissements et de la nourriture, car l'heure du déjeuner approchait.

L'observation faite au témoin par Oliverio Castañeda au moment
où il était expulsé, et recueillie par Manolo Cuadra dans son billet
était justifiée. Carmen Contreras Guardia, qui était alors en première
année de droit à l'université du Costa Rica, rentra au Nicaragua par
la voie des airs le 11 octobre 1933 en compagnie de son oncle, don
Fernando Guardia, lorsque survint la mort de son père ; mais auparavant il avait adressé au chef de la garde nationale, le général Anastasio Somoza, le radiogramme suivant :

JUGE INJUSTIFIÉ EMPRISONNEMENT JEUNE OLIVERIO CASTAÑEDA, AMI TRÈS CHER
MA FAMILLE. VOUS CONJURE ACCEPTER DEMANDE MADAME MA MÈRE ET ORDON-
NER SA LIBÉRATION RAPIDE POUR TRANQUILLISER TOUS LES MIENS. VOTRE
DÉVOUÉ

                                         CARMEN CONTRERAS GUARDIA

Ce radiogramme, publié dans *La Nueva Prensa,* avait déjà fait
l'objet de commentaires de la part des participants à la table maudite, réunis au soir du 13 octobre 1933 *Chez Prío* ; c'est au cours de
cette même séance, il est bon de le noter au passage, que Rosalío
Usulutlán avait obtenu du Dr Salmerón le feu vert pour accepter la
proposition d'interviewer Oliverio Castañeda dans sa cellule ; nous
connaissons déjà l'interview, mais nous avons promis d'expliquer plus
tard l'épisode qui en est à l'origine.

« Voyez quelle dévotion exemplaire manifeste le beau-frère. »
Cosme Manzo tend au Dr Salmerón l'exemplaire du journal où est
publié le radiogramme. « Et quelle perspicacité. Rosalío n'arrive pas
à la cheville de Manolo Cuadra.

– On dirait une affaire d'hypnose. » Le Dr Salmerón glissa derrière son oreille le crayon bleu et rouge à deux mines. « Hypnose collective pour les deux sexes. Télégramme de la mère, télégramme du
fils.

– C'est Alí Vanegas qui fournit des informations à Manolo parce
qu'ils sont poètes tous les deux. Dans ces conditions, c'est à la portée
de tout le monde. » Rosalío Usulutlán, l'air mortifié, porte la main
jusqu'au bouton de cuivre de son col. « Mais avec l'interview je le
mets dans ma poche.

– Le télégramme de doña Flora, demandant à son tour qu'on
libère le tourtereau, est bien plus qu'une affaire d'hypnotisme. »
Cosme Manzo déploya ses doigts devant le visage de Rosalía Usulutlán, en lui faisant une passe de magnétiseur. « Et les brassées de
fleurs qu'elle lui envoie en prison. Et les parfums. Attention que le
poète ne te prenne pas de vitesse et qu'il n'interviewe pas Castañeda
le premier. Il a été dans la Garde, on peut le laisser entrer dans la cellule avant toi.

– Pour être juste, María del Pilar elle aussi lui envoie des fleurs et des parfums. » On dirait que Rosalío ferme les yeux et qu'il dodeline du chef comme s'il s'était endormi sous l'effet des passes magnétiques. « Elles sont à égalité toutes les deux. Pour ce qui est de l'interview, ne vous inquiétez pas. Le capitaine Ortiz m'a garanti l'exclusivité.

– C'est pour cela que je parle d'hypnose collective. » Le Dr Salmerón, amusé, suivait le jeu hypnotique de ses deux commensaux. « Le Houdini en question doit avoir un sacré talent pour qu'elles ne sortent pas de leurs transes après qu'il a occis la moitié de la famille. Et cette interview, à mon avis, sent le piège. On ne te la propose pas par plaisir.

– Il n'y a pas plus d'hypnose que de beurre en broche. C'est le talent de la braguette. » Cosme Manzo frappe un grand coup du plat de la main pour réveiller Rosalío. « Piège ou pas, je vois là une chance pour notre reporter vedette. Et une pour vous, docteur, de glisser quelques questions qui vous titillent.

– Allez vous faire voir. La foudre va s'abattre sur nous », gémit le capitaine Prío depuis sa caisse enregistreuse.

7

Orage de jalousie dans le ciel de janvier

Oliverio Castañeda souffrait à un point tel, au matin du 10 janvier 1933, à l'heure du petit déjeuner, que tous les membres de la famille, qui avaient remarqué que sa main tremblait si fort qu'il versait l'extrait de café à côté de sa tasse de lait, s'inquiétèrent. Et leur inquiétude grandit encore quand ils le virent quitter la table en sanglotant pour aller se réfugier au fond du couloir, où doña Flora le rejoignit afin de s'enquérir de l'objet de sa peine et pour le consoler.

Il apprit à doña Flora que les douleurs menstruelles de Marta, constantes tout au long de sa vie de femme mariée, le désespéraient. Dans le cas présent, l'hémorragie s'était produite aux hautes heures du petit matin, avec une abondance inhabituelle. Doña Flora sut le calmer par des paroles énergiques, elle envoya immédiatement Carmen, le plus jeune de ses enfants, chercher le médecin de famille, le Dr Juan de Dios Darbishire, et elle ordonna en même temps à la cuisinière de faire bouillir de l'eau pour préparer une infusion. Aussitôt après, elle se rendit dans les appartements du couple afin de s'occuper personnellement de la malade.

Pendant qu'on attendait le Dr Darbishire, Oliverio Castañeda entrait dans la chambre, l'esprit un peu plus tranquille, en portant un plateau avec des oranges pelées, du pain et du beurre, et l'infusion de feuilles d'orange amère que doña Flora avait fait préparer. Mais ses prières, jointes à celles de doña Flora, pour que Marta prenne quelque chose restèrent vaines.

Le Dr Darbishire apparut peu après huit heures du matin, drapé dans sa cape de soie. Don Carmen le reçut à la porte du salon et, après l'avoir conduit jusqu'à la chambre de la patiente, il se retira prudemment. Le médecin interrogea et ausculta la malade en présence de doña Flora et d'Oliverio qui, succombant à une nouvelle crise nerveuse, l'accabla de questions angoissées.

Le Dr Darbishire, dans sa déposition du 17 octobre 1933, précise à propos de cette visite médicale :

Au terme de l'examen médical j'ai appelé à part le mari et je l'ai informé que je ne voyais rien de préoccupant, car il s'agissait d'un trouble naturel chez certaines femmes au moment de leurs règles. J'ai ordonné le repos absolu pendant plusieurs jours, des bains de siège à l'eau boriquée, à température moyenne, et des pilules d'Apioline Chapoteaut, le tout consigné sur une ordonnance. Mais comme en consultant le thermomètre j'avais constaté quelques degrés de fièvre, inhabituels dans le cadre d'un trouble menstruel, j'ai recommandé au mari de faire faire une analyse de sang de la malade, dans la mesure où je soupçonnais une crise éventuelle de paludisme, assez fréquent dans la ville. Soupçon effectivement confirmé par les examens de laboratoire, ce qui me conduisit à appliquer à la patiente le traitement habituel.

Interrogé par le juge chargé de l'affaire sur quelque attitude de la malade susceptible d'attirer particulièrement l'attention, le déposant répond : je ne me rappelle rien de notable, sauf qu'elle a profité d'un moment où doña Flora et Castañeda s'étaient absentés de la pièce pour me demander si je ne connaissais pas une maison vide à louer. Réprimant ma surprise devant une question aussi inattendue, étant donné la confiance limitée ou nulle qui nous liait, je lui ai répondu que doña Ercilia Gonzalez, qui était aussi ma patiente, possédait à proximité de l'université une maison dont les locataires venaient de partir.

Quand ce matin-là le Dr Darbishire prend congé de sa nouvelle patiente et ressort, drapé dans sa cape de soie, avec à la main sa pesante sacoche de cuir qui l'oblige à se pencher d'un côté, il est loin de se douter pourquoi Marta Jerez a attendu d'être seule pour l'interroger à propos d'un logement inoccupé. Il part sans s'inquiéter, croyant laisser derrière lui un simple trouble menstruel et les symptômes d'un nouveau cas de paludisme parmi tant d'autres. Cependant, au moment de sa déposition, il est au courant; mais, pour des motifs dont nous serons bientôt informés, il garde le silence et se montre également réticent à répondre à d'autres questions du juge relatives au couple.

Afin de nous aider à élucider ce point, nous ferons appel au témoignage révélateur d'une fillette de treize ans, Leticia Osorio. Le 19 octobre 1933, dans l'enceinte du tribunal remplie comme d'habitude de curieux, de journalistes et de plaideurs qui, étonnés par la fraîcheur de sa mémoire, suivent sa déposition, la petite déclare :

Qu'elle est arrivée pour travailler comme domestique de la famille en novembre 1932, embauchée par mam'selle Mathilde pour un cordoba par mois, pour qu'elle aide les autres servantes à balayer, laver par terre et sortir les seaux d'aisances, car des étrangers allaient très bientôt s'installer dans la maison.

Que ces étrangers étaient don Oliverio et doña Marta, son épouse, tous deux du pays de Guatemala. Ils ont occupé la chambre de don Carmito, qui a dû aller dormir dans le salon, où on lui ouvrait un lit de sangle tous les soirs, car il n'y avait pas d'autres pièces dans la maison.

Que le matin, alors que les femmes de service commençaient à peine à allumer la cuisinière, le premier à se lever était don Oliverio, qui prenait des ciseaux et se mettait à couper dans le jardin de la cour du jasmin, du magnolia et des glaïeuls. Il donnait ses brassées de fleurs à mam'selle María del Pilar quand elle sortait de la salle de bains avec sa serviette enroulée sur la tête.

D'après les déclarations de la déposante, don Oliverio aimait beaucoup écrire des poésies à mam'selle María del Pilar dans un album doublé de soie avec une serrure sur la couverture, qu'elle seule ouvrait avec une petite clef qu'elle gardait dans son sein, attachée à un ruban; dès qu'ils finissaient de dîner, la jeune María del Pilar passait l'album à don Oliverio et il se mettait à y noter les vers. Puis elle emportait l'album dans sa chambre pour les lire toute seule dans son lit, sans les montrer à personne. C'est pour cette raison qu'elle se disputait sans arrêt avec mam'selle Mathilde, car elle aussi voulait prendre connaissance des vers.

Que le jour de l'anniversaire de don Oliverio, mam'selle María del Pilar avait pris dans la vitrine du magasin un vase de parfum pour le lui offrir; et l'après-midi, pendant la petite fête organisée par doña Flora avec un verre de vin et de la tarte pour célébrer l'anniversaire, doña Marta s'était mise à pleurer, car don Oliverio respirait un mouchoir imprégné de ce parfum et il fermait les yeux en le portant à son nez. Doña Marta, furieuse, avait fini par lui arracher le mouchoir et, secouée par les sanglots, elle était partie s'enfermer dans sa chambre.

Et quand le juge l'interrompt pour lui demander si elle se rappelle ce qui s'est passé le jour où Marta Jerez s'est réveillée malade, la fillette assure qu'elle s'en souvient très bien, car elle avait sorti de la chambre des bassins avec du sang. Ce matin-là, don Oliverio s'était levé tôt à son habitude, mais il n'avait pas coupé de fleurs dans le jardin pour les offrir à la jeune María del Pilar : il s'était contenté de se promener tout triste dans le couloir, comme un animal en cage.

Les épisodes rapportés dans la déposition de la fillette, y compris l'hémorragie de Marta déjà précisée quant à la date, se produisirent entre novembre 1932 et février 1933, période où le ménage Castañeda séjourna chez la famille Contreras; et la dernière de ces péripéties, relative à l'incident provoqué par le flacon de parfum, doit être survenue le 18 janvier 1933, jour de l'anniversaire d'Oliverio Castañeda.

Au soir du 20 octobre 1933, Oviedo la Baudruche, qui est devenu un assidu des séances de la table maudite, bien qu'on y dressât, plus que nulle part ailleurs, l'échafaud de son ami, avoue, et le Dr Salmerón le note dans son carnet, que c'est pendant ces mêmes journées du mois de janvier 1932, alors qu'ils révisaient dans un des couloirs de l'université leur examen final tout proche, que Castañeda devait tirer d'un livre le billet amoureux signé par María del Pilar Contreras, pour le lui montrer. Mais le Dr Salmerón a déjà enregistré cette donnée, copiée dans la déposition d'Oviedo la Baudruche, faite devant le juge, le 17 octobre 1933.

« " Attention, tu joues avec le feu ", l'ai-je prévenu quand il m'a fait voir le petit papier. » Oviedo la Baudruche lève sentencieusement le doigt, comme il l'avait fait cette fois-là.

« Le diable n'a pas peur du feu, au contraire il adore les flambées. » Cosme Manzo rabroue Oviedo la Baudruche avec un éclair de roublardise dans les yeux.

« " Le feu est fait pour se brûler ", m'a-t-il répondu et il s'est passé le billet sur la langue, comme si c'était un bâton de glace. » Oviedo la Baudruche renvoie à Cosme Manzo son regard roublard. « Pourquoi Oliverio allait-il avoir peur?

– Et la lettre de Mathilde, celle qu'on a trouvée dans les affaires de Castañeda après sa capture? » Le Dr Salmerón s'impatiente. Il ne veut pas qu'on lui parle du feu ni du diable, mais des amours d'Oliverio Castañeda.

« Je ne savais rien de cette lettre. » Oviedo la Baudruche fait trembler ses bajoues en niant de façon véhémente. « Mais comme on l'a trouvée dans un code que nous utilisions pour l'examen du doctorat, j'en déduis qu'elle doit être de la même date.

– Apparemment, il y avait des lettres des filles Contreras dans tous les livres. » Cosme Manzo regarde le carnet du Dr Salmerón, comme si cette donnée était à enregistrer.

« C'est sur ces lettres que le juge veut t'interroger demain. » Rosalío Usulutlán secoue le tabouret de Cosme Manzo. « Il veut savoir tout ce que tu as raconté à ton ami Rodemiro, le fleuriste.

– Il sait bien qu'il ne va rien déclarer, il doit tout nier. » Le Dr Salmerón fait rouler le crayon à deux mines sur la table, en direction de Cosme Manzo. « Ce que le juge voudra entendre, c'est moi qui vais le lui dire.

– Ce n'est tout de même pas un con, docteur. » Cosme Manzo grimace en lui faisant un bras d'honneur. « Et quant à ce pédé de Rodemiro Herdocia, je vais lui enfoncer ses fleurs dans le cul, à ce bavard.

– Pour en revenir à la lettre de Mathilde », le Dr Salmerón ramasse son crayon et il le cale derrière son oreille. « Castañeda la gardait dans un code; et le code était rangé dans une malle qu'il a transportée au Guatemala; ce qui veut dire qu'il a baladé la malle au Costa Rica et qu'il l'a rapportée ensuite?

– Il n'a pas emporté la malle », Oviedo la Baudruche sourit de toute sa candeur, « il me l'a laissée en garde. Je la lui ai remise à son retour, avec ses autres affaires, son phonographe, sa machine à écrire. Je vous l'avais déjà dit. Mais qu'est-ce qu'a déclaré Rodemiro?

– Des choses que Manzo lui a racontées sur les lettres et d'autres histoires secrètes que nous connaissons. » Le Dr Salmerón ôte le crayon de son oreille et il cherche une page dans son carnet. « Le bavard, c'est vous, ami Manzo, pas Rodemiro.

– Maintenant qu'il est vieux il fait ami ami avec les pédales. » Rosalío se lève précipitamment de la table pour se mettre hors de portée de Manzo, en sachant que ses paroles vont le faire bondir de sa chaise.

« Alors, s'il t'a laissé la malle, c'est qu'il avait l'intention de revenir. » Le Dr Salmerón souligne les lignes où est consignée la déclaration antérieure d'Oviedo la Baudruche, qu'il vient de répéter. « Et arrêtez de parler de pédales. C'est comme ça qu'on commence. »

Leticia Osorio, la petite bonne de treize ans, nous dit également dans sa déposition que pendant la nuit, alors que Marta devait garder le lit sur ordre du Dr Darbishire, Mathilde la remplaçait dans la tâche de lire les codes et les livres de droit à voix haute à Castañeda, à qui il était interdit de se fatiguer la vue.

Ils s'asseyaient tous les deux jusqu'aux hautes heures du petit matin dans la solitude de la galerie parfumée par les jasmins de la cour, dans ces mêmes rocking-chairs de rotin que les deux sœurs avaient l'habitude de traîner jusqu'à la porte pendant les chaudes soirées de León. Mathilde lisait à la lueur d'une lampe surmontée d'un abat-jour à franges et Oliverio écoutait, en se poussant lentement avec les pieds pour se bercer. La petite Leticia Osorio leur apportait une cafetière avec deux tasses et elle se retirait pour dormir dans la pièce de service au fond du couloir, au-delà de la cuisine, laissant derrière elle la voix de Mathilde qui récitait les codes avec l'intonation de quelqu'un lisant un roman d'amour.

Et la fillette affirme qu'un soir où elle allait se coucher après leur avoir laissé le café, en passant devant la chambre où Marta était recluse, elle l'avait vue épier d'un regard avide en direction du couloir, cachée derrière un volet. Quand elle s'était sentie découverte, elle avait rapidement regagné son lit, en traînant sa chemise de nuit de popeline blanche comme une âme en peine.

« D'après notre journaliste ici présent », le Dr Salmerón sourit en son for intérieur car ils ont préparé un piège pour Rosalío, « c'est à la même époque que don Carmen enquêta sur l'auteur d'une fable qui attentait à l'honneur de sa fille Mathilde. Quelle était cette fable?

– La fable disait que Mathilde s'éclipsait de chez elle le soir tombé et passait fréquemment des nuits blanches. » Rosalío tâte le bouton de cuivre de son col pour vérifier s'il est bien dans sa boutonnière. « Elle prenait la route du cimetière de Guadalupe, en compagnie de Noel Robelo. Et si les tombes parlaient, que de choses elles te diraient... »

A la demande du Dr Salmerón, Rosalío Usulutlán leur répète très volontiers sa version sur l'enquête de don Carmen, qu'il a déjà exposée bien des fois :

Un matin du mois de janvier 1933 il rassemblait des bons à tirer au marbre du journal quand il découvrit dans l'encadrement de la porte la silhouette de don Carmen Contreras, accompagné de son ami intime, don Esteban Duquestrada. Saisi d'effroi, il pensa qu'il venait lui demander des comptes à propos des tracts.

Plusieurs jours auparavant il avait fait imprimer des feuilles volantes, sous le pseudonyme de Presentación Armas, qu'il n'avait pas encore retirées de l'imprimerie des Frères chrétiens, où il s'en prenait violemment au nouveau contrat de la Compagnie des eaux et où il accusait ses propriétaires de préparer une tentative de subornation afin d'obtenir les votes des régisseurs réticents. Il s'était vu contraint de recourir à cet expédient quand le patron de *El Cronista* lui avait interdit de continuer à parler de cette affaire dans son journal.

Sa peur grandit encore quand il vit que don Carmen était armé : lorsqu'il s'approcha de lui pour lui demander un entretien en tête à tête, tandis que don Esteban restait à surveiller la porte, le pan de sa veste se déplaça et dévoila un revolver, passé dans sa ceinture.

Mais il resta bouche bée en entendant cet homme hautain, à la calvitie lisse et au cou poudré de talc, avec lequel il avait à peine échangé une fois un salut lointain dans la rue, le supplier humblement de lui révéler d'où provenait la rumeur qui salissait le nom de sa fille.

Au début il refusa avec véhémence ; il ne savait absolument rien sur aucune rumeur. Mais à la longue, face aux supplications insistantes de l'autre, il reconnut avoir entendu quelque chose dans les couloirs des tribunaux ; mais il assura sincèrement qu'il ignorait qui pouvait être l'auteur de cette calomnie, il pouvait le lui jurer. Et l'affaire s'était arrêtée là. Don Carmen était sorti du journal aussi abattu qu'il y était entré.

Le Dr Salmerón, qui attend avec une impatience amusée la fin de l'histoire, lui demande s'il a terminé et il se met alors à lui lire la déposition de don Esteban Duquestrada, agriculteur, marié, âgé de quarante-sept ans, faite devant le juge deux jours auparavant, le 18 octobre 1933.

Le déposant soutient qu'à la mi-janvier de l'année en cours est parvenue aux oreilles de don Carmen une épouvantable calomnie, amplement diffusée parmi les étudiants de l'université et dans certains cercles des tribunaux, ainsi que dans les milieux du Club social de León, dont ils étaient membres tous les deux. Calomnie dont il se refuse à révéler le contenu, mais qui attentait à l'honneur de Mlle Mathilde Contreras (Dieu ait son âme).

Don Carmen, affecté par la gravité de l'horrible humeur, invita le déposant à le seconder dans l'enquête qu'il se proposait de mener afin de découvrir l'auteur de cette infamie. C'est ainsi que pendant plusieurs jours ils se sont attachés à visiter l'université, où ils ont interrogé plusieurs étudiants, ainsi que les tribunaux et autres lieux publics, sans rien obtenir de concret. Jusqu'à ce que quelqu'un leur mentionne le journaliste Rosalío Usulutlán, rédacteur en chef du journal *El Cronista,* qui devait être au courant. Dans ces conditions ils sont allés le chercher au journal afin de lui extorquer des aveux.

Le journaliste refusait au début de leur révéler la source de cette fable. Mais, quand il se vit perdu, il lui fallut accepter de leur donner le nom de son auteur. Il avoua que le responsable de ce bobard était Oliverio Castañeda, qui l'avait rapporté avec un luxe inouï de détails au susdit Usulutlán et au poète Alí Vanegas, secrétaire de ce tribunal, alors qu'ils étaient attablés à boire au bar de l'*Hôtel Métropolitain,* un beau matin de ce même mois de janvier 1932.

A des questions du juge, le déposant répond qu'effectivement le comportement de don Carmen l'avait beaucoup étonné, car une fois dévoilée la source de cette nouvelle calomnieuse, il n'a pris aucune mesure contre ce misérable, logé sous son propre toit. Au contraire, le lendemain, il demanda au déposant de bien vouloir comparaître devant le conseil de direction de la faculté de droit afin d'émettre un témoignage de bonne conduite au bénéfice dudit individu, formalité préalable à son examen de doctorat. Ainsi le déclarant dut-il se résigner à cette démarche.

Et pour dissiper le moindre doute, le Dr Salmerón lit également à Rosalío des paragraphes du témoignage du bachelier Alí Vanegas, célibataire, âgé de vingt-cinq ans et avocat stagiaire, présenté également le 18 octobre 1933, après la nomination d'un greffier remplaçant.

Le témoin, confronté à la déclaration de Rosalío Usulutlán, qu'il a sous les yeux, accepte de confirmer que le susdit Usulutlán était venu lui raconter, dans la nuit du 18 juin 1932, qu'il avait identifié Oliverio Castañeda et Octavio Oviedo y Reyes comme étant les personnes responsables d'avoir empoisonné plusieurs chiens dans la rue Royale, parmi lesquels un chien du Dr Darbishire. Motif pour lequel celui-ci avait roué Oviedo de coups de canne. Le déposant peut déduire de ce qui précède que ces deux personnes sont celles mêmes qu'il avait aperçues peu de temps auparavant, dévalant la rue à bride abattue, à bord d'une voiture à chevaux.

Le juge lui ayant demandé par ailleurs s'il est informé des bruits que depuis quelque temps quelqu'un propage contre l'honneur de Mlle Mathilde Contreras, il reconnaît qu'il en est effectivement informé. On le presse alors de révéler qui est cette personne, à quel endroit et dans quelles circonstances ces bruits ont été propagés. Le déposant répond :

Que la rumeur lui avait été communiquée en privé par Oliverio Castañeda en présence de Rosalío Usulutlán, déjà cité, au cours d'une soirée de libations au bar de l'*Hôtel Métropolitain.* Ils avaient tous deux promis qu'ils ne répéteraient à personne les détails de ce qu'il leur révélait. Car étant donné qu'il habitait avec son épouse chez la famille Contreras, l'affaire pouvait être très dangereuse pour lui-même.

Le témoin affirme se sentir délié de sa promesse de silence puisque c'est la justice officielle qui s'enquiert auprès de lui. Aussi n'hésite-t-il pas à déclarer qu'Oliverio Castañeda leur avait assuré, ce soir de janvier 1933, que Mlle Mathilde Contreras avait l'habitude de découcher de chez elle, profitant de l'heure tardive pour s'absenter en secret. Protégée par l'obscurité elle sortait sans faire de bruit par la porte de sa chambre, qui donnait sur la rue, et elle ne la verrouillait pas, afin de rentrer par cette porte avant l'aube.

Une fois dans la rue elle parcourait la distance d'une centaine de mètres jusqu'à l'endroit où l'attendait Noel Robelo à bord de son automobile. Ils se dirigeaient alors tous les deux vers le cimetière de Guadalupe et, une fois sur place, ils transformaient les tombes en couches nuptiales.

« Tu es pris en flagrant délit de mensonge. » Le Dr Salmerón feint d'adresser à Rosalío Usulutlán un regard de reproche. Aussitôt il éclate de rire, sans pouvoir se contenir davantage. « En tant que journaliste tu devrais être le premier à savoir ce qui se passe au tribunal. C'est pour ça que Manolo Cuadra te bat à tous les coups.

– Comme ça tu as eu la trouille. » Cosme Manzo exulte. « Pourquoi tu nous as menti, espèce de fumier?

– Je vous ai menti. » Rosalío se frappe la poitrine à coups redoublés, comme à la messe au moment de l'élévation. « J'ai été forcé d'avouer la vérité à don Carmen. Qu'est-ce que je pouvais faire d'autre? Je ne l'ai pas fait par peur, mais par pitié. J'ai eu de la peine en voyant cet homme si fier brisé par le chagrin.

– Et qu'est-ce qu'il t'a dit quand tu lui as avoué? » Oviedo la Baudruche plisse les yeux et recule le visage, comme pour mieux le jauger. Il n'arrive pas à croire à cette histoire de calomnie.

« Il a simplement hoché la tête en silence. » Rosalío gardait un air contrit, le poing serré sur la poitrine. « Il s'est mordu la lèvre et il a regardé don Esteban qui se tenait à l'écart et l'attendait sur le pas de la porte. Et sans dire un mot de plus, ils sont partis.

– C'était certainement une blague d'Oliverio, il est très blagueur », sourit Oviedo la Baudruche, mais on voyait nettement que son sourire était crispé.

« Fais pas chier avec tes histoires de blagues. » Cosme Manzo rit à son tour, mais sur un ton moqueur.

« Dès qu'ils sont sortis j'ai attrapé un papier », s'empresse d'ajouter Rosalío Usulutlán dans l'espoir qu'ils oublient de lui remettre le nez dans son mensonge, « j'ai écrit un mot à Castañeda pour l'avertir et j'ai envoyé un des typos lui transmettre le message.

– Il a dû se torcher avec ce papier. » Cosme Manzo éclate à nouveau d'un rire sarcastique.

« Il n'y a pas prêté la moindre importance. » Rosalío se lève comme s'il voulait s'en aller, mais il veut seulement souligner l'inutilité de sa tentative pour prévenir Castañeda. « Environ deux jours plus tard, je l'ai rencontré par hasard dans la rue, et quand je lui ai rappelé l'affaire il a ri : " Écoutez, don Chalío, oubliez cette histoire de cimetière. Ce n'est qu'une de mes blagues, de celles que je fais tous les jours aux Contreras; toutes ces inventions les amusent. Occupons-nous plutôt du tract contre la Compagnie des eaux. "

– Vous voyez? » Oviedo la Baudruche leur jette un regard de triomphe. « Je vous l'avais bien dit. C'était une blague.

– Toutes les blagues de ton copain semblent finir dans une tombe au cimetière. » Cosme Manzo étreint Oviedo la Baudruche, comme s'il lui exprimait ses condoléances.

« Tiens donc, alors Castañeda était déjà au courant pour le tract. Par conséquent don Carmen le savait aussi – note le Dr Salmerón, en imposant silence à Cosme Manzo.

– Castañeda, au moins, le savait. » Rosalío met ses mains sur ses hanches et fait le tour de la table. « " Ne vous inquiétez pas de la hausse apparente des nouveaux tarifs, je m'occuperai de les faire baisser par la suite, me dit-il. Cette clause léonine me gêne moi aussi. Mais qui peut convaincre don Carmen quand il est question de sous? Ne distribuez pas ce tract. "

– Bien sûr que don Carmen était au courant pour les tracts. » Cosme Manzo suit d'un regard ironique les déambulations de Rosalío, qui a l'air de mesurer la distance entre les briques. « Et il était au courant du marché que Castañeda allait te proposer.

– J'ai accepté par amitié. » Rosalío s'arrête loin de la table, de peur de se rapprocher de Cosme Manzo. « " Si vous les distribuez, je suis foutu, car je perds le fric que je vais gagner avec ce contrat. Remettez-les-moi ", me supplia-t-il.

– Allez, mon petit vieux, approche-toi. » Cosme Manzo l'appelle de l'index. « Avoue une bonne fois pour toutes que tu as palpé le pognon qu'il t'a offert.

– Eh bien, oui. Je lui ai fait payer l'imprimerie, quand on est allé retirer les tracts. » Rosalío fait mine d'approcher, mais il recule. « Je n'allais pas perdre mon argent.

– Non, monsieur. Les tracts ont coûté vingt pesos. Et il t'en a remis quatre-vingts. » Les crocs dorés de Cosme Manzo semblent prêts à déchiqueter Rosalío. « Et ce n'était pas l'argent de Castañeda, mais de don Carmen, celui-là même que tu avais attaqué dans le journal.

– Ça suffit, mon vieux. » Oviedo la Baudruche lève les bras comme un arbitre de boxe proclamant un K.O. « Pourquoi continuer à discuter de cette ânerie?

– Pour toi tout est blague ou ânerie. » Cosme Manzo cache ses crocs à contrecœur et Rosalío Usulutlán regagne la table d'un pas méfiant.

Et pour en finir avec ces journées mouvementées du début de 1933, écoutons de nouveau la petite bonne de treize ans, Leticia Osorio, dans sa déposition déjà citée :

Au début du mois de février, alors qu'elle entrait très tôt un matin dans la chambre des époux Castañeda pour retirer le bassin, elle a entendu Mme Marta sangloter et exiger de son époux qu'ils quittent sur-le-champ cette maison maudite. Don Oliverio essayait de la consoler, en la suppliant de se taire parce qu'on pouvait l'entendre, et il lui mettait la main sur la bouche; mais elle pleurait alors plus fort, en répétant : « qu'ils m'entendent, qu'ils m'entendent, peu importe qu'ils m'entendent. » Jusqu'à ce qu'il lui dise que ça suffisait, qu'ils allaient donc partir, si cela lui faisait plaisir. Et quand la déposante s'était approchée du lit pour enlever le bassin, elle l'avait vue rire toute contente, comme si elle n'avait jamais pleuré.

Ainsi, le 8 février 1933, les jeunes époux quittèrent la maison de la famille Contreras pour s'installer dans la modeste demeure dont le Dr Darbishire avait parlé à Marta, tout près de l'université. Leur départ remplit tout le monde de chagrin, patrons et serviteurs, déclare, le 14 octobre 1933, depuis sa cellule de la prison XXI, la cuisinière Salvadora Carvajal, célibataire, âgée de soixante ans, en détention préventive pour avoir été celle qui préparait les repas de la famille :

La déposante soutient que tout le monde a été profondément triste le jour où les époux Castañeda ont quitté la maison, on aurait dit un peu qu'on allait à un enterrement, il y avait un grand silence, personne ne parlait et même à la cuisine on s'affairait sans bruit. Seul don Carmen s'est présenté à table à l'heure du déjeuner, Mathilde et María del Pilar sont restées dans leur chambre et elles n'ont rien mangé. En cuisine personne non plus n'a déjeuné.
Le matin encore, doña Flora les a chouchoutés pour qu'ils restent, au moins jusqu'à ce que don Oliverio ait soutenu son doctorat; mais doña Marta se montrait bien décidée à partir et elle a préparé très tôt ses malles pour libérer la chambre, qu'elle a balayée elle-même, sans permettre à aucune femme chargée du ménage de prendre le balai.
Quand il a été impossible à doña Flora de les convaincre, elle s'est mise, tout en pleurant, à leur préparer des draps et des serviettes de toilette en provenance du magasin, et toute une série de choses pour qu'ils puissent s'installer dans leur nouvelle maison, qui était vide. Elle engagea également pour eux une bonne, nommée Dolores Lorente, qu'elle vit venir de la ferme *Notre maître*.

Cinq jours plus tard, le 13 février 1933 à une heure de l'après-midi, Marta Jerez mourait au terme d'épouvantables convulsions, dans la chambre de son nouveau et unique foyer au Nicaragua.

8

Si tous brillaient avec autant d'intensité

Salvadora Carvajal n'a pas voulu révéler son âge au juge, ou bien elle ne le connaissait pas, quand elle a été interrogée dans sa cellule de la prison XXI. Mais dans le dossier on lui attribuait soixante ans, d'après un calcul fait par Alí Vanegas. Robuste et massive, habituée à transporter des brassées de bois jusqu'au fourneau, elle parcourait à pied tous les matins la distance depuis Subtiava, pour se trouver dans la cuisine avant que quiconque se soit levé dans la maison. Elle n'avait pas un seul cheveu blanc dans sa chevelure noire et brillante qu'elle ornait toujours, après son bain, d'un rameau de réséda.

Tous les hommes de sa vie, elle les avait eus avant dix-huit ans. Fatiguée de supporter des ivrognes et des brutes mal embouchés, elle décida de faire désormais la sourde oreille aux hommes, et c'est à l'époque de sa dernière déception amoureuse, après avoir accouché de quatre enfants, qu'elle était entrée au service de la mère de don Carmen, doña Migdalia Reyes de Contreras.

Quand après son mariage doña Flora arriva à León, la cuisinière l'attendait dans la maison à moitié meublée, à titre de prêt effectué par la belle-mère : opposée à ce mariage et résolue à démontrer dès le départ sa méfiance à l'égard de la bonne marche du foyer de son fils, elle remettait à la bru étrangère le plus précieux de ses biens; mais quand elle en réclama la restitution, au bout de quelque temps, la cuisinière ne voulut plus quitter doña Flora, provoquant ainsi une des innombrables querelles familiales.

Quand on se présenta pour l'arrêter, le matin du 10 octobre, elle refusa de quitter ses fourneaux tant que sa patronne ne le lui permettrait pas et elle maintint les soldats à distance avec un tison enflammé à la main. Elle nourrissait l'espoir de la voir accourir à ses côtés pour s'opposer à cet outrage, comme elle s'était opposée la veille par deux fois à l'arrestation d'Oliverio Castañeda; mais doña

Flora n'apparut pas dans la cuisine et elle fit dire depuis sa chambre que l'autorité agisse comme bon lui semblait. La cuisinière essuya alors ses larmes avec son tablier et très droite elle parcourut tout le trajet jusqu'à la prison XXI, refusant de s'installer sur la plate-forme de la camionnette de la Patrouille départementale où l'on voulait la faire monter. Ainsi, plus blessée par l'ingratitude de sa patronne que par le déshonneur d'être emprisonnée comme une traînée, elle quitta à jamais la maison.

Nous l'avons déjà entendue parler de la tristesse provoquée par le départ du couple d'étrangers, dans sa déposition du 17 octobre 1933, faite dans sa cellule. Écoutons maintenant son opinion sur Oliverio Castañeda, contenue dans cette même déposition :

De l'avis de la déposante, Oliverio Castañeda est la personne la plus gaie et la plus malicieuse qu'elle ait connue dans sa vie. Quand il passait par la cuisine, en se rendant aux toilettes, les domestiques, dès qu'elles l'apercevaient, éclataient de rire avant même qu'il leur adresse la parole, imaginant déjà ses reparties à double sens, plutôt égrillardes mais toujours spirituelles, avec toujours un mot cocasse à la bouche, imitant avec des grimaces et des effets de voix les habitants de la maison, principalement don Carmen, dont il contrefaisait le bégaiement.

Elle raconte qu'il se glissait derrière elle pour lui faire peur, quand il faisait nuit, enveloppé dans un drap; ou bien il l'entraînait de force alors qu'elle hachait de la viande pour lui faire danser des danses très drôles de son pays; ou bien il lui ôtait avec élégance le couteau de la main pour lui montrer comment on préparait des salades guatémaltèques, en particulier une à base de viande de porc hachée. Il la faisait alors s'asseoir et il lui racontait des histoires de crimes mystérieux survenus au Guatemala; et quand elle se signait, épouvantée, Castañeda riait de sa frayeur, sans lâcher le couteau avec lequel il découpait les tomates en forme de fleurs et fabriquait des lapins avec les œufs durs, en leur faisant des yeux avec des grains de poivre et une bouche avec des petits morceaux de poivron.

Mais elle ajoute que parfois il devenait très sentimental, surtout quand il lui parlait de sa mère, décédée après bien des souffrances sur un lit d'hôpital alors qu'il avait quatorze ans, tenaillée pendant des semaines et des semaines par d'horribles douleurs qui ont duré jusqu'au moment même de sa mort et que Castañeda était persuadé de sentir dans sa propre chair quand il rêvait d'elle. Il se réveillait alors baignant dans une sueur glacée, tourmenté par une souffrance qui le pliait en deux sur son lit. Et à plusieurs reprises il avait demandé à la déposante, les larmes aux yeux : « Yoyita, vous auriez laissé votre mère souffrir ainsi? »

La déposante précise également que Castañeda montrait une affection particulière pour la petite Leticia Osorio, employée comme domestique dans la maison, qu'il amusait avec des tours de magie appris auprès de prestidigitateurs qui étaient ses amis, comme le grand Moncriffe, qui fait parler les marionnettes. Elle se rappelle une fois où il se mit à expliquer à la fillette que le cordoba qu'on la payait chaque mois était un salaire de famine et que dans cette maison on exploitait le travail des enfants. Et comme la petite ne comprenait pas, il lui avait pris la tête entre ses mains et était resté tristement à la regarder.

Il n'était pas étonnant dans ces conditions qu'à table on le servît le premier, qu'on lui pressât les meilleures oranges pour le petit déjeuner et qu'on repassât avec beaucoup de soin ses chemises blanches, en amidonnant patiemment les poignets et les cols, car sur ce point il était très exigeant. Par contre don Carmen se plaignait que son lait était toujours froid.

Salvadora Carvajal fut remise en liberté sur ordre du juge le 18 octobre 1933, le jour même où Oliverio Castañeda comparaissait pour faire sa déposition *ad inquirendum*. Peu de temps après, Rosalío Usulutlán vient la chercher dans son humble demeure du quartier de Subtiava. Mandaté par le Dr Atanasio Salmerón, le journaliste est en quête d'informations nécessaires au reportage qui devait être publié sous sa signature dans l'édition de *El Cronista* du 25 octobre 1933.

Nous nous occuperons plus tard du formidable scandale provoqué par ce reportage. Pour l'intérêt de ce chapitre principalement consacré à examiner les sentiments suscités par Oliverio Castañeda à León, sentiments de sympathie manifeste chez les domestiques et assez contradictoires pour ce qui est de la bonne société, notons quelques-unes des impressions transmises par la cuisinière au journaliste et copiées de la main du Dr Salmerón dans son carnet de chez Squibb.

Elle ne croit rien des accusations contre Oliverio. Elle est persuadée qu'on le maintient prisonnier par jalousie, on l'a toujours beaucoup envié et maintenant qu'il est à terre on prend plaisir à le piétiner. Tous sont morts de fièvre maligne, une de ses fillettes est morte du même mal des années plus tôt et elle a été prise des mêmes convulsions. Qu'on l'ait mise en prison la fait rire, le juge ne lui a demandé que des sornettes. Ils sont cinglés s'ils croient qu'elle a mis de la strychnine dans les aliments à la demande de Castañeda ou bien parce qu'elle en a eu l'idée elle-même. Les docteurs disent que la strychnine est amère. Comment les gens allaient-ils alors avaler de la nourriture empoisonnée, ce n'étaient pas des chiens.

Tous ces jours-ci, depuis qu'elle est en liberté, elle est allée à la porte de la prison demander qu'on lui remette le linge d'Oliverio parce qu'elle veut s'en occuper, mais la sentinelle n'a pas daigné l'écouter. Quand il sortira elle va lui proposer de partir avec lui comme cuisinière. S'il veut l'emmener au Guatemala, elle le suivra tout pareil. C'est pour ça qu'elle a refusé de reprendre du service, bien qu'on soit venu la chercher de partout.

Elle ne reviendra jamais chez les Contreras, ils l'ont trahie. Elle s'est échinée dans cette maison, elle a passé ses nuits à bercer dans ses bras les enfants qui naissaient et ils la récompensent de cette façon, ils n'ont pas bougé le petit doigt pour elle. Maintenant ils trahissent Oliverio, à son tour; elle a appris par les journaux que doña Flora est revenue sur sa déclaration précédente et qu'elle a envoyé un autre télégramme à Somoza en lui demandant de ne pas le libérer, de l'enfoncer. Avant elle lui faisait fête, maintenant elle veut le voir réduit à l'état de cadavre; les riches sont comme ça avec les pauvres et les déchus. Toutes les femmes de la maison étaient aux petits soins pour lui, elles se le disputaient. Elle a vu des scènes interdites, elle a vu des baisers, elle a entendu des soupirs d'amour et des sanglots de jalousie, elle a entendu parler de crêpages de jupons. Mais elle ne parlera pas; sauf si Oliverio le lui demande, dans ce cas elle dira tout. Et alors, qu'ils préparent leurs abattis.

Ces propos sont transcrits dans le carnet du Dr Salmerón à la date de l'interview, 20 octobre 1933. On y lit également les révélations que fait la cuisinière à Rosalío sur le vol de l'Enfant Jésus de Prague qui, comme nous le savons, sera mentionné par Carmen Contreras Guardia dans sa déposition du 11 décembre 1933.

Elle veut donner un exemple du caractère généreux et serviable d'Oliverio. Elle célèbre tous les ans la neuvaine de l'Enfant Jésus, sa dévotion à elle. Elle n'a jamais eu sur son autel de véritable statue, à peine une estampe découpée dans le calendrier de la Mejoral et même pas bénite. L'an dernier, en décembre, Oliverio l'a appris, alors que les prières avaient commencé, et il lui a dit : « Ne vous inquiétez pas, Yoyita, préparez un tas de pétards et distribuez-les avec soin, parce qu'on va avoir une fin de neuvaine à tout casser, avec un vrai Enfant Jésus. »
Elle s'est demandé ce que ça voulait dire. Qu'est-ce qui allait se passer? Le mystère s'est éclairci au matin du 23 décembre. Il est entré dans la cuisine, il a appelé toutes les domestiques et il leur a expliqué son plan. Ils allaient séquestrer pour une journée l'Enfant Jésus de Prague appartenant aux Contreras, celui qui est dans une niche, dans le corridor. Et c'est ce qui s'est produit. Pendant qu'une des employées balayait et soulevait de la poussière pour que personne ne s'approche, les autres faisaient le guet. Oliverio ouvrit la porte de la niche avec des tours de magie que lui avait appris le Grand Moncriffe, sans toucher à la clef. Il enveloppa la statue dans une serviette et il la mit dans le coffre de l'automobile de don Carmen, pour l'emmener à Subtiava. Ça ne lui était pas difficile, il se trimbalait toute la journée dans la bagnole de don Carmen.
On a fêté comme jamais la fin de la neuvaine de l'Enfant Jésus. C'était la première fois qu'une statue, parée d'un manteau de brocart et d'une couronne de pierreries, entrait dans une humble demeure. On l'a intronisé solennellement sur l'autel aux prières, orné de fleurs d'arbousier et de festons de papier de soie. La pétarade des fusées a été une merveille. Oliverio était présent. Le lendemain, l'Enfant Jésus de Prague a regagné sa niche, sans qu'il soit besoin de toucher à la serrure. Il savait ouvrir les portes avec des oraisons magiques, car il avait été instruit par le Grand Moncriffe.

Mais la séduction d'Oliverio Castañeda opérait au-delà du domaine familial de cette maison sans fenêtres, où par un beau matin de février maîtres et serviteurs s'affligeaient également de son départ. Quelques semaines auparavant eut lieu au Club social de

León un bal de gala en hommage au Dr Juan Bautista Sacasa, qui avait accédé à la présidence de la République le 1ᵉʳ janvier, date à laquelle les forces américaines d'occupation avaient également quitté le pays.

La longue chronique mondaine du quotidien *El Centroamericano* du 12 janvier 1933, signée par Pimpinela Escarlata et derrière laquelle on devine une main féminine, précise dans un paragraphe significatif :

Parmi les invités brilla d'un éclat particulier le jeune représentant de la meilleure société guatémaltèque, résidant depuis quelque temps parmi nous, le Dr Oliverio Castañeda. Paré de sa gentillesse et de sa bonhomie proverbiales, il fit montre de manières de gentleman innées, épuisant à lui seul les carnets de bal des demoiselles les plus raffinées, qui se le disputèrent en un galant tournoi; et lui, élégant et séduisant, leur donna à toutes satisfaction. L'orchestre du maître Filiberto Nuñez ouvrit la première partie de cette « soirée dansante » avec la valse « Les amours d'Abraham », fruit de l'inspiration de notre génie de la portée prématurément disparu, José de la Cruz Mena; et des murmures flatteurs s'élevèrent quand le jeune Castañeda ouvrit le bal avec Mlle María Sacasa, fille chérie de M. le Président et une des roses les plus parfumées du bouquet féminin de la « haute » nicaraguayenne. Si seulement tous les étrangers établis sur cette terre prodigue brillaient avec une telle intensité dans nos salons. Ceux du Club social étaient pour cette soirée royale illuminés *a giorno*; mais leurs lumières – hélas pour elles! – ont trouvé dans ce très sympathique jeune homme un rival impitoyable.

La chronique ignore totalement Marta Jerez; il est possible qu'elle ait encore gardé le lit, selon les prescriptions du Dr Darbishire, et que par conséquent elle n'ait pas assisté à la fête. Mais on ne la mentionne pas non plus dans la rubrique mondaine des deux journaux de la ville, alors qu'on fait constamment référence à la participation de son époux aux fêtes d'anniversaire, excursions en mer, soirées dansantes et autres agapes.

Carmen Contreras Guardia, dans sa déposition du 1ᵉʳ décembre 1933 où il rapporte le vol de l'Enfant Jésus de Prague, rappelle une de ces excursions, en l'éclairant d'un jour peu favorable pour Castañeda. C'est cette partie de son témoignage qui déclencha l'incident entre accusé et témoin, mentionné par Manolo Cuadra dans *La Nueva Prensa*.

Alors que Marta vivait encore, ma mère a organisé une excursion à Poneloya, à laquelle ont participé le ménage Castañeda et d'autres amis de ma famille; et à cette occasion, à un moment où nous nous trouvions seuls, il m'a expliqué comment, au moyen de drogues excitantes comme la morphine et la cocaïne, un homme pouvait dominer n'importe quelle femme et faire qu'elle cède à ses avances; pour cela il suffisait de lui enduire les lèvres ou les mains de drogue, ou bien de la lui verser dans un verre de vin ou d'une autre boisson. En raison de la précision de ses paroles destinées à m'influencer défavorablement, j'en ai déduit qu'il s'était déjà livré à de tels actes, on ne sait combien de fois ni avec combien de jeunes filles sans défense, pendant les excursions à la campagne ou à la mer dans lesquelles il se glissait constamment sans être invité.

Le frère aîné de doña Flora, Fernando Guardia Oreamuno, marié, négociant en vins d'outremer, domicilié à San José de Costa Rica, âgé de quarante-cinq ans et de passage dans la ville de León, où il est arrivé aussitôt après la mort subite de son beau-frère, et qui jure de dire la vérité malgré ses liens familiaux avec la partie offensée, fournit dans sa déposition du 20 octobre 1933 quelques informations que, d'après lui, Oliverio Castañeda lui aurait transmises à propos de ces excursions.

Lorsque, au mois de septembre de la présente année, ma sœur et sa fille María del Pilar ont entrepris leur voyage de retour au Nicaragua, après un séjour chez moi, et alors qu'Oliverio Castañeda les accompagnait dans ce voyage, je les ai conduites au port de Puntarenas, où elles devaient prendre le vapeur *Acajutla* à destination de Corinto. A cette occasion, Castañeda s'est approché de mon siège, dans le train, et il a engagé avec moi une conversation au cours de laquelle il m'a expliqué que je n'imaginais pas la corruption des mœurs existant dans la bonne société de León; que des hommes et des femmes considérés comme honorables et irréprochables se livraient à des excès peu recommandables; par exemple, l'épouse du Dr Octavio Oviedo y Reyes, quand elle vivait seule à New York, fréquentait des maisons de rendez-vous; doña Margarita Debayle de Pallais, chantée par Rubén Darío dans son poème *Margarita, la mer est jolie*, retrouvait, pendant l'occupation nord-américaine, des officiers de marine, en présence de son époux, Noel Ernesto Pallais et après s'être tous livrés à de copieuses libations, ce dernier recevait des officiers des sommes en dollars, puis il se retirait et laissait sa femme seule avec les marins, ce qui se passe de tout commentaire.

Quant aux jeunes des deux sexes, ils organisaient des excursions à la mer ou dans des propriétés proches, en groupes apparemment surveillés par d'honorables matrones, qui fermaient les yeux et les laissaient s'égailler à leur aise dans les prés et les bosquets, ou sur les plages de la côte, à l'abri de l'obscurité, et alors se déroulaient de phénoménales orgies dignes de la décadence romaine.

De même il m'a assuré qu'à l'*Hôtel Lacayo* de Poneyola il existe une chambre dite du « dépucelage », car c'est là que les jeunes filles des meilleures familles métropolitaines qui conservent encore leur virginité, la perdent, tant elles sont assoiffées de mâles et, si M. le Juge me pardonne l'expression, mais j'ai juré de dire la vérité, affamées de membres virils. N'importe quel étranger, pour cinq dollars, obtenait d'elles faveurs et caresses; c'est ainsi qu'un voyageur de commerce hondurien de ses amis, appelé Reyna, a enfermé plusieurs fois dans sa chambre de l'*Hôtel Métropolitain* une jeune fille appelée Deshon, chose que lui-même a pu constater puisqu'il vivait dans cet hôtel.

En apprenant de tels faits, je me suis levé, au comble de l'inquiétude et j'ai cherché ma sœur, qui voyageait dans le même wagon avec María del Pilar, afin de la prévenir, même rapidement, de veiller à ne pas permettre à ses filles d'assister à des excursions ou à des fêtes sans être accompagnées de leurs parents. Ma sœur a été très étonnée quand je lui ai rapporté les affirmations de Castañeda.

Carmen Contreras Guardia, lors de sa déposition du 1ᵉʳ décembre, mit à la disposition du juge, déposés dans un carton ayant contenu des emballages de produit à récurer, les livres qu'en novembre 1932 Oliverio Castañeda leur avait demandé, à sa sœur et à lui, de cacher. Il s'agit de quelques volumes brochés et de plaquettes, comme le Plan quinquennal de Staline, le compte rendu du Congrès anti-impérialiste de Francfort, *Sandino face au colosse* d'Emigdio Maraboto, *Le Siège de la théosophie* par Joaquín Trincado et un pamphlet du comité « Bas les pattes au Nicaragua », de Mexico, où l'on réclame le départ du sol nicaraguayen des troupes d'occupation.

Son nom apparaît également parmi les signataires d'un manifeste étudiant virulent, que nous avons eu sous les yeux, appelant la population de León à participer à un défilé de protestation contre l'intervention nord-américaine, qui a eu lieu le 19 juillet 1931. Selon la chronique de *El Centroamericano*, les étudiants, arborant des brassards noirs et des bâillons, ont promené dans les rues un cercueil, devant lequel ils avaient déployé un calicot où l'on lisait : « Ci-gît le Nicaragua, assassiné par les baïonnettes yankees. »

Le défilé s'est achevé devant le frontispice du grand amphithéâtre de l'université. Un pantin représentant le président José María Moncada venait d'être brûlé et le président de l'Association des étudiants en droit, Mariano Fiallos, plus tard juge dans le procès contre Castañeda, allait prendre la parole, lorsque apparut un peloton de marines, qui se mit à disperser les manifestants à coups de crosse. Le bilan fait état d'un nombre important de blessés et de plusieurs arrestations, dont celle du poète Alí Vanegas.

Le capitaine G.N. Anastasio J. Ortiz, nommé chef de la police lors du retrait des marines, et à qui il reviendrait d'arrêter Castañeda dans la maison même de la famille Contreras, le jour du décès de don Carmen, affirme dans un passage de sa déposition du 21 octobre 1933, sur laquelle nous reviendrons par la suite, comme nous reviendrons sur le capitaine Ortiz lui-même, en tant que personnage clef du procès.

Il y a plus d'un an, quand on demandait, avec une insolence incroyable, le retrait des troupes américaines, Castañeda passait son temps à exciter les élèves de l'université : c'est lui qui a rédigé le manifeste belliqueux qui a été imprimé sur des feuilles volantes et c'est de lui qu'est également venue l'idée de louer un cercueil à l'entreprise funéraire Rosales, pour le promener dans les rues ; le pantin qu'ils ont brûlé pour se moquer du général Moncada a été réalisé dans sa chambre de l'*Hôtel Métropolitain,* comme il ressort des rapports. Son épouse a confectionné l'habit de clown qu'on lui a enfilé, et comme elle allait lui mettre une moumoute, Castañeda s'est écrié : « Ne mettez pas de cheveux à ce vieux traître, parce qu'il est chauve. Rembourrons-lui plutôt les fesses, parce qu'il a un gros cul. » Au moment de dissoudre la manifestation, qui avait donné lieu à des tas d'abus et d'insolences, il a été impossible d'arrêter Castañeda ; il s'est enfui en sautant par-dessus le mur de l'Église de la Merced. J'ai insisté pour qu'il soit châtié, car en plus c'était un étranger ; mais le lieutenant Wallace Stevens, responsable des services de contre-espionnage du corps des marines à León, m'a dit : « Calmezvous. Le pays est petit et pourtant vous ne vous connaissez pas les uns les autres. Ce M. Castañeda est un de nos informateurs dans la région, pour tout ce qui touche aux étudiants et au banditisme. Et si vous ne me croyez pas, regardez. » Et il me montra un dossier secret où apparaissait la filiation de Castañeda, sa photographie et le compte rendu, par ordre chronologique, de ses rapports confidentiels.

Le soir du 28 octobre 1933, le jour même où le Dr Atanasio Salmerón a comparu pour déposer devant le juge, Oviedo la Baudruche prend le risque de se glisser subrepticement dans l'arrière-boutique de l'établissement commercial *L'Effort* appartenant à Cosme Manzo et où celui-ci se tient caché. Sur la tête des participants à la table maudite pèsent des menaces d'emprisonnement, à cause de la publication du reportage de Rosalío Usulutlán dans *El Cronista,* qui a provoqué un véritable scandale. L'après-midi s'est déroulée une procession solennelle du Saint-Sacrement en signe de réparation envers la famille Contreras.

« Et comment ton frère le chanoine sait-il qu'on va nous jeter en prison ? » Cosme Manzo sort la tête de derrière une pile de sacs de riz où il se cachait. Il porte son chapeau à large ruban rouge, prêt à s'enfuir à tout moment. « Si ça se trouve il voulait seulement te faire peur.

— Parce que c'est le capitaine Ortiz lui-même qui a dû le lui dire. Mon frère ne rigole pas avec ces trucs-là. » Oviedo la Baudruche tente de caler sous son fessier le petit banc où il s'est assis. « L'avertissement qu'il m'a donné hier soir à la porte du cinéma est sérieux. C'est pour ça que je vous ai tous fait prévenir.

— Il en fait un battage dans les rues avec toutes ces bigotes et pourtant il sait bien que tout ce que dit le reportage est vrai. » Cosme Manzo essaie d'allumer la pile électrique qu'il a avec lui et il promène le faisceau de lumière sur le mur, éclairant la queue de morue en carton qu'on utilise lors des campagnes de propagande pour l'émulsion Scott. « Tu ne vas pas me dire que ton frère croit que la Mathilde était vierge, comme Darbishire l'a certifié.

— Et qui, bordel, pourra le convainvre ? Il a même mis ma signature, ce salaud, sur l'acte de réparation. » Oviedo la Baudruche place sous ses fesses le petit banc qui a à nouveau cédé, refusant de supporter son poids. « Mais vous êtes allés trop loin. A León on ne vous pardonne pas ce reportage.

— Et toi, tu n'es pas allé trop loin quand tu as raconté au juge l'histoire de la lettre de María del Pilar? Ça n'a rien d'une lettre entre frère et sœur. » Cosme Manzo éteint la pile et il retourne se cacher derrière les sacs. Sa voix a des accents rauques dans la pénombre, comme si elle sortait d'un vieux haut-parleur. « Toi qui l'aimes tant, tu l'as coulé. Car ce n'est pas pour rien qu'il continue à nier ses amours avec les filles Contreras.

— C'est un con. La lettre existe, il me l'a montré. » Oviedo la Baudruche s'affale sur le sol et le petit banc roule près de lui. « Mais il pense que c'est une affaire d'honneur. Et il va continuer à nier, même si on le fusille.

— Tu parles d'un homme d'honneur. Tu n'as pas lu la déclaration de Guardia, le type du Costa Rica? Même ton épouse en prend pour son grade. » Cosme Manzo quitte sa cachette et il fait quelques pas, en s'appuyant avec circonspection sur la pile de sacs.

« Tout ça, c'est des mensonges qu'on met dans sa bouche. On voit nettement qu'on veut l'enfoncer et le présenter comme un calomniateur. » Oviedo la Baudruche s'efforce d'appuyer les paumes de ses mains sur le sol pour tenter de se relever. « Il n'aurait jamais parlé ainsi de Yelbita.

— Tu vas me dire que ce n'est pas vrai non plus qu'il remet des rapports aux marines américains, comme l'affirme le capitaine Ortiz? » Cosme Manzo retourne rapidement se cacher en entendant frapper à une porte; mais ce n'était pas celle de la boutique, c'était plus loin.

« Pas du tout. Un homme comme lui n'irait jamais jouer les espions. Il ne manque plus qu'on dise qu'il était bandit de grand chemin. » Oviedo la Baudruche avait réussi à se mettre debout et il essuyait la poussière de ses mains.

« Et qu'est-ce qu'elle lui écrit à présent, la María del Pilar, dans les lettres qu'elle lui a envoyées à la prison? Elle se sent triste? » Cosme Manzo s'approche à quatre pattes, la lampe de poche passée dans la ceinture de son pantalon. « Leticia Osorio, la petite bonne, dit dans sa déposition qu'avec les fleurs et les parfums elle lui envoyait des lettres.

— Il ne me l'a pas raconté. » Oviedo la Baudruche s'accroupit pour épousseter les genoux de son pantalon. « Quand je l'ai vu au parloir nous n'avons parlé que de sa défense. Il n'a même pas de quoi payer un avocat.

— Il t'a laissé sa malle, c'est là qu'ont dû se trouver toutes les autres lettres d'amour. Pour le moment ces lettres n'apparaissent pas. » Cosme Manzo se glissa jusqu'aux pieds d'Oviedo la Baudruche et il tira le bas de son pantalon. « Je t'achète ces lettres en remboursement de ta dette de jeu.

– Quelles lettres? Tu te rends compte qu'on peut te jeter en prison, et tu t'entêtes. » Oviedo la Baudruche étira le cou pour le voir, gêné par la proéminence de son ventre. « Mettons que je les aie. De toute façon je ne les vendrais pas. Tu parles d'une proposition.

– Je maintiens la mise. » Cosme Manzo sort la lampe de poche et il se caresse la joue avec le verre. « Et pour les lettres de doña Flora, je la double. »

9

Photos oubliées

Rosalío Usulutlán donne quelques informations rapides sur l'aspect physique d'Oliverio Castañeda au début de l'interview publiée dans *El Cronista* du 15 octobre 1933. Mais si le lecteur nous fait l'amitié de revenir quelques pages en arrière, il découvrira dans ce portrait – même si le journaliste reconnaît à l'accusé un certain charme masculin – la volonté évidente de calquer sa physionomie sur les patrons morphologiques de Lombroso. Son mentor et ami, le Dr Salmerón, l'avait initié à l'époque aux théories de l'école italienne de criminologie, et par conséquent à la classification du criminel inné en prototypes fixés selon les dimensions du crâne, l'étroitesse du front, la longueur des os maxillaires, etc.

Le journaliste essaie également, bien qu'il ne s'étende guère sur ce point, d'accréditer une thèse, également cautionnée par le Dr Salmerón et amplement débattue dans les journaux de l'époque, selon laquelle il était loisible de découvrir une dualité mystérieuse dans la personnalité de chaque accusé, dualité caractéristique du tueur psychopathe. Nombreux sont les témoins appelés à faire une déposition au cours du procès qui s'accordent à signaler que derrière les manières charmeuses de l'accusé, rehaussées par son invariable et étrange tenue de deuil, se cachait un être pervers qui se servait précisément, pour attirer et tromper, de son entregent, de sa facilité de parole et, enfin, de l'ensemble de ses charmes naturels. Nous citerons dans ce même chapitre les appréciations de Manolo Cuadra sur le sujet.

Sa fiche signalétique, contenue dans le dossier en date du 28 novembre 1933, après qu'il a été formellement inculpé de parricide et d'assassinat aggravé, avec usage prémédité de poisons mortels, nous offre également quelques données de base sur son physique :

Taille : 6 pieds, 4 pouces espagnols et demi.
Constitution : normale.
Teint : blanc.
Cheveux : noirs, lisses, abondants.
Sourcils : fournis.
Nez : régulier.
Bouche : petite.
Barbe : touffue, taillée.
Front : étroit.
Yeux : sombres (porte des lunettes à monture d'écaille, en raison d'un astig-
matisme prononcé).
Vêtements : porte un costume noir, avec veste et gilet; nœud papillon;
canne, chapeau.
Signes particuliers : légères traces de variole sur la joue et le menton.
Empreintes digitales : ont été enregistrées à l'encre indélébile les marques
du pouce gauche et du pouce droit des mains de l'accusé. A noter que sont
jointes au dossier trois photographies de l'accusé, prises dans des positions
différentes.

Les trois photographies furent collées à l'amidon au revers du
feuillet concerné dans le volumineux dossier constitué jour après jour
à partir du 9 octobre 1933, date du décès de don Carmen Contreras.
Là s'accumulent d'innombrables dépositions de témoins, actes d'instruction, permis d'exhumer, résultats d'examens de laboratoire,
expertises, coupures de journaux, lettres, et une foule d'autres pièces
à conviction et de documents que le juge a trouvé opportun d'ajouter.
Le 24 décembre 1933, quand le procès fut brutalement suspendu, le
dossier comportait déjà mille huit cent quatre-vingt-douze feuillets
utiles.
Cependant, aucune des photographies ne nous montre le galant
légendaire, dont on vantait l'implacable talent de séducteur et que les
sœurs Contreras virent apparaître à la porte de sa chambre à l'*Hôtel
Métropolitain,* encore épuisé par sa séance de danse, au soir du
27 mars 1931.
Les lunettes d'écaille, à la monture ronde, donnent une touche de
sérieux à son visage juvénile, car nous ne devons pas oublier qu'à
cette date il n'avait pas encore vingt-six ans accomplis. Le nez épaté
se déploie sans grâce sous le chevalet des lunettes, pour descendre
vers la bouche, décrite comme petite sur la fiche signalétique, alors
qu'elle est plutôt charnue sur les photos, quoique ferme et crispée.
Derrière les verres des lunettes, un regard hostile fixe l'appareil du
photographe de la police; les yeux sont un peu voilés sous les sourcils
rapprochés et fournis, tandis que le front, dont beaucoup assurent
qu'il se le rasait pour qu'il eût l'air moins étroit, monte vers les cheveux noirs et abondants, peignés vers l'arrière.

Manolo Cuadra, dans son article pour *La Nueva Prensa* du 20 octobre 1933 intitulé « Un gigolo en disgrâce », nous aide à compléter ce portrait :

En se rendant au tribunal où on le conduit pour qu'il fasse sa déposition *ad inquirendum,* Oliverio Castañeda marche sur le trottoir sans abaisser un seul instant son menton rasé avec soin comme aux meilleurs jours, il évite de cligner des yeux bien que les rayons solaires de ce midi inclément le frappent de plein fouet, il garde le visage frais, car il ne lésine pas sur un bain quotidien dans la cour de la prison. Il précède d'un pas souple, militaire, les gardiens vigilants qui brandissent derrière lui leurs fusils en position d'alerte. Et si nous ne le savions pas accusé, nous croirions qu'il va présenter ses lettres de créance en tant qu'ambassadeur plénipotentiaire, ses mains serrant avec fermeté la liasse de documents.

Un mot du journaliste dans la rue, un sourire hargneux sur ses lèvres dédaigneuses pour toute réponse, une caresse sur la tête d'un enfant qui croise sa route, façon élégante de l'écarter. Une autre question du journaliste, repoussé sans ménagement par les gardiens, et un éclair bref, cordial, dans ses yeux, sans perdre sa belle allure, sans montrer la moindre fatigue. Beaucoup de gens dévorés de curiosité sortent sur le pas des portes pour le voir et lui, maintenant, salue, en inclinant légèrement la tête. Stupeur, chuchotements sur son passage, certains le suivent un moment. Expression d'étonnement – résigné, heureux? – qui se fige sur le visage des femmes. « Joli cœur », commente l'une d'elles quand celui qu'on traitait hier de gigolo ne peut plus l'entendre; « je me marierais bien avec lui », dit une autre, sans mettre la moindre ironie dans ses paroles, elle parle sérieusement, en plissant ses yeux rêveurs.

Qui pourrait percer à jour la personnalité aux arêtes si contrastées d'Oliverio Castañeda? Beaucoup tentent de le faire aujourd'hui; l'admiration réprimée, la peur de l'inconnu, le blâme facile, l'opinion toute faite se confondent dans les jugements que l'on émet sans relâche à son égard. On essaie de le ranger dans l'une ou l'autre des catégories de criminels, en accord avec les thèses les plus en vogue de la psychiatrie judiciaire, et pour ce faire on s'appuie sur les travaux de spécialistes étrangers à propos de l'hérédité pathologique, de l'influence du milieu... de la nature et, par conséquent, de la croyance en la prédestination génotypique, et de la nurture, et par conséquent de la croyance en l'omnipotence, positive ou négative, des influx environnants.

J'emprunte à la revue de la capitale *Caras y Caretas* cette description que l'éminent psychiatre de l'université du Chili, le professeur Ariel Dorfman, fait du criminel sociopathe – ennemi de la société –, car beaucoup croient y voir, nature plus nurture, symbiose du pathos homicide, le portrait d'Oliverio Castañeda :

« Le meurtrier qui préfère le poison silencieux comme arme manifeste de l'attachement aux banalités de la vie, de la délicatesse dans ses rapports à autrui, des manières courtoises et le don de plaire à première vue. Bien que soumis à un comportement duel, il lui arrive d'être brutal quand on s'y attend le moins, impitoyable dans ses critiques et destructeur en parlant des autres dans leur dos. Il a donc tendance à un comportement fantasque et repoussant et un penchant à la calomnie, point d'exaspération extrême de ses chimères, surtout quand ces chimères ont une couleur sexuelle. Sa propre vie sexuelle manque d'objectivité et elle est très superficielle.

D'une intelligence saine et vive, son degré de discernement est perspicace tant que l'égarement de son imagination, qu'il confond habituellement avec le réel, ne vient pas bouleverser son raisonnement. Bien qu'il ne présente, en aucun cas, de syndromes délirants ni d'autres troubles mentaux permanents, et qu'on ne trouve chez lui aucun symptôme psychonévrotique. L'inconstance, l'insincérité et le fait de ne sentir ni honte ni remords sont des caractéristiques de sa personnalité. Les motifs de son comportement social sont aberrants, il manque de pondération et il est dépourvu de toute aptitude à tirer profit de l'expérience. Il est dévoré d'égocentrisme et d'indifférence affective, car il dit aimer tout le monde mais il n'aime personne. Et son animosité à l'égard de ceux qui l'entourent prend des chemins secrets, furtifs et calculés. C'est pourquoi nous ne le verrons jamais impliqué dans des actes de violence frontale, le poignard ou l'arme à feu à la main, car la vue du sang le rebute. Aussi les produits toxiques, insidieux, à mille lieues d'un affrontement qu'il rejette, sont-ils la réponse à son besoin de détruire. Le poison est ainsi le meilleur déguisement, parmi tous ceux qu'il utilise, il nourrit l'inconstance dans l'irresponsabilité de ses rapports interpersonnels. »

Psychopathe social sous les dehors d'un John Barrymore, d'un Maurice Chevalier, d'un Charles Laughton? La dernière question à l'ambassadeur, au gentleman vêtu de noir, à l'artiste de cinéma qui ne transpire même pas dans la fournaise de midi, prouesse à graver sur le celluloïd, car les astres de l'écran ne transpirent pas non plus sous les arcs voltaïques des studios, caves transformées en usine à rêves dans la Babylone d'Hollywood. Avez-vous vu *Châtiment divin?* Votre avis?

Le sourire gracile ne s'estompe pas, un mot tombe enfin de ses lèvres : « Je ne vais jamais au cinéma. La farce que je vis me suffit. » Et au milieu de la rue, où subsistent le bruit de ses pas et la rumeur des ébahissements, le journaliste prend des notes sur son cahier. Sa main en sueur laisse une trace sur le papier, au contraire du laconique message du gigolo repentant.

Et Marta Jerez, son épouse? Elle était née en 1913 et nous savons déjà qu'elle était très jeune quand elle s'est mariée un soir de mars 1930 au Guatemala, dans une chapelle latérale de l'église de la Merced, car l'abside de la nef principale, détruite par le tremblement de terre de 1917, n'avait pas encore de toit; et c'est très jeune qu'elle est morte de façon aussi violente qu'imprévue à León.

Oliverio Castañeda, dans une lettre écrite de la prison, le 23 novembre 1933, à Federico Hernández de León, un de ses amis guatémaltèques, se souvient de sa nuit de noces :

Dans la solitude de ma cellule, Federico, m'accompagnent, tels des amis fidèles, des souvenirs nostalgiques, des chagrins et des bonheurs lointains... Vous, mon témoin de mariage, vous souvenez-vous des contretemps qui ont marqué cette soirée? Je vous les reproche encore, puisque c'est vous qui aviez « tout » arrangé avec le curé de l'église de la Merced... le cortège nuptial, en toute intimité, car Marta ne voulait pas de faste, maman Luz était malade et nous ne savions pas si nous n'allions pas la perdre, était là à attendre sur le parvis obscur, devant les portes fermées. Le prêtre est enfin apparu, il avait fallu que vous alliez vous-même le chercher à la cure, il dormait déjà. Rien à faire, les fusibles avaient sauté à l'heure de la messe de sept heures du soir et il n'y avait pas de lumière électrique, quel abruti, comme si nous avions dû le savoir. Il ne manquait plus qu'un autre tremblement de terre pour que l'église nous tombe dessus... Nous sommes enfin entrés par la sacristie, en trébuchant. Marta veillait à ne pas abîmer sa robe, au milieu des auges de maçon, des seaux, des tas de sable, du mortier dans tous les coins, ne me dites pas que vous n'étiez pas au courant des travaux de réparation du grand autel quand vous avez choisi cette église. On cherche des bougies, tout le monde se met à allumer les cierges... et finalement nous nous marions entre chien et loup. J'aurais aimé flanquer une bonne trempe à ce petit curé ensommeillé, pour chacun de ses bâillements. Marta riait de ma gêne, elle était comme ça, le pire des malheurs ne réussissait pas à l'attrister. Que me répondez-vous, Federico? Je suis exact dans ce que je vous rappelle?

Dès que j'en aurai fini avec ce cauchemar, car je crois sincèrement que tout va s'éclaircir, je ne partirai pas du Nicaragua sans emmener Marta. Il me faudra l'exhumer, même si je dois le faire avec mes propres mains, pour lui procurer le plaisir de dormir son sommeil éternel sur le sol de sa patrie et non pas ici, où on a cessé de nous aimer. Vous serez à mes côtés, Federico, quand nous la mettrons dans la fosse, là-bas, chez elle, sous les cieux indomptés où vole le quetzal.

La seule photo de Marta Jerez dont nous disposions est sa photo de mariage, prise un mois après la cérémonie par le studio Müller de la ville de Guatemala. Elle avait pour la circonstance remis sa robe de mariée, derrière les décors de carton qui simulaient un jardin de fantaisie aux couleurs printanières.

Le coup de ciseau d'une main impulsive avait éliminé le jeune marié de la scène, ne laissant subsister sur le bristol qu'un fragment de costume noir, une oreille, une partie de l'épaule; et c'est sur cette épaule mutilée qu'elle appuie sa tête, les cheveux ramassés dans une toque brodée de perles d'où pendent les gazes du voile nuptial.

Le plus grand attrait de Marta Jerez sur cette photo c'est sa jeunesse, peut-être parce que le temps n'a pas encore pu la faner. Ses yeux noirs, vifs, étincellent dans le visage plein et pâle, à peine éclairé par la candeur de son sourire serein, et, enivrée à jamais par le parfum éperdu des fleurs d'oranger, nous la voyons approcher ingénument son nez retroussé du bouquet de mariée, le faisceau des rubans de soie du bouquet bouillonnant entre ses mains, tandis que derrière elle éclatent les tons gris et obscurs du jardin de pacotille en fleurs.

On dispose également des photographies des sœurs Contreras, dont la vue ne nous incite pas non plus à dire qu'elles possèdent une beauté exceptionnelle.

Comme il apparaît dans l'extrait de naissance ajouté au procès, Mathilde Contreras était née le 28 décembre 1911 et elle avait, par conséquent, un peu moins de vingt-deux ans au moment de sa mort, le 2 octobre 1933.

Elle avait été interne pendant deux ans à la Mission Catholic High School des bénédictines à San Francisco, Californie, où elle suivit un cours de comptabilité et de sténographie; et en décembre 1930 elle revint par bateau au Nicaragua, d'après la rubrique des faits divers de *El Centroamericano*, qui salue son arrivée. Elle fit son entrée officielle dans la société le 31 décembre 1930 et sa photographie, ainsi que celle de toutes les débutantes de cette cérémonie, apparaît dans la page de *El Centroamericano* où est annoncé cet événement mondain. C'est ce même portrait en ovale du studio Cisneros, s'estompant sur les bords, qui devait être publié par la suite pour illustrer d'innombrables articles suscités par le procès criminel. Nous le trouvons également en tête de la Couronne funèbre, imprimée dans l'atelier typographique de son grand-père, à l'occasion du premier anniversaire de sa mort. Là est publiée une élégie en hommage à sa mémoire, écrite par le poète bohème Lino de Luna, qui fut empêché par la pluie de lire sa composition au cimetière, l'après-midi des funérailles. Les strophes suivantes sont tirées de l'élégie :

> Mathilde est morte en octobre, quand le cimetière
> a des senteurs de port : huiles et peintures...
> De sa caresse brusque, la subtile térébenthine
> a offensé sa profonde passion pour les parfums.
> Comment reçoit-elle, la pauvre, le crépitement sur sa fosse
> de la chute brutale, incessante de la pluie?...
> Peut-être a-t-elle cru que des misérables s'acharnaient
> à enfoncer les clous de son triste cercueil blanc?...

Le principal attrait de Mathilde est peut-être son regard languide sous ses sourcils épais, bien que le visage ne parvienne pas à trouver son harmonie, surtout à cause de l'étroitesse des pommettes et parce que la bouche, petite, se détache en une touche peu sensuelle. Sa coiffure, qui ramasse les cheveux en un chignon s'élevant en deux grands rouleaux latéraux et déjà suranné pour l'époque, la vieillit plutôt. Son corsage, fermé au cou par un camée, lui donne un faux air de maîtresse de maternelle. Sans fard ni rouge sur les joues, elle a l'air dépaysée et comme prise en faute sur la page remplie de débutantes au sourire enjôleur, gracieuses sous leurs diadèmes de fantaisie.

La photo que nous connaissons de María del Pilar a été prise en septembre 1933 au studio Chausseul, proche du théâtre Palace à San José de Costa Rica, un peu avant son retour au Nicaragua, au terme du voyage accompli en compagnie de sa mère.

Elle était née le 18 août 1918 et elle venait par conséquent de fêter ses seize ans. Son oncle don Fernando Guardia Oreamuno a déjà fait allusion dans sa déposition du 22 octobre 1933 à ce séjour au Costa Rica, heureux et fatal à la fois. Nous l'écouterons plus tard parler de cette expérience, comme nous écouterons Oliverio Castañeda.

Sur la photographie, une de ses mains s'approche précautionneusement d'une colonne de bois peinte façon marbre jaspé, comme si elle craignait de briser le vase plein d'arums blancs placé sur le chapiteau, tandis que de l'autre, d'où pend un réticule pailleté, elle tient fermé le col de son long manteau de fourrure qui laisse apercevoir, sous son arrondi, de délicats escarpins de satin, comme si elle se préparait à participer à un bal; car derrière elle, le rideau du studio imite une balustrade et au-delà les hautes fenêtres d'un palais où brillent les lumières d'une fête.

Les boucles de sa chevelure déferlent en houle serrée et sur ses lèvres, larges et charnues, se concentre toute la sensualité absente chez Mathilde. Déguisée en dame du monde, elle semble jouer de sa tenue comme la fillette qu'elle est encore, et il y a de la surprise et de l'amusement dans ses yeux à fleur de tête. Il est impossible de ne pas remarquer ces yeux presque globuleux, soulignés d'un trait noir de mascara, et c'est peut-être pour cette raison qu'ils sont empreints de cette profonde expression de frayeur qu'elle essaie de cacher sous un air déluré.

Et pour finir on a la photographie de doña Flora Guardia de Contreras, faite par le studio Cisneros de León en 1929 alors qu'elle a exactement quarante ans, car elle est née à San José de Costa Rica en 1889. En 1933 elle n'avait rien perdu de cette radieuse beauté qui éclate sur la photo; et si nous devons en croire les propos admiratifs de Rosalío Usulutlán, partagés par le Dr Salmerón et les autres habitués de la table maudite, elle était plus belle que ses deux filles réunies.

Tout chez elle révèle la modernité : sa façon de se coiffer, avec des cheveux coupés au rasoir et plaqués sur le crâne, et le peu de solennité de sa robe de crochet, courte et ample, ornée d'une rose de velours au décolleté. Assise sur une chaise, les jambes croisées, elle se tient le genou de ses doigts entrelacés et il y a comme du dédain dans sa façon d'entrouvrir les lèvres, ce qui laisse apparaître des dents gracieusement inégales.

Don Carmen Contreras Largaespada, l'imprimeur le plus important de León, avait envoyé son fils Carmen au Costa Rica en 1909 pour s'informer du fonctionnement d'une nouvelle presse Chandler alimentée par courant électrique, récemment importée des États-Unis par l'Imprimerie Lehmann. C'est là qu'il fit sa connaissance et le voyageur ne tarda pas à annoncer son mariage imminent, ce qui contraria sa mère au point de l'obliger à garder le lit pendant un mois.

Cousine de son propre époux, doña Migdalia n'acceptait aucune entorse à la règle séculaire qui voulait que les Contreras, descendants lointains du Cid Campeador et apparentés à la Vierge Marie, comme il est établi dans *Le Temps des éclairs*, se mariassent uniquement entre eux, suivant en cela les commandements de Belisario Contreras Mariño, le premier des Contreras arrivé d'Espagne sur ces terres américaines. Et quoiqu'elle fût convaincue de son droit à intervenir dans les affaires matrimoniales de son fils, en tranchant pour ce qui était des meubles et des domestiques, doña Migdalia mourut sans jamais avoir mis les pieds dans sa maison.

Doña Flora arriva à León à la fin de 1909 pour s'y établir avec son mari. Sa belle-mère, qui relevait à peine de sa contrariété, proclama triomphalement qu'elle avait eu raison de désavouer le mariage de son fils avec une inconnue. Dès le départ, le comportement de doña Flora fut considéré comme trop libertin pour le goût des familles les plus huppées de León. Elle utilisait avec désinvolture un fume-cigarette et, bien que mariée, il ne lui semblait pas inconvenant de danser avec d'autres hommes dans les réceptions, ni d'assister seule à toute sorte de spectacles nocturnes si son mari ne voulait pas l'accompagner. On commença à l'appeler de façon méprisante « la tica » et au fil des ans on ne cessa jamais de la considérer comme étrangère, malgré l'ascendance de sa famille.

Ces réserves morales allaient reprendre du poil de la bête, quoique déguisées derrière des manifestations de sympathie, aussitôt après la publication du reportage fracassant de Rosalío Usulutlán dans *El Cronista* du 25 octobre 1933. En fin de compte, c'était une étrangère qui avait ouvert les portes de son foyer à un autre étranger.

« Beaucoup plus belle que ses deux filles réunies », s'exclame, admiratif, le Dr Atanasio Salmerón à la vue de sa photo, ce même soir du 25 octobre, depuis la table maudite. Afin de la conserver dans son dossier, il l'arrache de la première page de *El Cronista*, dont elle illustre le reportage à scandale. Il ne se préoccupe pas de garder le texte, car il a déjà une copie au carbone de l'original tapé à la machine, tel qu'il a été donné aux typos.

Nous répétons que la phrase sur la beauté de la dame est du cru de Rosalío et elle a plu au Dr Salmerón dès qu'il l'a entendue pour la première fois, le soir du 26 septembre 1933. *El Cronista* publia alors la même photogravure, également en première page, pour saluer le retour de doña Flora à León, après un long séjour d'affaires et de repos au Costa Rica. Rosalío avait ajouté, à cette occasion, que la photo lui rappelait une artiste de cinéma, sans pouvoir préciser laquelle.

María del Pilar Contreras n'apppparut jamais en photo dans les journaux de l'époque, pendant les mois où l'attention publique se porta sur le procès. Aucun des journalistes arrivés de Managua, au contraire de ceux de León, bardés d'appareils photo, ne réussit à prendre un cliché d'elle. Et en dehors des membres de sa famille les plus proches et des serviteurs – et parfois des employées du magasin *La Renommée* –, personne ne put désormais la voir, elle resta cloîtrée à double tour chez elle, surtout après le scandale provoqué par le reportage. Des bruits commencèrent à courir, selon lesquels elle avait vieilli prématurément, rongée par l'amertume de ses remords, et qu'avant Noël elle se rendrait au Costa Rica pour s'enfermer dans un couvent, où elle expierait sa vie durant le fatal égarement de ses amours avec un assassin. Manolo Cuadra nous parlera plus tard de tout cela.

De telle sorte que sa déposition, recueillie le 12 novembre 1933, dont nous allons nous occuper plus loin, a été faite, à la demande de la famille, à huis clos chez elle, dans cette même galerie où Mathilde lisait le code à Oliverio Castañeda, jusqu'aux hautes heures de l'aube. On l'éloignait ainsi de la présence tumultueuse des curieux, des journalistes et des plaideurs qui remplissaient habituellement le tribunal, impatients d'apprendre directement les révélations des témoins.

10

Oli, Oli, que m'as-tu donné ?

Hier, à deux heures de l'après-midi, est décédée dans cette ville, après une violente attaque de fièvre pernicieuse, la distinguée jeune dame guatémaltèque doña Manuelita María de Castañeda, épouse du distingué Dr don Oliverio Castañeda, ex-secrétaire de la légation du Guatemala au Nicaragua. La crise a duré à peine trois heures. La défunte se trouvait jusqu'à hier en parfait état de santé. A l'occasion de ce si douloureux décès nous envoyons nos plus sincères condoléances à son époux affligé, qui jouit de sympathies particulièrement actives dans cette métropole.

El Centroamericano, 14 février 1933.

Marta, dont le prénom n'est même pas cité correctement dans l'avis de décès transcrit ci-dessus, mourut à une heure de l'après-midi, le mercredi 13 février 1933, et l'enterrement fut célébré de façon précipitée le lendemain matin. Dans les jours suivants on ne reparla pas d'elle, sauf dans un bref article publié dans l'hebdomadaire *Los Hechos* de la Curie métropolitaine (n° 7, quatrième semaine de février 1933), et signé par le père Isidro Augusto d'Oviedo y Reyes, frère Oviedo la Baudruche.

Dans cet article intitulé « Revoyez bien vos comptes », le prêtre exalte la force spirituelle montrée par la jeune femme au moment de sa mort et il appelle les paroissiens catholiques à imiter son exemple.

Prétends-tu, stupide paroissien, fuir lâchement cette vallée de larmes? Consacres-tu par hasard, ne serait-ce que pour le Carême, quelque pensée de contrition à tes actes? Oublies-tu qu'il faudra que tu en rendes des comptes détaillés lors de l'examen ultime? Malheur à toi, mille fois malheur si tu ne sais pas mettre à jour, dès à présent, tes livres de comptes, car l'heure viendra d'évaluer devant Lui tes profits et tes pertes.

Si, comme moi, tu avais eu le privilège d'être près du lit de la petite Marta, alors qu'elle allait montrer au juge suprême sa comptabilité, tu en aurais tiré la plus utile des leçons. Loin de sa famille, de son foyer, de la terre qui l'a vue naître, elle sut se présenter sereine, tous ses livres à la main : le livre de caisse, le grand livre, ses comptes soldés parfaitement à jour et ses comptes impayés clairement répertoriés. Le Grand Encaisseur ne lui avait pas fixé de date, et pourtant elle était prête, car donner des gages n'effraie pas le bon payeur, lorsque les anges gardiens de sa tendre jeunesse ont battu des ailes pour prendre leur envol terrestre et s'envoler avec elle vers les prairies célestes où s'étanche toute soif et où on ne doit plus rien, elle souriait de bonheur.

Quel enseignement nous a donné cette créature! Prions pour elle, mais prions plutôt pour toi, pour ton sordide manque de préparation, si tu crois pouvoir Le berner. Il rejettera tes livres truqués, tes factures falsifiées, les grattages frauduleux sur tes bordereaux. Et il t'enverra directement dans les geôles de l'enfer, comme un infâme voleur ou un escroc grossier.

Requiescat in pace. Amen.

La décision de célébrer l'enterrement aux premières heures de la matinée, en contradiction avec les habitudes d'une ville qui adore prolonger les cérémonies funèbres, est présentée par doña Flora comme une initiative personnelle dans sa première déposition en tant que témoin du 14 octobre 1933. Car, d'après ses déclarations, Oliverio devait se retirer pour se reposer le plus vite possible dans la maison de la famille, où était restée libre la chambre occupée jusqu'à une époque récente par le couple.

La même doña Flora nous dit également dans cette première déposition que c'est au retour de l'enterrement, et non pas avant, qu'on a reçu un radiogramme de la famille Jerez, signé par le frère de la défunte, Belisario Jerez, demandant à Oliverio de rapatrier le corps le plus vite possible en avion au Guatemala, pour qu'il soit enterré à Mazatenango :

La déposante affirme qu'il serait de toute évidence injuste d'accuser Oliverio de ne pas avoir obéi à ce souhait logique de la famille, car quand le radiogramme est arrivé, les funérailles étaient terminées; et loin de vouloir contrarier ses parents, il s'était préoccupé de savoir avec ceux qui étaient là si une exhumation ne serait pas possible le lendemain et tous lui déconseillèrent une telle démarche, étant donné que les formalités étaient très compliquées. Il n'y a pas eu non plus dans l'esprit d'Oliverio l'intention de hâter l'enterrement, car comme elle l'a déjà dit, ce fut une décision dont elle a assumé et assume la responsabilité; en effet, abattu par cette tragédie, il était incapable de résoudre par lui-même le moindre problème.

Il est possible de reconstituer ce qui s'est passé ce jour-là à travers différents témoignages, même si on considère qu'ils ont été recueillis plusieurs mois plus tard. Personne, excepté le Dr Atanasio Salmerón, n'a accordé sur le moment la moindre importance aux faits. Dans la mémoire de certains témoins se produit une confusion explicable de données et de moments; d'autres tendent à perdre toute objectivité car il existait déjà une prédisposition marquée des esprits contre l'accusé. Et l'un d'eux, la servante Dolores Lorente, se tait, dans sa déposition du 17 octobre 1933, sur certains événements essentiels, comme nous le verrons dans un autre chapitre.

Le témoignage d'Oliverio Castañeda est le plus complet de tous, bien que pour des raisons évidentes, le juge le considère comme peu fiable. Nous pourrions donc nous en tenir à celui de doña Flora, qui se tint au chevet de Marta, presque depuis le début; mais entre sa première déposition, faite le 14 octobre 1933, et la seconde, effectuée à sa propre demande le 31 du même mois, où elle affirme être moins bouleversée et avoir l'esprit plus serein, il y a un abîme de différence : alors qu'auparavant elle tentait de sauver à tout prix son hôte, elle s'efforce maintenant de le perdre.

Des médecins, des voisins, des amis intimes du couple, une employée de maison, viennent témoigner, sur convocation du juge; et bien que d'innombrables contradictions émaillent ces multiples déclarations, nous nous appuierons sur elles pour essayer de construire une séquence.

1. A travers la déposition de Yelba Oviedo, l'épouse d'Oviedo la Baudruche, faite le 16 octobre 1933, nous savons que la veille au soir de sa mort Marta est allée au cinéma, et qu'elle se sentait bien, exception faite d'une légère migraine :

Dans l'après-midi nous sommes tombés d'accord pour aller ensemble au théâtre González, car nous avions envie de voir le film *Vies privées*, avec Robert Montgomery et Norma Shearer, dont plusieurs amies nous avaient parlé. Bien que mon mari préparât son examen de doctorat tout proche, il a décidé au dernier moment de nous accompagner, vu qu'il aime beaucoup le cinéma. Mais Oliverio n'a pas voulu, car son examen n'était que dans deux jours.

Avant de partir, Marta s'est plainte d'une forte migraine, ce qui fait que je lui ai donné une aspirine Bayer, prise dans un flacon que je garde dans mon sac. En route nous avons parlé de la réception qu'elle allait donner pour fêter le doctorat d'Oliverio. Elle se faisait une joie de cette fête et, comme la maison était petite, elle pensait retirer les meubles de la chambre pour la transformer également en salon, en déposant le lit et d'autres objets chez M⁰ Ulises Terán.

Nous avons parlé de la liste des invités, qui s'allongeait de plus en plus, car elle ne pouvait pas oublier les examinateurs, les professeurs d'Oliverio et ses compagnons. Je lui ai promis de préparer chez moi quelques grands plats de salade russe et nous devions acheter chez Cosme Manzo de la viande épicée et des saucisses de Strasbourg, ce qui est très pratique. Mon époux ajouta qu'à coup sûr doña Flora et d'autres amis enverraient des amuse-gueule et des liqueurs. Marta pensait surprendre son monde avec des plats guatémaltèques qu'elle préparerait et disposer la table comme on le fait dans son pays, en y plaçant boissons et aliments pour que chacun se serve. Elle a dit aussi qu'elle ne voulait pas proposer beaucoup d'alcool, car les gens se piquent le nez et ensuite plus moyen de les faire partir.

Nous avons regardé tranquillement le film. Marta n'avait plus mal à la tête, mais elle n'a jamais aimé le sujet, qui traite d'un divorce. A la sortie, mon mari nous a invitées à prendre des sorbets tutti frutti *Chez Prío*, ce qu'elle a accepté. Ensuite nous l'avons laissée à la porte de chez elle, sans voir Oliverio, qui étudiait à l'intérieur.

Après une nuit calme et sans histoire, comme le rapporte Oliverio Castañeda dans sa déposition du 11 octobre 1933, à son réveil Marta s'est plainte de douleurs menstruelles et à nouveau elle fut victime d'une abondante hémorragie cataméniale qui imprégna ses vêtements de nuit, les draps et le couvre-lit. Comme elle se plaignait également de malaises digestifs, il est allé jusqu'à la porte de la chambre pour demander à l'employée de maison le flacon de bicarbonate de soude qu'on rangeait dans le buffet de la salle à manger. Marta a elle-même dissous le bicarbonate dans un verre, en le remuant avec une cuiller. On approchait de huit heures du matin.

Doña Flora, dans sa déposition du 14 octobre, assure avoir vu le verre vide, avec la cuiller à l'intérieur, sur la table de nuit de la chambre où se trouvait une image du Sacré-Cœur.

La domestique, Dolores Lorente, célibataire et âgée de trente-deux ans, qui ne dormait pas à la maison et prenait son service très tôt le matin, affirme autre chose dans sa déposition du 17 octobre 1933 :

LE JUGE : Dites si vous avez apporté du bicarbonate dans la chambre, avec un verre d'eau et une cuiller pour dissoudre le médicament.

LE TÉMOIN : Je n'ai pas apporté de bicarbonate et je ne sais pas s'ils en avaient chez eux. Ce que don Oliverio m'a demandé c'est le flacon avec les capsules que prenait doña Marta. Je suis allée le chercher dans le buffet de la salle à manger, comme il me l'a ordonné depuis la porte de la chambre. Je le lui ai remis avec un verre d'eau recouvert d'une soucoupe; mais pas de cuiller, parce qu'il n'a jamais parlé de cuiller.

LE JUGE : Vous rappelez-vous combien de capsules il restait dans le flacon?

LE TÉMOIN : Il ne restait plus que les trois de la dernière prise. Don Oliverio les a sorties, puis il m'a rendu le flacon vide, que j'ai mis à la cuisine ou que j'ai jeté. Je ne m'en souviens plus.

LE JUGE : Vous rappelez-vous l'heure où vous avez remis les capsules à Castañeda?

LE TÉMOIN : Je pense que ce devait être avant huit heures. Je prenais mon service à sept heures et il y avait une heure que j'étais au travail.

3. Selon la déposition de Castañeda lui-même, tandis que la servante Dolores Lorente préparait leur petit déjeuner, il en avait profité pour sortir quelques instants à la recherche de son camarade d'études, Edgardo Buitrago, qui devait lui prêter des livres pour la révision de son examen du lendemain. Il affirme qu'après l'avoir fait attendre de longues minutes sur le trottoir, son employée était ressor-

tie pour l'informer que Buitrago n'était pas là, ce qui explique qu'il soit rentré chez lui presque à neuf heures.

Et de retour chez lui, il avait appris que Marta avait ramassé tout le linge taché de sang et qu'elle l'avait lavé elle-même, puis l'avait étendu sur le fil de la cour; tout cela l'avait vivement irrité, car il considérait cet exercice comme une véritable folie, compte tenu de son état de faiblesse. Et sa colère avait encore augmenté lorsqu'elle répondit à son appel depuis la salle de bains; il jugea alors, et il juge toujours, qu'il était extrêmement imprudent de se baigner après avoir lavé le linge, car on sait pertinemment que dans les cas d'hémorragies cataméniales, aussi bien l'agitation que l'eau froide peuvent entraîner des conséquences mortelles.

Sur ce point la domestique Dolores Lorente contredit une fois de plus Castañeda :

LE JUGE : Avez-vous vu doña Marta sortir de la chambre avec des pièces de linge tachées de sang pour les laver, telles que des draps et une couverture?

LE TÉMOIN : Si elle s'était mise à laver, je m'en serais facilement aperçue, mais elle ne l'a pas fait. La buanderie était dans la cour, près de la cuisine où j'étais en train de leur préparer le petit déjeuner. De plus le linge de literie, c'est très embêtant et on passe pas mal de temps à le laver, surtout s'il y a du sang dessus. Et sur le fil, je n'ai pas vu de drap ni rien de semblable.

LE JUGE : Est-il vrai que doña Marta a pris un bain ce matin-là?

LE TÉMOIN : C'est vrai qu'elle est allée se baigner. La salle de bains était elle aussi tout près de la cuisine et j'ai entendu les seaux d'eau qu'on versait. Ensuite don Oliverio est arrivé et il a tapé à la porte pour lui dire de se presser de venir déjeuner, parce qu'il fallait qu'il se mette à étudier ses livres.

LE JUGE : Quand vous êtes entrée dans la chambre pour y faire le ménage, avez-vous trouvé dans le lit ou dans le vase de nuit des traces de sang?

LE TÉMOIN : Dans le vase de nuit il n'y avait que de l'urine, que je suis allée jeter dans les toilettes. Dans le lit je n'ai pas vu de sang du tout, mais ce n'était pas moi qui le faisais; doña Marta s'en chargeait personnellement. Il était déjà fait quand je suis entrée. Par contre, environ trois jours plus tôt, j'avais ramassé dans la chambre du linge de corps où il y avait des traces de menstruation. C'est moi qui l'ai lavé.

4. Oliverio Castañeda précise au juge qu'il s'est rendu jusqu'à la porte de la salle de bains pour exiger de Marta qu'elle sorte sur-le-champ; de l'autre côté de la cloison elle lui a répondu qu'elle se sentait très bien. Mais sachant combien son état de santé la laissait indifférente et connaissant le danger qu'elle courait, il renouvela sa demande avec insistance, jusqu'à ce qu'elle interrompe son bain. Il l'enveloppa dans une serviette et la conduisit dans la chambre, tout en remarquant qu'elle était encore congestionnée après avoir lavé tout ce linge.

Le déposant affirme que pendant que Marta s'habillait, il s'était assis dans la salle à manger pour l'attendre et déjeuner ensemble, encore impatienté par cette conduite imprudente; et quand elle est venue s'asseoir son ressentiment n'avait pas disparu. Pendant le petit déjeuner, la conversation tourna autour de l'hémorragie et le déposant lui expliqua combien il était préoccupé par le fait que ces crises se succédaient de mois en mois. Il lui indiqua qu'il allait ressortir chercher doña Flora et Yelbita Oviedo pour qu'elles viennent lui tenir compagnie, ce à quoi elle s'opposa. Mais le déposant sut se montrer ferme et sans tenir compte de ses protestations comme quoi elle n'avait rien et qu'elle se sentait parfaitement bien, dès que le déjeuner fut terminé il alla appeler lesdites dames.

En contradiction avec l'affirmation de Dolores Lorente concernant l'existence de l'hémorragie, doña Flora soutient dans sa déposition du 14 octobre que, quand elle s'est présentée chez le couple en compagnie de ses deux filles, en réponse à l'appel urgent de Castañeda, Marta elle-même lui avait confirmé qu'elle avait à nouveau saigné abondamment; elle se plaignait, en outre, de spasmes nerveux, contre lesquels elle lui donna un sédatif de la maison Parker & Davis, appelé Cuadraline. Le flacon était scellé et la déposante l'ouvrit de ses propres mains.

5. Le bachelier Edgardo Buitrago, avocat stagiaire, interrogé par le juge le 18 octobre 1933, déclare qu'effectivement Castañeda s'est présenté chez lui pour lui emprunter un livre; comme il ne le trouvait pas chez lui, il a laissé un message à sa mère à propos du besoin urgent qu'il avait de ce livre, un manuel de droit romain d'Eugène Petit. Cependant cette visite ne s'était pas produite le 13 février, d'après ce qu'affirme le témoin, mais trois jours avant, le dimanche. Il pouvait apporter cette précision parce qu'à cette heure-là il était à la messe.

Puisque Oliverio Castañeda n'allait pas chercher un livre quand il est sorti de chez lui entre huit et neuf heures du matin, la servante Dolores Lorente savait, elle, où il s'était vraiment rendu, mais elle ne le révéla pas au juge. Comme elle ne dit pas non plus qu'elle-même avait quitté la maison à la même heure. On nous éclairera sur ce mystère, résolu grâce aux recherches entreprises par le commerçant Cosme Manzo avant même le début du procès.

6. Une fois le petit déjeuner terminé, vers neuf heures et demie du matin, Oliverio Castañeda partit vraiment chercher ses amies les plus proches pour qu'elles viennent chez lui. Dolores Lorente affirme s'en souvenir :

LE JUGE : Dites-nous si à la fin du petit déjeuner Oliverio Castañeda est de nouveau sorti dans la rue pour la deuxième fois et, dans l'affirmative, si doña Marta a gardé le lit.

LE TÉMOIN : Oui, il est sorti, en disant qu'il allait chez doña Flora. Mais doña Marta n'est pas revenue dans sa chambre et elle s'est mise à arroser les plantes de la galerie. Tout en versant de l'eau dans les pots de fleurs elle chantait une chanson de son pays qu'elle aimait beaucoup, car je la lui avais entendue auparavant; c'était quelque chose comme « lune, gardénia d'argent, qui devient chanson dans ma sérénade... », et elle imitait avec la bouche le son d'un marimba pour accompagner sa chanson.

Mᵉ Ulises Terán, avocat, marié, âgé de quarante-trois ans, propriétaire de l'imprimerie La Torche et voisin mitoyen de la maison, affirme dans sa déposition du 14 octobre 1933 :

Il devait être un peu après neuf heures et demie du matin. J'étais sur le pas de ma porte où je remettais à un commissionnaire de l'entreprise González des paquets de publicités pour des films, quand j'ai vu passer Castañeda très agité, marchant d'un pas pressé; je l'ai arrêté, en lui demandant s'il se passait quelque chose, et il m'a répondu que son épouse était au plus mal, car elle avait eu des règles très abondantes le matin même.

J'ai essayé de le calmer en lui disant que c'était des troubles normaux chez les femmes et que personne ne mourait d'une hémorragie vaginale. Mais il fit non de la tête d'un air désolé et il répéta qu'il s'agissait d'une affaire de vie ou de mort. Puis il poursuivit sa route, toujours très pressé.

Je me suis senti si inquiet de l'état d'agitation où se trouvait Castañeda que quelques instants plus tard, alors qu'arrivait dans la rue la caravane de propagande pour l'émulsion Scott, j'ai arrêté l'homme qui manipule la morue pour le supplier de ne pas faire de vacarme dans cette rue car il y avait une femme gravement malade; il a accédé volontiers à ma demande et s'est éloigné en silence avec les musiciens de la fanfare qui l'accompagne habituellement. Suivis par une bande d'enfants, ils ont repris leur propagande quelques pâtés de maisons plus loin.

7. Dans sa déposition du 14 octobre, doña Flora affirme qu'elle était au comptoir de sa boutique, vers dix heures du matin, quand Castañeda est apparu. Il venait lui demander le service de se rendre au plus vite auprès de Marta, qui était à nouveau mal, victime d'une hémorragie abondante, et qui ne voulait pas se coucher. Il lui expliqua qu'elle seule, en raison de son ascendant sur la malade, était capable de la persuader d'abandonner son travail et de se reposer. Ainsi il pourrait se consacrer en toute tranquillité à la préparation de son examen tout proche. Elle ajoute qu'elle n'a rien vu d'alarmant dans cette requête, étant donné l'amitié étroite existant entre les deux familles, et elle n'a pas remarqué non plus d'altération dans ses gestes ni dans sa voix.

Mais dans sa seconde déposition du 31 octobre, ses affirmations varient radicalement :

La déposante peut se rappeler maintenant que Castañeda a répandu en différents endroits, de façon délibérée, des nouvelles alarmantes à propos de la gravité du cas de sa femme; et à cet effet elle souhaite compléter son précédent récit de la façon suivante : quand il était sorti du magasin pour aller chercher Yelbita Oviedo, la déposante s'est rendue chez elle pour se préparer et prévenir ses filles. Alors qu'elle était encore dans sa chambre, son époux s'est présenté, tout effrayé, car Castañeda venait de lui avouer, en le rencontrant sur le trottoir, que cette fois Marta ne s'en relèverait pas et que sans aucun doute elle allait mourir le jour même. Plus tard il avait appris qu'il avait dit la même chose à d'autres amis, chez qui il était venu annoncer à l'avance la mort de Marta.

Ignorant tout ce qui allait se produire par la suite, elle n'a prêté sur le moment aucune importance à ces phrases, qu'elle a attribuées à la nervosité de Castañeda, habituelle chez lui dans des situations semblables. C'est l'opinion qu'elle avait communiquée à son mari pour le rassurer.

Elle reconnaît en outre qu'elle n'a pas eu non plus motif à s'inquiéter lorsqu'elle s'est présentée chez les Castañeda, en compagnie de ses filles, environ vingt minutes plus tard, car elles ont trouvé Marta assise très tranquillement dans la galerie, en train de donner des ordres à sa bonne pour la préparation du déjeuner. Très affligée, ses premiers mots pour Castañeda qui venait d'entrer à son tour, furent : « Ah, Oli, pourquoi es-tu allé ennuyer doña Flora? Je te l'ai déjà dit, ce n'est rien. » Et ce n'est qu'après bien des supplications que la déposante avait réussi à la convaincre du bien-fondé de se coucher.

8. De même, dans sa déposition du 14 octobre 1933, doña Flora nie farouchement, en réponse à des questions du juge, que la moribonde ait adressé en sa présence des paroles de reproche d'aucune sorte à Castañeda, comme la rumeur populaire s'est chargée de le répandre. Selon ces bruits, Marta se serait exclamée à plusieurs reprises sur son lit de mort : « Oli, Oli, qu'est-ce que tu m'as donné? »

Mais son frère, Fernando Guardia Oreamuno, soutient dans sa déposition du 22 octobre 1933 qu'il ne s'agit nullement d'une rumeur; car elle-même lui a rapporté qu'elle avait entendu ces paroles de la bouche de Marta, avant que ne se produise la dernière des trois attaques de convulsions, vers une heure de l'après-midi.

Doña Flora ne revient pas sur cette affaire dans sa deuxième déposition et le juge ne l'interroge plus sur ce point. Mais Me Ulises Terán affirme dans la sienne, le 14 octobre 1933, que les seuls mots prononcés par Marta un peu avant la crise finale et adressés à son époux furent textuellement les suivants : « Oli, Oli, mon illusion, ma vie, pour toi j'ai tout laissé, ma mère, ma famille, mon pays... »

Aussitôt après elle fut victime de convulsions aiguës, cette fois plus violentes et prolongées. Et elle expira.

11

Il pleure dans les bras de son ami

Oviedo la Baudruche révisait son examen au matin du 13 février 1933, en se promenant en caleçon devant cinq fauteuils à bascule vides disposés dans le corridor, un pour chaque membre du jury. C'est Yelba qui posait les questions depuis sa machine à coudre, le livre ouvert à côté d'elle, et elle s'arrêtait de pédaler pour le corriger impitoyablement chaque fois qu'il trébuchait sur un mot. Dépité, Oviedo la Baudruche interrompait alors sa gesticulation déclamatoire et rétorquait qu'il avait répondu correctement, ce qui les conduisait tous les deux à s'enliser dans d'âpres discussions.

Ils étaient précisément en train de se chamailler – indique-t-elle dans sa déposition du 16 octobre 1933 – quand Oliverio Castañeda est venu leur faire part de la gravité de l'état de Marta. Il ne voulut pas les attendre, tant il était angoissé, et eux-mêmes tardèrent à se rendre au coin de la rue, le temps de s'habiller, pour héler une voiture; comme il n'en passait aucune, Yelba décida de marcher et Oviedo la Baudruche dut se résigner à lui emboîter le pas, le souffle court. Il était près de dix heures et demie du matin.

En traversant la rue devant le parvis de l'église de la Récollection et alors qu'il nous restait quelques mètres à parcourir, j'ai entendu dans le silence du matin, comme porté par le vent, un cri déchirant dans lequel j'ai reconnu le timbre de voix de Marta. Au début j'ai cru être victime d'un piège de mon imagination, mais mon mari, qui avait fini par me rejoindre, m'a assuré qu'il avait entendu lui aussi le cri, ce qui m'a incitée à presser le pas, presque jusqu'à courir. En entrant dans la maison je me suis dirigée directement vers la chambre, où j'ai trouvé Marta se tordant sur le lit, en proie à d'horribles convulsions.

Ce cri aurait dû alerter les voisins. Pourtant, Me Ulises Terán, qui se trouvait à ce moment en train de corriger des épreuves d'imprimerie dans son bureau, séparé de la chambre par un simple mur, n'a rien entendu.

La matinée s'est écoulée calmement et j'ai presque totalement oublié la conversation avec Castañeda ; à tel point que, quand ma femme est entrée pour m'apporter un rafraîchissement dans mon bureau, où je corrigeais des épreuves du livre *Semaine sainte à León*, prose et vers du Dr Juan de Dios Vanegas, j'ai oublié de lui commenter l'affaire. De l'autre côté du mur, on n'entendait aucun bruit ni manifestation particulière. Après dix heures et demie, je suis ressorti pour me dégourdir les jambes, c'est alors que j'ai remarqué de l'agitation devant la porte des Castañeda et que j'ai vu la voiture du Dr Darbishire amarrée à l'anneau dans le mur, ce qui m'a amené à me déplacer pour me renseigner.

J'ai trouvé une grande confusion dans le salon et, avant que quiconque ait pu me donner des nouvelles, doña Flora est sortie, l'air soucieux, de la chambre et, s'adressant à moi, elle m'a montré le flacon d'un sirop appelé Cuadraline, en me disant : « Il semble que Marta se soit intoxiquée avec ce remède », sans me préciser l'heure à laquelle le médicament aurait été administré à la malade ni à l'initiative de qui.

De son côté, le Dr Juan de Dios Darbishire précise, dans sa déposition du 17 octobre 1933, qu'à la demande de doña Flora il s'est rendu à la maison vers midi et quart, en compagnie de son disciple et collègue le Dr Atanasio Salmerón, en visite à son cabinet par hasard. Par conséquent, Me Ulises Terán n'a pas pu voir la voiture du Dr Darbishire à la porte, passé dix heures et demie, mais la jument du Dr Filiberto Herdocia Adams, qui était accouru au chevet de la malade à l'appel d'Oviedo la Baudruche.

Le Dr Herdocia Adams, marié, âgé de trente-six ans, explique dans sa déposition du 15 octobre 1933 :

Monté sur ma jument je franchissais le porche de ma demeure dans le but de commencer les visites de mes patients habituels, quand j'ai entendu des cris provenant du coin de la rue, quelqu'un m'appelait. Le Dr Octavio y Reyes, qui m'avait interpellé, s'est approché et m'a pressé de l'accompagner pour un cas grave, sur lequel il ne m'a pas fourni beaucoup d'explications, sauf qu'il s'agissait de Mme Castañeda et qu'elle souffrait d'une attaque de convulsions. Je l'ai suivi dans la rue sur ma jument alors qu'il allait à pied, et c'est ainsi que nous sommes arrivés à la maison.

J'ai trouvé la patiente couchée sur son lit, conversant normalement, quoique se plaignant d'une légère migraine et de lassitude dans les extrémités inférieures. Ce qui m'a conduit à indiquer, aussi bien au mari qu'à doña Flora de Contreras, présente sur place, qu'il s'agissait vraisemblablement d'une crise nerveuse. J'ai également expliqué à doña Flora, afin de la tranquilliser, que le médicament contenu dans un flacon qu'elle me montrait, un sédatif de la maison Parker & Davis enregistré sous le nom de Cuadraline, était incapable de produire la moindre intoxication, même mélangé à d'autres médicaments ou à des drogues.

Cependant, environ vingt minutes plus tard, la patiente nous a prévenus de l'imminence d'une nouvelle attaque et elle a demandé qu'on lui attache les jambes car elles se mettaient à raidir. En effet, une rigidité commença à affecter les extrémités (épistones), puis la mâchoire (trismus), avant de se généraliser au corps tout entier. Elle fut prise ensuite de convulsions violentes, son corps se cambrait en arc sur la table et ses globes oculaires se propulsaient hors des orbites (strabisme). La paralysie respiratoire, par tétanisation des muscles du thorax, se manifesta par la teinte sombre du visage (cyanose).

Une fois cette seconde attaque passée elle a retrouvé son état normal, elle a pu répondre à toutes les questions, au point de donner des renseignements sur l'endroit où étaient rangés des objets dont on avait besoin. Mais quand le père Isidro Oviedo y Reyes s'est présenté, son état a commencé à me préoccuper davantage, car la malade soutenait qu'elle ne le voyait pas, bien qu'elle entendît sa voix ; ce qui m'a amené à corriger mon précédent diagnostic, et j'ai fait part à son époux de ma conviction qu'il s'agissait d'une intoxication par urémie.

Le Dr Sequeira Rivas, qui a pu observer l'attaque suivante, s'est rallié à mon diagnostic ; mais quand le Dr Darbishire est arrivé par la suite, accompagné du Dr Atanasio Salmerón, il a expressément détecté, après avoir ausculté la malade, une fièvre pernicieuse à un stade aigu. Je me suis rallié à sa conclusion, de même que les autres collègues qui étaient déjà là ou qui sont apparus ensuite.

Dans sa déposition du 20 octobre 1933, le Dr Alejandro Sequeira Rivas, célibataire, âgé de vingt-six ans, décrit les attaques comme une succession ascendante de crises convulsives avec des intervalles de plus en plus longs. Il estime à une demi-heure de laps de temps entre les deux dernières, alors que la patiente donnait des signes d'épuisement et que sa température à l'aisselle était montée à 38 degrés.

Il se rappelle, par ailleurs, que l'on a administré à la patiente, sur le conseil des médecins réunis là : du sulfate de quinine à doses concentrées, de l'éther sulfurique et de l'huile camphrée en injections intramusculaires. On lui a également donné un purgatif par voie orale et un énème, lui aussi purgatif, par voie rectale, ce dernier ordonné par le Dr Darbishire. Et il termine en précisant :

Vers une heure de l'après-midi, une fois épuisés tous les moyens que la pharmacopée moderne met à notre disposition, la crise finale est survenue. J'étais allé un moment aux toilettes et je m'y trouvais occupé, quand Me Ulises Terán, un voisin, est arrivé en courant pour frapper à la porte des latrines et m'a dit : « Dépêchez-vous, docteur, notre petite se meurt. » Quand je me suis présenté à son chevet, son visage avait pris une teinte violacée intense, correspondant à un paroxysme de l'asphyxie. Et elle a expiré.

Selon les explications du Dr Darbishire dans sa déposition déjà citée, il n'a pas hésité à diagnostiquer qu'il s'agissait d'une attaque foudroyante de fièvre pernicieuse, non seulement en raison des symp-

tômes, mais parce qu'il connaissait l'affection paludéenne de la
malade, qu'il avait lui-même découverte un mois plus tôt. Les autres
médecins se sont ralliés à ce critère, comme nous le savons déjà, à
l'exception du Dr Salmerón qui n'y a jamais adhéré.

Quand, à une heure de l'après-midi, Marta meurt au terme d'une
ultime convulsion, Oliverio Castañeda s'éloigne en silence de son chevet; et Oviedo la Baudruche, serrant dans ses mains son mouchoir
trempé de larmes, le suit jusque dans le corridor, pour l'étreindre et
pleurer avec lui. Il remarque alors qu'il s'est approché d'une table à
ouvrage et, épouvanté, il le voit chercher quelque chose parmi les
morceaux de tissu.

« Je me suis précipité à l'endroit où il était, craignant de le voir
commettre une folie. » Oviedo la Baudruche sort à nouveau son mouchoir comme s'il allait se remettre à pleurer, entouré par les habitués
de la table maudite de *Chez Prío*, le soir du 20 octobre 1933.

« Il cherchait un pistolet? » Cosme Manzo surveille d'un œil goguenard Oviedo la Baudruche, dans l'espoir de voir vraiment jaillir ses
larmes.

« Oui. » Oviedo la Baudruche mord son mouchoir. J'ai réussi à le
lui enlever et je l'ai supplié de me le remettre.

– Il a opposé de la résistance? » Le Dr Salmerón lisse de son
poing la feuille de son carnet, se préparant à écrire.

« Aucune. » Oviedo la Baudruche ne cache pas son désappointe-
ment. « En plus, il a dit quelque chose qui m'a surpris.

– Quoi donc? » Le Dr Salmerón attend calmement pour noter.

« Il voulait cacher le pistolet pour qu'on ne le lui vole pas. » Oviedo
la Baudruche froisse son mouchoir et il le glisse dans la manche de sa
veste. « Il y avait un voleur dans la maison.

– Un vol dans ces circonstances? » Le Dr Salmerón rit sobrement.
« Ton ami a une vocation d'acteur de cinéma muet. Et on peut savoir
qui était cette crapule de voleur?

– Noel Pallais, qui se trouvait là. » Oviedo la Baudruche tente de
rire lui aussi, mais son rire a des accents lugubres. « Il s'était présenté
avant le dénouement, avec son épouse, au même titre que beaucoup
d'autres amis.

– Oui, je me rappelle avoir vu Noel Pallais au milieu des gens,
reconnaît au bout d'un moment le Dr Salmerón.

– Mais pourquoi croyait-il que Noel Pallais allait lui voler son pistolet? » Rosalío Usulutlán presse Oviedo la Baudruche de répondre,
en le poussant du coude.

« Parce qu'il avait déjà profité de la confusion pour lui voler trois
cents dollars. » Oviedo la Baudruche s'apprête à lever les bras, incrédule devant son propre récit, mais finalement il y renonce. « La bonne
avait assisté au vol, d'après ce qu'il m'a dit.

– Trois cents dollars? » Rosalío Usulutlán met son chapeau,
comme si, après cela, il n'y avait plus rien à entendre.

« Je ne fais que répéter. » Oviedo la Baudruche hoche la tête sans conviction. « Il avait pris un petit portefeuille dans l'armoire ouverte, d'où on sortait des serviettes et des draps pour la malade. En jouant avec, il avait fait mine de le lancer en l'air, mais il l'avait empoché.

– Qui peut croire un truc comme ça? » La voix étonnée du capitaine Prío parvient depuis la caisse enregistreuse. « C'est Noel Pallais lui-même qui a proposé que tous ceux qui étaient là signent le radiogramme.

– Je n'en sais rien, à présent je n'en sais vraiment rien. » Oviedo la Baudruche tourne la tête vers le capitaine Prío, confus et soucieux. « A ce moment-là je l'ai cru. Comment pouvait-il me raconter des mensonges dans des circonstances pareilles? »

Le capitaine Prío fait allusion au radiogramme informant la famille Jerez de la mort de Marta, expédié à Mazatenango via Tropical Radio à deux heures et demie, le jour du décès, selon la copie saisie au Bureau des télégraphes nationaux de León et jointe au dossier.

Dans sa déposition du 17 octobre 1933, Oviedo la Baudruche affirme s'être approché de son ami, crayon et papier en main, afin qu'il lui dicte le contenu du radiogramme :

Le déposant soutient que Castañeda a tenté à plusieurs reprises de lui dicter la rédaction du message, mais qu'il y a finalement renoncé, en lui disant, d'une voix brisée, qu'il ne trouvait pas les mots nécessaires et qu'il ne se sentait pas d'humeur à s'attaquer à une tâche aussi ardue. C'est pourquoi il a prié le déposant de l'écrire lui-même. Assis près de lui, celui-ci a procédé à la rédaction comme le souhaitait son ami et il n'a reçu de lui qu'une seule recommandation, celle de mentionner que Marta était morte après une hémorragie aiguë, entourée jusqu'au dernier moment par l'affection et les soins attentifs de son mari. Après le lui avoir lu, il l'a signé.

Comme le confirme la déposition faite par Mᵉ Ulises Térán le 14 octobre 1933, c'est effectivement Noel Pallais qui a proposé – ce qui a été accepté – à tous ceux qui étaient dans la maison de signer également le radiogramme, afin de dissiper le moindre doute aux yeux de la famille Jerez au sujet du comportement affectueux et dévoué de Castañeda à l'égard de son épouse jusqu'au dernier moment. Oviedo la Baudruche corrobore ces faits dans sa déposition, bien qu'il s'abstienne de la moindre référence au prétendu vol d'argent de la part de l'auteur de cette initiative.

« Laissons de côté le vol. » Rosalío Usulutlán ôte son chapeau pour se gratter la tête. « Il avait de la peine, oui ou non? Pas au point de se tirer un coup de pistolet, néanmoins. Mais sa douleur se voyait?

– Oui. » Oviedo la Baudruche incline solennellement la tête. « Ça se voyait. Et quand j'ai eu rangé son pistolet dans la poche de ma veste, nous nous sommes étreints et il a sangloté.

– Et quelqu'un d'autre est venu le consoler? » Cosme Manzo s'approche sournoisement de l'oreille d'Oviedo la Baudruche.

« Bien sûr, tout le monde lui présentait ses condoléances. » La bouche de Cosme Manzo est si près de lui qu'en la regardant du coin de l'œil il peut compter ses dents en or massif.

« Non. Je pense aux sœurs Contreras. Qu'est-ce qu'elles ont fait? Qu'est-ce qu'elles ont dit? » Cosme Manzo l'enveloppe à nouveau de son souffle retors.

« Je ne me rappelle pas les avoir vues sortir de la chambre. Elles sont restées là avec leur mère, près du cadavre. » Oviedo la Baudruche s'écarte, gêné par la proximité de l'haleine fétide de Cosme Manzo.

« Qu'est-ce que je ne donnerais pas pour savoir ce que disait la lettre », soupire le Dr Salmerón en jetant sur la table, en direction d'Oviedo la Baudruche, son crayon à deux mines.

« Quelle lettre? » Oviedo la Baudruche renâcle et son double menton est parcouru d'un léger tremblement.

« Celle que ce matin-là Oliverio Castañeda a fait porter à María del Pilar Contreras, avant le petit déjeuner, par sa bonne, Dolores Lorente. » Le Dr Salmerón ramasse son crayon, tout près du ventre d'Oviedo la Baudruche.

« Je n'ai jamais entendu parler de lettres. » Oviedo la Baudruche sort son mouchoir de la manche de sa veste pour éponger à petites touches précautionneuses ses bajoues maintenant envahies, brusquement, par une sueur copieuse.

12

Les amoureux se retrouvent

Oliverio Castañeda se présenta le 21 février 1933, avec une semaine de retard, aux épreuves de l'examen pour le titre d'avocat et de notaire. Le jury, présidé par le doyen de la faculté de droit, Mᵉ Juan de Dios Vanegas, plus tard accusateur lors du procès, déclara le candidat admis à l'unanimité des suffrages et fit figurer sur le rapport de soutenance que nous avons consulté la mention Très Honorable avec félicitations. La thèse de doctorat, imprimée sur papier vergé par l'Atelier typographique Contreras, s'intitule *Essai sur la paternité des Droits de l'homme*.

Chez la famille où il occupait à nouveau, depuis le jour de l'enterrement de son épouse, la même chambre, l'événement fut célébré, le même soir, derrière la porte close du salon. Et c'est également derrière la porte close que Mathilde joua du piano à la demande d'Oliverio, qui au début se montra loquace, à nouveau blagueur et grivois, avant de tomber ensuite dans une profonde tristesse. C'est ce que se rappelle la cuisinière, Salvadora Carvajal, dans sa déposition du 14 octobre 1933 :

Comme la déposante le précise, ils ont trinqué avec des bouteilles de muscat qu'on avait fait venir du magasin *La Renommée* sur ordre de don Carmen et ils se sont tous assis pour écouter des morceaux que mam'selle Mathilde a joués au piano. Ensuite ils sont passés à table pour un dîner spécial, car on avait mis une nappe en dentelle sur l'indication de mam'selle María del Pilar, avec un vase de Chine.

Don Oliverio a bu des tas de verres de muscat, se rappelle l'intervenante, et également d'un cognac spécial que don Carmen gardait sous clef dans son armoire. Il était complètement saoul et il s'est mis à pleurer. C'est pour cette raison que le vieux don Carmen et le jeune Carmito ont dû aller le coucher.

Là-dessus, les agapes ont pris fin, mais de toute façon tout le monde était déjà triste, car mam'selle Mathilde et mam'selle María del Pilar avaient pleuré elles aussi, elles étaient désolées, surtout quand il a dit qu'il rentrait chez lui et qu'il ne pensait pas revenir un jour au Nicaragua, car c'est là qu'il avait perdu la consolation de sa vie, sa petite Marta adorée. Des paroles qui ont aussi beaucoup impressionné doña Flora. L'intervenante a elle aussi été touchée par toutes ces scènes de tristesse et elle en avait la gorge toute serrée.

Si nous en croyons le témoignage de Carmen Contreras Guardia, cette nuit-là Oliverio Castañeda aurait parlé dans son sommeil, torturé par ses rêves. Lorsque le 1ᵉʳ décembre le juge interroge à nouveau le témoin sur d'autres aspects étranges de la conduite de l'accusé, il répond :

Après la mort de son épouse et alors qu'il habitait de nouveau chez nous, ma mère m'a ordonné de m'installer dans sa chambre, car il avait peur de dormir seul. Le soir où il a eu son doctorat – et je dois dire que les examinateurs lui ont offert le titre par pitié pour son veuvage – il a bu exagérément, ce qui n'avait rien d'étonnant chez lui. Devant ce spectacle, mon père et moi, écœurés de le voir écroulé sur la table, complètement ivre, on l'a emmené se coucher.

Vers minuit il a commencé à s'agiter sur son lit et presque aussitôt je l'ai entendu répéter des phrases confuses et angoissées, comme si dévoré de remords il demandait pardon en rêve à quelqu'un et comme si, n'obtenant pas ce pardon, il se trouvait dans l'obligation de se défendre, car il levait les mains pour se couvrir le visage. Je me suis redressé et je me suis rapproché de lui en faisant très attention, pour essayer de mieux écouter ce qu'il disait. Au début j'ai cru qu'il parlait de son épouse morte, car j'ai eu comme l'impression qu'il l'appelait en poussant de grands cris « Marta ! Marta ! » Mais ensuite, en concentrant mon attention, ses cris m'ont semblé plutôt être : « Mère, mère ! »

Mes sœurs, qui dormaient dans la pièce d'à côté, ont allumé la lumière en entendant les cris et elles ont tapé contre la cloison en me demandant de le réveiller de son cauchemar. C'est ce que j'ai dû faire et Castañeda, ruisselant de sueur froide, a repris ses esprits. Une fois calmé, il a commencé à me demander avec une insistance étrange : « Mito, Mito, qu'est-ce que j'ai dit ? Qu'est-ce que j'ai dit ? »

Je l'ai rassuré et je lui ai garanti que je n'avais rien entendu. Mon intention était qu'il se rendorme pour voir s'il continuait à crier, car je soupçonnais déjà à l'époque qu'il avait empoisonné sa femme. Et j'étais d'autant plus fondé à me sentir intrigué que c'était sa mère qu'il nommait avec une peur panique. Mais rien d'autre ne s'est produit pendant le reste de la nuit.

Le lendemain, j'ai reproché à mes sœurs de m'avoir forcé à le réveiller. Si je ne l'avais pas fait, tout se serait peut-être éclairci d'un seul coup et il n'aurait plus eu l'occasion d'assassiner personne.

Oliverio Castañeda s'en tint à ce qu'il avait annoncé à la famille Contreras le soir où l'on fêtait à huis clos son succès à son examen professionnel. Il s'occupa d'obtenir son diplôme et, après avoir liquidé d'autres affaires en suspens, il partit pour Managua où, le 17 mars 1933, il prit le vol hebdomadaire de la Panaire à destination de la ville de Guatemala. Mais Oviedo la Baudruche savait qu'il ne partait pas pour toujours. D'après ses révélations faites à la table maudite et déjà enregistrées, il lui laissa en garde quelques objets personnels : une malle, sa machine à écrire et le phono Victor.

Il se rendit à Mazatenango et s'installa sur la propriété *La Trinité* de sa belle-mère pendant trois mois, une retraite dont nous ne savons pas grand-chose. C'est alors, explique-t-il dans sa déposition, que les autorités policières de la dictature du général Ubico l'ont enjoint de quitter le pays. C'est ce qu'il précise à Rosalío Usulutlán dans l'interview faite en prison. Et c'est aussi ce qu'il a raconté à don Fernando Guardia, à l'occasion du voyage en train à Puntarenas, évoqué dans un chapitre précédent.

Dans sa déposition du 22 octobre 1933, don Fernando Guardia propose sa version sur ce point :

Après s'être débondé à cœur joie contre la bonne société de León, il m'a confié, en me demandant de garder le secret, qu'un groupe de ses amis, opposants au gouvernement du général don Jorge Ubico, préparait des armes pour un soulèvement qui devait éclater au mois de décembre de l'année en cours, au prix d'une grande effusion de sang. Les plans des conjurés consistaient, entre autres, à attenter contre la vie de M. le Président. En raison du contenu de ces plans et compte tenu de la description qu'il m'a faite des participants, sans me révéler leurs noms, on pouvait facilement en conclure qu'il s'agit d'une révolution radicale, de type bolchevique.

Il me dit que la police secrète du général Ubico avait certainement eu vent de ces manœuvres, car à la mi-juillet s'est présenté sur l'exploitation un certain capitaine Arburola, venu exprès de la capitale, pour le prévenir que dans un délai de dix jours il devait quitter le pays ou bien il allait passer un sale quart d'heure. Mais le lendemain il a été convoqué à la préfecture de Mazatenango et là on lui a notifié que, par ordre télégraphique reçu le matin même, son départ devrait se faire dans les quarante-huit heures, et on l'obligea à se rendre à la même date à Ciudad Guatemala, surveillé par un soldat. Une fois sur place, il demanda un sauf-conduit pour aller au Nicaragua, mais sans lui fournir d'explications on le lui a refusé, en lui fixant le Costa Rica pour seule destination.

Je déduis de ce qui précède, et c'est sa bouche qui parle, que nous sommes en présence d'un individu dangereux en tous points, capable d'assassiner en toute tranquillité et de s'engager, de même, dans des activités illicites contre l'autorité. Et je n'écarte pas le fait que son insistance à obtenir un visa pour le Nicaragua ait été reliée à des plans contre le gouvernement de ce pays, car son opposition au Dr Sacasa est bien connue : il le considère comme un pantin sans jugeote qui n'a rien dans le pantalon, comme il me l'a également expliqué dans le train.

Il est arrivé à Puntarenas le 22 juillet 1933 à bord du vapeur *Usumacinta* et il fut accueilli sur le port par Carmen Contreras Guardia, qui se trouvait à San José depuis le mois de mai. Dans une lettre datée du lendemain et adressée à Oviedo la Baudruche, il raconte :

Des vents alizés m'ont poussé sans grande nouveauté vers ces plages, cher Montgolfier ; la nouveauté, c'est ce que je vais vous raconter. Le beau-frère, comme il y est obligé, me souhaite la bienvenue sur le port. La victime pantelante est là elle aussi, avec sa mère. Est-ce que je le savais ou non ? Je livre l'interrogation à ta curiosité, aussi insatiable que ton appétit ; croyons aux pigeons voyageurs, point final. Depuis l'entretien d'hier soir, que j'évoquerai plus tard devant vous, je peux vous garantir que je nage dans le bonheur. La chance de refaire ma vie, de formaliser mon « flirt » et de revenir au Nicaragua pour m'y assagir, prend les couleurs des nuages au couchant dans le lointain. Qu'en dites-vous, Montgolfier ? Serez-vous mon témoin à la noce ? Prévenez Yelbita, peut-être aurons-nous bientôt une fête et espérons que le beau-père ne renâclera pas trop du porte-monnaie, car je ne tolérerai que vous vous « cuitiez » qu'avec du champagne de la Veuve Clicquot. Pas question de ces alcools minables sortis des distilleries nationales.

Je suis descendu à la pension Barcelone, près de La Sabana. Bon marché, propre ; sa propriétaire, doña Carmen Naranjo, très bonne éducation, écrit des vers qu'elle prend plaisir à lire à ses hôtes ; et comme je suis moi aussi poète, j'apporte mes munitions et je lui lis à mon tour mes productions. Comme on dit à León : si tu me lis, je te lis. Si tu me démolis, je te démolis.

J'étais en plein déballage de mes affaires, quand on m'appelle d'urgence au téléphone. La mère m'invite à dîner, m'intimant de me rendre chez son frère dans les plus brefs délais. Pour des raisons évidentes, le galant homme ne se fait pas prier. Les femmes de chambre sont déjà parties, mais doña Carmen s'offre à me repasser elle-même mon costume. A elle, mes remerciements les plus sincères.

Je vous invite à venir me rejoindre, en volant à travers les airs dans la « baudruche » aérostatique de votre intuition. Prenez votre longue-vue et de votre poste d'observation dans les nuages, regardez-moi en train de traverser la rue. Impatient d'atteindre l'arrêt du tramway face à l'aéroport de La Sabana, je frappe le pavé de la pointe ferrée de mon parapluie, comme un aveugle heureux qui a les poches pleines d'aumônes amoureuses ; et voyez comme je m'approche du wagon encore déserté par les voyageurs. De radieuses lanternes teignent de jaune les carrés de ses petites fenêtres. Je monte, je suis le maître du tramway. Pourquoi ne démarre-t-il pas, en faisant grincer ses bielles ? Qui attendez-vous d'autre, monsieur le machiniste ?

A présent d'autres citadins montent, protégés du froid par leurs vêtements. Des fiancés, des gens mariés, mais aucun aussi heureux que votre ami. J'ai envie de demander à ces couples qui s'installent sur les banquettes patinées des derniers rangs : mesdames, messieurs, mesdemoiselles : qu'est-ce que le bonheur ? Pouvez-vous me le dire ? Où vous rendez-vous, vous qui êtes apparemment si contents ? Y a-t-il d'autres endroits plus enchanteurs – cirques, spectacles de variétés, cinémas, débits de glaces – où vous attend un bonheur farouche, comme il m'attend moi-même ? Mais la pitié m'arrête dans mon élan. Non, ce bonheur n'existe que dans mon cœur...

Et le tramway s'en va, il parcourt le cours Colomb, il passe à toute allure en faisant sonner sa cloche le long des boutiques fermées de l'avenue Centrale. Je salue les lumières de leurs vitrines, je présente mes respects aux mannequins, les ornements de la mode me paraissent une excellente chose, vive la mode féminine! inventée pour rehausser les charmes de ma dulcinée. Et maintenant tu grimpes, tramway, la côte de Loras, pour me déposer, enfin, parmi les élégantes villas du quartier Amón.

Otez du lest à votre « baudruche » et déplacez-vous un peu à tribord, pour me suivre plus facilement. Regardez-moi ouvrir mon parapluie avant de me mettre à marcher sous les cyprès ruisselants du trottoir. Votre très fidèle compagnon de toujours atteint la villa de bois à deux étages qui cache sa silhouette derrière les acacias du jardin. Je pousse la porte de fer du mur couvert de bougainvillées et je pénètre par le sentier de gravier qui me conduit jusqu'aux marches du porche. Les plaques de zinc de la toiture frémissent sous les rafales de vent chargées de pluie comme si elles allaient se détacher et s'envoler dans les airs. Attention à la tête, Montgolfier!

Je ferme mon parapluie et j'appuie sur la sonnette fixée au chambranle de la porte avec ses verres de couleur. J'entends un pas pressé qui arrive de l'intérieur, en résonnant sur le plancher comme s'il résonnait sur mon propre cœur; et quand la porte s'ouvre, la dulcinée en chair et en os. Il me faut vous la décrire : chandail rose, jupe plissée, d'un rose plus pâle encore; un gracieux ruban bleu ciel entoure son front, charmant ornement de ses boucles parfumées; la matité de son teint a reçu la caresse bénéfique du froid de San José et ses yeux, ah, ses yeux! me cherchent, vifs, brûlants. Je l'ai vue, Montgolfier, et elle m'a regardé, aujourd'hui je crois en Dieu!

Elle sourit et il y a un je-ne-sais-quoi de mélancolique dans sa timidité; incrédule, elle me scrute avant de se jeter dans mes bras. Elle ferme ses yeux d'un noir de jais et elle va m'embrasser, en se soulevant sur ses hauts talons, car, plus femme que jamais, elle porte des talons, et moi... je donnerais tout mon amour en réponse à ses transports, je donnerais ma vie.

Oui, elle se soulève, baissant ses paupières ombrées de bleu. Elle veut et ne veut pas s'éveiller du songe où elle a toujours vu arriver votre ami jusqu'à cette porte, sous une bruine obstinée. Mais lui, prudent, se recule, Montgolfier, ne le vois-tu pas du haut des nuages? Car voici que d'autres pas se rapprochent, véloces et joyeux, du fond de la maison, qui sent, ce n'est que maintenant que je le perçois, le saindoux frit et le désinfectant. Et il n'y a plus de baiser; les bras de ma brune, mon doux licol, retombent impavides car apparaît... la mère.

Vire à bâbord, Montgolfier, tu as beau t'acharner, sous le toit tu ne peux rien voir. Un dîner intime, une conversation galante et des démonstrations évidentes de la part du visiteur, habilement destinées à souligner qu'assis à la table il n'y a que deux êtres prêts à s'étreindre l'un l'autre en cas de chute imminente... les autres, l'oncle, le beau-frère, la mère : des comparses. Je les contrains à jouer leur rôle : qu'ils conversent, qu'ils disent, qu'ils commentent, leurs répliques sont inscrites dans mon livret. Je ne veux pas d'équivoques, ni de présomptions, ni de vains espoirs dans aucun de leurs propos. Entendez-moi bien, Montgolfier, dans aucun, audible ou inaudible.

Le dîner s'achève. Les circonstances m'offrent un instant de tête-à-tête et je glisse la bague reçue pour mon doctorat au doigt de ma dulcinée. Elle serre ma main dans la sienne. Mission accomplie. Votre ami va prendre congé, il prend congé. Demain, aujourd'hui pour vous, il reviendra, car cette lettre il vous l'écrit avant de reprendre le tramway; le programme est copieux et palpitant, et je ne gâcherai aucune occasion d'être auprès de ma douce victime, en attendant le jour où nous repartirons, ensemble, pour le Nicaragua.

Dans sa déposition dans le cadre de l'instruction du 18 octobre 1933, Oliverio Castañeda fait également allusion à son séjour au Costa Rica. Voici ses réponses au juge sur ce point :

LE JUGE : Puisque vous affirmez que le jeune Carmen Contreras Guardia vous attendait sur le port de Puntarenas, cela signifie-t-il que vous lui aviez annoncé à l'avance votre arrivée ?

L'ACCUSÉ : Je l'ai prévenu télégraphiquement que je partais pour le Costa Rica, mais sans m'étendre sur les circonstances qui me contraignaient à voyager de façon aussi imprévue. Il a eu la délicatesse de se rendre au port pour me recevoir et pour m'accompagner en train jusqu'à la capitale.

LE JUGE : Vous voulez dire que vous entreteniez une correspondance avec le jeune Contreras et qu'il connaissait, par conséquent, votre domiciliation postale ?

L'ACCUSÉ : Sans aucun doute. Nous étions devenus des amis très proches à León ; et s'il avait pu voir s'accomplir son souhait de poursuivre ses études de droit à San José, dans une faculté qui a même des professeurs européens et qui est dotée d'une excellente bibliothèque, c'est grâce à mes patients travaux de persuasion auprès de don Carmen, réticent à engager de tels frais.

LE JUGE : Par conséquent, vous n'ignoriez pas que depuis plusieurs semaines doña Flora Contreras se trouvait au Costa Rica, accompagnée de María del Pilar, sa fille.

L'ACCUSÉ : Je l'ignorais complètement. Le fait de connaître l'adresse postale de Carmen ne m'autorisait pas à l'importuner de mes lettres et à le distraire, du même coup, des études qu'il venait de commencer. Pour moi ce fut une très agréable surprise d'apprendre de sa bouche, après avoir échangé nos saluts sur le port, que doña Flora était venue passer quelque temps à San José, pour un voyage familial et d'affaires, et que sa plus jeune fille l'accompagnait.

LE JUGE : Mlle Rosaura Aguiluz, responsable du bureau de poste, affirme, dans sa déposition du 17 octobre 1933, que, pendant que vous étiez au Guatemala, vous avez eu un échange de correspondance très abondant avec Mlle Mathilde Contreras. Je cite : « En de nombreuses occasions elle s'est présentée personnellement à la poste pour retirer des lettres par avion portant le cachet de Mazatenango, qui avaient pour expéditeur le Dr Oliverio Castañeda, lesquelles, étant donné leur poids en grammes, devaient contenir plusieurs feuillets, selon la déposante. Mlle Contreras l'avait prévenue à l'avance de ne jamais envoyer les lettres chez elle, en les confiant au facteur, comme cela se fait habituellement, et qu'elle passerait elle-même pour les prendre. » J'arrête la citation et maintenant je vous demande : n'est-il pas logique que vous ayez été mis au courant de ce voyage par cet échange de lettres ?

L'ACCUSÉ : Vous devez prendre en compte, monsieur le Juge, que Mlle Aguiluz est venue déposer de sa propre initiative et que par conséquent ses déclarations officieuses, quand elle s'applique à détailler les « nombreuses occasions » et les « nombreux feuillets » ne peuvent être assimilées qu'à de

« nombreux ragots ». Nous avons échangé, c'est vrai, quelques lettres, courtoises et empreintes d'un savoir-vivre de bon aloi entre deux amis qui ont de l'affection l'un pour l'autre, mais Mathilde n'avait aucune raison d'entourer cet échange de secret, comme Mlle Aguiluz le prétend de façon malveillante. Mathilde ne m'a pas donné non plus, dans ces quelques lettres, de nouvelles du voyage de sa mère et de sa sœur, peut-être pour la simple raison que ces lettres n'ont pas coïncidé dans le temps avec le voyage en question.

LE JUGE : Une fois dans la capitale, vous vous êtes installé chez don Fernando Guardia où logeaient doña Flora et sa fille?

L'ACCUSÉ : Pas du tout. J'ai pris une chambre à la pension Barcelone de doña Carmen Naranjo, située en face de l'arrêt des tramways du parc de La Sabana. En arrivant à San José, j'ai pris congé du fils de doña Flora à la gare.

LE JUGE : Quand avez-vous vu doña Flora et sa fille pour la première fois après votre arrivée à San José?

L'ACCUSÉ : Le soir même. Un peu après mon arrivée j'ai reçu un appel téléphonique de doña Flora, qui m'invitait à dîner chez son frère. J'ai à peine eu le temps de sortir le nécessaire de mes bagages afin de me changer et de répondre à cette aimable invitation.

Les réponses d'Oliverio Castañeda, copiées ci-dessus, furent l'objet d'une analyse rigoureuse de la part des participants à la table maudite, réunis au soir du 20 octobre 1933, *Chez Prío.*

« Toutes ces salades, même les anges n'y croiraient pas. » Cosme Manzo rend au Dr Salmerón l'exemplaire de *El Cronista* où était parue la déclaration.

« Quoi en particulier? » Le capitaine Prío descend de son comptoir en s'essuyant les mains après avoir rincé des verres.

« Plusieurs choses. » Le Dr Salmerón ouvre le journal en le secouant énergiquement et le rapproche de ses yeux. « D'abord, qu'on l'a expulsé du Guatemala pour conspiration; et ensuite, qu'il ne savait rien de l'arrivée des femmes Contreras à San José. Il y venait chercher l'une d'entre elles. Ou les deux.

– Et qu'est-ce qu'il y a de mal à ça? » Oviedo la Baudruche, qui sommeillait jusque-là, réagit sans enthousiasme. « Désormais c'était un homme libre, sans engagements.

– Les amoureux se retrouvent. » Rosalío Usulutlán fit mine de passer un archet sur les cordes d'un violon.

« Là-dessus nous sommes d'accord, mon cher », le Dr Salmerón taillait son crayon à deux mines avec son canif, « il a eu vent du voyage par les lettres de Mathilde et il est parti en courant dans le sillage des deux femmes.

– Il avait hâte de les saluer personnellement, c'est pour ça qu'il a fait tout ce voyage en bateau. » Cosme Manzo savoure les mots, comme s'il avait une sucrerie dans la bouche. « Un véritable gentleman, il ne perd pas de temps.

– Rappelez-vous *Châtiment divin.* » Le capitaine Prío revient à son comptoir pour ranger les verres lavés. « Maureen O'Sullivan envoyait des lettres à Charles Laughton, l'empoisonneur. Ces lettres, la police de Boston n'a jamais mis la main dessus. Ils les ont cherchées dans tous les coins et elles ne sont jamais apparues.

– C'est vrai. » Rosalío Usulutlán remue le doigt avec énergie. « C'est son ami intime Ray Milland qui les gardait. Nous l'apprenons à la fin, quand ils parlent tous les deux dans la cellule, après le départ du prêtre déconfit. L'empoisonneur, bouffi d'orgueil, n'a pas voulu recevoir l'assistance du ciel.

– Contre Charles Laughton on n'a jamais rien prouvé. » Oviedo la Baudruche, penché sur la table, appuie le menton sur ses bras. « De quoi allait-il se repentir puisqu'il n'était pas coupable?

– On s'en fout de Charles Laughton. Cette pauvre Mathilde, qu'elle repose en paix, ils l'ont utilisée comme boîte aux lettres. » Cosme Manzo plisse la bouche, comme si la sucrerie avait pris un goût amer.

« Ce n'est pas aussi simple, ami Manzo. » Le Dr Salmerón lève d'un geste professoral son crayon qu'il vient de tailler. « Le cœur humain est insondable. Et ces lettres, nous ne les lirons jamais.

– Les mesures de l'ouverture de l'opéra *Coriolan* se font entendre. Beethoven : opus 62. » Le capitaine Prío examine un verre à contre-jour, puis d'un souffle il le couvre de buée. « Les deux amis se quittent. Comme qui dirait, nous nous reverrons dans l'éternité.

– Il n'y a que vous à s'y connaître en opéra dans ce foutu bled, capitaine. » Le Dr Salmerón approche la bouche de la table pour souffler sur les copeaux du crayon. « Qu'est-ce que vous en dites de toutes ces lettres, mon cher jurisconsulte? Nous les lirons un jour?

– Un jour, peut-être bien. » Oviedo la Baudruche se ronge précautionneusement les ongles, les yeux braqués sur la place. « Ne perdez pas espoir. »

Fixant la place, il regarde tristement les masses sombres des lauriers-roses que les lampadaires alignés le long des trottoirs n'arrivent pas à pénétrer de leur lumière. Il a vu trois fois *Châtiment divin.* Tandis que dans la cellule des condamnés à mort se déroule le dernier dialogue entre Charles Laughton et son fidèle confident, Ray Milland, la chaise électrique apparaît sur l'écran, de façon intermittente, sous une lumière d'un blanc intense. Elle ressemble à un fauteuil de barbier, la seule différence ce sont les courroies de cuir qui servent à attacher le prisonnier.

Le jour va se lever. L'heure de l'exécution s'approche et Ray Milland lui rappelle l'existence des lettres. Charles Laughton fait quelques pas, puis il se retourne. Il lui demande de les conserver à jamais, comme preuve d'amitié éternelle. Et une fois de plus il lui jure qu'il est innocent. Ils s'étreignent.

Dans toutes les maisons du comté de Payne proches de la prison, le voltage des lampes diminue, au point de les faire s'éteindre presque complètement : on est en train d'électrocuter Charles Laughton. Alors, tandis que les fermiers du comté s'agenouillent pour prier, Ray Milland s'éloigne, engoncé dans son imperméable, se réduisant peu à peu à un point perdu dans la lumière grisâtre du petit matin.

13
Scénarios de cinématographe ?

De tous les médecins réunis le 13 février 1933 dans la chambre de Marta Jerez, le seul qui n'avait été appelé par personne était le Dr Atanasio Salmerón. Ce midi-là, par hasard, il rendait visite dans son cabinet à son vieux maître le Dr Darbishire ; et quand une des domestiques de la famille Contreras est venue chercher d'urgence le vieillard pour qu'il accoure assister la malade, il a accepté, non sans réticence, son invitation à l'accompagner.

Le Dr Salmerón s'est constamment tenu à distance prudente du lit, sans oser intervenir dans les diagnostics hâtifs de ses collègues ; et malgré son total désaccord, il n'a rien dit non plus quand le Dr Darbishire a fait prévaloir le sien.

Une fois le dénouement survenu, le vieillard lui a offert de le conduire dans sa voiture jusque chez lui, dans le quartier Saint-Sébastien, où il avait également son cabinet. Et c'est pendant ce trajet qu'il s'est enhardi à lui exposer, pour la première fois, son point de vue personnel, opposé au diagnostic et fondé sur l'absence de signes propres aux états comateux provoqués par la fièvre pernicieuse : vomissements fréquents, sensation de froid, crampes et, surtout, une température extrêmement élevée, qui dans le cas du récent décès n'a jamais dépassé 38 degrés. Et, selon lui, cette fièvre n'avait été provoquée que par l'effort musculaire des spasmes convulsifs.

Le Dr Darbishire, qui tenait les rênes de l'attelage, l'a écouté avec attention et courtoisie. Arrivé devant chez lui, alors qu'il freinait les chevaux pour que son disciple et collègue pût descendre, il l'invita à venir lui rendre visite dans son cabinet le soir même, afin de lui permettre de présenter plus calmement les raisonnements à peine ébauchés qu'il lui avait soumis. Ainsi ils pourraient en tirer des conclusions de valeur scientifique pour tous les deux, comme ils le faisaient habituellement face à des cas cliniques semblables.

« Vous pensez à un type précis de trouble physiologique ? Intoxication par urémie, par exemple, comme le croyait le Dr Herdocia Adamas ? » Le Dr Darbishire tirait sur les rênes, tandis que le Dr Salmerón, descendu dans la rue, prenait sa trousse sur le siège arrière.

« Je veux débattre tranquillement de mes doutes avec vous, maître. Nous nous verrons ce soir. » Le Dr Salmerón, plissant les yeux à cause de la forte réverbération, le regarda en souriant.

« Ne me dites pas que vous soupçonnez un acte criminel. » Le Dr Darbishire lui rendit son sourire, en inclinant la tête sur le côté.

Mais le Dr Salmerón se contenta de toucher de son doigt le rebord de son chapeau, en signe d'adieu.

En repartant, le Dr Darbishire souleva légèrement les fesses de son siège, afin de faire pression sur les replis de sa cape. Les vents forts, caractéristiques du mois de février, commençaient brusquement à souffler, projetant poussière et déchets contre son visage. Une fois à trot, il hocha la tête avec dérision : son remarquable élève de jadis se caractérisait par un excellent regard clinique, mais son imagination fébrile lui portait grand tort et lui garnissait la tête de couleurs inconvenantes.

Il savait que le Dr Salmerón était un passionné de toxicologie depuis le temps où il était étudiant et qu'il raffolait des opuscules médicaux de toutes sortes concernant la personnalité perverse des criminels ; en outre, il s'intéressait tout particulièrement aux cas où le poison était partie prenante. Il avait toujours un nouveau sujet à débattre sur ces matières chaque fois qu'il lui rendait visite.

Il devait reconnaître que les circonstances propres à la formulation d'un diagnostic serein n'avaient pas été réunies ce midi, dans la chambre de la malade. La présence simultanée de tous ces médecins au chevet d'un patient gravement atteint obéissait à une habitude détestable chez les familles puissantes de la ville, qui ne croyaient pas à la pertinence d'un diagnostic unique. Plus elles étaient fortunées, plus le nombre de médecins autour du lit devait être élevé.

Ces mêmes honneurs inutiles avaient été accordés à l'heure de sa mort à cette jeune étrangère. Trois ou quatre médecins avaient été appelés sans concertation préalable. Et lui-même avait contribué à la confusion en amenant son ancien disciple qui, apparemment, se proposait de compliquer encore plus les choses en contestant son diagnostic. Mais en dépit de ce contexte condamnable, il continuait à croire que son jugement clinique était juste et qu'il reposait en outre sur les antécédents paludéens de la malade.

Comme il en avait l'habitude, le Dr Darbishire dîna cette nuit-là sans autre compagnie que celle de ses dogues allemands. Une cloison peinte de bleu pâle fermait sa salle à manger au fond du corridor. Les branches des arbres fruitiers du jardin, transformé en un véritable maquis faute de soins durant des années, insinuaient leurs branches par les brèches entre les planches disloquées, et à travers la fenêtre coulissante les feuilles d'un citronnier atteignaient le dossier de sa petite chaise en bout de table.

Le Dr Darbishire mangeait peu, avec ennui et déplaisir. A l'aide d'une fourchette il déposait dans la gueule des chiens les bouchées équitablement divisées, tout en réclamant d'eux ordre et calme, car tous les plats étaient abondamment servis ; et les desserts, auxquels il ne touchait jamais, étaient pour eux, il les leur donnait directement dans leur plat d'origine. Les chiens avaient fini par prendre goût au sucré, surtout Esculape, empoisonné sur le trottoir quelques mois plus tôt de façon si infâme.

Ses trois repas journaliers lui étaient envoyés sur commande par son filleul le capitaine Prío, sur un plateau de bois recouvert d'une nappe. Depuis la mort de sa seconde épouse il n'avait plus de bonne et on n'allumait jamais le feu dans la cuisine abandonnée. Son seul serviteur était Teodosio, un petit muet venu de l'orphelinat du père Mariano Dubón, qui se chargeait du ménage du cabinet de consultation.

Sa première épouse avait été une infirmière de l'hôpital de la Salpêtrière, qu'il avait épousée à la fin de ses études de médecine à Paris. Au bout de deux mois à peine à León, elle était rentrée en France sans avoir sorti son trousseau des malles, parce qu'elle ne supportait pas le martyre de dormir sous une moustiquaire dans la fournaise de la chambre, ni l'horreur de se voir condamnée à écrabouiller pour le reste de ses jours les moustiques gorgés de sang qui bourdonnaient autour d'elle à toute heure. La seconde, une de ses cousines, était morte quelques mois après son mariage, enceinte, victime de la fièvre pernicieuse.

Bien que divergeant sur de nombreux points, sa vie solitaire ressemblait à celle de son disciple. Tous deux étaient les locataires uniques de leur cabinet : lui, parce qu'il était doublement veuf, car il avait déclaré morte son épouse française le jour même de son départ, et son disciple, parce que arrivé à l'âge mûr il avait renoncé à se marier après avoir fui au dernier moment des fiançailles prolongées, de peur de se voir inscrit à son tour sur ses propres listes de maris trompés.

En entendant les coups de heurtoir, il se leva pour aller ouvrir, oubliant d'enlever la serviette qu'il avait autour du cou. La meute, qui hurlait sa fureur d'avoir été interrompue dans son dîner, le suivit jusqu'à la porte. Le Dr Salmerón arrivait à l'heure dite. Tenant son disciple par le bras, il le conduisit vers la galerie donnant sur la cour et les fauteuils à bascule où ils avaient l'habitude de s'asseoir.

Il allait être sept heures du soir, mais le ciel gardait encore quelques reflets rougeâtres. Avec une impatience à peine dissimulée, le Dr Salmerón s'assit et attendit que son maître ait allumé l'ensemble des lampes à pétrole adossées aux piliers de la galerie, opération pour laquelle il utilisait toujours une seule allumette, au risque de se brûler les doigts.

Tout en s'affairant à mettre de l'ordre dans ses arguments, le Dr Salmerón ne pouvait s'empêcher de penser, en observant son vieux maître, qu'il serait plus facile d'utiliser l'ampoule électrique qui pendait à une rosace du faux plafond, plutôt que d'allumer, un à un, les quinquets alimentés au kérosène. Et, par-dessus le marché, avec une seule allumette.

Depuis l'époque de l'université, où il lui permettait de rester à étudier dans la galerie et bien souvent d'y dormir, il avait appris à connaître ses habitudes extravagantes. Certaines ne l'étaient pas à ses yeux, ce qui n'était pas le cas pour la majorité de ses collègues et disciples à la faculté de médecine : il exagérait les *r* doubles en les prononçant et au moment de dispenser ses leçons de clinique il se mettait brusquement à parler en français dans la chaleur de l'enthousiasme, ce qui provoquait habituellement des rires dans son dos.

Sa manie de sortir dans la rue drapé dans une cape de Cordoue, attachée au col par une chaîne d'or, ne lui paraissait pas non plus si excentrique. Par contre il n'approuvait pas la présence permanente de ses chiens, auxquels le vieux médecin parlait également en français. Il sortait les promener dans sa voiture le samedi ; il admettait qu'ils le suivent jusqu'aux toilettes et, sans fermer la porte, il satisfaisait à ses besoins corporels devant leurs museaux. Quand ils se conduisaient mal, il se fâchait au point de ne plus leur adresser la parole pendant des jours.

De plus, mais il était le seul à le penser, il trouvait ridicule que le vieillard, en tant que président *ad aeternam* de la Confrérie du Saint-Sépulcre, défile tous les ans à la tête de la procession du Vendredi saint en tenant un étendard et en supportant soleil et fatigue par plaisir. Cependant ces bizarreries n'invalidaient en rien à ses yeux, comme aux yeux des autres, le respect qu'inspiraient ses capacités scientifiques : c'était un véritable maître clinicien et le meilleur chirurgien de la ville.

Le Dr Salmerón frisait la quarantaine, mais ses cheveux étaient déjà poivre et sel ; sa crinière hirsute, rebelle au peigne, ses yeux petits et fendus, la couleur olivâtre de sa peau soulignaient ses ascendances indiennes. Fils d'une repasseuse du quartier Saint-Sébastien, c'est aux rhumatismes et aux veilles de sa mère, préparant son linge jusqu'à minuit passé, qu'il devait son diplôme de médecin. La clientèle riche de la ville n'ignorait pas son origine modeste, ni son rôle de mentor de la table maudite, ce qui explique qu'il soit resté médecin des faubourgs populaires, s'occupant aussi de malades de la campagne qui venaient le chercher à son cabinet sur des bêtes de selle et en charrette. Il ne disposait pas non plus de voiture à chevaux ni même d'une jument pour faire ses visites, comme la plupart de ses collègues.

Assis sur le bord du fauteuil à bascule tandis qu'il attendait, il maintenait avec le poids de son corps le siège dans une position fixe, craignant de s'installer commodément, comme il le faisait habituellement dans des maisons comme celle-là. Même s'agissant de son maître, en de telles circonstances il regardait toujours son interlocuteur d'un air soucieux, adoptant une attitude à la fois soumise et farouche.

Quand le Dr Darbishire fut enfin disposé à l'écouter, il tira de la poche de sa veste de coutil, froissée par les allées et venues de la journée et constellée de pâles taches de graisse, le carnet à couverture cartonnée jaspée de bleu, cadeau de la maison Squibb. Sans oser encore se glisser jusqu'au fond du fauteuil à bascule, il appuya les bras sur ses genoux.

« Ce sont des questions pour vous, maître. » Le Dr Salmerón mouilla son doigt de salive pour tourner les pages raturées de son carnet.

« Tiens, tiens, un interrogatoire judiciaire. » Le Dr Darbishire frotta doucement ses lorgnons sur le revers de sa veste de lin, comme s'il allait lire lui-même les annotations du carnet.

« Vous avez soigné cette dame Castañeda à une première occasion il y a un mois, d'après ce que vous m'avez dit. » Le Dr Salmerón leva les yeux de son carnet. « Vous avez été appelé pour un dérèglement menstruel, non pas pour une fièvre paludéenne. C'est bien ça?

– Hémorragie cataméniale. Épanchement prolongé et douleur persistante aux ovaires. » Le Dr Darbishire esquissa un geste posé avec la main qui tenait les lorgnons. « J'ai ordonné des pilules d'Apioline. L'état fébrile a attiré mon attention et j'ai fait faire une analyse de sang. Je soupçonnais du paludisme.

– Et l'analyse a confirmé vos soupçons. » Le Dr Salmerón se lisse les cheveux avec les doigts, avant de revenir à son carnet.

« Le microscope a montré des protozoaires de type malarien. » Le Dr Darbishire remet ses lorgnons dans la poche de sa veste; il laisse reposer ses mains sur la légère courbe de son ventre et il se balance. « Tout le monde en a dans le sang à León.

– Vous lui avez envoyé des pilules de Pelletier et le mari vous a demandé de changer de traitement. » Le Dr Salmerón fouille dans la poche de sa chemise et il choisit le crayon à deux mines, rouge et bleue. « C'est ce que vous m'avez appris sur le chemin de la maison, ce matin.

– Il est venu me voir par la suite et il m'a fait part de sa méfiance envers les médicaments du commerce. » Le Dr Darbishire découvre un grain de riz sur sa bottine et il se penche pour l'ôter d'une pichenette. « Il préférait un remède de ma composition. Je lui ai alors préparé mes capsules : un gramme de sulfate de quinine, un gramme d'antipyrine, deux grammes de benzoate de sodium. Traitement pour un mois.

– Qui aurait dû se terminer aujourd'hui, le jour où la malade est décédée. » Le Dr Salmerón souligne avec la mine rouge du crayon. « Si elle a pris régulièrement les capsules, les symptômes auraient dû avoir disparu. En tout cas, la concentration de quinine rend impossible un état mortel de fièvre pernicieuse. »

Le Dr Darbishire cesse de se balancer et le sourire condescendant qu'il affichait depuis le début de l'interrogatoire s'efface.

« Qu'est-ce que vous en dites, maître ? » Le Dr Salmerón le presse en frappant le carnet de son crayon.

« C'est probable. » Le Dr Darbishire acquiesce avec de lents mouvements de tête. « Mais j'ignore si elle prenait tous les jours les doses prescrites par moi. Comme je vous l'ai dit, je ne l'ai plus jamais soignée, jusqu'à aujourd'hui.

– Cependant, maître, quand vous recevez aujourd'hui un nouvel appel pour soigner cette dame, ce n'est pas à cause d'une recrudescence de la fièvre paludéenne. » C'était au tour du Dr Salmerón de se balancer maintenant, assis à son aise. « L'origine de l'alerte est de nouveau un désordre menstruel, comme il y a un mois.

– C'est cela. » Le Dr Darbishire s'agrippe aux bras du fauteuil, l'air troublé.

« Si nous nous reportons au calendrier, ses règles devaient venir ces jours-ci. » Le Dr Salmerón, en se balançant, frappait légèrement de la tête le tissu du dossier. « La précipitation du mari n'a donc rien d'étonnant. Mais la patiente est-elle parvenue à vous dire qu'elle souffrait à nouveau d'une hémorragie vaginale intense ?

– Non. Quand je suis arrivé elle était déjà en proie aux convulsions et je ne me suis occupé que de cela. » Le Dr Darbishire pétrit les bras du fauteuil avec impatience. « Mais vous étiez là.

– Oui, bien sûr que j'étais là. » Le Dr Salmerón revient rapidement aux pages de son carnet. « Et j'ai entendu le mari insister sur le fait que son épouse s'était exposée à un danger mortel en prenant un bain d'eau froide.

– Ce n'est pas la première opinion absurde que vous entendez dans votre vie. » Le Dr Darbishire frappe les bras du fauteuil avant d'écarter ses mains. « Ce sont les âneries qu'il nous faut subir face à l'ignorance de proches désespérés.

– Maître », le Dr Salmerón place à nouveau ses fesses au bord du fauteuil, plus à cause de l'agitation qui s'est emparée de lui que par timidité, « vous avez entendu, et moi aussi je les ai entendus, tous les amis du couple expliquer que Castañeda était allé personnellement les appeler, parce que sa femme était en train de mourir. D'hémorragie.

– Ce petit jeune homme a l'air d'être bien nerveux. » Le Dr Darbishire imprime un léger tremblement à ses mains. « Quand j'ai soigné son épouse pour la première fois, je l'ai également trouvé très agité et ses nerfs lui faisaient exagérer le danger de la situation.

– Pourtant l'épouse de ce jeune homme nerveux n'est pas morte d'hémorragie, mais au milieu d'horribles convulsions. » Le Dr Salmerón, le corps presque hors du fauteuil, est sur le point de ponctuer ses paroles d'un coup porté avec le carnet sur le genou du vieillard, mais il se contient.

Le Dr Darbishire garde le silence tout en faisant tourner sur son doigt l'alliance d'or blanc de son second mariage.

« Et si quelqu'un voulait mettre en doute que cette dame a eu aujourd'hui une crise menstruelle, quel est le meilleur témoin qui pourrait le confirmer? Vous, maître.

– En quoi cela est-il important? » Le Dr Darbishire est toujours occupé à faire tourner la bague et il lève à peine les yeux. « Vous voyez d'ici le scandale si on décidait de vérifier.

– Mais supposons qu'on vérifie. Sans votre aval, tout le tintouin du petit jeune homme nerveux s'écroule. » Le Dr Salmerón ferme le carnet quand la trace de sueur de sa main commence à délayer l'encre. « Cela deviendrait une fausse alerte. Un mensonge.

– Où me conduisez-vous, collègue? » Le Dr Darbishire, pensif, laisse sa bague en paix. « Pardonnez mon manque de perspicacité.

– D'abord, laissez-moi vous ennuyer avec d'autres petites choses. » Le Dr Salmerón essuie le dos de sa main sur son pantalon, avant de rouvrir le carnet. « Puisque le jeune Castañeda trouvait cette hémorragie si grave, n'aurait-il pas été plus sensé de courir vous chercher, étant donné que vous aviez déjà soigné sa femme? La crise éclate dès huit heures du matin, d'après ce qu'il nous a appris, et il vous appelle à midi. »

Le Dr Darbishire le regarde sans sourciller et, mordant les poils souples de sa moustache blanche, il acquiesce gravement.

« Il part chercher doña Flora et il parie qu'à un moment ou à un autre, pas trop rapproché, elle vous fera demander, comme cela s'est effectivement produit. » Le Dr Salmerón cherche les yeux du vieillard mais il ne les trouve pas. « Et il parie aussi que d'autres amis feront venir d'autres médecins, comme cela également s'est produit. Plus il y aura de médecins, mieux cela vaudra. Mais ce détail, laissons-le pour la suite. Maintenant, c'est vous qui détenez la clef.

– Moi? » Le Dr Darbishire, qui n'a pas cessé de mordre sa moustache, réagit avec agacement devant l'insistance de son disciple à faire de lui le pivot de toute cette affaire.

« Oui, vous. » Le Dr Salmerón, dans son impatience, semble sur le point de jeter le carnet, comme s'il n'en avait plus besoin. « Parce que vous aviez déjà soigné la malade; vous pouvez passer pour son médecin habituel. Et c'est votre diagnostic, quel que soit le mal, qui fait autorité. Urémie, avait dit auparavant, le Dr Herdocia Adams; mais quand vous arrivez et que vous dites : fièvre pernicieuse, il s'y rallie sur-le-champ. A partir de là, toute opinion contradictoire devient secondaire. »

Un des dogues allemands trotte en direction du fauteuil à bascule du Dr Darbishire, qui attend, la main tendue, qu'il s'approche pour lui caresser la tête. Alors les autres chiens, à leur tour, sortent de la pénombre.

« Acceptons tous ces arguments. Mais je reste toujours sur ma faim. » Le Dr Darbishire se réinstalle commodément sur le rocking-chair. Maintenant qu'il est entouré de sa meute, il paraît plus sûr de lui.

« Le mari sonne l'alarme et, les yeux pleins de larmes, il court avertir ses proches que son épouse est à nouveau très mal. » Le Dr Salmerón manipule énergiquement le crayon, en le pointant vers le vieillard. « Ils lui diront : on n'en meurt pas. Quoi qu'il en soit, ils se rendent tous chez la malade. Et la malade, cette fois, meurt, mais à la suite de crises de convulsions répétées. Et comme vous l'avez également soignée pour du paludisme, personne ne s'étonne que votre diagnostic fasse état d'une fièvre pernicieuse.

– Mais elle souffrait réellement de fièvres paludéennes. Les examens de laboratoire peuvent le prouver. » Tout excité, le Dr Darbishire agite les mains de part et d'autre de son visage.

« Admettons que votre traitement radical à la quinine ne l'ait pas guérie du paludisme. » Le Dr Salmerón place le crayon sur son oreille et fait un geste apaisant en direction du vieillard. « Mais rappelez-vous, l'appel du mari n'a rien à voir avec cela. Admettons l'hémorragie. Avez-vous vu des draps ensanglantés ?

– Je ne suis pas détective ! » Le Dr Darbishire se lève brusquement et sans le vouloir il marche sur la queue d'un des chiens, qui se met à hurler pitoyablement. « Si on me dit que ma patiente a saigné de façon abondante, mon rôle n'est pas de chercher les draps ensanglantés mais de combattre le mal.

– Pardonnez-moi, maître : quand nous entrons dans sa chambre ce n'est pas là le mal que vous devez combattre. » Le Dr Salmerón tente de caresser la tête du chien molesté, mais il écarte précipitamment la main devant les grognements de l'animal peu reconnaissant. « Dans quel état la trouvez-vous ? Vous la trouvez au paroxysme d'une crise de convulsions. Et qui n'était pas la première dont elle souffrait ce matin-là. »

Malgré son agacement, la courtoisie oblige le Dr Darbishire à revenir s'asseoir. Et les chiens, qui jettent des regards hostiles au Dr Salmerón, serrent à nouveau les rangs autour de lui.

« Arrivons-en aux conclusions, maître. Si toutefois vous souhaitez les entendre. » Le Dr Salmerón range le carnet dans la poche de sa veste.

« Il était temps. » Le Dr Darbishire ajuste ses lorgnons et affiche un sourire crispé. « Lâchez votre histoire, on ne perd rien à écouter.

– Le petit jeune homme nerveux a empoisonné sa femme. Et il

s'est arrangé pour le faire au moment d'un probable trouble menstruel. » Le Dr Salmerón porte la main à la poche de sa veste pour en
extraire à nouveau le carnet, mais il n'en fait rien, préférant argu-
menter de mémoire. « Il tenait là l'excuse pour se précipiter dans la
rue à la recherche de ses connaissances, qui étaient déjà au courant
de ce mal.

– Le poison. Ce que j'attendais est enfin sorti. » Le Dr Darbishire
nie tristement de la tête. « Vous êtes incurable, cher collègue.

– Oui, maître, le poison. » Le Dr Salmerón ne dévie pas de son
argumentation, même si la raillerie le blesse. « Trismus, visage cya-
nosé, asphyxie, convulsions. Un état similaire à celui de la fièvre pernicieuse. Et exactement comme il l'espérait, vous arrivez et vous
tranchez : fièvre pernicieuse.

– Peut-on savoir de quel type de poison il s'agit ? » Le Dr Darbishire, affectant le dédain le plus total, contient un bâillement.

« De la strychnine, maître, tous les symptômes le disent. » Le
Dr Salmerón, agacé, lutte pour ne pas se sentir offensé. « Cette même
strychnine qui a servi il y a des mois pour empoisonner Esculape. »

Les chiens s'agitent au milieu de gémissements lugubres, se collant
davantage encore aux jambes de leur maître.

« Comment le savez-vous ? » Le Dr Darbishire s'agrippe aux bras
du fauteuil à bascule, comme si le plancher venait d'être ébranlé par
un tremblement de terre.

– Eh bien, Castañeda accompagnait cette nuit-là son compère
Oviedo. » Le Dr Salmerón savourait la frayeur du vieillard. « Ils sont
venus tous les deux empoisonner votre chien et ils sont repartis tous
les deux. Et si vous ne le croyez pas, je peux vous amener Rosalío
Usulutlán, qui les a vus. »

Le Dr Darbishire, troublé, claque des mains pour disperser les
chiens, qui hésitent à obéir. Il se met à les houspiller et finalement ils
s'en vont, de mauvaise grâce.

« Ce que vous êtes en train d'échafauder est très grave. » Le
Dr Darbishire se remet à se balancer, imprimant au fauteuil un mouvement qui n'a rien de calme. « Seule une autopsie pourrait nous dire
la vérité.

– Demandez-la, dans ce cas. Vous êtes le médecin de famille. »
Maintenant c'est le Dr Salmerón qui se lève, d'un geste si brusque
que le fauteuil continue à se balancer tout seul.

« Je n'en ai aucun droit. Ce serait un scandale. » Le Dr Darbishire
se dresse lui aussi, l'air sombre. Maître et disciple restent face à face.
« Et en outre vous avez bien entendu doña Flora : l'enterrement est
très tôt. »

Un vent chaud se met à souffler violemment parmi les feuilles et
les broussailles du jardin à l'abandon. Le Dr Salmerón, frustré,
cherche du regard son chapeau sur le portemanteau accroché au

mur. Tout près se trouve le portrait de la deuxième épouse du Dr Darbishire, encadré par une lourde moulure ovale.

« Si le petit jeune homme reste ici, à León, préparez-vous à d'autres morts, maître. » Le Dr Salmerón enfonce son chapeau n'importe comment.

« Qu'est-ce que vous voulez dire, collègue? » Le Dr Darbishire rit franchement tout en le raccompagnant à la porte. Les dogues allemands sont sortis à nouveau de partout et ils se bousculent entre les jambes du vieillard.

« Ne faites pas attention à ce que je dis. » Le Dr Salmerón, s'avançant dans le couloir sombre, ne tourne même pas la tête.

« Ne vous remplissez pas le crâne de ces scénarios de cinématographe. » Le Dr Darbishire l'entoure affectueusement de son bras en prenant congé de lui. « On voit que vous vous êtes laissé prendre par le suspense de *Châtiment divin*. Mais la réalité est différente, cher collègue. Dans ce village il ne se passe jamais rien.

– Je vous souhaite une bonne nuit. » Le Dr Salmerón descend les marches et au dernier moment il se retourne pour tendre la main au vieillard, sèchement.

II

QU'ON ÉTABLISSE LE CORPS DU DÉLIT

Dans le verger je vais mourir,
dans la roseraie on va me tuer.
Je m'en allais, ma mère,
mes roses cueillir.
Dans le verger
j'ai trouvé l'amour.
Dans le verger je vais mourir,
dans la roseraie on va me tuer.

Ballade espagnole

14

L'homme à la morue danse
devant la maison des faits

Au soir du 26 septembre 1933, le journaliste Rosalío Usulutlán, vêtu de son seul caleçon de toile écrue, est étendu immobile sur la table de consultation du Dr Atanasio Salmerón, les yeux fixés sur les auréoles obscures que la pluie dessine sur le faux plafond en se glissant à travers les tuiles, tandis que de dehors provient le grondement sourd de l'averse.

Le médecin lui enfonce profondément les doigts en différentes parties du ventre et, quand il lui palpe la vésicule, le journaliste pousse un gémissement prolongé. Le Dr Salmerón lui dit de se rhabiller et il se retire à une extrémité de la pièce où se trouve une cuvette de faïence ; il se verse de l'eau avec un broc et se savonne soigneusement les mains avec une savonnette germicide rouge de marque Lifebuoy.

« Tu ne m'as pas écouté, tu as continué à manger épicé et à te gaver de graisse. » Le Dr Salmerón décroche d'un clou planté dans la cloison une serviette usagée. « Je t'ai déjà dit que si on ne dissout pas ces pierres, il va falloir que je t'ouvre le ventre.

– Docteur, votre ami Charles Laughton est de retour. » Rosalío se redresse pour enfiler les manches de sa chemise. La lumière de la lampe extensible, placée au-dessus de la table de consultation, fait briller la sueur sur son torse osseux.

« Oliverio Castañeda ? » Le Dr Salmerón, la serviette dans les mains, se retourne avec une expression à la fois satisfaite et étonnée.

« Lui-même. » Rosalío glisse le long de la haute table pour atterrir directement dans ses chaussures.

« Quand est-il arrivé ? » Le Dr Salmerón se rend à son bureau sans le quitter des yeux. Il s'assoit et les ressorts du fauteuil grincent sous son poids.

« Cosme Manzo, qui retirait des marchandises de la douane, l'a rencontré ce matin à Corinto. » Tout en boutonnant sa braguette, Rosalío regarde le Dr Salmerón en souriant. « Il venait de descendre du bateau et il était en train de déjeuner à l'*Hôtel Lupone.* Devinez avec qui?

– Avec les femmes Contreras?» Le Dr Salmerón se rejette en arrière et le fauteuil grince à nouveau.

«Ils arrivaient ensemble sur le même bateau, lui, doña Flora et María del Pilar.» Rosalío finit de s'habiller, enfonçant son chapeau comme s'il était devant un miroir.

«Pourquoi, mon salaud, ne pas me l'avoir dit plus tôt?» Le Dr Salmerón froisse une feuille de papier et lance le projectile à la tête de Rosalío.

«Parce que vous m'auriez bousillé la vésicule avec vos doigts.» Rosalío recule, tout fier, les mains sur les hanches.

«Qu'est-ce que tu en dis?» Le Dr Salmerón se frotte les mains de contentement. «Je savais bien qu'il n'avait pas fini son boulot dans le coin. Ce soir on va boire cette bouteille de cognac.»

Il nous faut ici expliquer au lecteur l'origine de l'allusion à la bouteille de cognac.

Après que le Dr Salmerón eut exposé, sans succès, sa thèse sur la cause véritable de la mort de Marta Jerez à son maître, le Dr Darbishire, les amis de la table maudite avaient, pendant plusieurs semaines, adopté l'affaire comme thème de discussion permanente. Mais l'absence de nouvelles informations et l'éloignement d'Oliverio Castañeda de León, définitif pensait-on, avaient fait languir les débats, bien que le Dr Salmerón s'acharnât à leur assurer qu'il reviendrait. Et au cours d'une de ces séances, il en était arrivé à parier avec Cosme Manzo une bouteille de cognac, payable le jour où Castañeda réapparaîtrait à León. Si une année s'écoulait après son départ, c'était le Dr Salmerón qui perdrait le pari.

A présent son pronostic se révélait juste, comme Rosalío Usulutlán venait de le lui confirmer Oliverio Castañeda avait débarqué dans le port de Corinto à l'aube de ce 26 septembre, descendant du vapeur *Acajutla* et sur ce même vapeur rentraient au Nicaragua, c'était également une certitude, doña Flora Contreras et sa fille María del Pilar.

De nouveau, une simple coïncidence, si l'on en croit ce que Castañeda lui-même répond au juge dans sa déposition du 11 octobre 1933 :

J'ai décidé de revenir à León parce que dans une réunion mondaine, au Costa Rica, j'ai fait la connaissance de M. Miguel Barnet, de nationalité cubaine, qui m'a proposé de m'associer à lui pour préparer un annuaire comportant différentes informations sur chacun des pays d'Amérique centrale. Étant donné la connaissance que j'avais du Nicaragua et mes relations dans les milieux gouvernementaux, ainsi que dans le monde de l'industrie et du commerce, il nous a semblé logique d'entreprendre le travail à partir de ce pays.

Le hasard a voulu qu'au même moment doña Flora Contreras et sa fille aient préparé leur voyage de retour, ce qui explique que, au moment de prendre les billets, nous nous sommes retrouvés à voyager sur le même navire. Une coïncidence que je qualifierais de quasiment obligatoire, car le bateau ne fait le trajet entre Puntarenas et Corinto qu'une fois par mois.

Mon associé voyageait avec moi et nous avions décidé de louer un des appartements de l'*Hôtel Métropolitain*. Mais, pendant la traversée, doña Flora s'est employée à me convaincre de m'installer chez elle, car ma chambre était toujours libre, m'a-t-elle expliqué, et il me faudrait seulement payer à la famille une somme modique. De plus, elle m'a assuré que tout le monde serait enchanté de me recevoir. J'ai dû finalement me rendre à son aimable requête et j'ai accepté d'habiter à nouveau sous ce toit où j'avais reçu jadis tant d'exquises marques de courtoisie.

L'offre fut entérinée à la gare même par don Carmen, qui m'a exprimé son souhait de m'avoir à ses côtés pour parachever le contrat de la Compagnie des eaux, qui continuait à être entravé par la municipalité. Mon associé, pas vraiment enchanté des atermoiements dont pourrait souffrir notre projet, a pris une chambre à l'*Hôtel Métropolitain*.

Mais si nous en croyons le témoignage de Mlle Alicia Duquestrada, célibataire, âgée de vingt-trois ans, femme au foyer, l'hébergement n'a pas été conclu pendant la traversée, mais avant. Et dans sa déposition, faite le 19 octobre 1933 à son domicile et en présence de son père, don Esteban Duquestrada, elle nous révèle également qu'une opposition inattendue au retour d'Oliverio Castañeda en qualité d'hôte de la maison allait venir de Mathilde Contreras elle-même.

LE JUGE : Mathilde vous a-t-elle fait part, à vous qui étiez son amie de cœur, de son opinion à propos du fait qu'Oliverio Castañeda reviendrait vivre chez vous? Et s'il en est ainsi, quand vous a-t-elle fait part de cette opinion?

LE TÉMOIN : Oui, elle m'en a fait part. Quand don Carmen a reçu une lettre de doña Flora, le prévenant de la date de leur retour et lui donnant en même temps la nouvelle qu'Oliverio Castañeda revenait avec elles, raison pour laquelle elle demandait de préparer la chambre qu'il avait avant, je peux affirmer que cela a énormément déplu à Mathilde. Elle me l'a fait savoir le soir même où la lettre est arrivée, alors que nous sortions d'une neuvaine à la Merced pour l'âme de doña Chapita, veuve Pallais.

LE JUGE : Dois-je conclure de ce que vous me dites que la famille connaissait déjà les arrangements pour l'hébergement de Castañeda? L'accusé a déclaré en ma présence que ces arrangements ont été passés pendant le voyage et non pas avant.

LE TÉMOIN : Je vous répète ce que Mathilde m'a appris, d'après la lettre envoyée par sa mère de San José.

LE JUGE : Sur quoi Mathilde fondait-elle son opposition à ce que Castañeda fût à nouveau l'hôte de la maison?

LE TÉMOIN : Elle m'a dit qu'à cause de cette imprudence de sa mère, on allait beaucoup jaser à León sur les relations de Castañeda avec sa sœur, du fait qu'ils étaient déjà ensemble au Costa Rica et qu'ils revenaient ensemble ; et que pour éviter cette situation elle allait faire tout le nécessaire pour l'éloigner. Elle était prête à en parler clairement avec son père le soir même.

LE JUGE : Mathilde vous a-t-elle confié qu'elle était au courant de la présence depuis un certain temps d'Oliverio Castañeda au Costa Rica et des visites régulières qu'il faisait à sa sœur María del Pilar ?

LE TÉMOIN : Mathilde n'ignorait rien de tout cela. A travers les lettres pleines de bonheur que María del Pilar lui écrivait et qu'elle m'a montrées, elle savait que Castañeda venait en visite tous les jours chez son oncle, où sa sœur et sa mère étaient logées. Dans ces lettres elle lui racontait également qu'elle était allée avec lui en excursion au volcan Irazú et dans des fermes d'Aserrí et de Corridabat, à des fêtes au club de l'Union et à des spectacles de gala au Théâtre national, où ils avaient entendu chanter *Ris donc, Paillasse* par le grand ténor Melico Salazar, habillé en clown.

LE JUGE : María del Pilar se montrait-elle très amoureuse dans ces lettres que vous avez eues sous les yeux ?

LE TÉMOIN : Elle avait l'air heureuse dans les lettres que j'ai vues, mais elle ne parlait pas de coup de foudre, même si elle mentionnait constamment Castañeda, qu'elle portait aux nues : elle disait qu'il était très attentionné, amusant, et elle ne tarissait pas d'éloges.

Mathilde ne mit pas à exécution ses menaces de faire tout son possible pour éviter le retour d'Oliverio Castañeda chez eux, et il est très probable qu'elle n'ait pas parlé non plus de cette affaire à don Carmen, car la servante Salvadora Carvajal nous dit, dans sa déposition du 14 octobre 1933, que le jour où était annoncé le retour, elle s'était montrée dès le réveil très contente et débordante d'enthousiasme.

La déposante précise que, le jour du retour, mam'selle Mathilde s'est levée toute joyeuse, bien qu'elle ait ressenti de la fièvre et des frissons, et c'est pour ça que le Dr Darbishire lui avait ordonné de la quinine. Elle a pressé toutes les femmes de service de balayer et de bien laver la maison, en particulier la chambre de don Oliverio, qui, d'après les nouvelles, arrivait par le même train. Elle était allée dans le jardin couper des fleurs avec ses ciseaux et don Carmen avait beau la disputer parce qu'elle se mouillait, à cause de la pluie qui était tombée pendant la nuit et du coup les plantes étaient trempées, elle lui envoyait des baisers de loin, sans lui obéir. Une fois les brassées de fleurs coupées, elle les a mises dans des vases qu'elle a posés sur les commodes du salon, sur le piano et sur les petites tables du corridor. Quand tout a été prêt elle s'est assise au piano pour répéter des morceaux jusque vers cinq heures, parce que le train arrivait à ce moment-là. Alors elle est allée en auto avec son père à la gare, pour attendre les voyageurs.

Vers huit heures du soir ils sont tous assis à la table de la salle à manger, ornée par Mathilde d'un vase plein de glaïeuls ; tous, à l'exception de María del Pilar, qui, sous prétexte d'avoir encore le cœur tourné par le bateau, est allée se coucher. Don Carmen bafouille un toast en levant son verre de muscat et on sait combien il aime le muscat. Oliverio Castañeda se lève et répond par un discours long et fleuri, interrompu à plusieurs reprises par les applaudissements et les rires de l'assistance, selon le témoignage de Salvadora Carvajal.

Laissons-les à leurs agapes et transportons-nous *Chez Prío*. A la même heure, on trinque également à la table maudite; le cognac, enjeu du pari, y remplace le muscat. Une fois porté le premier toast, le Dr Salmerón relance l'affaire dont ils avaient cessé de s'occuper. Il récapitule les arguments échangés devant le Dr Darbishire et pour conclure son rapport, il les met au courant de la dernière découverte notée sur son carnet de chez Squibb, que jusqu'à cet instant Cosme Manzo et lui sont les seuls à connaître.

Le Dr Salmerón se proposait de détailler l'épisode dans la déposition qu'il a faite devant le juge le 28 octobre 1933, ainsi que beaucoup d'autres faits probants; mais la déposition a tourné court, pour les raisons que nous examinerons au moment opportun. Oliverio Castañeda lui-même, comme nous l'apprendrons également par la suite, s'est décidé enfin à le mentionner dans sa dernière plaidoirie écrite présentée le 6 décembre 1933, qui contenait d'autres révélations sensationnelles et imprévues. C'est ainsi qu'il a été finalement mis en lumière.

Mais, pour le moment, il s'agit d'un secret. Cosme Manzo, solide grossiste en épicerie établi à proximité du marché municipal, est le distributeur exclusif pour la ville de León de l'émulsion Scott, comme le lecteur se le rappellera. Pour assurer la publicité du produit, il utilise la parade hebdomadaire de la morue, que nous avons déjà entendu mentionner par Mᵉ Ulises Terán dans sa déposition du 14 octobre 1933, où il rapporte les circonstances de la mort de Marta Jerez.

La morue, de cinq mètres de long, a une armature de baleines de parapluie, recouverte de carton de couleur argentée. L'homme qui la manipule est placé dans un trou aménagé dans le ventre du poisson et il danse au son de la musique exécutée par une fanfare qui le suit dans les rues, au milieu d'une nuée d'enfants et de curieux. Quand la parade est terminée, la morue est entreposée dans l'arrière-boutique de *L'Effort*, l'établissement de Cosme Manzo. C'est là que nous l'avons vue auparavant, la tête en bas contre le mur.

L'épisode qui nous occupe a été rapporté à Cosme Manzo par l'homme à la morue, Luis Felipe Pérez, plusieurs mois après qu'il se fut produit. Le matin du 17 août 1933, quand il est venu chercher le poisson à la boutique, afin de commencer la parade, il y a rencontré une ancienne connaissance, Dolores Lorente, venue acheter quelques mètres de toile. C'est en la voyant que le souvenir de l'affaire lui est revenu. Ce devait être la dernière fois qu'il ferait danser le poisson, car quelques jours plus tard il devait mourir d'un coup de couteau donné par un cordonnier au cours d'une bagarre de bistrot, dans le quartier de Zaragoza.

Manzo copia le récit sur le moment même et le Dr Salmerón le transcrivit dans son carnet de chez Squibb, où nous pouvons le lire sous un en-tête qui dit « Ce qu'Oliverio Castañeda est sorti faire le jour de la mort de sa femme, avant le petit déjeuner. »

J'attendais les musiciens pour commencer la parade, sur le parvis de l'église de la Récollection. C'est de là que nous sommes partis pour emprunter la rue qui va vers l'université; nous avons continué jusqu'au coin de l'Institut et nous avons tourné alors devant l'église Saint-François jusqu'à la rue Royale, en passant par la cathédrale. Là nous nous sommes dissous, devant la boutique.

Le soleil était déjà haut, il devait être huit heures du matin. Un homme d'allure jeune, qui portait une veste et un pantalon noirs, est arrivé à pied, l'air passablement agité, sur le parvis de l'église et il est resté à attendre sous le porche. J'ai cru qu'il venait pour une messe des morts, mais ce n'était pas le cas. Au bout d'un petit moment, une femme apparut. Je l'ai reconnue, je ne l'ai pas saluée. Dans le temps elle vivait dans le quartier de Zaragoza, on était voisins. On s'est fâchés à cause d'une histoire de coq de combat qui était à moi; comme il était passé sur son terrain elle lui a tordu le cou et elle l'a mangé. C'était la Dolores Lorente, la cuisinière. Elle s'est approchée de l'homme en deuil et elle a pris un papier, ou une lettre, qu'il lui a donné. Elle est partie, en passant par le côté nord, et au bout d'un moment il est parti à son tour du même côté, comme quelqu'un qui va à l'université.

Les musiciens de la fanfare avaient pris une cuite la veille au soir, en allant jouer pour un office à Chacra Seca. Ils n'arrivaient pas. La parade a commencé en retard, après neuf heures du matin, plus ou moins. Quand on descendait la rue avec la musique, j'ai vu sortir de la porte d'une maison le même petit jeune homme en deuil. La maison qui est à côté de cette imprimerie avec une grande torche peinte sur le mur. Le propriétaire de l'imprimerie m'a dit que dans cette maison il y avait un malade et qu'il ne fallait pas que je fasse danser la morue dans le secteur. C'est ce que j'ai fait, j'ai cessé de danser, la musique s'est arrêtée. On est partis un peu plus loin reprendre les réjouissances.

« Mais ce type qui faisait danser la morue pour toi, il est mort. On ne l'a pas tué il y a environ un mois dans un bistrot de Zaragoza? » Rosalío Usulutlán donne un coup avec son chapeau à Cosme Manzo. « Comment peux-tu me prouver que cette histoire est vraie?

– Tu me prends peut-être pour un menteur? » Cosme Manzo arrache le chapeau de Rosalío.

« Homme de peu de foi, pourquoi doutes-tu? » Le Dr Salmerón ôte le chapeau des mains de Cosme Manzo et il le rend à Rosalío. « L'homme est mort d'un coup de couteau. Mais la porteuse de la missive d'amour vit, elle.

– Je connais Dolores Lorente. » Le capitaine Prío froisse le paquet de cigarettes Sphynx, après avoir allumé la dernière qui restait. « Le monde des cuisinières ne m'est pas étranger. Elle exerçait ses talents culinaires chez les Castañeda.

– Et maintenant c'est moi qui l'emploie, je peux te l'amener. » Cosme Manzo montre ses dents en or à Rosalío, l'air triomphant. « Qu'est-ce que tu veux de plus, mon poulet?

– Tu aurais pu le dire dès le début. » Rosalío Usulutlán rapproche son tabouret de celui de Cosme Manzo, en le traînant bruyamment. « Je vous présente toutes mes excuses, don Cosme.

– Et maintenant fais-moi le plaisir de laisser Cosme en paix pour qu'il explique. » Le Dr Salmerón frappe la table du plat de la main pour réclamer le silence.

« J'ai convaincu Luis Felipe d'oublier son coq, je le lui payais », Cosme Manzo étire ses bras, comme si son exploit n'avait aucune importance, « et de m'amener cette Dolores Lorente, pour qu'elle vienne parler avec moi. C'est elle qui m'a fourni les fils qui me manquaient.

– Pour qui était la lettre? » Rosalío Usulutlán avance humblement la main vers le bras de Cosme Manzo, craignant que finalement il ne lui révèle pas la mystérieuse destination de la lettre remise sur le parvis de l'église.

« Elle n'était certainement pas pour un autre homme. » Le capitaine Prío jette par terre sa cigarette presque entière et l'écrase avec la semelle de son soulier. « Si Castañeda a fixé rendez-vous à sa bonne sur le parvis, à deux pas de chez lui, c'était parce qu'il ne voulait pas que sa femme soit au courant de la lettre.

– Cette autre femme, c'était doña Flora? » Rosalío Usulutlán étire précautionneusement le cou.

« Tu gèles, tu brûles », Cosme Manzo croise les bras, savourant l'anxiété de Rosalío, « tu te rapproches. Dolores Lorente a pris la lettre et elle est partie à la recherche de la femme X dans l'église de la Merced. La femme attendait, agenouillée dans une travée. Comme les autres fois.

– Alors c'était une de ses filles. » Rosalío Usulutlán adresse un regard suppliant du Dr Salmerón.

« Une des deux. » Le Dr Salmerón éclate de rire, faisant de son crayon signe à Cosme Manzo de continuer.

« Depuis que Castañeda était venu vivre dans cette maison, il envoyait des lettres à la femme X par l'intermédiaire de sa bonne, tous les matins. Toujours dans l'église. Et elle lui répondait par le même canal. » Cosme Manzo déboutonne le haut de sa chemise et il caresse la médaille qui prend à une grosse chaîne d'or. « Celle-ci a été la dernière. Ensuite, nous savons qu'il est revenu dans son ancienne chambre chez les Contreras. Pourquoi envoyer d'autres lettres?

– Mathilde Contreras. » Le capitaine Prío palpe en vain la poche de sa chemise, à la recherche de cigarettes. « Elle va toujours faire ses prières à l'église de la Merced.

– Non plus. Et comme il n'en reste qu'une, c'est elle la femme X. »
Le Dr Salmerón regarde la bouteille de cognac à contrejour, avant de
se servir. « Et maintenant, ami Manzo, parions une autre bouteille de
cognac.

– María del Pilar Contreras. » Rosalío Usulutlán se tourne vers le
capitaine Prío, l'air accablé. « Comment aurais-je pu imaginer ? Elle
qui jouait hier encore à la poupée sur le pas de sa porte.

– Avec quelle poupée tu joues, toi ? » Cosme Manzo lui montre
gaiement ses doigts réunis en forme de sexe. « Tu vas mourir cocu,
tellement t'es con. Qu'est-ce que vous voulez parier à présent, docteur ?

– Je parie que nous allons bientôt avoir à León un nouveau cas de
mort subite, par la faute de l'épidémie de fièvre pernicieuse. » Le
Dr Salmerón se lève pour trinquer. « S'il n'y a pas d'autre mort, c'est
moi qui paie. Santé !

– Qu'est-ce que vous fêtez ? » On entend sur le pas de la porte la
voix d'Oviedo la Baudruche, qui sort de la séance de cinéma au
théâtre González.

15
Une gente dame en voyage d'affaires
et d'agrément

Comme on l'a déjà indiqué, la photographie de doña Flora Contreras, prise par le studio Cisneros, est parue dans l'édition du soir de *El Cronista*, du 26 septembre 1933, pour illustrer la rubrique des faits divers de la première page, où l'on annonce son retour du Costa Rica.

Après une période de repos méritée aux côtés de ses proches dans la ville de San José, aujourd'hui revient à León la vertueuse et gente dame doña Flora Guardia de Contreras, accompagnée de sa charmante fille, Mlle María del Pilar Contreras Guardia. D'après nos informations, pendant son séjour au Costa Rica elle s'est occupée, en outre, de conclure de nouveaux achats de marchandises importées pour les prestigieux magasins de *La Renommée*, ce qui nous donne la certitude que dans ses vitrines, vu le goût exquis qui caractérise la voyageuse, nous trouverons bientôt exposées les dernières splendeurs de la mode féminine. A la gare du chemin de fer du Pacifique un groupe choisi de ses proches et de ses amis se réunira pour l'accueillir.

Ni dans le corps du communiqué, ni dans aucune autre partie du journal on ne mentionne qu'Oliverio Castañeda arrive avec elles; l'autre journal de la ville, *El Centroamericano*, n'y fait pas allusion non plus dans sa propre rubrique de bienvenue.

La photo du quotidien éveille l'enthousiasme de Rosalío Usulutlán. Ce soir-là, alors qu'on trinque autour de la bouteille de cognac du pari, après le retour des voyageurs, il tend le journal aux habitués de la table maudite, afin qu'ils admirent le portrait et qu'ils abondent dans son sens. Il lui plaît tellement que plus tard il l'utilisera, de façon désastreuse, pour accompagner son reportage scandaleux du 25 octobre 1933.

« Vous trouvez qu'elle a l'air d'avoir quarante ans? » Le Dr Salmerón effleure doucement le cliché de ses doigts.

« Quarante ans et le pouce, docteur. » Cosme Manzo le corrige dans un déploiement insidieux de sa denture dorée.

« Elle est plus belle que ses deux filles réunies. » Rosalío Usulutlán pose alors ses mains sur ses hanches, pour voir qui démentira son affirmation lapidaire.

« Il a raison, parfaitement raison, s'empresse de répéter le Dr Salmerón avec beaucoup de condescendance.

– Elle ressemble à une artiste de cinéma, mais je ne me rappelle pas laquelle », réfléchit Rosalío, très absorbé, les yeux fixés sur le journal.

Et il se remet à contempler, sans relâche, les traits altiers d'une beauté que l'âge mûr n'a pas altérée. On nous a déjà décrit cette photographie. Mais reportons-nous à l'opinion que, sur cette même photo, émet Manolo Cuadra dans son éditorial « Dramatis personae » du 28 octobre 1933. Celui-ci ne sera pas du goût de Rosalío qui, dévoré de jalousie professionnelle, se montrera peu bienveillant dans son jugement sur le style de son collègue :

Cou blanc et nu, éclat fascinant des yeux clairs ; les sourcils minces, dessinés au crayon vers le bas, délimitent la courbe lisse du front. Assise sur une chaise, il y a de la majesté mais aussi du dédain dans son attitude insouciante, juvénile, remarquable dans la mesure où la dame chevauche la ligne fatidique des quarante printemps.

Demandons-lui de se lever du siège du photographe et regardons-la marcher, svelte et grande sur ses talons, alors qu'elle se dirige vers les rayonnages de son magasin – car elle possède un magasin – à la recherche d'une pièce de tissu. Elle sait l'étendre avec précision et élégance sur le comptoir et, tout en palpant doucement la soie de ses doigts couverts de bijoux, elle veillera à garder cette distance propre à une étrangère, que les dames de León, nous dit-on, admirent et détestent. C'est ainsi qu'elles doivent détester sa façon voluptueuse de s'habiller, y compris pour débiter des tissus dans son magasin, et elles doivent également se sentir offensées par le sillage subtil de son parfum de marque inconnue, car jalouse d'être exceptionnelle en tout elle ne le propose pas dans ses vitrines.

Les lecteurs de La Nueva Prensa devront se contenter de ces considérations élaborées à partir d'une photo, car jusqu'à présent nous n'avons pas eu la chance de voir cette dame face à face, malgré notre surveillance de tous les instants près de chez elle. Cependant, des avis autorisés recueillis à León donnent une marge raisonnable de certitude à nos appréciations. Est-elle vraiment belle ? Elle l'est. Sa beauté éveille-t-elle des aversions féminines ? A coup sûr. Son attitude hautaine provoque-t-elle des rancœurs ? C'est également certain. Sa condition d'étrangère renforce-t-elle ces aversions et ces rancœurs ? Sans aucun doute.

Mais les habitués de la table maudite n'ont pas été convoqués ce soir-là pour admirer la photo de la dame qui est revenue de son voyage d'affaires et d'agrément. Une fois épuisée l'histoire de l'homme à la morue et vidée la bouteille de cognac du pari, ils se pré-

parent à passer à la seconde partie de leur emploi du temps. Le capitaine Prío sert une tournée de rhum Champion, le rhum des cham-
pions, distillé et mis en bouteilles à Chichigalpa par don Enrique Gil,
dont l'étiquette porte l'effigie couleur sépia du célèbre boxeur Kid
Tamariz.

Nous savons déjà qu'Oviedo la Baudruche est un amateur de
cinéma et qu'il ne rate un film que dans des circonstances bien particulières, comme une chasse aux chiens ou une partie de dés dans
l'arrière-boutique de Cosme Manzo. Ce soir-là, après avoir assisté au
théâtre González à la projection de *Emma*, un drame d'amour
sublime jusqu'au sacrifice, joué par Marie Dressler, il se rend *Chez
Prío*. Manzo, qui a de l'influence à revendre sur lui parce qu'il lui
prête de l'argent pour jouer, lui a demandé de les rejoindre à la fin de
la séance. Le Dr Salmerón a besoin de lui poser des questions.

L'interrogatoire s'avère être un succès. Grâce à la prolixité avec
laquelle Oviedo la Baudruche a l'habitude de raconter ses aventures
hilarantes, en s'appuyant sur une mémoire qu'il qualifie lui-même
d'excellente, le Dr Salmerón parvient à compléter, aux alentours de
minuit, la liste exhaustive des chiens empoisonnés pendant l'expédition du 18 juillet 1932, avec le nom et l'adresse de leurs maîtres respectifs, en y incluant, évidemment, Esculape, le dogue allemand du
Dr Darbishire. A propos de ce dernier empoisonnement, Oviedo la
Baudruche donne une emphase particulière à son récit, en se levant
et en se jetant sur le sol de la salle fermée au public à cette heure tardive, ne rechignant pas à répéter ses gestes pour se défendre des
coups de canne.

Oviedo la Baudruche, éméché par les rasades de rhum Champion
qu'il déguste mélangé à du Kola Shaler, évoque joyeusement devant
eux d'autres aventures vécues en compagnie d'Oliverio Castañeda. Il
est allé ce soir même le saluer chez les Contreras, dès qu'il avait
appris qu'il était de retour à León, d'ailleurs il était persuadé qu'il
reviendrait. Dans le cas contraire, il ne lui aurait pas laissé en garde
une malle avec ses livres, ainsi que sa machine à écrire et son phono.
En entendant ces dernières observations, le Dr Salmerón note subrepticement sur son carnet : « Il avait laissé des objets lui appartenant. Il
n'a jamais songé à s'éloigner pour toujours. Retour délibéré. »

Une fois Oviedo la Baudruche parti, à moitié ivre, le Dr Salmerón
se met en devoir d'ordonner les informations qui l'intéressent :
nombre exact de doses de poison utilisées au cours de la partie de
chasse, en commençant par les trois premières, destinées aux chiens
des environs du réservoir et administrées en compagnie de don Carmen Contreras; ensuite celles que, la nuit tombée, ils ont distribuées
rue après rue, porte après porte, après avoir pris la voiture à chevaux.
Sur son carnet, le Dr Salmerón parvient au chiffre total de vingt
chiens empoisonnés.

Oviedo la Baudruche a également dû les informer, dans la foulée, que la strychnine avait été obtenue sur ordre de la police nord-américaine auprès de la droguerie Argüello. Ce qui devait être confirmé au juge par lui-même dans sa déposition du 17 octobre 1933 et par le pharmacien en personne, le Dr David Argüello, dans sa déposition du 19 octobre 1933, comme nous l'avons déjà appris.

Quand les participants se séparent, presque à une heure du matin, Rosalío Usulutlán est investi d'une mission de la plus haute importance que le Dr Salmerón lui a confiée, raison pour laquelle nous devons le suivre le lendemain matin, 27 septembre 1933, quand il dirige ses pas vers la droguerie Argüello.

Nous savons déjà, parce que le dossier nous renseigne là-dessus, que la droguerie Argüello se trouve dans la rue du Commerce. Plus que d'une rue proprement dite, il s'agit d'un îlot d'épiceries, de pharmacies, de quincailleries et d'autres commerces établis au long du marché municipal, un vieil édifice de briques qui occupe tout le pâté, à l'arrière de la cathédrale. Du côté nord, la rue Royale se prolonge jusqu'au parvis de l'église du Calvaire.

La droguerie Argüello se situe au milieu de cet ensemble, entre la quincaillerie *Le Kaiser*, dont le trottoir plein de sciure voit constamment s'amonceler des caisses de sapin à moitié déballées, et la fabrique de chandelles et de cierges *La Sainte Face*, que l'on remarque à ses chapelets de bougies accrochées au-dessus de la porte. L'établissement de Cosme Manzo, *L'Effort*, exhibe la proéminence de son enseigne de bois, rouge et bleu, à l'extrême ouest de l'ensemble.

Il est très facile de distinguer la façade de la droguerie, car en haut du mur un enfant blond, tout nu, à la tête disproportionnée, soutient une bouteille bleue de Laxol, comme si c'était un jouet. Devant ses portes, les rambardes de bois, pourvues de guichets pour servir les clients noctambules, se terminent en triangle.

Après avoir poussé la rambarde, Rosalío laisse derrière lui la réverbération de la rue encombrée, à cette heure de chaleur suffocante, par des charrettes, des voitures à chevaux et quelques automobiles qui se fraient un chemin parmi les piétons. Il laisse aussi derrière lui le tohu-bohu et les cris des marchandes, l'odeur de fruits et de légumes pourris et le fumet, plus fort encore, de la graisse froide, qui vient des étals en plein air, couverts de mouches, où pendent des tranches de viande salée.

A l'intérieur de la droguerie, comme à l'ombre d'une grotte, il fait frais et on respire un parfum, non moins frais, de citrate de magnésium, d'essence de vanille et d'eucalyptus. Les étagères laquées couleur vin, avec leurs colonnades de catafalque, s'élèvent presque jusqu'aux limites du faux plafond. Derrière les vitres des rangées supérieures on voit des bassins et des appareils pour lavements ; des fioles obscures, des flacons de porcelaine et des pots de médicaments occupent en rangs serrés le reste de ses étagères bien achalandées.

Un gamin pieds nus astique avec une serpillière imprégnée d'essence le sol aux carreaux bleus et verts. Prenant soin de ne pas glisser, Rosalío s'approche du vendeur le plus proche qui, accoudé sur le comptoir, passe en revue les pages de l'almanach Bristol. Selon les instructions du Dr Salmerón, il doit demander un flacon de strychnine pour tuer des chiens; comme cela avait été prévu la veille à la table maudite, après lui avoir demandé d'attendre, le commis disparaît par une porte étroite aménagée au milieu des étagères. Le propriétaire de la droguerie, qui vit à l'intérieur avec sa famille, comme nous le savons déjà, se charge personnellement de débiter les poisons.

Le Dr Argüello arrive au bout de quelques minutes et en guise de salut il lève son verre d'orge rose, sa collation de dix heures.

« Tiens donc, don Chalío. » Le Dr Argüello mâche la glace, qu'il remet ensuite dans son verre. « Comme ça vous voulez passer des paroles aux actes.

– On ne peut plus supporter les chiens à La Españolita. » Rosalío a honte du mensonge qu'on lit sur son visage et il tourne les yeux vers la rue.

« Vous avez besoin d'une autorisation. Vous devriez être le premier à le savoir. » Le Dr Argüello passa sa langue à l'intérieur de sa bouche à la recherche de grains d'orge. « Vous qui m'avez obligé à mettre un terme à la vente de soufre pulvérulent.

– C'est vrai, ça ne servait à rien. » Rosalío saisit son chapeau par les deux bords pour se l'enfoncer sur la tête, comme s'il voulait cacher son visage. « Je reconnais que ça ne servait à rien, acquiesce le Dr Argüello, nullement gêné.

– Dans un de ces petits flacons de strychnine, il y a combien de doses pour les chiens? » Rosalío s'éloigne un peu du comptoir, il pose les mains sur ses hanches et prend un air ignorant.

Le Dr Argüello, complaisamment, dans son désir de lui venir en aide, cherche dans le lourd trousseau qui pend à sa ceinture et, choisissant une petite clé, il se dirige vers un des tiroirs, dans le bas des étagères. Il l'ouvre et en sort une petite fiole cylindrique qu'il lève devant ses yeux pour en vérifier le contenu.

Nous savons déjà, parce qu'il l'a expliqué lui-même dans sa déposition judiciaire du 19 octobre 1933, que la fiole a la même forme et la même apparence qu'un petit flacon de pilules roses du Dr Ross, reconnues pour leurs effets laxatifs rapides.

Après avoir examiné le tube à contrejour, il le porte à son oreille et le secoue comme un grelot, en essayant de formuler un calcul afin de répondre à la question du journaliste. Mais après un moment d'hésitation, il se décide pour de bon à briser le sceau collé sur l'ouverture du flacon et il appelle Rosalío pour qu'il s'approche de l'officine des préparations, située près de la monumentale caisse enregistreuse.

A travers le guichet de l'officine, semblable à celui d'un confessionnal, Rosalío le voit mettre ses lunettes, puis des gants de caoutchouc de couleur rouge. Il ôte le petit bouchon de liège et verse la poudre blanche sur l'un des plateaux de la balance. Avec une spatule, il la répartit soigneusement en petits tas.

« Vingt-cinq doses, d'un gramme et demi chacune. » Le Dr Argüello annonce le résultat, sans quitter la balance des yeux. « Le flacon contient trente-sept grammes et demi.

– Vingt-cinq. Chaque dose est suffisante pour un chien adulte, j'imagine. » Rosalío se tient penché, en appuyant les mains sur ses genoux, pour que le pharmacien le voie à travers le guichet.

« Plus que suffisante. » Le Dr Argüello place maintenant un petit entonnoir dans l'ouverture de la fiole. « Lui en donner plus, ce serait gâcher le poison.

– Et pour une personne ? » Rosalío se met à rire et son rire sonne encore plus faux à ses propres oreilles.

Le Dr Argüello le regarde par-dessus la monture de ses lunettes, qui ont glissé le long de son nez, et sa mine renfrognée terrorise progressivement le journaliste.

« Pour une personne ? Il faut la même quantité que pour tuer un chien. Un gramme et demi. » Le Dr Argüello broie quelque chose avec ses dents, comme s'il continuait à mâcher la glace du verre. « Simplement, une personne met plus de temps à mourir, trois heures environ. Le chien décède plus vite.

– Ça doit être à cause de l'appareil digestif du chien, qui est plus faible. » Rosalío recule encore une fois et à nouveau il met les mains sur ses hanches.

« Ça doit être ça », admet le Dr Argüello, tout en finissant de ramasser le poison avec la spatule pour le remettre dans la fiole à travers l'entonnoir.

Quand Oviedo la Baudruche fait sa déposition le 17 octobre 1933, harcelé et importuné par le public nombreux présent dans l'enceinte judiciaire, il se montre nerveux et sa main qui tient le verre d'eau qu'on lui remplit constamment est saisie de tremblements. Mais il n'hésite pas à répondre que, du flacon de strychnine acquis avec l'autorisation du capitaine Wayne à la droguerie Argüello, on n'a tiré que vingt doses. Et le pharmacien lui-même, loin de sa balance et de sa spatule, donne le même chiffre dans sa déposition.

Cependant, sur le carnet de chez Squibb que le juge du procès n'a jamais vu, de même qu'il n'a pas pu avoir non plus accès aux autres pièces du dossier secret constitué par le Dr Salmerón, apparaît le rapport de Rosalío Usulutlán concernant les vérifications de ce matin-là.

On y trouve consignée la différence importante quant au nombre de doses.

Le Dr Argüello ferme à clef le tiroir où il range les poisons et il fait savoir au journaliste qu'il a écrit un acrostiche dédié à sa mère, qu'il souhaiterait voir publié dans *El Cronista* à l'occasion du premier anniversaire de sa mort, le 3 octobre; souhait que Rosalío se déclare prêt à exaucer.

Tout en attendant que le Dr Argüello revienne de l'intérieur de la maison avec l'acrostiche, le journaliste arrête son regard sur la publicité pour les lames de rasoir Gillette posée sur le comptoir, et il sourit, en pensant que le pharmacien ressemble énormément à l'homme de l'annonce, avec sa grosse moustache bien taillée.

Ses yeux, il faut le dire, sont également attirés par une autre annonce : depuis l'affichette collée sur le verre dépoli de l'officine, à travers le guichet de laquelle il avait suivi attentivement les opérations du pharmacien quand il calculait les doses de poison, Maureen O'Sullivan lui jetait un regard nostalgique. Avec ses cheveux coupés à la garçonne et plaqués sur le crâne, la vedette de la Metro, le personnage de *Châtiment divin*, recommandait la Cafiaspirine Bayer pour les coliques féminines. Et Rosalío, avec enthousiasme, se frappe le front.

« C'est à ce moment que je me suis souvenu, docteur. » Rosalío, avec enthousiasme, se frappe le front. « C'est à Maureen O'Sullivan que ressemble doña Flora Contreras. En beaucoup plus jeune, évidemment.

– Il y a cinq doses qui n'ont pas servi », note rapidement le Dr Salmerón, puis il regarde fixement Rosalío. « Il en reste encore quatre à Charles Laughton. »

16

Une sonnerie d'alarme que personne n'entend

En 1933, l'hiver fut arrosé comme jamais dans la région du Pacifique au Nicaragua, affectant principalement les départements de l'Ouest. Entre les mois de juillet et d'octobre les pluies entraînèrent de constantes interruptions de la circulation des trains entre León et Corinto, à cause d'éboulements du ballast et de dommages considérables subis par les poteaux des lignes du télégraphe et du téléphone parallèles à la voie ferrée. Les chemins muletiers de certaines provinces proches de León furent coupés par les inondations; les cultures, particulièrement les champs de maïs et de canne à sucre, furent sérieusement endommagées et un nombre important de bovins et de chevaux se noya. Quand les eaux se retirèrent enfin à la mi-novembre, le pluviomètre de la sucrerie San Antonio, à Chichigalpa, avait enregistré des précipitations exceptionnelles de vingt pouces.

Dans la ville de León, les nuées de moustiques envahissaient de leur bourdonnement persistant cours, cuisines et corridors dès l'angélus du soir; les maisons du centre sentaient le Flit et on ne pouvait dormir que sous des moustiquaires de jersey, ce qui rendait encore plus insupportable l'atmosphère des chambres fermées pendant la nuit, aussi étouffantes que d'habitude, car les pluies ne parvenaient pas à tempérer la rigueur des températures élevées.

Le samedi 30 septembre au matin, quand le Dr Darbishire rencontre le Dr Salmerón dans le vestibule de l'hôpital Saint-Vincent, le premier venant d'examiner ses patients du quartier réservé et le second sortant de sa visite habituelle à la salle commune, les menaces de pluie persistaient dans le ciel, couvert en direction du couchant, bien que le temps se soit éclairci depuis l'aube. Ils parlent pendant un moment de la violence des intempéries et du fléau que représentent les moustiques; mais le Dr Darbishire n'est pas dupe, car le sujet principal de la conversation n'a pas encore été abordé.

Quelques jours plus tôt, le Dr Salmerón s'était de nouveau présenté à la tombée de la nuit dans son cabinet de consultation de la rue Royale, avec le carnet de chez Squibb dans la poche de sa veste. Il était porteur de nouvelles informations et de prétendues évidences, produit de ses investigations les plus récentes sur ce qu'il appelait déjà « le cas Castañeda », ce qui ne laissa pas de surprendre le Dr Darbishire ; après tous ces mois, il considérait l'affaire complètement oubliée.

S'armant de patience, il écouta son disciple lui exposer le résultat de ses enquêtes : le nombre de chiens empoisonnés le 18 juillet 1932, la quantité réelle de doses que contenait le flacon de strychnine acquis par les empoisonneurs à la droguerie Argüello. Il l'entendit également parler de lettres d'amour secrètes et d'autres embrouillaminis. Bien qu'ils se soient quittés en bons termes, le Dr Salmerón ne put rien obtenir d'autre qu'une réserve polie du vieillard devant sa thèse, selon laquelle Oliverio Castañeda s'était réservé une partie du poison.

A présent, le Dr Darbishire sent que son disciple, nullement satisfait de la conversation précédente, essaie de revenir sur le même sujet, mais il n'ose pas être explicite ; la cape de Cordoue pliée sur le bras et le chapeau à la main, il pense qu'il était drôle que ce soit à lui, et non pas au Dr Salmerón, qu'on ait fait une réputation de maniaque. Quand il s'emparait d'un thème à sa mesure, il ne le lâchait plus.

Mais le vieillard se sent d'attaque ce matin, il a envie de plaisanter. Ce qu'il se propose de raconter à son collègue le choque, de même que la personnalité d'Oliverio Castañeda le rebute. Il reconnaît d'ailleurs que cette antipathie à l'égard du jeune homme est née chez lui quand il a appris, par la bouche du Dr Salmerón, l'implication de cet individu, arrogant et prétentieux, dans l'empoisonnement d'Esculape.

Malgré tout, il continue à n'accorder aucun crédit aux élucubrations de détective amateur de son confrère, en dépit de tous les détails dont il les agrémente et de tous les raisonnements logiques qui les sous-tendent. Dans l'abstrait elles ont un sens, mais celui-ci s'évanouit au contact de la réalité. Et la réalité terre à terre de León, si pauvre en événements, n'avait rien à voir avec ces explosions de passion et ces crimes tissés de mystère que le cinéma parlant avait mis à la mode, comme c'était le cas pour le film *Châtiment divin*, qu'il avait vu le soir même de la mort d'Esculape.

« J'ai un nouveau patient », le Dr Darbishire fait tourner son chapeau entre ses doigts, « votre cher ami, Mᵉ Oliverio Castañeda. »

Le Dr Salmerón desserre sa cravate et il ne lui répond pas.

« Bon, si vous vous voulez m'écouter, asseyez-vous ici avec moi. » Le Dr Darbishire le prend par le bras pour le conduire vers une des banquettes du vestibule, encore désert de patients et de visiteurs. « Il est venu hier à mon cabinet.

– Ne me dites pas qu'Oliverio Castañeda souffre de paludisme. »
Le Dr Salmerón se laisse conduire et il s'assied avec nonchalance sur
la banquette.

« Non, en aucune façon. Ce galant homme est victime d'halitose et
ça le tracasse. » Le Dr Darbishire croise les jambes et arrange avec
soin les plis de son pantalon. « Je lui ai ordonné des sels hépatiques et
des bains de bouche à la Listérine diluée à vingt pour cent.

– Il a mauvaise haleine ? » Le Dr Salmerón manifeste une surprise
goguenarde. « Et il vient vous consulter pour ça ?

– Là n'est pas la question. En fait, ce que je veux vous dire », le
Dr Darbishire imprime un léger mouvement à la jambe qu'il a croi-
sée, « c'est que, pour vous rendre hommage, mon cher collègue, j'ai
abordé avec lui la question de la famille Contreras. »

Le Dr Salmerón tourne lentement la tête et fronce les sourcils. Ses
yeux bridés ressemblent maintenant à la rainure d'une tirelire.

« Je lui ai donné un conseil salutaire. » Le Dr Darbishire prend son
genou dans ses mains. « Qu'il épouse María del Pilar. Car depuis
qu'il est revenu vivre dans cette maison, tous les bruits qui courent
portent atteinte à l'honneur de ses amphitryons. En plus, c'est un bon
parti.

– Vous reconnaissez enfin que cet amour existe ? » Le Dr Salmerón change de position sur la banquette et il se tourne vers le vieillard. « Souvenez-vous que la dernière fois je vous ai raconté l'histoire
de l'homme à la morue.

– Doucement, collègue, attendez, on n'est pas à la table maudite »,
le Dr Darbishire sourit tout en décroisant les jambes, « toutes ces
lettres échangées dans des églises me laissent sceptique. Je ne suis
pas un expert en intrigues sentimentales. Mais, par contre, je sais que
les ragots vont bon train à León.

– Alors, absolvez la table maudite de toute faute », le Dr Salmerón
porte sa manche à sa bouche pour en essuyer la salive, « ou bien
reconnaissez avec moi que León tout entière est une table maudite.

– Je n'en sais rien. » Le Dr Darbishire hausse les épaules sans
abandonner son sourire guilleret. « J'ai entendu des commentaires au
Club social, mes patients m'en font également. Je ne peux pas donner
crédit à tout ce que j'entends ; mais le retour de ce jeune veuf dans
cette maison a été une imprudence de sa part et de ceux qui
l'accueillent. Je le lui ai montré.

– Et alors, que vous a-t-il répondu ? » Le Dr Salmerón le regarde
avec une fixité oppressante.

« Que c'étaient des racontars colportés par les désœuvrés de cette
ville, par des gens englués dans leur mesquinerie. » Les mines du
Dr Darbishire reproduisent le dédain d'Oliverio Castañeda. « Et que
lui qui venait de perdre une épouse exemplaire, belle, riche, élevée en
Europe, n'allait pas venir se marier avec une gamine ignorante, aux

cheveux crépus, qu'il ne pourrait pas présenter sans en rougir devant la bonne société de Guatemala. »

Le Dr Darbishire, en dépit de la légèreté avec laquelle il continue à traiter cette histoire, commence à être effrayé par le tour scabreux que prennent ses confidences et il s'en veut d'enfreindre ainsi le secret professionnel.

« Il s'agit de María del Pilar. Et sur Mathilde? Que vous a-t-il dit de Mathilde? » Les paroles du Dr Salmerón, dévoré à présent de curiosité, se bousculent sur ses lèvres.

« C'est lui-même qui en parlait. Il m'a fait remarquer qu'il était au courant des bruits sur ses amours avec Mathilde, mais qu'il s'en moquait. » Le Dr Darbishire, bien qu'affichant toujours un sourire, évite de regarder son collègue. « Pour lui Mathilde est une jeune fille cultivée, spirituelle, mais dépourvue de tout charme physique. Elle ne l'intéresse pas non plus. »

Le Dr Darbishire va poursuivre, mais, comme quelqu'un qui s'approche imprudemment d'un précipice, il recule et n'ose pas révéler à son disciple les propos les plus déplacés de cet entretien : il a également entendu Castañeda dire, avec une impudence inouïe, qu'il n'ignorait pas les ragots sur ses relations avec doña Flora. Devant un tel manque de tact il lui avait coupé brutalement la parole et il avait refusé d'écouter ses explications sur ce point.

« Ce blanc-bec ne se mouche pas du pied. » Le Dr Salmerón ponctue ses paroles de hochements de tête sentencieux.

« La seule chose qui le chagrine c'est de décevoir don Carmen. » Le Dr Darbishire hésite, navré d'avoir engagé cette conversation.

« Le décevoir? » Le Dr Salmerón cherche instinctivement son carnet de chez Squibb, mais il ne l'a pas sur lui. « Pourquoi?

— Parce qu'il est évident que don Carmen, un homme aux facultés intellectuelles limitées, aimerait avoir quelqu'un comme lui à la tête de ses affaires, en qualité de gendre. » Le Dr Darbishire examine avec embarras ses ongles propres et polis à la perfection. « Mais il m'a dit qu'il n'allait pas tomber dans ce piège et qu'au contraire il guette le moment de quitter cette maison où l'on ne s'intéresse qu'à l'argent.

— Maître, vous savez que, lorsqu'il s'agit de secrets entre nous deux, je suis une tombe. » Le Dr Salmerón, qui le connaît comme personne, a remarqué son changement d'humeur et il lui serre affectueusement la main dans un élan de complicité. « Ce n'est pas la première fois que nous parlons de nos patients.

— Il a terminé sur cette phrase », le Dr Darbishire sort sa montre de gousset, comme si en soulignant qu'il est pressé il voulait prendre ses distances par rapport à ses propres paroles : " Dans cette maison on a intronisé le veau d'or et je ne prie pas devant un autel de cet acabit. "

– Le veau d'or... cette espèce d'hypocrite ne se fait pas faute de prier devant cet autel. » Le Dr Salmerón, sans cesser sa pression affectueuse sur la main du vieillard, plisse la bouche en une moue de mépris. « La première chose qu'il a faite, dès qu'il est revenu, a été d'acheter les conseillers municipaux, pour conclure le contrat de la Compagnie des eaux. Ce contrat est une véritable escroquerie.

– Je ne me mêle pas de tout ça. » Le Dr Darbishire se lève, prêt à se draper dans sa cape de Cordoue. « Je n'entends rien aux affaires. Et si je vous ai raconté toute cette histoire, ce n'est pas pour vous alarmer, mais pour vous tranquilliser.

– Me tranquilliser? » Le Dr Salmerón ne bouge pas de la banquette.

« La semaine prochaine il part définitivement à Managua. » Le Dr Darbishire ajuste la fermeture de la cape, étirant le cou comme un coq qui va chanter. « Il va se consacrer à la préparation d'un livre, quelque chose sur la géographie du Nicaragua. Il ne pense pas revenir à León.

– Qu'il s'en aille et qu'il ne revienne pas, ça reste à voir. » Le Dr Salmerón frotte sa chaussure, comme pour en effacer un crachat. « Il a encore du travail à faire ici. Et il a suffisamment de strychnine. »

A nouveau la strychnine. Et à nouveau le vieillard a pitié de ce disciple si brillant, habillé si pauvrement en dépit de son titre de médecin; il a pitié de ses souliers éculés, de ses chaussettes en accordéon, retombant sur ses chaussures.

« Je vous emmène? » Le Dr Darbishire se penche et il lui met la main sur l'épaule, l'y laissant jusqu'à ce que son disciple fasse l'effort de se redresser.

Le plus souvent, en quittant l'hôpital, ils voyagent tous les deux dans la voiture jusqu'aux abords de la gare, où le Dr Salmerón descend pour prendre son petit déjeuner dans une des gargotes de la place, parmi les muletiers, les cochers et les charretiers qui attendent les trains du matin. Ensuite, il commence ses visites matinales, parcourant à pied les rues pleines d'ornières, de tas d'immondices et de flaques malodorantes de la Ermita de Dolores, le quartier des prostituées.

Sans lui répondre, le Dr Salmerón le suit jusqu'au porche. Les chevaux traînent la voiture, mordillant avec indolence l'herbe, reverdie par les pluies, qui pousse dans la cour, près du perron.

« Vous me laissez au parc San Juan », le Dr Salmerón grimpe sur le marchepied, « aujourd'hui je dois examiner les belles de nuit au dispensaire.

– Non, pas question, je vous laisse à la porte du dispensaire, je vais dans cette direction. » Le Dr Darbishire détache les rênes nouées au siège du conducteur.

« Où allez-vous ? » Le Dr Salmerón dépose sa trousse sur le plancher de la voiture. Il pose sa question uniquement pour la forme.

« Chez les Contreras. Mathilde présente des symptômes de paludisme qui ne me plaisent pas beaucoup. » Le coup de fouet peu énergique du Dr Darbishire frappe le harnais ; malgré tout, les chevaux pressent l'allure. « Don Carmen me l'a amenée à mon cabinet. Des fièvres du soir. Des frissons, une perte de poids, une coloration jaune des yeux.

– C'était quand ? » Le Dr Salmerón, vigoureusement agrippé à la barre de soutien de la capote de toile, jette sur son maître un regard surpris.

« Il va y avoir une semaine. J'ai fait faire une analyse de sang et elle a été positive. C'est le paludisme, pour changer. » Le Dr Darbishire manie les rênes négligemment, tandis que la voiture tangue dans les nids-de-poule.

« Que lui avez-vous ordonné ? » Le Dr Salmerón le presse de questions, oubliant toute considération à son égard.

« La préparation habituelle. Simplement, j'ai doublé la dose de sulfate de quinine. » Le Dr Darbishire relâche les rênes maintenant que les chevaux ont pris leur trot régulier.

« Ce sont des capsules ? » Le Dr Salmerón ne peut pas croire ce qu'il entend, il est survolté, il crie presque.

« Bien entendu, préparées de ma main, dans ma pharmacie. » Le Dr Darbishire a une réaction agacée devant le ton impertinent de la question.

« Vous voulez dire que quand je suis venu vous voir il y a trois jours, vous lui aviez déjà ordonné ce traitement ? » Le Dr Salmerón, la voix brisée, s'étouffe avec sa propre salive.

Le Dr Darbishire, les yeux fixés sur l'attelage, se renfrogne et ne lui répond pas.

« Combien de capsules ? » Le Dr Salmerón se fait pressant. Il arrose de sa salive le visage du Dr Darbishire.

« Une boîte contient soixante capsules ; on doit en prendre six par jour, deux après chaque repas. » Le Dr Darbishire agite les rênes d'une main et de l'autre il s'essuie la joue. La voiture accélère à nouveau. « S'il le faut, j'ai l'intention de mettre plus de quinine dans le composé. Et, s'il vous plaît, ne me criez pas aux oreilles. »

Du coin de l'œil, le Dr Darbishire voit son collègue faire précipitamment des comptes, il remue les lèvres et regarde fixement la capote, comme s'il priait.

« Soixante, six par jour. Sept jours : donc il lui reste des capsules pour trois jours. » Le Dr Salmerón se retourne si brusquement sur son siège que la voiture se met à tanguer. « Retirez-lui aujourd'hui même les capsules qui restent. Aujourd'hui, bordel !

– Il n'y a pas de bordel qui vaille ! Je ne peux pas jouer avec mes patients. » Le Dr Darbishire, prêt à frapper à nouveau les chevaux, emmêle son fouet. « Et oubliez ces âneries une bonne fois pour toutes.

– Des âneries? » Le Dr Salmerón se saisit de son chapeau que le vent provoqué par l'allure soutenue de la voiture menace de lui arracher. « Souvenez-vous de moi quand un appel d'urgence vous parviendra de cette maison, dans les trois prochains jours. Souvenez-vous de moi!

– Je me souviens toujours de vous, docteur. » Le Dr Darbishire, d'une voix faussement douce, raffermit le fouet dans son poing, pour ne pas frapper de travers.

« Laissez-moi ici! » Le Dr Salmerón ramasse sa trousse d'un geste violent et, sans attendre que la voiture s'arrête, il se précipite vers la rue, parvenant à peine à garder l'équilibre dans sa chute.

Quelques maisons plus loin, alors qu'il approche de la gare, le Dr Darbishire freine son attelage et il regarde en arrière, sans parvenir à distinguer son disciple. La locomotive du train de sept heures trente, en provenance de Chinandega, entre en gare en lançant de grands coups de sifflet. La rue, à peine séparée des voies par une clôture de cactus, s'est remplie de fumée.

La voiture du Dr Darbishire prend alors la destination prévue, en direction de la maison de la famille Contreras.

17

Une lettre de consolation

León, le 4 octobre 1933

Monsieur le Bachelier
Don Carmen Contreras Guardia
San José, Costa Rica

Cher Mito,
Je n'ai pas le temps de beaucoup m'étendre, car le temps est ce qui me manque le plus pour consoler vos parents et votre sœur, profondément affligés par le malheur funeste qui, tel un éclair de chaleur, est venu ébranler notre maison. Et si cet éclair est tombé sur un endroit précis, c'est bien sur ma pauvre tête. Pour moi, le voyage sans retour de Mathilde a constitué un chagrin semblable à celui que j'ai ressenti quand ma chère Marta est partie. Je n'insisterai pas. Quelle autre chose me faudra-t-il perdre en cette vie, quelle autre douleur de cette sorte m'attend, en embuscade, sur la route ? Quel étourdi ai-je été, moi qui croyais jadis que les infortunes s'accumulent uniquement au terme de l'existence, quand on n'espère plus rien !
La société de León a coopéré efficacement pour nous distraire de notre peine, avec son tact et son savoir-vivre proverbiaux. Don Carmen et doña Flora sont très satisfaits des nobles marques de condoléance et de sincère sympathie spirituelle qui sont venues tempérer en bonne part l'immensité de notre souffrance. Mais vous pouvez dire à juste titre qu'il n'y a pas de baume assez efficace pour calmer une blessure aussi lancinante.
Comment entreprendre le récit d'événements aussi cruels ? La tâche est ingrate, mais pour vous venir en aide je dois m'y essayer. Le 2 octobre je suis arrivé en retard au dîner, parce que j'avais été très occupé avec le maire et les régisseurs à mettre au point le nouveau contrat de la Compagnie des eaux de León qui, soit dit en passant, est

en passe d'être réglé de la meilleure façon pour les intérêts de votre père.

Mathilde, celle qui fut Mati pour nous, cher Mito, m'attendait dans le corridor et, après m'avoir fait remarquer que j'étais en retard, a demandé qu'on serve le dîner et elle est restée assise à table pour me tenir compagnie. Après le dîner, don Carmen s'est assis à son tour pour bavarder avec nous. Je lui ai rapporté les différents moments de la séance à la mairie, qui fut très passionnée et très difficile. Puis nous avons lu et commenté les journaux du soir. Doña Flora et María del Pilar, qui étaient allées rendre visite à la jeune Monchita Deshon, sont revenues sur ces entrefaites et se sont intégrées à la conversation. Calme entretien d'après le repas, doux présent d'un foyer heureux! Mais... heureux pour combien de temps?

Quand nous nous sommes levés, Mati s'est retirée avec moi, à quelques mètres d'eux, dans la galerie, où nous nous sommes assis dans les rocking-chairs noirs. Qui aurait pu me dire que cela allait être notre dernière conversation! Elle était toujours si désireuse de s'instruire, si hostile à toute frivolité, si intéressée par la philosophie, la politique, la religion, la transcendance de l'être..., la sublimité de la musique, les harmonies de la poésie...; je n'ai pas honte de le dire, Mito, mais une de mes grandes satisfactions, si tant est que j'en conserve, c'est d'avoir été pour elle une sorte de précepteur, de lui avoir prodigué les soins qu'on apporte à une belle plante, gloire du jardin de cette maison, plus que toute autre.

Vers dix heures et demie nous sommes tous allés nous coucher, moi le premier, suivi de María del Pilar, ensuite doña Flora et Mati, enfin don Carmen. J'étais très fatigué parce que j'avais couru toute la journée après les membres du conseil municipal pour qu'ils assistent avec moi à la discussion sur les bases de l'avant-projet de contrat, que j'avais soigneusement préparé et dont je vous remettrai très bientôt une copie pour que vous en preniez connaissance et que vous l'examiniez.

Il devait être onze heures cinq, quand, au milieu de mon profond sommeil, j'ai entendu les cris perçants de don Carmen qui me disait : « Oli, Oli, levez-vous tout de suite, habillez-vous, ouvrez la porte, Mati est malade! » Vous pouvez supputer mon trouble et la rapidité avec laquelle je me suis habillé. Je suis immédiatement sorti dans la galerie, en me mettant aux ordres de votre père, et il m'a indiqué qu'il fallait aller appeler d'urgence le Dr Darbishire. A ce moment-là il tombait une des averses les plus violentes de cet hiver, à tel point qu'il fallait être tout près des gens pour entendre ce qu'ils disaient.

Au début, doña Flora m'a dit de ne pas encore aller appeler le Dr Darbishire, car le malaise convulsif qui de façon inattendue avait troublé le doux sommeil de Mati semblait terminé. Nous nous entretenions sur les causes possibles de ce malaise, en considérant que le pire était passé, lorsqu'une nouvelle attaque nous a alertés. Cette fois, il n'y avait pas de temps à perdre. Je me suis frénétiquement battu avec la manette du téléphone, pour essayer d'obtenir le central et avoir le numéro du Dr Darbishire, car les minutes étaient précieuses et je voulais lui demander de se préparer pendant que je venais le chercher. Le téléphoniste a enfin répondu, mais il ne m'entendait pas, tant la fureur de la pluie était grande. Alors, étant donné que l'auto de votre père était en panne, je me suis précipité dans la rue sous le déluge, oubliant parapluie et imperméable. En bondissant dans les rues inondées, le cœur au bord des lèvres, j'ai couru jusqu'au garage Buitrago à la recherche d'une voiture de location.

Je passe sur les péripéties et je préfère vous dire que je suis finalement arrivé au cabinet de consultation. Je frappe désespérément à la porte. Après avoir beaucoup insisté, j'obtiens que le Dr Darbishire m'ouvre. Il va s'habiller, prendre sa trousse. Il est d'une lenteur désespérante. Attente angoissée. Montre cruelle..., qui aurait eu à ce moment assez de pouvoir pour arrêter tes funestes aiguilles...? Il sort, nous démarrons en trombe, nous roulons, je crois, à plus de 60 km/h... Nous franchissons la porte. Don Carmen arrive à son tour avec le Dr Alejandro Sequeira Rivas, qui habite l'ancienne demeure de Chepe Chico, c'est-à-dire en face de cette maison. D'autres médecins, trempés par la pluie, font leur apparition. Tous se penchent sur le cas. Une autre attaque survient. Ils tranchent : fièvre pernicieuse foudroyante. On nous indique qu'il est impossible de sauver la vie de notre belle petite malade.

Mais ils ne se déclarent pas battus. Ils rédigent des ordonnances. Je garde l'automobile de location à ma disposition. On a besoin de médicaments, quelqu'un doit aller les chercher et c'est moi qui y vais. Le capitaine Anastasio J. Ortiz se présente, il offre aimablement son auto, pour toutes sortes de services. Je paie le chauffeur et je le renvoie. Nous partons à la recherche d'une pharmacie de garde, c'est la droguerie Argüello, nous revenons avec les médicaments. Toujours les mêmes nouvelles : le cas est désespéré. Nous courons appeler son grand-père, ses oncles et tantes, la jeune Monchita Deshon, doña Alicia, Nelly, puis Noel Pallais et sa femme, don Esteban Duquestrada, son épouse et sa petite fille, plusieurs autres amis et voisins. L'averse ne se calme pas, mais tous accourent, les uns après les autres.

Quand je suis revenu avec Tacho Ortiz, après toutes ces démarches, Dieu rappelait Mati à lui. Consciente que l'heure était proche, elle priait avec ferveur et elle s'est exclamée, pleine de piété chrétienne : « Je meurs, je meurs, Sacré Cœur de Jésus, Très Sainte Vierge, je meurs avec joie, mais donne-moi le temps de me préparer ! »

Elle est décédée à une heure du matin. María del Pilar a été la première à s'apercevoir que Mati râlait. Elle a couru à la chambre de ses parents et les a prévenus. Je vous écris alors que tout dans cette maison n'est que douleur, sanglot, confusion, et que beaucoup, beaucoup de gens remplissent le salon, la galerie. Pardonnez l'imbroglio de ces détails et prenez la peine, je vous en conjure, de les mettre en ordre. Doña Flora a été très courageuse, de même que María del Pilar. Ce n'est pas le cas de don Carmen : complètement abattu, il refuse le moindre aliment et son désarroi est saisissant, car pour lui il n'existe que le souvenir de sa gracieuse petite fille. Je considère, et je le ferai observer à doña Flora, que l'on doit immédiatement veiller à la santé de votre père ; nous ne voulons plus d'autres malheurs dans cette maison si éplorée.

Une fois habillée, nous l'avons étendue sur son petit lit, dans sa chambre, là où elle a trépassé, tandis qu'arrivait le cercueil commandé auprès de l'entreprise de pompes funèbres Rosales. On a creusé la fosse le lendemain, avec précaution, pour pouvoir y bâtir par la suite un beau mausolée. Le 3 au matin, il y a eu une messe d'enterrement. Le glas a sonné toute la journée et à quatre heures et demie de l'après-midi, au milieu d'une assistance relevée et nombreuse, nous l'avons conduite à la cathédrale. On a chanté un répons solennel. C'est l'évêque en personne, Mgr Tijerino y Loáisiga, qui a officié, et l'oraison funèbre a été prononcée par le chanoine Oviedo y Reyes, qui s'est montré très inspiré en nous rappelant les vertus de Mati, qu'il a comparée aux lis des champs du Cantique des cantiques. Le ciel était resté couvert pendant toute la journée, comme s'il voulait nous accompagner de sa tristesse ; à peine étions-nous arrivés à la cathédrale qu'il a commencé à pleuvoir avec une violence incroyable et ce déluge s'est poursuivi sur tout le parcours jusqu'au cimetière, sans s'arrêter un seul instant.

Elle est sortie de la maison sur les épaules de don Leonte Herdocia, de je ne sais qui d'autre et sur les miennes ; de la cathédrale elle est sortie sur les épaules de Guillermo Sevilla, de Raúl Montalbán, sur les miennes et celles de je ne sais qui d'autre. Dans la fosse nous l'avons descendue Bernabé Balladares, votre père, moi et je ne sais qui d'autre.

Des télégrammes, de M. le Président de ministres, d'amis et de proches de Managua, Granada, Chinandega ; des lettres, les condoléances du Club social, de la mairie, de la Curie archiépiscopale, etc. Je suis en train de rassembler le tout pour constituer un album ou un éloge funèbre ; votre père a déjà approuvé la dépense, nous le ferons imprimer par l'atelier typographique de votre grand-père. On y mettra également une photographie de Mathilde, des pensées et des poèmes, l'un composé par moi et l'autre par Lino de Luna. Ce dernier a demandé à le lire lors de l'enterrement, avant de descendre Mati dans son sépulcre, mais la pluie ne l'a pas permis.

Le mien, je vous le copie ci-dessous. Ne prêtez aucune attention à ses mérites, car il n'en a pas, mais à la douloureuse affection avec laquelle je l'ai écrit.

> Un incendie de roses couvre le blanc cercueil,
> leurs corolles se fanent d'avoir tant sangloté.
> Versez, roses ultimes, vos lugubres sanglots;
> mes larmes se déversent, mes pleurs point n'en finissent.
>
> La mort pâle est entrée d'un pas velléitaire,
> elle a surpris Mathilde au milieu de ses rêves.
> J'ai scruté plein d'angoisse cette allure mystérieuse
> qui foulait, tendre amie, aux pieds mon propre cœur.
>
> Mais d'autres pas plus doux, plus empreints de pitié
> ont frappé mes oreilles juste au moment suprême.
> Des pas de la mi-nuit : tes anges bienheureux
> venaient déjà, Mathilde, s'emparer de ton corps.
>
> Un incendie de roses, blanches roses d'octobre,
> Comme neige tombant depuis l'aile des anges.
> Bouquet de plumes sur le cercueil virginal
> de celle dont la vie a ignoré le mal.
>
> Le clavier du piano à tout jamais s'est tu.
> Il ne reviendra pas résonner sur la terre.
> Des pas dans la mi-nuit. Musiques envolées.
>   Silence...
> Dans le ciel lourd d'octobre un ANGE va jouer.

A tout moment arrivent des gens en provenance de Chinandega : don Juan Deshon, doña Lola, son épouse; María Elsa Deshon et Angelita Montealegre. Beaucoup sont entrés en pleurant de toute leur âme et don Carmen en a été profondément impressionné. Chaque condoléance, chaque parole de réconfort vient ajouter de nouvelles nuances à la palette de sa peine et de son angoisse de père dévoué. Si vous aviez pu voir combien il a pleuré quand je lui ai montré mon poème. Je vous avoue, Mito, que je ne l'avais jamais vu, lui qui est si fort, dans un tel état d'abattement, aussi bien physique que moral.

Toutes les jeunes filles de León, en sanglotant à chaudes larmes, ont déposé au pied du blanc cercueil des couronnes et des bouquets de fleurs. Estercita Ortiz, Sarita Lacayo, Nelly et Maruca Deshon, et d'autres. Ce sont ces fleurs qui m'ont inspiré ce poème. Et tous les jeunes gens de cette société consternée, qui ont partagé avec elle les joies de la vie et qui ont savouré le miel de son commerce exquis, versent eux aussi sur elle des pleurs inconsolables : Noel Robelo, René Balladres, Julio Castillo, Enrique Pereira et bien d'autres. J'essaie de mon mieux de les consoler, les unes et les autres. Mais où en trouver la force? Car moi aussi j'aspire au réconfort. Il y a rarement eu une telle quantité de fleurs sur une tombe, peut-être parce qu'elle était une jeune vierge adorée et adorable qui a mérité de monter au ciel, au milieu des parfums et des musiques, comme je tente de l'exposer dans mes vers. *El Centroamericano* veut les publier, don Carmen insiste, mais je préfère les réserver pour l'éloge funèbre. Qu'en pensez-vous?

Figurez-vous, Mito, que ce soir-là, avant de se coucher pour toujours, elle a joué du piano avec cette douceur qu'elle seule savait imprimer au clavier. C'est pour cette raison que je mentionne le piano dans mon poème. Elle a beaucoup chanté et passablement ri. Il se trouve que dimanche j'ai organisé dans la maison un banquet pour quelques-uns de mes amis étrangers : le gentleman italien Franco Cerutti, dont vous avez peut-être entendu parler au Costa Rica, car il est très connu dans le monde des affaires, et le gentleman cubain Miguel Barnet, mon associé dans la publication du livre sur le Nicaragua, projet que j'ai définitivement abandonné sur les instances de votre père, car il m'a supplié de me consacrer entièrement à l'affaire de la Compagnie des eaux. A présent il n'a plus la tête à cela.

Bref, je vous racontais qu'elle a joué délicatement du piano et qu'en outre elle a été heureuse d'entendre parler d'excursions, de fêtes, de politique, et de ses propres vertus, constamment encensées par mes invités. Je vous inclus trois coupures de presse sur les funérailles. Quand tout sera plus calme et que les attentions que je prodigue si volontiers à vos parents m'en laisseront le temps nécessaire, je vous écrirai avec plus de détails. Votre câble a été lu par tout le monde et les larmes qui ont tombé sur lui n'ont pas encore séché. Je me propose de distraire le plus possible don Carmen, pour qu'il ne se laisse pas submerger par le chagrin. Mais vous reconnaîtrez que c'est une tâche bien lourde pour moi seul. S'il succombe, où cette famille exemplaire puisera-t-elle des forces?

Faites un rempart de votre cœur et écrivez une lettre énergique à votre père; redonnez-lui courage. Tant que je serai ici, je ne me séparerai pas de lui un seul instant, je vous le promets. Je devais partir aujourd'hui pour Managua, comme je l'avais projeté avant ce terrible drame; je pensais y rester un mois et ensuite visiter d'autres villes afin de recueillir des informations pour mon livre; mais ne vous inquiétez pas, tout cela est oublié maintenant que le devoir m'appelle aux côtés de votre père. Je ne bouge plus d'ici. Je chercherai les excuses qui conviennent pour calmer la déception de mon associé.

Reconstituez avec un courage viril cette scène inconnue de votre jeune âge. Souffrez en solitaire et écrivez des lettres de réconfort à votre père, distrayez par votre empressement filial la nervosité qui s'est emparée de lui. Il faut conjurer le vide dangereux qui tourmente son âme de père affectueux.

Je vais prendre congé, Mito, votre père m'appelle près de lui. Elle appartenait à Dieu et Dieu l'a reprise. La mort est ainsi, un phéno-mène que seul le cœur parvient à interpréter. Quand les vents amers de la douleur se seront apaisés et que nos cœurs auront retrouvé le repos dans nos poitrines, viendra le temps de la réflexion. Puisse votre cœur de frère et le mien qui l'est tout autant, aujourd'hui déchirés par des ronces aux sanglantes épines, être un jour délivrés de leur lan-cinant emprisonnement et réussir à guérir leurs blessures. Mais combien de temps devra s'écouler, combien...

Votre ami affligé vous donne une cordiale accolade, vous assure de sa véritable fraternité et vous prie d'être patient et résigné.

Bien à vous, affectueusement.

OLI.

P.S. Je me permets de vous recommander à nouveau de ne pas oublier d'écrire à votre père. Pardonnez la stupidité de mon inquié-tude, mais mieux vaut prévenir que regretter. Adieu.

18

Secrets de la nature

MLLE MATHILDE CONTRERAS G.

La société de León ne se remet pas encore de la douloureuse commotion provoquée par la funeste nouvelle de ton décès, vertueuse et charmante demoiselle Mathilde Contreras Guardia. Ton assomption définitive, tu le sais mieux que personne, s'est produite hier à une heure du matin, annulant les gigantesques efforts des médecins compétents rassemblés autour de ton lit. Le mal impitoyable qui t'a surprise de façon si sournoise dans ton sommeil a vaincu la science; et ainsi, une fois de plus, la fièvre pernicieuse, qui a établi ses quartiers dans cette ville, a pu chanter victoire.

Au fur et à mesure que l'on connaissait les tristes nouvelles, les nombreux amis de ta famille exemplaire, faisant fi de l'averse torrentielle, ont abandonné leurs couches pour accourir sans retard jusqu'à ton foyer éploré, désireux de rendre patent le témoignage de leur juste douleur à l'annonce de ton départ, douce fillette à l'âme pure qui quelques heures avant nageait dans le bonheur, sans soupçonner que la mort tissait déjà ton blanc linceul et que bientôt ton front immaculé recevrait la couronne de lis réservée aux vierges élues.

En partant vers la demeure du Créateur, tu ne nous lègues que de doux souvenirs, parce que tu étais pure et que de toi émanait le parfum exquis de ton âme aux charmes pléthoriques, dont la musique faisait partie; car tu as été une délicate interprète du piano.

Aujourd'hui, tu es endormie pour toujours, sans que de ton songe virginal parviennent à t'éveiller les sanglots d'une foule de gens qui, inconsolables, pleurent le malheur de ton départ; et comment ne te pleureraient-ils pas puisqu'en quittant ce monde tu laisses ton bref parcours semé des roses immarcescibles du bien et des jasmins de la vertu.

Dans la sainte église cathédrale on a dit un répons solennel pour le repos de ton âme et ta dépouille a été conduite au cimetière de Guadalupe, sous la pluie battante qui n'a pas pu empêcher la présence respectueuse d'un cortège relevé et nombreux, s'étendant sur plus d'une centaine de mètres, qui a défilé dans la contrition derrière ton blanc cercueil, blanc parce que aucune tache n'est venue tenir ta jeunesse tronquée.

Au déluge de bouquets et de couronnes que t'ont prodigué, jusqu'à l'épuisement, les jardins de León, nous ajoutons humblement une fleur de plus, une immortelle que nous déposons avec révérence sur ton sépulcre.

Pour cet événement si sensible, nous présentons nos condoléances à ta famille affligée et tout particulièrement à tes parents, l'illustre homme d'affaires don Carmen Contreras et la gente dame doña Flora Guardia de Contreras; nous les étendons à ton frère, le jeune étudiant don Carmen Contreras Guardia, actuellement au Costa Ríca; et à Mlle María del Pilar Contreras Guardia, réconfort l'un et l'autre de tes affectueux géniteurs en ces moments funestes.

El Cronista, 4 octobre 1933

Sous un ciel obscur qui annonçait l'imminence de la pluie, Rosalío Usulutlán s'est posté dès quatre heures de l'après-midi sur le trottoir du magasin *La Rambla*, à un coin de rue situé à l'opposé de la cathédrale, pour attendre le passage de l'enterrement de Mathilde Contreras. Il avait l'intention de recueillir, de première main, suffisamment d'impressions pour le faire-part funèbre qu'il se proposait d'insérer le jour même dans *El Cronista*. Et bien qu'il se préparât à accomplir une obligation professionnelle, nous devons dire qu'il n'était pas insensible à cette tragédie.

Cependant, alors que le cortège était entré dans la cathédrale et qu'il se dirigeait vers les bureaux du journal, en se collant contre les murs pour se jouer de l'averse déchaînée, sa décision, prise auparavant sous le coup de l'émotion, ne lui semblait plus aussi convaincante; et une sensation de honte et de commisération à l'égard de lui-même s'efforçait de le submerger.

Don Carmen, escorté de sa famille, traînait les pieds derrière le corbillard, les mains sur le verre de l'urne, refusant de s'écarter du cercueil en forme de zeppelin qui cachait sa silhouette blanche sous des déluges de fleurs. Cédant à une urgence inexplicable, Rosalío avait commis la maladresse de se précipiter dans la rue depuis le trottoir rempli de curieux, en se frayant un passage parmi les participants vêtus de noir qui défilaient à toute vitesse en guettant le ciel plombé, pour lui présenter leurs condoléances.

Le chapeau levé en signe de respect, il avait dû chercher la main de don Carmen, l'écarter du verre, pour pouvoir la serrer. Et tandis que l'enterrement continuait vers la cathédrale, il était resté au milieu de la rue, souriant de manière stupide, jusqu'à ce que les derniers participants, les hommes en chemise, les employés de la comptabilité, les vendeurs et les commissionnaires de *La Renommée*, soient passés en le contournant. Le tonnerre retentissait alors, roulant au-dessus des toits.

Il ne pouvait s'empêcher de se sentir humilié. Ce richard n'était pas son ami, il ne l'avait jamais été, il n'y avait pas de raison pour qu'il lui présente ses condoléances. Au temps de sa campagne contre la Compagnie des eaux, s'ils se rencontraient dans la rue, il tournait la tête de l'autre côté ; il avait intrigué auprès de son patron pour qu'on le chasse du journal et après bien des pressions et des manœuvres il avait au moins obtenu qu'on l'empêche d'écrire à nouveau sur cette affaire. Rosalío s'était vu alors dans l'obligation d'avoir recours à l'expédient des tracts de dénonciation, déjà imprimés en janvier quand il avait eu la surprise de recevoir sa visite, la seule fois en de longues années où ils avaient conversé.

Ensuite, il avait accepté de l'argent des mains d'Oliverio Castañeda pour qu'il remette les tracts ; l'argent venait de don Carmen, il le savait et lui-même avait évité de le rencontrer à partir de ce moment. Il n'empruntait plus la rue de sa maison, où généralement on le voyait sur le pas de sa porte, ni le trottoir du Club social, où il s'asseyait le soir avec d'autres membres, parce qu'il ne voulait déchiffrer dans son regard aucune lueur de moquerie ou de mépris.

Mais tout en sautant par-dessus les torrents tourbillonnants qui dévalaient les rues, il essayait également de faire la paix avec sa conscience. Il avait commis un acte de piété chrétienne et non pas de servilité ; et il était évident que l'homme était trop abattu pour le remercier de ses condoléances. Par conséquent, il ne devait pas avoir honte de son intention d'éliminer un fait divers de la première page dont la maquette était prête au marbre, et d'y inclure la chronique nécrologique qu'il se proposait d'écrire. En outre, c'était une décision prise bien avant ; l'annuler équivaudrait à une mesquinerie de sa part. Il se toucha la poitrine sous son ciré et il eut confirmation que le chagrin ressenti pour la mort de cette jeune fille depuis les hautes heures de la matinée, en entendant sonner le glas, demeurait intact.

Une fois devant sa machine à écrire Underwood, il procède à un dernier examen de conscience. Son propos est légitime, il ne mentira pas en déplorant que cette vie a été arrachée à un être à la fleur de l'âge. Il tape avec deux doigts, à la façon des poules qui picorent le maïs, la chronique nécrologique destinée à paraître sans faute dans le journal. Il remet l'article au typo qui travaille en silence dans la galerie battue par la pluie ; il se rend au classeur contenant les clichés pour trouver la photo de débutante de Mathilde Contreras.

Il fouille pendant un bon moment parmi les plaques clouées sur des supports de bois et quand il trouve la bonne, il souffle sur la poussière collante qui la recouvre. Il reconnaît parfaitement le visage, bien qu'il ne l'ait vue que de rares fois et de loin, assise dans un fauteuil de rotin, se balançant devant sa porte, en regardant tomber le soir, ou s'entretenant avec sa sœur ; et aussi quand elle avait joué du piano dans une soirée de charité au bénéfice des orphelins du père Mariano Dubón, dans la cour du Palais épiscopal.

C'est alors qu'il entend à la porte de la rue les coups donnés avec le chant d'une pièce de monnaie, qui se perdent dans le fracas continu de l'averse. Le typo est allé ouvrir, maintenant il entend les voix. A l'appel du typo, il arrive à la porte, le cliché à la main. Le commis du magasin *L'Effort* grelotte de froid sous le sac de jute qu'il tient au-dessus de sa tête à la façon d'une capuche : Cosme Manzo lui fait dire de se rendre immédiatement au magasin, on l'attend.

Tout à coup, devant l'urgence de cet appel, il se souvient de l'enquête du Dr Salmerón et il a peur. Il revoit Oliverio Castañeda, sincèrement abattu, à côté du corbillard, au moment où il se prépare à descendre du trottoir pour présenter ses condoléances à don Carmen ; et il le voit également de loin, s'empressant de porter le cercueil, dans la cohue des parapluies, quand le cortège s'arrête devant la cathédrale et qu'il se retrouve tout seul au milieu de la rue parsemée de crottin laissé par les chevaux du corbillard, harnachés de caparaçons de deuil.

Réunion d'urgence dans l'épicerie-quincaillerie de Cosme Manzo. Le Dr Salmerón a certainement dû arriver le premier dans l'arrière-boutique pleine de sacs de riz, de bidons d'essence et de rouleaux de fil de fer barbelé, où l'on range également la morue en carton, et il l'imagine, tout excité, compulsant son carnet de chez Squibb, où il y a maintenant de nouvelles notes, tandis que Manzo fait impatiemment les cent pas, en l'attendant... Dans son billet nécrologique il a écrit que Mathilde était décédée victime d'un attaque de fièvre pernicieuse. Maintenant qu'il doit les rejoindre, faut-il qu'il supprime cette affirmation ? Il a également exalté sa pureté virginale, et ça ne va pas leur plaire non plus.

Sur le pas de la porte entrouverte, il médite devant le commis qui attend sa réponse. Non, il n'enlèverait rien. Il ne se sentait pas non plus d'humeur à entrer dans des élucubrations à propos d'empoisonnements. Toutes ces histoires lui semblaient complètement absurdes et, en plus, Oliverio Castañeda n'était pas son ennemi. Quel besoin avait-il de chercher à lui nuire ? Par ailleurs, la réunion urgente pour laquelle on le convoquait devenait dangereuse ; à ce stade, le Dr Salmerón ne se contenterait pas de claironner que ses prédictions et ses calculs continuaient à se vérifier ; il allait certainement leur présenter un plan pour dénoncer Castañeda. Et si on ouvrait une enquête et qu'il était appelé à déposer ?

Il congédia le commis, en lui disant qu'il avait encore du travail à faire au journal et qu'il arriverait plus tard, dans la mesure du possible ; mais qu'on ne l'attende pas. Il revint dans le couloir, après avoir fermé la porte, et il demanda au typo de répondre qu'il n'était pas là, si on revenait le chercher.

Comme nous pouvons le constater en lisant la chronique nécrologique qui apparaît en tête de ce chapitre, Rosalío Usulutlán n'a pas supprimé la mention spécifiant que Mathilde Contreras était morte de fièvre pernicieuse ; sur ce point, en plus de respecter sa résolution de n'altérer en rien ce qu'il avait écrit, il s'en tenait au diagnostic des médecins qui s'étaient occupés de ce cas, avec le Dr Derbishire à leur tête. Et il n'a pas éliminé non plus, nous devons le reconnaître, une seule des allusions renouvelées à la chasteté de la défunte.

Cependant, il enfreint sa résolution de ne pas assister à la réunion d'urgence pour laquelle Cosme Manzo le convoquait, car une demi-heure plus tard, sous l'averse qui ne faiblit toujours pas, il se rend au magasin *L'Effort*. Et ce n'est pas tout : enveloppé dans un pli de son ciré il emporte avec lui un livre qu'Oliverio Castañeda lui avait laissé en garde un soir du mois de janvier 1933, quand ils étaient allés chercher les paquets de tracts à l'imprimerie des Frères chrétiens, et qu'il lui avait demandé de conserver avec le plus grand soin.

Il s'agit du livre *Secrets de la nature*, écrit par le Dr Jerónimo Aguilar Cortés et édité par la veuve de Ch. Maunier, Paris, 1913. Ce n'est pas à proprement parler un traité de toxicologie, mais il se rapporte aux propriétés, tantôt salutaires tantôt mortelles, de certaines plantes contenant des alcaloïdes.

Au verso de la couverture du livre on trouve le cachet de l'hôpital de Chiquimula. Le nom d'Oliverio Castañeda figure sur la page de garde, sous le titre, et de la même écriture est indiquée, tout de suite après, une date, 4 avril 1920, et c'est très certainement Castañeda lui-même qui a glissé entre les pages une photographie de sa mère, Luz Palacios de Castañeda, qui, selon les informations dont nous disposons, est morte au mois de mai 1920, dans ce même hôpital.

Au moment de quitter les bureaux de *El Cronista* pour aller à son rendez-vous, Rosalío Usulutlán s'est rappelé qu'Oliverio Castañeda ne lui avait pas réclamé le livre à son retour du Guatemala et qu'il le conservait dans un tiroir de son bureau. Pour le Dr Atanasio Salmerón, ce livre allait constituer un indice d'une valeur inestimable, maintenant qu'une nouvelle victime du poison fatal était apparue. Et la photo serait certainement, elle aussi, d'un grand intérêt pour lui.

Disons, pour terminer, que ce livre est également passé entre les mains de doña Flora de Contreras qui, dans sa deuxième déposition du 31 octobre 1933, nous en parle et nous décrit, en outre, la photo, comme nous l'apprendrons plus loin.

19

Ses doigts courent sur le clavier
pour la dernière fois

Le soir du dimanche 1ᵉʳ octobre 1933, Mathilde s'assied pour la dernière fois au piano à queue Marshall & Wendell afin de charmer les étrangers, invités par Oliverio Castañeda, comme il le rapporte lui-même dans sa lettre du 4 octobre, adressée à Carmen Contreras Guardia. De son côté, la cuisinière Salvadora Carvajal dans sa déposition faite à la prison XXI le 14 octobre 1933, requise de fournir le maximum de détails sur les aliments préparés pour le repas et sur ceux qui sont intervenus dans cette préparation, s'étend sur ce point, qui intéresse le juge puisqu'il s'agit d'un cas d'empoisonnement. Mais par ailleurs, quand elle se réfère à la réunion qui a suivi le dîner, elle nous donne quelques informations sur les morceaux exécutés par Mathilde.

Ce soir-là on devait donner à la maison un dîner avec des personnes étrangères amenées par don Oliverio, c'est pour ça que doña Flora et mam'selle María del Pilar sont venues très tôt dans la cuisine pour me donner des ordres. On a fait deux poulets frits achetés vivants au marché, que j'ai tués et plumés; une purée de pommes de terre, des chayotes, du riz avec des petits pois en boîte provenant du magasin, des haricots frits et trois bananes au four avec de la cannelle en rondelles. Ils ont pris du café au lait et de la confiture de papaye verte. Je suppose qu'ils ont bu du vin mais je n'en sais rien, car ce n'est pas moi qui ai servi à table, c'est la bonne, Leticia Osorio, et Bertilda Cáceres, celle qui s'occupe de l'intérieur.

Leticia a commencé à rapporter les assiettes et les couverts à la cuisine, vers dix heures du soir. Du salon arrivaient des conversations et ensuite il y a eu comme des applaudissements. Alors on a entendu ce piano dont mam'selle Mathilde jouait si bien et ce soir-là les morceaux étaient tout tristes, comme pleins de sentiment. Bertilda, qui aidait à ce moment-là à laver les assiettes, et moi, on est allées jusqu'à la porte de la cuisine. Leticia est restée assise sur un banc, elle écoutait et elle disait sans arrêt « Comme c'est joli », « Comme c'est joli », jusqu'à ce qu'elle tombe endormie, ce qui fait que j'ai dû l'emmener se coucher, quasiment en la traînant.

Il n'était pas fréquent que les Contreras reçoivent des hôtes à leur table, nous fait remarquer la même Salvadora Carvajal. Mais, comme nous le savons déjà, il s'agissait d'invités d'Oliverio Castañeda. L'un d'eux était son associé dans l'édition du livre contenant des données sur le Nicaragua, le Cubain Miguel Barnet, et l'autre, un ami de ce dernier, jusqu'alors inconnu de Castañeda, un citoyen italien résidant au Costa Rica depuis plusieurs années, Franco Cerutti, propriétaire d'une marbrerie sur le cours des Étudiants, qui venait fréquemment à León passer des commandes de monuments funéraires auprès des familles fortunées.

Les journaux du Costa Rica se sont longuement intéressés à Castañeda tant qu'a duré le procès. Afin de contribuer au débat, Cerutti prit l'initiative d'écrire un article avec sa signature, publié par le quotidien *La República*, dans son édition du 27 novembre 1933. Un exemplaire du journal fut ajouté au dossier; comme document annexe à la plaidoirie écrite présentée le 6 décembre par l'accusé, qui se décida pour l'occasion à faire, comme nous l'avons déjà suggéré, des révélations importantes sur des faits qu'il avait jusque-là cachés avec persistance.

L'article de Cerutti, qui abonde en détails sur le dîner de ce dimanche, s'intitule « Témoin fortuit » et il dit, pour l'essentiel :

J'ai rencontré Barnet à l'heure du petit déjeuner dans la salle à manger de l'*Hôtel Métropolitain*, où j'étais descendu comme d'habitude, et le serrer dans mes bras fut pour moi une très agréable émotion, car je ne l'avais pas revu depuis que nous nous étions quittés dans le port de La Havane, en juillet 1929, au terme d'une heureuse traverse commencée à Gênes. Il m'a expliqué la raison de sa présence à León et il m'a promis de me présenter sur-le-champ à son associé dans le projet qui l'occupait en ce moment, envoyant aussitôt un des garçons le chercher dans la maison d'en face. L'associé arriva subito et nous avons engagé une joyeuse conversation. Une sympathie naturelle s'éveilla entre nous. La réunion s'est prolongée et on a commandé quelques verres.

Il s'agissait du jeune Guatémaltèque, avocat de profession, Oliverio Castañeda. Il aimait déclamer des poèmes et il le faisait avec beaucoup de concentration, serrant les poings et mettant une intense émotion dans sa voix. Ses vers parlaient surtout d'amours malheureuses; je me rappelle un poème à propos de deux rivaux masculins qui se terminait par un duel à la machette, qui m'a paru horrible et terrifiant. Avec plus d'émotion encore, au point d'être au bord des larmes, il a récité une composition dédiée à sa défunte mère, qui, d'après mes souvenirs, était un madrigal ou un sonnet d'inspiration personnelle. Mais il savait pimenter son récital en y intercalant des dizains hauts en couleur, propres aux algarades estudiantines de sa patrie, le Guatemala, où proliféraient les allusions grivoises à des moines, des nonnes et des invertis; répertoire picaresque indubitablement spirituel quoique irrévérencieux.

Dans la chaleur de la discussion il a proposé de poursuivre plus tard cette rencontre, en nous donnant rendez-vous le soir où il nous offrirait un dîner dans la maison dont il était l'hôte, car pour le moment il devait s'occuper d'affaires professionnelles concernant son amphitryon qui, en même temps, était son client. Et sans plus tarder, il a donné des ordres au garçon pour qu'il traverse la rue et aille chercher le monsieur en question.

Celui-ci est arrivé aussitôt. Le jeune Castañeda me l'a présenté au moment où nous nous quittions et d'une façon assez désinvolte il lui a fait part de l'invitation à dîner qu'il nous avait proposée. Ce monsieur, pantois, a balbutié quelque chose et nous a adressé un sourire un peu grimaçant. Ensuite, lui et son jeune hôte sont partis ensemble, en parlant des affaires professionnelles que j'ai déjà mentionnées.

J'ai alors commenté à mon ami Barnet que ce très sympathique jeune homme devait jouir d'une grande confiance dans cette maison pour prendre la liberté de nous inviter à dîner et de le notifier après coup et de façon aussi abrupte au maître de maison. Barnet m'a répondu, avec un brin de malice, que j'avais raison. Il n'y avait qu'Oliverio Castañeda pour obliger cet homme si pingre, riche commerçant appartenant à une vieille famille de León, mais avec lequel les sœurs de la charité ne perdaient pas leur temps, à mettre les petits plats dans les grands. En plus, il y avait une autre raison : un mariage se profilait à l'horizon.

J'ai pu vérifier moi-même, ce soir-là, que le jeune Castañeda prenait ses aises dans cette maison, comme s'il était chez lui, et que ses paroles étaient des ordres pour la famille et pour les serviteurs. Bien qu'ayant des manières réservées, le propriétaire semblait guetter les pensées de son hôte, afin de les devancer et de les satisfaire, je dirai d'une façon timide, mais presque servile. Tous riaient de ses plaisanteries et de son esprit, en lui faisant fête avec un enthousiasme exagéré. Il était clair qu'il exerçait une sorte de domination mentale sur chacun de ses amphitryons.

Barnet m'avait parlé d'un mariage en vue. Cela m'a paru logique, car, comme mon ami me l'avait indiqué, il s'agissait d'un jeune homme qui avait récemment perdu sa femme. Mais à la table étaient assises les deux jeunes filles du couple; et lui, de façon très subtile, répartissait ses prévenances entre les deux, en maintenant l'équilibre en véritable artiste sur le trapèze de la galanterie : sans épargner non plus les flatteries de la nature la plus exquise pour la maîtresse de maison.

Quand une des deux demoiselles, l'aînée, a accepté, sur les instances de Castañeda lui-même, d'exécuter quelques morceaux au piano, instrument dont elle jouait avec une habileté acceptable, il est venu se placer près d'elle, en marquant la mesure comme s'il dirigeait un orchestre complet. La maîtresse de maison y prenait beaucoup de plaisir, d'après les signes de contentement qu'elle adressait à son mari, en l'obligeant à contempler cette farce; mais la plus jeune, assise seule à l'autre extrémité du salon, regardait la scène avec une irritation évidente, car bien que Castañeda tentât de simuler un jeu, il semblait transporté par la musique que jouait la pianiste.

Mais à un moment donné, comme s'il sortait de son extase, il a souri à celle qui était fâchée et du bout des doigts il lui a envoyé un baiser presque imperceptible. Les yeux de la jeune fille, déjà baignés de larmes, se sont à nouveau illuminés, comme si ce baiser suggéré de loin avait eu le pouvoir de dissiper le dangereux orage qui s'accumulait dans ses pupilles.

Ensuite on a abordé d'autres sujets au cours de la conversation d'après-dîner et le jeune Castañeda m'a demandé d'aller chercher dans ma chambre d'hôtel mes catalogues de monuments funéraires pour que je les montre au monsieur; chose que j'ai faite non sans déplaisir, car je trouvais cela déplacé. L'homme a feuilleté les photographies avec une attention polie, sans qu'il soit question de commande. Vers onze heures moins le quart, nous avons pris congé, sur les instances de Barnet, qui devait se rendre très tôt à Managua.

A l'aube du mardi 3 octobre, je me préparais à quitter l'hôtel, car je devais prendre le train du matin à destination de Corinto, quand j'ai remarqué en sortant, chose étrange, des rangées de chaises alignées sur le trottoir devant la maison de la famille et un va-et-vient inhabituel de gens qui entraient et sortaient par les portes éclairées. Je me suis renseigné et le personnel de service de l'hôtel m'a informé de la mort soudaine de l'une des jeunes filles du couple qui nous avait si aimablement reçus. Sincèrement peiné, je suis allé présenter mes condoléances avant de partir.

A la veillée funèbre assistait mon ami très intime, l'habile fleuriste Rodemiro Herdocia, que j'admire, je dois le dire au passage, pour l'élégance singulière de ses arrangements floraux, véritable artiste qui pourrait rivaliser avec ceux de sa profession à Padoue, Florence ou Rome. En plus il a beaucoup de chic et une prestance personnelle fascinante. Rodemiro m'a appris que les parents étaient allés se reposer un moment et il m'a conduit alors devant la plus jeune des sœurs, qui se trouvait dans la galerie, entourée par un groupe d'autres jeunes filles. C'est ainsi que j'ai compris que c'était l'autre, la pianiste, qui était décédée.

Elle n'a pas semblé me reconnaître, tant elle était troublée, bien que le jeune Castañeda, qui sortait à cet instant de l'une des chambres, ait eu la gentillesse de lui rappeler les circonstances récentes où nous avions fait connaissance. C'est là que j'ai pris congé de lui et depuis lors, jusqu'à aujourd'hui où je découvre son nom dans les journaux, je n'avais plus jamais eu de ses nouvelles.

J'écris ces lignes parce que je ne comprends pas comment un jeune homme aussi fin et d'aussi excellentes manières peut être responsable d'une série de crimes affreux. Puisse la justice éclairer cette affaire de toute sa lumière et l'innocenter si, comme je le pense, il n'est pas coupable.

Quand la cuisinière Salvadora Carvajal est remise en liberté et que Rosalío Usulutlán lui rend visite à des fins d'enquête dans sa maison du quartier de Subtiava, fin octobre 1933, on connaît déjà dans le public le contenu des bagages d'Oliverio Castañeda, réquisitionnés sur ordre du juge. Les journaux divulguent à l'envi les titres des morceaux enregistrés sur les disques trouvés dans la malle et, du coup, ces airs redeviennent à la mode à León et dans le reste du Nicaragua.

Les orchestres les incluent dans leurs répertoires de chansons à danser; on les sifflote, on les fredonne, et la valse « L'amour n'apparaît qu'une seule fois dans la vie » est même jouée lors du concert de l'orphéon municipal, sur la place Jerez, le dimanche 29 octobre 1933. Elle est retirée des programmes suivants à la suite de la protestation que le père Isidro Augusto Oviedo y Reyes adresse au maire, le

Dr Onosífero Rizo. Cette protestation est consignée dans une lettre ouverte signée par le chanoine et publiée dans l'hebdomadaire catholique *Los Hechos*, sous le titre « Douleur abusée ».

Parmi les instructions que le Dr Salmerón avait données à Rosalío pour conduire l'entretien avec la cuisinière, il y en avait une consistant à lui demander si, le soir du 1er octobre 1933, quand Mathilde s'était assise au piano pour la dernière fois, elle avait joué « L'amour n'apparaît qu'une seule fois dans la vie ».

La cuisinière ne se rappelle pas cette chanson, parce qu'elle ne connaît pas les chansons par leurs noms. Alors, Rosalío sort de la poche revolver de son pantalon un harmonica et, l'appliquant sur ses lèvres, il joue, là, dans cette maison tapissée de roseaux et envahie par la fumée du fourneau, la mélodie que Radio Le Franc diffuse à toute heure.

« C'est celle-là. » Salvadora Carvajal affiche un sourire édenté. « C'est cette nuit-là que je l'ai entendue pour la dernière fois... »

Et elle répète la mélodie en bourdonnant, la bouche fermée, comme si elle essayait d'endormir un enfant dans son berceau.

20

Conversation clandestine
dans l'arrière-boutique

Il fait déjà nuit quand Rosalío Usulutlán arrive aux abords du marché municipal. Le ciel commence à se dégager, même si des torrents impétueux balaient encore le pavé de la rue du Commerce, entraînant des feuilles de bananier et autres déchets. Le tonnerre, lointain, déplace ses échos rauques vers la mer. Dans le pâté de maisons occupé par les commerces, alors fermés, une seule des portes du magasin *L'Effort* reste entrouverte, laissant filtrer un rai de lumière jaunâtre qui teint de reflets tremblants le trottoir couvert de flaques. Il passe la tête. Le commis qui était allé le chercher au journal est en train de vendre un paquet de Sel Epsom à un acheteur solitaire trempé de pluie.

Le garçon lui fait discrètement signe de passer dans l'arrière-boutique, d'où sort le bruit de toux étouffées. En se dirigeant vers l'intérieur, il remarque sur un comptoir proche du couloir le chapeau et la cape du Dr Darbishire. Une telle découverte ne manque pas de le surprendre, car le vieillard ne s'aventure jamais aussi loin; en outre, sa voiture à chevaux n'est pas à la porte et, par conséquent, il a dû venir à pied, sous la pluie.

Cosme Manzo a eu une plus grande surprise encore quand, quelques minutes auparavant, le commis est venu l'informer dans l'arrière-boutique que le vieillard était à la porte de la rue et demandait le Dr Salmerón. Loin d'en être effrayé, celui-ci s'est montré joyeusement excité, indiquant à Manzo, par une série de signes muets, de le faire entrer. Devant ses réticences, il avait presque dû le pousser pour qu'il aille à sa rencontre.

Finalement Manzo l'a introduit. Par déférence, il va chercher son tabouret à siège de cuir dans le cabanon qui lui sert de bureau dans un coin du magasin. Il le lui propose, tout ébaubi, en le nettoyant lui-même avec son mouchoir, tandis que le Dr Salmerón reste délibérément debout.

C'est dans cette situation que Rosalío les découvre. Le Dr Darbishire, suffoqué par l'atmosphère de l'arrière-boutique qui sent l'essence et le saindoux, a retiré la veste de son costume sombre de cachemire, celui qu'il portait à l'enterrement, et il utilise son mouchoir pour la sécher, appliquant méthodiquement le même traitement aux jambes de son pantalon et à ses chaussures.

Quand apparaît le journaliste, il lève les yeux d'un air insouciant, sans le saluer. Il ne doit venir à l'esprit de personne de juger sa présence dans cette tanière comme un mystère ou d'y voir une quelconque complicité : il a cherché son collègue à son cabinet et quand on lui a dit qu'il était à cet endroit, il s'est vu dans l'obligation de s'y rendre. C'est tout.

Le Dr Salmerón, qui lui a aussi ôté sa veste, mais qui a retroussé les manches de sa chemise comme s'il se préparait à inciser un abcès, se tient à quelques pas du Dr Darbishire et, jetant des regards insistants vers les autres, il leur réclame la prudence : si le vieillard s'est risqué à attraper un rhume en empruntant sous la pluie les rues du marché municipal, c'est parce qu'il ne veut pas qu'on voie sa voiture à la porte de l'épicerie. Et puisque c'est la première fois qu'il prend l'initiative de le chercher, après l'aigre séparation remontant à quelques jours, il doit être sur une affaire nullement négligeable.

A pas comptés, Rosalío Usulutlán va prendre place à côté de Cosme Manzo qui s'est assis sur une caisse de savon *L'Étoile*, dans le coin où l'on range la morue de l'émulsion Scott, loin de l'éclat de l'ampoule qui pend au-dessus de la tête des deux collègues. D'un geste du doigt sur les lèvres, Cosme Manzo, tout en lui faisant place, lui intime de garder bouche close.

« Je souhaite vous consulter sur certains faits concernant le jeune Castañeda, collègue... » La voix du Dr Darbishire parvient à peine aux deux témoins dans la pénombre, obligés d'avancer le torse afin de mieux entendre. Son ton est délibérément professionnel, comme celui adopté pour débattre d'un cas clinique entre médecins.

« Oui, maître? » Le Dr Salmerón reste immobile, dans une attitude d'indifférence respectueuse.

« Vous me connaissez bien, je ne suis pas alarmiste. Mais je ne suis pas non plus irresponsable. » Le Dr Darbishire défroisse la veste étendue sur ses jambes. « Je voulais vous faire part, si vous me le permettez, de certaines choses qui, dans ce dernier cas, ont attiré mon attention. »

Bien qu'il veuille le cacher, le vieillard affiche une mine véritablement soucieuse. Sur son visage sanguin, traversé par des essaims de veines bleutées à fleur de peau, apparaissent des rides profondes, surtout sur le front.

« Quoi, par exemple? » Le Dr Salmerón frotte ses bras nus, comme s'il voulait atténuer une démangeaison.

« Les symptômes, en premier lieu. » Le Dr Darbishire sent qu'il va éternuer. Il plisse les yeux et porte la main à son nez. « La jeune Contreras a présenté des signes cliniques très proches de ceux de Mme Castañeda. Vous vous souvenez de ces symptômes ?

– On est en présence de deux cas de fièvre pernicieuse. C'est logique qu'ils se ressemblent. » Les lèvres du Dr Salmerón, gonflées d'indifférence, brillent d'un éclat un peu gras sous la lumière de l'ampoule.

« Cessons ces pantomimes, collègue. » Le Dr Darbishire garde les doigts sur son nez mais l'éternuement a avorté. « Ne jouez pas les offensés avec moi. Je reconnais que vous m'avez adressé un avertissement et que je n'en ai pas tenu compte. C'est pour ça que je veux à présent examiner sérieusement ce cas avec vous. Si ça se trouve nous avons affaire à un maniaque.

– Très bien, voyons le cas. » Le Dr Salmerón mord la cuticule de l'ongle de son pouce.

« Je vous ai déjà parlé des symptômes. » Cette fois, le Dr Darbishire parvient réellement à éternuer, en couvrant sa bouche de ses mains. « Attaques répétées, allant crescendo. Rigidité des extrémités inférieures, insensibilité, propulsion des globes oculaires, trismus de la mâchoire. J'ai essayé de séparer les dents avec une spatule ; je n'y suis pas arrivé.

– Strychnine, tranche le Dr Salmerón, sans cesser de se ronger l'ongle.

– Vous avez ici les capsules qui restent du traitement que j'avais préparé pour Mathilde. » Le Dr Darbishire fouille dans la poche de sa veste, pliée sur ses genoux. « Je pense qu'on doit en examiner le contenu. Il en reste deux. »

Le Dr Salmerón, sans quitter sa place, tend la main pour prendre la petite boîte de carton qui s'ouvre en forme de tiroir ; il en extrait les deux capsules et les examine sans montrer la moindre curiosité.

« Qu'est-ce qu'on peut faire avec ces capsules ? » Le Dr Darbishire soulève sa veste comme s'il cherchait une meilleure place pour la poser, mais finalement il la garde sur ses genoux.

– Je connais quelqu'un qui pourra les examiner sous le sceau du secret », le Dr Salmerón laisse tomber les capsules une à une et referme la boîte, « le bachelier Absalón Rojas, au laboratoire de la faculté de pharmacie.

– Non. Ce ne serait pas convenable. » Le Dr Darbishire tend la main pour récupérer la boîte. « Et si les conclusions sont positives ? S'il y a de la strychnine ?

– Eh bien, on aurait des preuves. Qu'est-ce que vous voulez de plus ? » Le Dr Salmerón, d'un geste énergique, dépose la boîte sur sa paume tendue.

« Des preuves contre qui ? Contre moi, qui ai préparé le même médicament pour les deux patientes, mortes dans des circonstances identiques. » Le Dr Darbishire pointe son pouce vers sa poitrine. « Vous êtes vraiment drôle, maître. Qui va vous soupçonner, vous ? » Le Dr Salmerón baisse la tête, comme s'il cherchait quelque chose par terre, et il se met à rire. « Vous n'avez été qu'un agent passif de ce criminel.

– Il vaut mieux que je les remette au juge. » Le Dr Darbishire range à nouveau la petite boîte dans la poche de sa veste. « Qu'il décide si les soupçons sont vains ou non. Comme ça nous mettrons un terme à toutes ces spéculations.

– Et si elles ne contiennent rien ? » Le Dr Salmerón le défie d'un mouvement du menton.

« Alors, cela voudra dire que je me suis laissé influencer par vous. » Le Dr Darbishire, en promenant à nouveau son regard à la recherche d'un éternuement perdu, s'arrête sur la queue argentée de la morue, à peine éclairée par les reflets de l'ampoule. Le reste du poisson est plongé dans l'ombre, de même que les deux témoins assis sur la caisse de savon.

« Non, nous serions dans la pire des situations. » Le Dr Salmerón suit le regard du vieillard, et plus que la queue du poisson il s'amuse à deviner les silhouettes de ses deux amis qui ne bougent pas, accroupis dans l'obscurité. « Pour que le juge puisse ordonner l'examen, il doit d'abord ouvrir une instruction criminelle.

– Et ce n'est pas ce que vous voulez ? » Le Dr Darbishire calcule la longueur de la morue. Rangée dans cette pièce, la tête en bas, immobile, elle a l'air plus petite que dans la rue.

« S'il n'y a rien dans les capsules, le criminel va se sentir plus tranquille pour continuer à empoisonner, sans risque cette fois. » Le Dr Salmerón, qui surveille la cachette de ses deux compères, voit la tache café du chapeau de Rosalío Usulutlán se rapprocher de la masse de Cosme Manzo. « Et vous perdriez pour toujours la confiance de la famille Contreras, soumise à un scandale, provoqué, excusez du peu, par son médecin habituel.

– Mais s'il y a eu un acte criminel, le poison est nécessairement dans les capsules. » Le Dr Darbishire soulève sa veste, en l'agitant. « Ou bien vous êtes en contradiction avec vous-même.

– Je ne me contredis pas. » Le Dr Salmerón voit briller la flamme d'une allumette. Cosme Manzo donne du feu à Rosalío Usulutlán. « Qui vous a dit qu'Oliverio Castañeda, avec le talent qu'on lui connaît, n'a pas pris la précaution de mettre le poison dans une seule des capsules ?

– Une seule ? Je ne vous comprends pas. » Le Dr Darbishire remarque la braise rouge de la cigarette, immobile dans la bouche invisible de Rosalío, et il fait un geste en direction du coin. « Vous ! Vous allez mettre le feu au poisson. Vous ne savez pas que le carton brûle comme de l'amadou ? »

La braise s'agite dans l'obscurité. Le Dr Salmerón aperçoit ses deux amis qui se lèvent, effrayés, et qui disparaissent derrière la palette de caisses de savon. On entend le bruit de quelque chose qui glisse et qui tombe, et la queue du poisson disparaît à son tour.

« Quand il a empoisonné son épouse, il n'y a pas eu de capsules de reste. » Le Dr Salmerón sent le fou rire l'envahir, car Manzo réapparaît et fait des signes à Rosalío, l'accusant de la chute du poisson. « Maintenant il y en a. Mais je suis presque sûr qu'elles ne contiennent pas de poison.

– Alors ? » Le Dr Darbishire fronce les sourcils, préoccupé par son incapacité à comprendre. Il se rend également compte que son disciple s'efforce de ne pas éclater de rire et cela lui déplaît. « Et prêtez attention à ce que je dis, nous ne sommes pas en train de jouer.

– Je vous l'ai déjà dit, le poison n'est contenu que dans une seule capsule, la mortelle. » le Dr Salmerón tente de se calmer, mais il continue à suivre les avatars de ses acolytes dans leur coin. Rosalío essaie maintenant de redresser le poisson. « La roulette russe, maître. Il n'y a qu'une balle dans le barillet du revolver.

– Dans ce cas », le Dr Darbishire soulève sa veste et il la brandit comme un chiffon inutile, « à quoi bon analyser ces capsules, même de façon confidentielle ?

– Uniquement pour que nous soyons sûrs, vous et moi, que nous ne nous battons pas contre un amateur, mais contre un véritable artiste dans sa partie. De toute façon, dans le cas de Mathilde les preuves ont maintenant disparu. » Le Dr Salmerón voit se dresser la queue de la morue. On entend un autre bruit, celui de quelqu'un qui trébuche. Il ne peut plus tenir.

« Quelle est la solution ? » Le Dr Darbishire, en colère, se lève. « Si vous ne pouvez pas m'écouter, laissons cela pour un autre jour.

– Asseyez-vous, maître. La solution, c'était l'analyse des sucs gastriques, des urines, de la salive. » Le Dr Salmerón essuie ses larmes avec son doigt. « Pourquoi n'avez-vous pas prélevé hier soir les sucs gastriques de la patiente ? Pourquoi n'avez-vous pas utilisé la sonde ?

– Je n'étais pas équipé. » Le Dr Darbishire se rassied, tout en enfilant une manche de sa veste.

« Et puisque dès hier soir vous aviez des soupçons, pourquoi alors ne pas avoir ordonné l'autopsie du cadavre ? » Le Dr Salmerón tourne le dos au coin où est la morue pour éviter d'éclater de rire. « Pourquoi avoir l'idée de venir me raconter tout cela une fois l'enterrement passé ? Vous avez eu toute la matinée d'aujourd'hui pour me rencontrer. Je n'étais pas caché. Et puisque vous m'avez trouvé ici, vous auriez pu me trouver n'importe où.

– Pour vous tout est facile. Vous savez ce que cela signifie de parler à des gens timorés de dépecer un cadavre ? » Le Dr Darbishire enfile l'autre manche de sa veste, sans se lever du tabouret. « Le cadavre d'une jeune fille vierge? Encore heureux que vous ne me réclamiez pas une exhumation. Ce serait un comble.

– Pourtant c'est la seule chose qui reste à faire pour arrêter cet homme. Et vous me couperez les deux mains avec votre bistouri si on ne trouve pas de strychnine dans le cadavre.» Le Dr Salmerón tend ses deux mains jointes vers le vieillard.

«Je n'ai rien à faire avec vous.» Le Dr Darbishire se lève et tire sur les pans de sa veste. «Que le juge décide ce qu'il voudra faire avec les capsules.

– Magnifique. La prochaine victime, c'est don Carmen Contreras.» Le Dr Salmerón déroule énergiquement les manches de sa chemise, comme s'il avait fini d'inciser. «Don Carmen a du paludisme?

– Qui n'a pas de paludisme dans cette poubelle!» Le Dr Darbishire se baisse pour ne pas heurter l'ampoule en se dirigeant vers la porte.

«Surtout n'allez pas lui ordonner de la quinine préparée par vous», lui lance le Dr Salmerón sur un ton ironique, tout en boutonnant les poignets de sa chemise.

Sans se retourner, le Dr Darbishire fait un geste courroucé, comme s'il chassait un moustique de son oreille. Et il s'en va.

Du fond de la pénombre, Cosme Manzo rejoint le Dr Salmerón d'un pas cauteleux.

«Vous croyez qu'il va remettre les capsules au juge?» Cosme Manzo se tourne vers la porte par laquelle le vieillard a disparu.

«Il ne remettra rien du tout.» Le Dr Salmerón regarde une fois encore du côté du poisson. La queue est à nouveau à sa place, contre le mur. «Et vous, vous êtes deux clowns. Vous êtes mûrs pour le cirque Atayde.

– Il n'y a que lui pour avoir l'idée de se mettre à fumer. Il ne fume jamais, et le voilà qui me casse les pieds jusqu'à ce que je lui donne une cigarette et que je gratte une allumette.» Cosme Manzo pointe un doigt accusateur vers Rosalío, qui s'approche en boitant.

«Et pourquoi le prochain, c'est Don Carmen?» Rosalío masse son genou endolori.

«Pour deux raisons.» Le Dr Salmerón le regarde d'un sale œil. «Parce qu'il dort sans moustiquaire. Et parce qu'il gêne.»

21

Remords inutiles

Le Dr Darbishire est si agacé en sortant de l'arrière-boutique par l'inutilité de cette discussion qu'il en oublie de reprendre sa cape et son chapeau déposés sur le comptoir ; mais tandis qu'il revient chez lui par la rue Royale, son irritation commence à se calmer et de nouveau, comme une boule dans la poitrine, il ressent cette vieille pitié que lui inspire son disciple.

Dès l'époque où il était étudiant il s'était efforcé, sans succès, de l'éloigner de la bande de vauriens dont il aimait s'entourer, des individus qui en voulaient au monde entier et d'une éducation lamentable. Pourquoi un médecin aussi talentueux que le Dr Salmerón se plaisait-il à s'affubler de la couronne d'un royaume aussi abject?

Lui-même, en se rendant dans l'arrière-boutique de Manzo, s'était volontairement exposé à la contamination de ces miasmes. Il réprime difficilement son envie de sentir ses vêtements, comme s'il y décelait une touffeur insistante de latrine. Mais le pire, c'était que même à ce prix il n'avait pas réussi à dissiper les remords qui le tenaillaient depuis le milieu de la nuit précédente. Au contraire, son entretien avec le Dr Salmerón n'avait fait que les exacerber.

Quelle était la cause de ces remords qui, maintenant que son irritation se calme, cohabitent dans son cœur avec la vieille pitié qu'il ressent pour son disciple? Le lecteur l'aura déjà deviné : l'agonie de Mathilde Contreras, sa mort au milieu de la nuit, qu'il aurait pu éviter, si le Dr Salmerón est dans le vrai.

Mais il y a plus encore. En sa présence, après le paroxysme de l'avant-dernière attaque, la moribonde avait demandé pardon à sa mère et à sa sœur, tandis que ses doigts se crispaient sur le bord de la couverture. Cette prière, étouffée par la violence de l'averse qui s'abattait sur le toit de la chambre, l'a poursuivi tout au long de la journée, pendant qu'il écoutait, toutes les heures, depuis son cabinet, la grosse cloche de la cathédrale sonner le glas. Au déjeuner, face à l'assiette de soupe dont il n'avait absorbé que deux ou trois cuillerées, la supplique était devenue insupportable.

Et si cette jeune fille, qui demandait pardon en exhalant les phrases comme des soupirs de chagrin, avait été réellement empoisonnée? Et si l'empoisonneur gardait maintenant la sœur comme fruit de son crime? Ces mots ne prenaient-ils pas alors un sens encore plus atroce? Le Dr Salmerón ne l'avait-il pas prévenu? Et par sa passivité il venait de se faire le complice de cette monstrueuse iniquité.

C'est pour cela qu'il a infructueusement cherché son disciple chez lui après l'enterrement, et en apprenant qu'il était au magasin de Manzo il n'a pas hésité à aller jusque-là, même si cette visite l'humiliait. Il l'a finalement trouvé, caché dans cette tanière mal éclairée, semblable au chef d'une bande de voleurs préparant en secret quelque attaque nocturne avec ses affidés.

Quels sont les mots avec lesquels Mathilde Contreras demandait pardon sur son lit de mort et qui ont tellement troublé l'esprit du Dr Darbishire? Dans sa lettre du 4 octobre 1933, Oliverio Castañeda rapporte à Carmen Contreras Guardia que Mathilde avait simplement réussi à prononcer des paroles de résignation chrétienne. Mais le témoignage de la petite Leticia Osorio, présenté le 19 octobre, nous éclaire utilement sur ce point.

La déposante affirme avoir été réveillée vers minuit, c'est mam'selle María del Pilar qui l'a appelée, car mam'selle Mathilde n'allait pas bien du tout, et qu'il fallait qu'elle se lève pour aider quand on aurait besoin d'elle; que la déclarante a mis sa robe de chambre et qu'elle est allée tout droit dans la chambre, où elle a trouvé mam'selle Mathilde au milieu d'une attaque pas belle à voir, elle sautait sur son lit, le visage violet, les yeux ouverts et fixes; et la malade ayant récupéré, elle a pu entendre les mots suivants : « Très Sainte Vierge, je meurs avec plaisir, mais donne-moi un tout petit peu plus de vie pour me préparer. »

Qu'ensuite le Dr Darbishire était entré, amené par don Oliverio, et que la malade avait eu alors une autre attaque, plus forte que celle d'avant. Une fois passée, elle se rappelle qu'elle a dit ces autres mots : « Maman, je meurs, je vous demande pardon à toutes les deux. Je vous demande pardon à vous, ma mère. Et toi, petite sœur, pardonne-moi. »

Ces doutes agaçaient le Dr Darbishire et c'était pire encore pour les remords. Pour soulager son âme, il aurait voulu reconstruire pas à pas avec le Dr Salmerón les incidents de cette nuit-là, si tragique pour sa conscience à partir du moment où les coups avaient résonné contre la porte de la rue, par une pluie battante. Ils auraient pu s'asseoir tranquillement tous les deux dans le corridor du cabinet, comme d'autres fois, sans la présence de ces paltoquets, et il lui aurait raconté tout ce qu'il savait, tout ce qu'il soupçonnait, et tout ce qu'il avait fait.

Dans le témoignage que le Dr Darbishire a présenté devant le juge le 17 octobre 1933 et dont nous avons déjà cité des fragments antérieurement, il rapporte, entre autres choses, les faits de cette nuit du 2 octobre. Mais, au contraire de ce que nous aurions pu espérer, sa déposition ne fait pas état de ses soupçons et elle dissimule des éléments fondamentaux; elle ne reflète pas non plus les doutes et les remords qui l'assaillaient auparavant.

Il n'a pas non plus mentionné au juge qu'il a tenté de le contacter à son domicile personnel le samedi 7 octobre avec l'intention de lui révéler ces soupçons, tentative qui a avorté parce que le juge était absent. Il ne dit rien de sa longue conversation, ce même samedi, avec le Dr Salmerón, dont nous rendrons compte par la suite. Et il révèle très peu de chose, enfin, sur la série chaotique d'événements dans lesquels il s'était en quelque sorte retrouvé impliqué, au matin du 9 octobre, quand s'était produit le décès de don Carmen Contreras.

Nous connaîtrons plus loin les raisons de son silence. Pour le moment, voici ses réponses au juge, le 17 octobre, à propos de l'agonie et de la mort de Mathilde Contreras :

LE JUGE : Dites à quelle heure, le 2 octobre 1933, vous avez été appelé au chevet de la patiente, Mathilde Contreras, et qui a effectué cet appel.

LE TÉMOIN : Il devait être onze heures trente du soir, quand j'ai entendu des coups à la porte de la rue, difficiles à déceler à cause du bruit de la pluie qui tombait sur la ville à cette heure. J'ai accouru à cet appel, mais quand j'ai ouvert je n'ai trouvé personne et je suis retourné me coucher. Les coups ont continué et chaque fois que je me présentais à la porte il se passait la même chose, ce qui fait que j'ai pensé à un mauvais plaisant. Décidé à ouvrir pour la dernière fois, je me suis alors retrouvé devant le jeune Oliverio Castañeda, enveloppé dans un ciré et sous un immense parapluie, tenant une pierre à la main. Il m'a expliqué que, comme on ne lui répondait pas, il avait traversé le petit parc de l'église San Francisco à la recherche d'une pierre plate, pour taper plus fort.

LE JUGE : N'y avait-il pas une automobile de louage qui attendait à la porte?

LE TÉMOIN : Je dois avouer qu'effectivement l'automobile était là, mais comme ses phares étaient éteints et qu'elle était de couleur sombre, la pluie m'avait empêché de la remarquer. En plus, elle était arrêtée non pas en face de mon cabinet, mais près de la maison du Dr Juárez Ayón. Elle ne s'est approchée qu'au moment où on est monté dedans.

LE JUGE : Combien de temps, d'après vous, cette séquence des coups sur la porte a-t-elle pu durer?

LE TÉMOIN : Environ dix minutes au total.

LE JUGE : Considérez-vous que dix minutes était un temps précieux dans le cas pour lequel vous avez été appelé au milieu de la nuit chez la famille Contreras?

LE TÉMOIN : Honnêtement, je ne saurais le dire. Entre le temps qu'ont pris les appels, celui qu'il m'a fallu pour m'habiller et le voyage dans l'automobile dont disposait Oliverio Castañeda, une demi-heure a pu s'écouler. Par ailleurs, le cas était fatal.

LE JUGE : Oliverio Castañeda vous a-t-il fait quelque commentaire pendant le trajet à bord de l'automobile?

LE TÉMOIN : Il paraissait affligé et effrayé; il m'a rapporté dans quel état d'affolement don Carmen était venu frapper à sa chambre. Croyant qu'il s'agissait d'un voleur, il était sorti armé de son revolver. Mais, une fois dans le couloir, don Carmen lui avait dit d'aller se recoucher, que ce n'était rien et que comme Mathilde dormait sur le côté du cœur, cela lui avait provoqué une oppression dans la poitrine. Pourtant quelques instants plus tard, alors qu'il ne s'était pas encore déshabillé, il y avait eu une nouvelle alerte et on l'avait envoyé me chercher. « C'est vraiment horrible, docteur, me répétait-il. Je crains pour la vie de Mathilde, car je la vois dans le même état que Marta quand je l'ai perdue. »

LE JUGE : Pouvez-vous assurer si, effectivement, la patiente présentait des symptômes semblables à ceux de la défunte Marta Jerez Castañeda?

LE TÉMOIN : Je peux dire qu'on retrouvait, comme dans le premier cas, les symptômes de la fièvre pernicieuse, ce qui m'a poussé à procéder comme je l'ai fait. Je me suis fondé, en outre, sur les antécédents cliniques de la malade que je connaissais également, comme dans l'autre cas, car j'ai soigné ces deux personnes pour paludisme. Les autres médecins appelés par les proches au milieu de la nuit, parmi lesquels le Dr Sequeira Rivas, se sont totalement ralliés à mon diagnostic.

LE JUGE : Vous n'avez pas soupçonné qu'une main criminelle aurait pu intervenir?

LE TÉMOIN : Je n'avais pas de raison de le soupçonner. Dans ma vie professionnelle j'ai vu et soigné beaucoup de cas de fièvre paludéenne qui dégénère en crises de ce type, généralement mortelles. La mort de ma propre épouse en est un exemple probant.

LE JUGE : Dans sa déposition du 14 octobre de l'année en cours, doña Flora affirme que lors de votre dernière consultation de la malade vous avez fait allusion à un possible remplacement des capsules de quinine préparées de votre main par un médicament homologué, ce qui finalement ne s'est pas fait. Pouvez-vous expliquer ce qui vous a amené à penser à cette substitution?

LE TÉMOIN : Il s'est agi d'une allusion faite à la légère, qui ne recouvrait pas un propos déterminé de ma part. Je considère que mon traitement, à base des capsules prescrites, était le plus approprié.

LE JUGE : Doña Flora affirme également que la nuit du décès vous avez voulu vérifier si la patiente avait bien pris cette nuit-là ses capsules; vous lui avez demandé, en outre, la boîte où l'on gardait encore deux de ces capsules. Quelle était votre intention en procédant de la sorte?

LE TÉMOIN : Mon intention était de vérifier si la patiente avait pris régulièrement ses capsules. Parfois on note des négligences de la part des proches.

Le Dr Darbishire, déterminé à se taire, comme nous le voyons dans ses réponses fuyantes, n'a pas non plus indiqué au juge qu'il avait mis subrepticement dans sa poche la boîte de capsules réclamée à doña Flora, qui courut la chercher en toute hâte, malgré l'embarras et la confusion qui régnait dans la chambre, comme si de cette démarche dépendait le salut de sa fille.

C'est doña Flora qui, dans sa déposition du 14 octobre 1933, nous révèle, au milieu d'autres détails, la préoccupation du médecin pour les capsules. La mauvaise mémoire du témoin ou son trouble logique en un moment pareil allaient aider le Dr Darbishire à se tirer d'embarras.

Interrogé par cette instance sur les circonstances qui ont entouré la mort de Mathilde, la déposante répond : Que ladite fille souffrait de paludisme, pour lequel elle était traitée par le Dr Darbishire, le médecin de famille. Que la déposante elle-même veillait à lui faire prendre ses médicaments, car Mathilde était très négligente ; elle s'efforçait de lui donner ses capsules avec un aliment qui lui fortifierait l'estomac, comme un verre d'avoine ou de lait chaud. Le traitement était de six capsules par jour, préparées par le Dr Darbishire dans sa pharmacie, deux après le petit déjeuner, deux au déjeuner et deux au moment de se coucher.

Qu'après la dernière visite faite à la patiente et comme les fièvres ne baissaient pas, le Dr Darbishire avait parlé de remplacer les capsules par un médicament du commerce récemment importé et très efficace ; ce changement ne s'était pas produit, car le médecin n'y avait pas fait de nouveau allusion.

Qu'elle peut dire que sa fille était très bien le lundi, très contente, et qu'elle commentait à ses amies le dîner qui avait eu lieu le soir précédent chez eux, elle était satisfaite des compliments qu'elle avait reçus des invités pour sa magnifique prestation au piano, et elle peut affirmer qu'elle l'a trouvée en meilleure santé et plus vive, car quand les fièvres survenaient elle se montrait abattue et elle cherchait à se couvrir avec un pull même s'il faisait chaud, ce qu'elle n'avait pas fait ce jour-là.

Que comme à sept heures du soir la déposante avait décidé d'aller rendre visite à la jeune Monchita Deshon qui était malade, visite qu'elle lui devait depuis plusieurs jours, elle avait demandé à ses filles de l'accompagner ; cependant, Mathilde lui avait dit qu'elle préférait attendre le retour d'Oliverio, afin de lui servir son repas, car étant donné qu'il était occupé depuis midi par les démarches de la Compagnie des eaux avec les conseillers municipaux, il rentrerait certainement tard ; c'est pour cette raison qu'elle était partie en visite accompagnée seulement de María del Pilar.

Qu'en revenant, vers neuf heures et demie du soir, elle avait trouvé assis dans la salle à manger son mari, Mathilde et Oliverio, qui lisaient et commentaient les journaux ; ce dernier venait de dîner ; son mari l'avait accueillie avec la nouvelle que toutes les discussions du contrat étaient cette fois terminées et qu'on le signerait bientôt, dans un sens très favorable aux intérêts de la Compagnie des eaux.

Que vers dix heures du soir, avant qu'ils aillent tous se coucher, la déposante avait donné à Mathilde une pilule d'Alophène et les capsules contre la fièvre paludéenne ordonnées par le Dr Darbishire, car c'était l'heure ; le tout avec un verre de bouillie d'avoine qu'elle était allée préparer elle-même à la cuisine, le personnel de service s'étant retiré pour dormir.

Que quand elle lui avait apporté les médicaments et la boisson, Mathilde discutait dans le corridor avec Oliverio, qui avait plaisanté en disant que ces capsules étaient également bonnes pour embellir, car elles avaient eu beaucoup d'effet sur la beauté de Mathilde et qu'il convenait que le docteur augmente la dose; sa fille avait ri en prenant les capsules, une par une.

Qu'ils étaient allés se coucher, son mari étant le dernier à y aller, car il faisait toujours le tour de la maison, y compris la partie du magasin, pour s'assurer qu'il n'y avait rien d'anormal et que toutes les portes étaient bien fermées. Que quand la déposante était entrée dans sa chambre, il pleuvait déjà très fort.

Elle précise qu'il devait être minuit moins le quart quand María del Pilar, inquiète, les avait appelés car Mathilde avait poussé un cri terrible; aussitôt son mari et elle s'étaient rendus dans la chambre de leurs filles, où ils ont trouvé Mathilde rigide et sans connaissance.

Que son époux avait pratiqué sur elle la respiration artificielle et que dès qu'elle était revenue à elle, elle avait pris les mains de la déposante, en lui disant : « Maman, maman, je vais mourir. »

Que son époux lui avait assuré que ce n'était rien et lui avait recommandé de se coucher de l'autre côté pour ne pas faire pression sur son cœur; mais qu'à peine s'étaient-ils recouchés que María del Pilar était à nouveau arrivée en courant pour les appeler. Ils ont constaté alors que le cas était grave, car maintenant elle était convulsée, avec la mâchoire et les poings serrés. Sans perdre de temps, son époux avait envoyé Oliverio chercher le Dr Darbishire.

La déposante déclare qu'en attendant que le docteur arrive María del Pilar et elle s'étaient mises à lui frotter avec du Vicks Vaporub les jambes et la poitrine, et qu'elles avaient réveillé les servantes pour qu'elles fassent bouillir de l'eau au cas où on en aurait besoin. Que quand le Dr Darbishire était arrivé peu de temps après, amené en automobile par Oliverio, il avait détecté une fièvre pernicieuse très violente, avis partagé par le Dr Sequeira Rivas, qui était entré presque en même temps.

Que le Dr Darbishire avait demandé avec beaucoup d'insistance à la déposante si Mathilde avait pris ses capsules de quinine ce soir-là et qu'elle avait répondu qu'elle les lui avait données de sa propre main; après lui avoir reposé plusieurs fois la question, il lui avait fait apporter la boîte, où il ne restait plus que deux capsules, celles du petit déjeuner; c'est ce qu'elle a fait, pour qu'il voie qu'elle avait bien donné quand il fallait ses médicaments à Mathilde.

A des questions du juge, la déposante répond qu'elle croit avoir vu la boîte sur la table de nuit, où le Dr Darbishire l'avait laissée; mais comme ensuite on avait rangé la pièce pour y étendre le cadavre en attendant que le cercueil arrive, elle ne pouvait pas savoir ce qu'elle était devenue.

Nous savons ce qu'est devenue la boîte. Le Dr Darbishire l'a dans la poche de sa veste quand il revient à son cabinet le soir du 3 octobre 1933, après le rendez-vous clandestin avec son disciple dans l'arrière-boutique de Cosme Manzo. Mais dans sa trousse, qu'il a laissée au cabinet, il conserve quelque chose de plus important peut-être.

Le lecteur, justement intrigué, se demandera : de quoi s'agit-il? Nous allons lui donner satisfaction. Il s'agit d'une pince, entre les mâchoires de laquelle est coincée une compresse de coton. Le

Dr Darbishire, sans révéler à personne ses intentions, avait essuyé la bouche de Mathilde Contreras avec la compresse, dans le but de recueillir un échantillon de sa salive. Étant donné que la conversation avait mal tourné, il avait finalement caché cet acte à son disciple. Et maintenant si, comme ce dernier le prétendait, une seule capsule contenait le poison, on trouverait sans aucun doute dans la salive la preuve de l'assassinat.

Quand il entre dans son cabinet et qu'il donne de la lumière, il va directement à sa trousse et il en sort la pince, dont les mâchoires continuent à retenir la compresse prisonnière. Il la dépose sur le verre du bureau et extrait de sa poche la petite boîte, qu'il pose à côté. Il s'assoit et médite un long moment, les bras croisés sur la poitrine, en contemplant gravement les objets qui l'entourent.

Quand il se rend dans sa chambre il a pris la ferme décision d'aller voir le juge très tôt le lendemain, dès qu'il reviendra de sa visite à l'hôpital San Vincente. Il va lui parler en toute franchise et lui remettre la pince avec la compresse et les capsules qui restent.

Il se déshabille et jette ses vêtements sur une chaise. Que la justice décide. Une fois couché, il sursaute en se rappelant qu'il a oublié sa cape et son chapeau dans la boutique de Cosme Manzo, et il en est tellement contrarié qu'il s'assied dans le lit.

Dès qu'il fera jour il enverra Teodosio les récupérer. Le lit lui semble hérissé d'épines.

22

Étrange conduite pendant une veillée funèbre

Sous l'averse qui tombe sur la ville de León au milieu de la nuit du 2 octobre 1933, parents et amis se rassemblent peu à peu dans la maison des Contreras, convoqués grâce à la diligence d'Oliverio Castañeda. Celui-ci court, en compagnie du capitaine G. N. Anastasio J. Ortiz, d'un domicile à l'autre, avertissant les personnes qu'il juge être les plus proches de la famille, comme il le rapporte dans sa lettre à Carmen Contreras Guardia.

Pendant que son compagnon l'attend dans l'automobile, il frappe à coups redoublés aux portes et fait résonner les heurtoirs dans les vestibules. Les déposants se le rappellent, tremblant, sous un immense parapluie, leur communiquant à la hâte, dans des salons plongés dans l'obscurité et des couloirs envahis par les eaux que les éclairs illuminaient de temps à autre, la nouvelle que Mathilde était en train de mourir.

Certains de ces témoins assurent que Castañeda, devançant les événements, leur a présenté le décès comme consommé, ce qui contribuera, par la suite, à renforcer les soupçons contre lui. C'est le cas, par exemple, de Mlle Graciela Deshon, présidente des Filles de Marie, qui dans son témoignage du 16 octobre 1933 affirme :

Castañeda m'a saisie violemment aux épaules, avec une familiarité qui m'a choquée, en me disant : « Soyez forte, petite Chelita, devant ce que vous allez entendre : Mathilde, l'ange qui nous égayait de sa musique, s'est envolé vers le ciel, d'où il était venu. » Mais cette canaille me mentait, car quand je suis arrivé dans la maison j'ai trouvé Mathilde en vie et les médecins s'efforçaient encore de la sauver.

Dans sa déposition à charge du 1er décembre 1933, Oliverio Castañeda répond au juge sur ce point.

LE JUGE : La nuit du décès de Mlle Mathilde Contreras, sans qu'on vous l'ait demandé, vous vous êtes occupé de prévenir différentes personnes à leur domicile pour qu'elles se rendent dans la maison de la famille; et à certaines de ces personnes vous avez déclaré que Mathilde était déjà morte, alors qu'une telle chose ne s'était pas encore produite. De ce qui précède je conclus que vous étiez absolument persuadé que, de toute façon, elle allait succomber à cause du poison qu'elle avait absorbé.

L'ACCUSÉ : Il est vrai que par un amical devoir je me suis occupé de réunir les personnes les plus proches de la famille, initiative que je n'ai jamais considérée comme déplacée, bien au contraire. Aussi bien don Carmen que doña Flora m'ont remercié plus tard, pendant la veillée funèbre, d'avoir procédé ainsi; et elle-même pourrait vous le confirmer, si elle n'était pas aussi mal disposée à mon égard qu'elle l'est malheureusement à présent.

En ce qui concerne l'autre point, je ne me suis avancé devant aucune de ces personnes à déclarer que Mathilde était déjà décédée, et celui qui l'affirme ment, certainement sous l'influence de la haine à mon égard qui s'est répandue dans les milieux huppés de cette ville. La seule chose que je pouvais leur dire, c'est que Mathilde était dans un état critique, victime de terribles crises. Ce qui était la vérité.

LE JUGE : Sur quoi vous fondiez-vous pour assurer que Mathilde se trouvait dans un état aussi critique? Étiez-vous entré dans la chambre et aviez-vous assisté vous-même à ces crises?

L'ACCUSÉ : Je le savais parce que don Carmen m'en avait fait part quand il est venu dans ma chambre pour me demander d'aller chercher le médecin; et elle a eu sa seconde attaque alors que nous bavardions encore dans le couloir, prêts à retourner nous coucher en pensant que c'était une fausse alerte. Par la suite, les parents et les médecins qui entraient et sortaient de la chambre de Mathilde se référaient à ces crises, et on m'a envoyé chercher des médicaments destinés à les combattre. Par délicatesse, je ne suis pas entré une seule fois dans la pièce et toutes mes démarches ont été effectuées de l'extérieur.

LE JUGE : Dans sa déposition du 14 octobre 1933, doña Flora affirme que vous étiez déjà tous recouchés quand est survenue la seconde crise. Pourquoi persistez-vous à dire, comme vous l'avez fait dans votre lettre à Carmen Contreras Guardia, que vous conversiez encore dans le corridor quand cette nouvelle crise s'est produite?

LE TÉMOIN : Parce que c'est la vérité et que je n'attache aucune importance à ce détail. Vous devriez plutôt en conclure qu'étant donné l'état d'esprit de doña Flora à ce moment, il est logique qu'elle ait oublié le déroulement exact des événements.

LE JUGE : Dans cette lettre datée du 4 octobre 1933, que vous avez écrite au jeune Carmen Contreras Guardia et que j'ai sous les yeux, vous indiquez que vous avez entendu Mathilde prononcer des phrases sur son lit de moribonde. Comment cela a-t-il pu être possible, puisque vous soutenez maintenant que vous n'êtes entré dans la chambre à aucun moment?

LE TÉMOIN : Il ne m'était pas nécessaire de les avoir entendues directement, car elles m'ont été rapportées par les proches de Mathilde qui se trouvaient là. Rappelez-vous qu'à cette époque, quand la machination contre moi ne s'était pas encore mise en marche, on me manifestait de l'estime et de la confiance dans cette maison.

Alicia Duquestrada, amie intime de Mathilde, dans sa déposition du 19 octobre 1933, recueillie à son domicile par courtoisie du juge, nous dit en se référant à cette nuit-là :

Après qu'on est venu nous appeler nous nous sommes préparés, mais mon père voulait attendre une éclaircie, car l'eau qui dévalait dans les rues coulait avec une grande violence et il avait peur qu'elle n'entraîne la voiture. Comme la pluie ne faiblissait pas, j'ai menacé de partir à pied et ce n'est que de cette façon que je l'ai convaincu. Nous sommes arrivés sans encombre.

Il était plus d'une heure du matin et nous avons trouvé la maison illuminée, comme si on allait y donner une fête. J'ai couru en pleurant jusqu'à la chambre de Mathilde et j'ai vu qu'on en avait tout sorti, il n'y avait plus que son lit et elle sur le lit, vêtue d'une robe de percale blanche qu'elle ne mettait jamais parce qu'elle lui était trop large aux épaules, et sur le visage elle avait une voilette de dentelle, comme une fiancée prête à se marier.

Les femmes de service préparaient du café dans la cuisine et lavaient des tasses et des soucoupes que l'on prenait sur les rayons du magasin avec l'aide d'Oliverio Castañeda, en passant par l'intérieur. De retour d'un de ses voyages à la cuisine, il s'est approché de moi et, me serrant dans ses bras et le visage en pleurs, il m'a dit : « Vous êtes déjà allée la voir, Alicia ? Allez-y, contemplez-la pour la dernière fois. On dirait qu'elle va sourire en entendant une de mes plaisanteries. »

Le juge n'ayant pas d'autres questions, la déposante exprime le désir d'ajouter un élément d'information et à cet effet elle déclare :

Oliverio Castañeda avait l'habitude de conseiller à Mathilde la lecture de livres qui lui appartenaient et que parfois il me prêtait également. Je comprends maintenant, parce que mon papa me l'a expliqué, que ces livres visaient à pervertir notre vertu et nos croyances religieuses.

Quelques jours avant le décès de Mathilde, il lui avait remis un de ces livres, tapé à la machine. D'après ses propres paroles, il le conservait sous cette forme, car sa circulation avait été interdite par Sa Sainteté le Pape et il était traqué par « les curés ». Un après-midi que je rendais visite à Mathilde, Castañeda est arrivé et il a demandé : « Tu as fini de lire le petit livre ? Prête-le à Alicia. » C'est ce qu'a fait Mathilde et j'ai emporté le livre chez moi, mais je ne l'ai jamais ouvert, grâce à Dieu.

La nuit de la veillée funèbre et pendant la conversation dont j'ai parlé, il est revenu sur le livre et il m'a lancé : « Lisez-le, Alicia, et pensez à me le rendre. C'est une lecture que vous devez faire sans témoins, dans l'intimité. » Aujourd'hui, sur décision de mon père, je vous le remets, monsieur le Juge, car mon papa affirme qu'il s'agit de quelque chose de très corrupteur, écrit en France, plein de perversions et de tableaux licencieux que j'ai de la peine à imaginer.

(A ce stade, le père du témoin, présent lors de la déposition, remet la pièce de référence, laquelle se compose de cent trente-deux pages écrites à la machine, d'un seul côté, portant comme titre *Gamiani* sur la page de garde, sans aucune annonce du contenu sur la couverture où figure, au contraire, un intitulé différent : *Le Martyre de sainte Agathe et autres poèmes*, de Santiago Argüello.

Aussi bien le juge susdit que le secrétaire qui autorise les vérifications, et sans que leur avis puisse servir d'expertise, pensent qu'il s'agit d'une traduction libre en espagnol de l'œuvre *Gamiani*, d'après l'original de l'écrivain français Alfred de Musset.)

Pour son dernier voyage en automobile, Oliverio Castañeda va chercher Rodemiro Herdocia, fleuriste de profession, célibataire et âgé de quarante ans, dont l'art et la prestance physique font l'admiration, comme nous le savons, du marbrier italien Franco Cerutti. Rodemiro consacre la vaste arrière-cour de sa maison, dans le quartier San Felipe, à cultiver des araucarias, des arums, des lis et toutes sortes de fleurs pour la préparation de gerbes et de couronnes mortuaires. Il s'occupe également de monter des catafalques pour les veillées funèbres et de louer des chaises.

Dans sa déposition, faite le 18 octobre 1933, le fleuriste s'exprime de la façon suivante :

Interrogé à propos de tout ce qu'il pourrait se rappeler concernant la veillée funèbre de Mlle Mathilde Contreras, le déposant répond :

Mᵉ Oliverio Castañeda est venu me réveiller en pleine nuit. Il m'a raconté les terribles nouvelles de la maison Contreras et il m'a demandé de me préparer à dresser un catafalque pour Mathilde et d'apporter cent chaises pliantes, prises dans celles que je loue. J'ai réveillé les deux jeunes gens qui habitent avec moi dans la maison et qui m'aident dans les travaux de jardinage, pour qu'ils attellent la charrette et que nous commencions à transporter les chaises et les objets nécessaires.

J'ai été follement étonné qu'alors que je lui manifestais toute ma peine pour ce dénouement fatal, Mᵉ Castañeda ait passé son temps à m'assener une série de plaisanteries graveleuses plutôt salées, ce qui jurait avec ces circonstances particulièrement pénibles. Je le lui ai fait remarquer, mais il m'a répondu par d'autres blagues à double sens, tout à fait en accord avec son comportement.

Quand tout a été prêt dans la maison mortuaire, nous n'attendions plus que le cercueil, que devait livrer l'entreprise funéraire Rosales. Je me suis alors rendu dans le corridor, où Mᵉ Castañeda était en train de bavarder avec d'autres personnes, car je voulais savoir s'il faudrait des bouquets pour le catafalque, pour éventuellement envoyer mes deux jeunes gens couper les fleurs dans mon jardin. Je lui ai posé la question à lui, parce qu'il m'a semblé que c'était lui qui menait la danse en matière d'instructions.

Il ne m'a pas répondu sur-le-champ, car il était plongé dans une discussion extrêmement vive avec un des messieurs du groupe, don Esteban Duquestrada, à propos de l'heure de l'enterrement. Don Esteban faisait valoir qu'il avait été décidé, avec l'approbation de don Carmen, que les funérailles auraient lieu à quatre heures de l'après-midi, avec répons funèbre dans la cathédrale, pour lequel on contacterait très tôt Mgr Tijerino y Loáisiga; mais Mᵉ Castañeda insistait pour qu'on l'enterre le matin même, car telle était la volonté de doña Flora.

L'autre monsieur présent dans le groupe, don Evenor Contreras, était de l'avis de Castañeda; mais don Esteban répétait fermement qu'il n'en était pas question. Comme j'étais pressé, j'ai à nouveau posé la question des fleurs. Après m'avoir regardé d'une façon très étrange, qui m'a même effrayé, la réponse de Me Castañeda a été : « Tu es une vraie fleur à toi tout seul, Rodi », et il a éclaté d'un rire tonitruant qui a provoqué l'irritation de ceux qui étaient avec lui. Don Esteban m'a dit avec le plus grand sérieux : « Oui, mon ami, faites apporter les fleurs. »

Pendant cette même conversation, Me Castañeda insistait également pour qu'on dépose Mathilde dans le cercueil sans perdre de temps, dès que l'entreprise Rosales le livrerait, et pour qu'on cloue le couvercle. « Doña Flora est révulsée de voir les gens se pencher sur le cadavre », dit-il et il ajouta : « Je suis d'accord; c'est là une curiosité malsaine. »

Profitant de l'éclaircie, nous avons coupé dans le jardin encore plongé dans l'obscurité, vers trois heures du matin, toutes les fleurs que nous avons pu, en nous éclairant avec des torches électriques. Par brassées, nous les avons descendues de la charrette et disposées sur le seuil de la maison, car il n'y avait pas assez de vases ni de récipients. Fatigué et même épuisé, je suis allé m'asseoir sur une des chaises que nous avions installées dans le corridor, où se trouvaient de nombreux participants à la veillée mortuaire, qui prenaient des tasses de café noir et conversaient. C'est en écoutant ces conversations que je me suis aperçu que des rumeurs couraient déjà cette nuit-là de bouche en bouche, concernant Me Castañeda.

Ces rumeurs faisaient de Me Castañeda un grand empoisonneur, car il avait donné de la strychnine à sa défunte épouse, qui le torturait à longueur de journée avec ses accès de jalousie, parfaitement justifiés d'ailleurs, puisqu'en la tuant il devenait libre de contracter un nouveau mariage; et comme Mathilde se dressait sur sa route, on pouvait penser à coup sûr qu'il l'avait également empoisonnée.

Je me suis éloigné pour ne pas entendre le reste, horrifié qu'à quelques pas du cadavre de Mathilde on colporte de telles choses, tandis que cette famille dans la douleur, ignorant qu'une main criminelle ait pu provoquer son décès pour des raisons de passion charnelle, ne se doutait de rien.

Quand le juge interroge Rodemiro Herdocia sur le nom des personnes présentes dans le groupe où circulaient ces rumeurs durant la veillée funèbre, le témoin cite le Dr Alejandro Sequeira Rivas. Dans sa déposition du 20 octobre 1933, interrogé par le juge sur les affirmations du fleuriste, le médecin précise :

Je peux dire qu'effectivement les gens qui participaient à la veillée funèbre critiquaient de façon très cinglante le fait qu'Oliverio Castañeda se comportât aussi mal, car il allait d'un groupe à l'autre en essayant de donner aux conversations un ton enjoué. Bien que nous ne fussions pas intimes, j'ai dû le prendre à part pour lui recommander la modération, car son attitude pouvait paraître choquante à la famille dont il était l'hôte. Il m'a paru excité et comme sous l'effet de la boisson, bien qu'il ne sentît pas du tout l'alcool.

Cependant, je dois affirmer, en toute honnêteté, que je n'ai entendu qu'une seule personne faire courir des bruits sur une cause différente de la mort de doña Marta Jerez de Castañeda, que j'ai assistée dans ses derniers moments, et cette personne c'était Rodemiro Herdocia qui les répétait au milieu d'un groupe de gens du voisinage, dans la rue. Sur le moment je n'ai apporté aucun crédit à ces rumeurs, car Herdocia raffole des cancans. Pour ce qui est de l'intervention d'une main criminelle dans la mort de Mlle Mathilde Contreras, que j'ai également eu l'occasion d'assister professionnellement dans la crise qui l'a emportée, je n'ai entendu aucun commentaire de qui que ce soit, pas même d'Herdocia lui-même.

Ce même 20 octobre, le juge procède au rappel de Rodemiro Herdocia afin qu'il précise ses affirmations précédentes et le fleuriste répond en ces termes :

Le souscrit, Premier Juge du District pour les Affaires criminelles, procède à l'interrogatoire du témoin Rodemiro Herdocia sur des faits déjà inscrits au dossier, en l'avertissant des charges de parjure qui peuvent être retenues contre lui, afin qu'il explique clairement la provenance des rumeurs que, selon des témoins parfaitement fiables, il a propagées lui-même au cours de la veillée funèbre de Mlle Mathilde Contreras Guardia.

Le témoin reconnaît effectivement que c'est lui qui a commenté, en présence de certains participants à la veillée funèbre, certaines affirmations que lui avait faites quelques jours plus tôt dans son magasin le commerçant Cosme Manzo, quand le témoin était venu acheter quelques mètres d'indienne pour confectionner un rideau destiné à l'autel du Christ de la Délivrance, dont la statue trône dans sa maison.

A cette occasion, Manzo lui avait assuré que Mᵉ Castañeda était un empoisonneur endurci, qui s'amusait à empoisonner des chiens, mais uniquement au titre de travaux pratiques, car sa véritable vocation était d'éliminer des personnes pour résoudre les intrigues amoureuses où il était très souvent compromis, raison pour laquelle il avait donné de la strychnine à son épouse; et qu'il ne serait pas étonnant qu'ensuite il ait fait boire du poison à n'importe laquelle des femmes Contreras, parce que les membres de cette famille étaient sur sa liste; et que tant qu'il n'aurait pas mis la main sur l'une d'elles et sur le capital de don Carmen, il ne serait pas satisfait.

D'après ce qu'affirme le témoin, Manzo lui avait également expliqué que ce qui facilitait les menées criminelles de Mᵉ Castañeda, c'était ses pouvoirs de sorcier de l'amour, par lesquels il tenait toutes les femmes de cette maison sous son charme sensuel; elles se traînaient toutes à ses pieds. Et qu'il existait certaines lettres écrites par elles à l'empoisonneur, qui n'étaient pas précisément des billets doux adressés à l'Enfant Jésus; et que quand on connaîtrait ces lettres, toutes les bigotes de León qui croyaient encore à la virginité allaient flageoler sur leurs jambes.

Cosme Manzo comparut comme déposant le lendemain, 21 octobre 1933. Le fait qu'un de ses commensaux fût appelé à élucider des bruits scabreux, et surtout l'affaire des lettres auraient dû être un motif d'inquiétude pour le Dr Salmerón. Pourtant, il n'en fut guère intimidé et de toute façon il persuada Rosalío Usulutlán de publier le reportage fracassant paru quelques jours plus tard dans *El Cronista*, le 25 octobre 1933.

Apparemment, le juge se montra satisfait des dénégations de Cosme Manzo, même s'il n'en croyait pas un mot, car il savait très bien qu'il était un des membres de la table maudite; et il n'ignorait pas, par conséquent, que la source ultime de toutes les assévérations recueillies par le fleuriste était le Dr Salmerón lui-même, qu'il devait interroger par la suite.

Voici le témoignage de Cosme Manzo, dont les termes avaient été pesés au préalable avec le Dr Salmerón :

Le déposant rejette de toutes ses forces les imputations du témoin Rodemiro Herdocia, qu'il somme de prouver ses dires, calomnieux à ses yeux dans chacun de leurs termes; il se réserve le droit de le traîner devant les tribunaux pour faux témoignage. Il reconnaît que ledit Herdocia est venu quelquefois en tant que client à son magasin, mais il n'est nullement assez intime avec lui au point de lui faire des confidences, encore moins sur des sujets dont le déposant n'a pas connaissance, lui qui est une personne sérieuse, se consacrant entièrement à ses affaires et ne s'occupant jamais de médisances.

Le déposant soutient qu'il ne connaît ni ne fréquente Oliverio Castañeda, et que ce n'est qu'à travers la presse écrite et ce qu'on répète à León qu'il a appris les charges formulées contre lui; de même qu'il ne fréquente pas non plus la famille Contreras et qu'il ne sait rien à propos de sa vie privée. C'était tout ce qu'il avait à dire.

Les témoins cités et d'autres qui apparaissent dans le dossier sont unanimes à signaler la conduite impertinente observée par Oliverio Castañeda pendant la veillée funèbre de Mathilde Contreras. Par ailleurs, don Esteban Duquestrada, dans sa déposition du 18 octobre 1933, confirme la demande insistante de l'accusé de placer immédiatement le cadavre dans le cercueil et de procéder à l'enterrement très tôt le matin.

Castañeda lui-même le reconnaît de son côté et il donne ses raisons dans sa déposition à charge du 1er décembre :

LE JUGE : Dites quel était votre intérêt de faire enterrer le cadavre de la victime très tôt le matin, ce qui ne correspond pas aux habitudes, au lieu d'attendre l'après-midi, comme la famille en avait exprimé le souhait. Je me dois de présumer que vous tentiez de dissimuler les preuves de votre délit, en empêchant qu'on procède à une possible autopsie sur le cadavre.

L'ACCUSÉ : Je dois dire quant à moi que vous présumez mal, monsieur le Juge. En premier lieu, il ne s'agissait nullement d'une pression de ma part, mais d'une simple opinion dont j'ai fait part à don Esteban Duquestrada, qui avait été chargé par don Carmen de tout ce qui touchait aux funérailles. Je craignais qu'il ne se mît à pleuvoir très violemment l'après-midi, comme cela s'est effectivement produit. Je n'ai pas besoin de vous apporter des preuves de l'énorme averse qui cet après-midi-là s'est abattue sur León.

LE JUGE : Vous avez également insisté pour que Mlle Contreras fût placée immédiatement dans son cercueil. Il y a des témoins de votre insistance. Et je me dois de croire qu'une telle hâte de votre part obéissait aux mêmes fins : éviter que quelqu'un pût tirer de l'observation du cadavre des conclusions compromettantes pour vous, en tant qu'auteur du crime.

L'ACCUSÉ : Je ne vois pas comment de l'observation d'un cadavre, qu'il soit à l'intérieur d'un cercueil ou en dehors, on peut tirer ce type de conclusions. Mais je dois vous répéter que sur ce point également je n'ai fait qu'un simple commentaire et la déposition de Rodemiro Herdocia, que vous m'avez citée, est évidemment calomnieuse. Je m'étonne d'ailleurs que vous considériez comme sérieuses, monsieur le Juge, les affirmations d'une personne soumise aux aléas de la volubilité en raison de ses mœurs très particulières.

Quand Rodemiro est venu m'interroger au sujet des fleurs, je lui ai demandé à mon tour si le cercueil de l'entreprise de pompes funèbres Rosales était arrivé; quand il m'a répondu qu'il était en route, je me suis tourné vers don Esteban et je lui ai dit : « Dans ce cas, il conviendrait de la placer une fois pour toutes dans son cercueil. » Et don Esteban m'a approuvé. Ni dans ce cas ni en ce qui concerne l'heure de l'enterrement je n'avais à mentionner doña Flora, que je n'avais pas consultée. Apparemment, monsieur le Juge, tout ce que j'ai dit ou fait cette nuit-là, par ailleurs si douloureuse, y compris un simple sourire de ma part ou la parole la plus innocente, comme d'affirmer qu'il pleuvait ou qu'il faisait chaud, va être utilisé contre moi.

Dans le prétoire, plein à craquer, on entend les vivats et les applaudissements assourdissants des fervents partisans d'Oliverio Castañeda. Le juge se voit alors dans l'obligation de faire évacuer l'enceinte du tribunal, comme il l'avait déjà fait une première fois, le même jour, quand s'était produit le violent échange de propos entre l'accusé et le témoin Carmen Contreras Guardia.

Oliverio Castañeda sort de sa poche son mouchoir de lin, il s'essuie le cou et, ôtant ses lunettes, il s'éponge le front. Puis il écarte la chaise qui lui est destinée, se met calmement debout et, se retournant vers la barre, remercie ceux qui l'applaudissent et qui l'acclament d'une courtoise inclinaison de tête.

23

Vaine recherche d'un juge qui est absent

Dans l'après-midi du samedi 7 octobre 1933, le Dr Atanasio Salmerón franchissait le porche de la maison du président de la cour d'assises, Mariano Fiallos Gil, en remettant son chapeau, quand il aperçut sur l'autre trottoir son maître, le Dr Darbishire, qui se préparait à traverser la rue. Ostensiblement il se dirigeait à son tour vers le domicile du juge. Cependant, en voyant son disciple, il recula avec effroi et, enveloppé dans sa cape ondoyante, il prit en toute hâte le chemin du retour. Le Dr Salmerón, ébauchant un sourire triomphant, pressa le pas et le rejoignit.

Depuis le soir de l'enterrement de Mathilde Contreras, le samedi d'avant, quand ils s'étaient entretenus dans l'arrière-boutique de Cosme Manzo, ils ne s'étaient pas revus ; mais à présent cette rencontre fortuite leur prouvait qu'ils ne pouvaient plus ajourner indéfiniment l'occasion d'un entretien exhaustif.

« Il n'est pas là, il est parti dans sa propriété d'El Sauce. » Le Dr Salmerón prend son maître par le coude.

« Et quand sera-t-il de retour ? » Le Dr Darbishire s'arrête et, ajustant ses lorgnons, il jette un regard inquiet sur son disciple.

« Lundi, par le train de sept heures du matin. Vous regagnez votre cabinet ? Dans ce cas, je vous accompagne. » Le Dr Salmerón le prend par le bras pour parcourir avec lui les quelques centaines de mètres qui les séparent du cabinet de consultation de la rue Royale.

A ce stade, il faut tourner quelques feuilles du calendrier des événements :

Le lendemain de l'enterrement de Mathilde Contreras, le Dr Darbishire était parti pour l'hôpital plus tôt que de coutume, sans prendre son habituel bain matinal d'eau bouillie avec des feuilles de romarin. Il nourrissait l'espoir de rencontrer le Dr Salmerón avant les visites de salle ; mais il ne le vit ni dans les couloirs ni au parloir où il s'assit sur une des banquettes pendant un bon moment pour l'attendre, feignant de consulter des dossiers médicaux.

Il revint vers huit heures à son cabinet, troublé par l'idée que son disciple le fuyait; mais son trouble fut encore plus grand quand il découvrit que la pince avec la compresse de coton, qu'il avait déposée sur son bureau la veille au soir, avait disparu.

Il partit chercher Teodosio et il le trouva au fond de la cour, occupé à jeter sur les plantes l'eau sale utilisée pour mouiller la serpillière. Tremblant de frayeur, étant donné la fureur avec laquelle le médecin l'admonestait, le garçon lui apprit qu'appliquant ses propres instructions de laver et de désinfecter les instruments qui n'étaient pas à leur place, il avait procédé de cette façon avec les pinces, en les remettant dans la vitrine correspondante. Le coton, ainsi que d'autres compresses, des gazes et des bandes sales, il les avait jetés dans les toilettes.

Il ne lui restait que la petite boîte avec les deux capsules de la préparation à base de quinine; pour être sûr qu'un autre accident ne se produirait pas il la mit sous clef dans un des tiroirs du bureau. Cependant, ce n'était qu'une solution partielle; il n'oubliait pas l'affirmation catégorique de son collègue pendant la discussion qu'ils avaient eue tous les deux la nuit précédente. Sur le moment, il l'avait prise pour une de ses lubies, maintenant elle lui semblait parfaitement sensée : une seule des capsules contenait le poison. Du même coup, sa visite au juge perdait tout son sens.

Comme les jours suivants avaient passé sans qu'il ait reçu aucun appel de la part de la famille Contreras réclamant son intervention, il en fut rassuré; au moins, aucun assassin potentiel n'utiliserait les médicaments qu'il avait préparés pour éliminer une nouvelle victime; et puisque le Dr Salmerón n'était pas réapparu non plus, il se réjouissait de ne plus avoir à penser à des horreurs.

Le vendredi matin, tandis qu'il effectuait sa tournée de visites à domicile, et uniquement pour se sentir plus tranquille, il avait dirigé sa voiture vers la maison des Contreras, en invoquant le prétexte de descendre les saluer, comme au passage. Mais, contre toute attente, cette visite avait réveillé son inquiétude. C'est pourquoi, le samedi après-midi, il se rendit finalement chez le juge, la boîte avec les capsules dans la poche de sa veste. Mais il était écrit que le destin le remettrait toujours entre les mains de l'inévitable Dr Salmerón.

Ces explications données, revenons auprès du maître et de son disciple.

En débouchant dans la rue Royale, ils tombent sur la voiture du Dr Darbishire passant allégrement au trot, la capote découverte, conduite par Teodosio, le petit muet, qui emmenait les dogues allemands faire leur promenade, comme tous les samedis après-midi. Le vieillard salue ses chiens avec de grands mouvements de son chapeau ; mais eux, assis fièrement sur leurs derrières, sur le plancher et les sièges de la voiture, ne prêtent aucune attention à lui.

Ils sont à peine entrés que le Dr Darbishire invite son disciple à passer dans la salle à manger. Le vieux médecin est peu amateur d'alcools, mais, sachant que le Dr Salmerón est un buveur du samedi, il sort du buffet deux petits verres et un carafon de tafia râpeux adouci avec des cerises des Antilles, qu'un patient de Malpaisillo lui avait apporté comme cadeau il y avait bien longtemps. Il se rend ensuite dans la cuisine abandonnée chercher du sel et un couteau et, finalement, il s'approche de la fenêtre pour atteindre les branches du citronnier et cueillir quelques citrons.

« J'ai beaucoup de choses à vous raconter, maître. » Le Dr Salmerón coupe les citrons en salivant, fronçant les sourcils quand il reçoit du jus dans les yeux.

« Laissez-moi plutôt commencer. » Le Dr Darbishire sert une rasade pour son disciple et une autre pour lui dans les petits verres octogonaux. Le fond trouble du flacon, où les cerises forment un dépôt, est parcouru par un nuage épais. « J'ai encore plus de choses à vous raconter.

– Je sais déjà tout. Hier vous avez rendu visite aux Contreras. Et vous êtes tombé sur le Dr Segundo Barrera. » Le Dr Salmerón, le sourire aux lèvres, pointe le couteau vers lui.

« Vous faites de l'espionnage, maintenant, cher collègue ? » Le Dr Darbishire sourit à son tour, tout en remettant le bouchon fait d'une rafle de maïs sur l'embouchure du carafon.

« Ma version est de première main, c'est lui-même qui m'a appris l'incident, ce matin, dans la salle d'opérations. » Le Dr Salmerón laisse le couteau à part, comme on poserait un scalpel sur la table aux instruments.

« Il n'y a pas eu d'incident. » Le Dr Darbishire étend les mains, les paumes tournées vers son disciple. « En outre, mes patients sont libres de changer de médecin quand ils le désirent. Je ne les tiens pas enchaînés. »

Le Dr Salmerón est sur le point de rire, mais il se contient. Le vieillard a l'air vraiment peiné et il ne veut pas le provoquer.

Pour le confort du lecteur, arrivé à ce stade il faut retourner de nouveau en arrière pendant un instant, et accompagner le Dr Darbishire dans sa visite de courtoisie délibérée chez la famille Contreras.

Ce vendredi, vers onze heures du matin, alors qu'il avait pénétré avec son assurance habituelle jusqu'à la galerie donnant sur la cour, doña Flora est venue précipitamment à sa rencontre, comme si elle voulait lui barrer le passage. Elle lui offrit très aimablement un siège et demanda qu'on lui apporte un rafraîchissement, mais, malgré son savoir-vivre habituel, elle ne parvenait pas à cacher son embarras. Et avant qu'il ait pu s'enquérir de la santé de tous les habitants de la maison, il entendit tousser et résonner des voix derrière la porte entrouverte de la dernière des chambres, où une fois il était venu ausculter Marta Jerez. Oliverio Castañeda, assis au bout de la table de la salle à manger, tapait à la machine avec diligence et il avait ébauché le geste de se lever, tout en le saluant d'une légère inclinaison de la tête.

« Doña Flora m'a expliqué, d'une voix très tendue, que maintenant don Carmen et Castañeda partageaient cette pièce. » Le Dr Darbishire approche avec beaucoup de précaution le verre plein à ras bord. « Et que María del Pilar était venue dormir avec elle.

– Quelle sage décision pour éviter les tentations; santé, maître. » Le Dr Salmerón vide son verre d'un seul coup.

« Essayez d'imaginer pourquoi elle était aussi nerveuse. » Le Dr Darbishire hausse les épaules, prolongeant le geste pour accentuer son dédain. « Le Dr Barrera était là. C'est à ce moment qu'il est apparu à la porte de la chambre, avec sa trousse à la main. Il est allé jusqu'à l'endroit où se trouvait Castañeda et il s'est arrêté pour parler avec lui.

– Êtes-vous allé saluer le Dr Barrera? » Le Dr Salmerón, qui s'est resservi, garde le verre collé à ses lèvres.

« Épargnez-vous ces niaiseries, cher collègue. » Le Dr Darbishire, le visage sévère, peigne ses moustaches avec ses doigts. « Abordons le point délicat de cette affaire : comme don Carmen avait commencé à souffrir de fièvres vespérales, sa sœur aînée, María, a pris sur elle d'appeler le Dr Barrera. Don Carmen ne voulait pas, mais sa sœur lui a imposé la visite. Telle est la version de doña Flora.

– Je le sais déjà, paludisme. » Le Dr Salmerón vide son verre en plissant le visage. « Il faut encore une fois se préparer à un cas de fièvre pernicieuse. »

Fâchés depuis des années à cause de rivalités professionnelles, les deux collègues ne s'étaient pas salués, le Dr Salmerón savait tout cela. Le Dr Segundo Barrera, bouffi de suffisance, était passé près de son ennemi sans daigner le regarder; et il n'avait pas pris non plus congé de doña Flora, pour ne pas avoir à s'arrêter.

Le Dr Darbishire, bien que blessé par le fait que son principal détracteur au sein du corps médical ait été appelé a le remplacer au chevet d'un de ses patients, s'était opposé à ce que doña Flora lui présente la moindre excuse.

« Comme vous le comprendrez, ma première impulsion a été de quitter sur-le-champ cette maison », le Dr Darbishire lève le menton dans un sursaut d'orgueil, « mais la bonne a apporté le rafraîchissement et je n'allais pas offenser la maîtresse de maison. Je l'ai pris calmement, même s'il avait un goût de fiel.

– Je ne veux pas réveiller de vieilles querelles, maître », le Dr Salmerón s'essuie la bouche du revers de la main, « mais la situation est très grave et je ne vais rien vous cacher : le Dr Barrera se sent très fier de ce qu'il considère comme une victoire : vous avoir enlevé un patient et, surtout, un patient de la classe de don Carmen Contreras.

– Quel salaud ! » Le vieillard sourit, clignant des yeux avec une amertume évidente.

« N'y prêtez pas attention. Quand je vous dis que la situation est grave, c'est parce qu'il va être difficile que quelqu'un le persuade de changer le contenu de son ordonnance. » Le Dr Salmerón met du sel sur la moitié d'un citron et il le porte à sa bouche. « Pour cela il faudrait prendre le risque de lui expliquer les soupçons que nous avons.

– Le changer ? Pourquoi ? » Le Dr Darbishire, surpris, fait un bond sur sa chaise.

« Ne me dites pas que vous ne savez pas ce que le Dr Barrera a finalement ordonné. » Le Dr Salmerón se sert à nouveau au carafon, en prenant grand soin de ne pas le renverser. « Ce n'était pas pour cette raison que vous alliez voir le juge ?

– Non, mes raisons sont autres, je vous expliquerai plus tard. » Visiblement préoccupé, le Dr Darbishire fait un signe de dénégation. « Mais quel traitement lui a-t-il prescrit ?

– Des capsules contenant une préparation de quinine et d'antipirine, identiques à celles que vous aviez ordonnées à Mathilde Contreras. Et à Marta Castañeda. » Le Dr Salmerón observait avec beaucoup d'attention les cerises des Antilles qui redescendaient se déposer sur le fond du flacon.

« Un traitement de combien de capsules ? » Le Dr Darbishire, en avançant le corps et en tendant les mains au-dessus de la table, évite de renverser le petit verre auquel jusqu'à présent il n'a pas touché.

« Neuf par jour, pendant quinze jours. Il doit avoir commencé à les prendre dès hier. » Après avoir hésité un moment, comme s'il lui en coûtait de se décider, le Dr Salmerón se ressert.

« Tous ces détails, c'est le Dr Barrera qui a pris l'initiative de vous les fournir ou c'est vous qui l'avez cuisiné ? » Les mains tendues du Dr Darbishire parcourent avec inquiétude la surface de la table.

« L'initiative vient de lui. Ne vous l'ai-je pas dit ? Il est fou de joie d'avoir ce patient. » Le Dr Salmerón ferme les yeux en buvant à nouveau, la tête renversée en arrière. « Il m'a tout raconté de l'examen clinique, étape par étape. Il est comme un enfant qui a un jouet tout neuf.

– Quel con ! Ce type est capable de tout. » Le Dr Darbishire lève son verre et y trempe à peine les lèvres.

« Le Dr Barrera ? » Le Dr Salmerón frotte énergiquement son visage qui a pris une couleur rouge brique. Suffoquant, il déboutonne son col et desserre sa cravate.

« Ne me faites pas chier. Je vous parle d'Oliverio Castañeda. » Le

Dr Darbishire claque des lèvres en signe de reproche. « Vous prenez tout à la plaisanterie. Quand je vous dis que je suis persuadé qu'il est capable de tout, c'est parce qu'il m'en a fait part lui-même.

– Vous avez eu l'occasion de parler à Castañeda ? » Le Dr Salmerón le regarde avec des yeux vitreux. Le niveau du flacon a baissé d'environ un quart.

« C'est Castañeda qui m'a abordé. » Le Dr Darbishire rapproche subrepticement le carafon de lui, pour le mettre hors de portée de son disciple. « Il est venu prévenir doña Flora qu'il allait chercher les médicaments et j'en ai profité pour prendre congé. De telle sorte que nous nous sommes dirigés ensemble vers la porte. Brusquement, il m'a pris par le bras et il m'a emmené dans un coin du salon, comme s'il voulait me faire des confidences.

– Quelles confidences ? » Le Dr Salmerón ouvre sa veste et s'ébroue, en se faisant de l'air avec ses revers.

« Il m'a dit qu'il regrettait beaucoup ce qui m'arrivait ; que le Dr Barrera n'avait pas sa sympathie ni celle de doña Flora », le Dr Darbishire rebouche le carafon d'un geste énergique, comme s'il le fermait pour toujours ; « que cela venait des proches de don Carmen qui fourraient leur nez partout, aussi bien dans les histoires de médecine que dans les affaires commerciales.

– Il sait sauvegarder ses intérêts. » Le Dr Salmerón s'empare brusquement du carafon, mais il l'abandonne à mi-chemin. « Il parle déjà en seigneur et maître.

– Il m'a cité comme exemple le contrat de la Compagnie des eaux. » Le Dr Darbishire surveille le carafon sans oser le récupérer. « Et il s'est plaint devant moi que tout le monde à présent voulait y mettre son grain de sel, donner son avis et changer ce que lui, en tant qu'avocat et que conseiller de don Carmen, avait eu tant de mal à obtenir.

– Mais pourquoi toutes ces salades ? » Le Dr Salmerón ôte le bouchon du flacon et le renifle en douce. « Vous n'êtes même pas partie prenante dans ces tractations.

– Pour finir par me demander une faveur. » Le Dr Darbishire tambourine sur la table et il s'amuse à suivre des yeux le mouvement de ses doigts. « Puisque doña Flora n'avait pas osé le faire.

– Quelle faveur ? » Le Dr Salmerón, profitant de l'inattention du vieillard, se sert précipitamment.

« Que je revienne examiner don Carmen, et comme ça doña Flora ne se ferait plus de souci. » Le Dr Darbishire affiche une moue de dédain.

« Et vous êtes revenu ? » Le Dr Salmerón boit maintenant de lentes gorgées.

« Jamais de la vie ! Pour qui me prenez-vous ? Et ma dignité ? » Dans son agitation le Dr Darbishire bouscule sans le vouloir ses lorgnons, qui se détachent de son nez. « Je lui ai répondu que j'appréciais sa confiance, mais que j'étais pressé et qu'il me fallait partir. Alors, sans me lâcher le bras, il m'a poussé davantage dans le coin de la pièce. Et en regardant de tous les côtés, il a baissé la voix. » Le Dr Salmerón s'appuie sur le dos de sa chaise et il cligne fortement des yeux. Le Dr Darbishire se demande s'il s'agit d'une marque d'intérêt ou si c'est l'effet de toute la boisson qu'il a ingurgitée jusque-là.

« Il m'a dit que le problème n'était pas physique, mais psychique. » Le docteur examine les verres de ses lorgnons à contre-jour et il les remet sur son nez. « D'après lui, don Carmen se trouve dans un état très sérieux de prostration morale, il est victime d'une crise de désespoir aigu.

– Désespoir aigu? » Le Dr Salmerón plisse les yeux et bouge péniblement la langue.

« Maintenant qu'ils dorment dans la même pièce, il le voit se lever à tout instant pour aller arpenter la galerie plongée dans le noir. » Le Dr Darbishire se redresse à demi et il repousse le carafon vers une extrémité de la table. « La nuit d'avant, comme il avait remarqué qu'il ne revenait pas, il était allé le chercher et il l'avait trouvé sanglotant, couché sur le lit de Mathilde, dans la chambre qui est maintenant vide.

– Suicide. » Les yeux fermés, le Dr Salmerón balance lentement la tête. « Il met au point l'alibi d'un faux suicide.

– Vous comprenez maintenant pourquoi j'ai considéré qu'on ne pouvait plus attendre et qu'il fallait que je fasse part de mes soupçons aux autorités. » Le Dr Darbishire frissonne en poussant un long soupir.

« Observez attentivement l'embrouille qu'il est en train de nous monter, maître. » Le Dr Salmerón n'ouvre plus les yeux et il parle en ménageant de grands silences. « Il dispose à nouveau d'un malade de paludisme. Il a les capsules et dans l'une d'entre elles il a certainement mis de la strychnine. Il combine tout pour qu'on ait une nouvelle victime de la fièvre pernicieuse.

– Dans ces conditions, pourquoi un suicide? » Le Dr Darbishire élève la voix, dans l'intention de tirer son disciple de sa torpeur.

« A tout hasard il prépare également le scénario du suicide. » Le Dr Salmerón tente sans succès d'ouvrir les yeux. « Un père, détruit moralement par le décès de sa fille chérie, absorbe du poison.

– Bon, reconnaissez que dans ce cas le mérite n'en revient pas entièrement à Castañeda. » Le Dr Darbishire prend le couteau et le laisse délibérément tomber sur la soucoupe contenant le sel. « En se mêlant de ce qui ne la regardait pas, la sœur de don Carmen lui a servi l'occasion sur un plateau.

– Vous vous trompez, maître. » En entendant tomber le couteau, le

Dr Salmerón semble enfin se réveiller et la première chose qu'il fait est de jeter un œil sur le carafon.

« Je me trompe ? » Le Dr Darbishire le scrute par-dessus ses lorgnons.

« C'est Castañeda lui-même qui est allé chercher le Dr Barrera, au nom de la sœur de don Carmen. » Le Dr Salmerón étire ses bras, comme s'il allait bâiller, et il attire à lui le carafon. « C'est lui qui l'a conduit personnellement chez les Contreras, en lui portant sa trousse.

– Alors, la sœur ne sait rien ? » Le Dr Darbishire a une réaction d'inquiétude, autant parce que le Dr Salmerón répand copieusement la liqueur en essayant de se servir qu'à cause de ce qu'il entend.

« Si, bien sûr qu'elle sait. » Le Dr Salmerón soutient le carafon sans abandonner son intention de remplir le petit verre. « C'est Castañeda qui lui a décrit le cas comme extrêmement grave. Et c'est lui qui lui a recommandé de consulter le Dr Barrera.

– Pourquoi le Dr Barrera ? » Le Dr Darbishire, malgré son irritation de voir son disciple ne pas renoncer à boire, lui retire doucement le carafon des mains et le sert lui-même.

« Parce qu'en vous enlevant le patient, il permet à quelqu'un d'autre d'intervenir dans la prescription des capsules. Ainsi, on perd plus facilement la piste. » Le Dr Salmerón lève cérémonieusement son verre, comme pour porter un toast.

« Mais... il m'a demandé, à moi, d'ausculter le malade. Et si j'avais accepté ? » Le Dr Darbishire se lève et, rebouchant le carafon, il le range dans le buffet.

« Il savait pertinemment que vous n'accepteriez jamais, maître. » Le Dr Salmerón remue maladroitement la tête, amusé de voir le Dr Darbishire emporter le carafon. « Il est au courant de votre inimitié avec le Dr Barrera. En toute connaissance de cause, il vous a proposé l'impossible. De ce côté, ce fin renard se sait également couvert.

– D'accord, mais il ne pouvait pas prévoir le coup des capsules. Le Dr Barrera aurait pu prescrire un remède vendu en pharmacie. » Le Dr Darbishire ferme à double tour la porte du buffet.

« Vous vous trompez à nouveau, maître. » Le Dr Salmerón le regarde avec des yeux où l'ivresse a allumé un éclat impudique de pitié et de tendresse. « C'est lui qui a convaincu le Dr Barrera de prescrire un traitement à base d'une préparation et non pas d'un médicament du commerce, comme cela figurait sur l'ordonnance initiale.

– Il a demandé au Dr Barrera de préparer des capsules ? » D'un pas rapide, le Dr Darbishire revient à la table.

« Au lieu de s'adresser à la pharmacie, il s'est rendu directement au cabinet de consultation du Dr Barrera. » Le Dr Salmerón opine du chef avec nonchalance. « Il l'a convaincu et il s'est installé pour assister à la préparation des capsules, en le couvrant de compliments pour la précision dans sa façon de mélanger les ingrédients. Votre ami le Dr Barrera s'est senti extrêmement flatté et il a remis plus d'ardeur que de coutume à mener à bien l'opération.

– Pauvre naïf.» Le Dr Darbishire veut se montrer compatissant, mais dans sa voix il y a un tremblement de frayeur. « Il est tombé dans ses filets comme un petit oiseau.

– J'ai tout résolu, ne vous inquiétez pas.» Le Dr Salmerón a l'impression que sa langue ne tient plus dans sa bouche.

« Résolu? De quelle façon? » Le Dr Darbishire s'appuie sur la table en cherchant à s'asseoir, sans cesser d'observer son disciple.

« J'ai prévenu de toute cette affaire le capitaine Ortiz. Il va mettre la maison sous surveillance discrète. » Le Dr Salmerón rit tout seul, comme s'il s'agissait d'une bonne blague. « Et je me suis engagé à monter une garde permanente, à partir du bar de l'*Hôtel Métropolitain.*

– Qu'est-ce que vous me racontez? » Le Dr Darbishire se lève brusquement et, contournant la table, il lui fait face.

« Oui, une surveillance cachée, avec des agents secrets. Et moi, au premier appel, j'accours, avec une sonde que je garde là. » Le Dr Salmerón palpe la poche intérieure de sa veste. « Pour prélever les sucs gastriques de la victime.

– Vous êtes en train de dire des bêtises. » Le Dr Darbishire le secoue par les épaules. « Comment pouvez-vous penser qu'on va éviter un crime en impliquant l'armée?

– Ce ne sont pas des bêtises, maître. C'est un plan. C'est comme ça qu'ils ont pincé Charles Laughton. Vous ne vous en souvenez pas? » Le Dr Salmerón se remet à rire et passe paresseusement la langue sur ses lèvres. Il veut se redresser, mais sa tête retombe sans force sur le dossier de la chaise.

« Alors, si vous vous êtes déjà mis d'accord avec la Garde nationale, pourquoi aviez-vous besoin du juge? » Le Dr Darbishire lui tourne le dos et s'éloigne, choqué.

« Parce que je suis comme Oliverio Castañeda, maître, je garde plusieurs fers au feu. » Le Dr Salmerón a l'air de s'amuser de son propre rire.

Le Dr Darbishire revient sur ses pas. Il va dire quelque chose, mais il se rend compte que son disciple ronfle placidement, le menton, parsemé des poils poivre et sel d'une barbe mal rasée, reposant sur la poitrine.

« On n'a jamais vu une ânerie pareille! » Le Dr Darbishire regarde avec découragement dans différentes directions, comme s'il cherchait un soutien. « Maintenant il se prend pour un détective de cinéma! »

III

QU'ON RASSEMBLE LES PREUVES

Laisse-moi, triste ennemi,
méchant, fourbe, vil traître,
je ne veux pas être ton amie
ni à ton bras paraître!

Ballade de Fonte-Frida

24
La rumeur publique
dénonce une main criminelle

Le lundi 9 octobre 1933, quand don Carmen Contreras décède de façon soudaine, s'ouvre à León le procès criminel le plus retentissant de toute l'histoire judiciaire du Nicaragua, et c'est à ses incidences multiples et complexes que nous devons ce livre.

Le fait survint vers neuf heures du matin du jour cité, exactement une semaine après que Mathilde Contreras eut connu le même sort. Les circonstances furent en tout point semblables dans les deux cas, et également étranges. Sauf que cette fois la mort survenait de façon encore plus fulgurante, une demi-heure à peine après que se furent manifestés les premiers symptômes funestes.

Le président de la cour d'assises, Mariano Fiallos Gil, se présente chez les Contreras une heure plus tard, accompagné de son secrétaire, le poète Alí Vanegas, qui procède à l'ouverture du dossier d'instruction sur la table même de la salle à manger; là où peu de temps auparavant Oliverio Castañeda tapait à la machine les messages de condoléances destinés à paraître dans l'éloge funèbre de Mathilde.

Le soussigné, Président de la cour d'assises, ayant pris connaissance que M. Carmen Contreras Reyes, majeur, marié, négociant et habitant ce domicile, est décédé aujourd'hui, à environ neuf heures du matin, dans des circonstances non élucidées; et devant l'insistance de la rumeur publique qui circule dans cette ville et dénonce une main criminelle à l'origine de ces décès, décide :

En fonction des pouvoirs que lui confère l'article 127 du Code d'instruction criminelle, il ordonne que s'ouvre l'instruction correspondante afin qu'une enquête soit menée sur les faits; de même, il ordonne que l'on engage toutes les démarches conduisant à faciliter cette enquête.

La première démarche du juge consiste à décider le transfert du cadavre à la morgue de l'hôpital San Vincente, où doit être pratiquée l'autopsie. L'ordre est exécuté vers midi. Quand le corps, recouvert

des pieds à la tête par un couvre-lit tigré, est hissé par les brancar-
diers sur la plate-forme de la camionnette servant à transporter les
vivres de la Garde nationale, fournie pour l'occasion, une véritable
foule s'est déjà rassemblée tout autour de la maison.

Cette mesure, jugée barbare et inutile par doña Flora, allait provoquer des réactions de protestation et de consternation de sa part,
comme on nous le rapportera plus tard. Mais ce ne devait pas être le
seul point à susciter son opposition.

A midi, le cadavre était à peine parti vers l'hôpital, que le capitaine Anastasio J. Ortiz se présente accompagné de deux recrues de
la Garde nationale, armés de fusils Springfield, afin de procéder à la
capture d'Oliverio Castañeda. Il en est empêché, aussi bien par doña
Flora que par María del Pilar, qui l'abreuvent d'abord de prières et
de pleurs, puis s'interposent physiquement entre Castañeda et ses
ravisseurs.

Ce n'est que vers six heures du soir que le capitaine Ortiz peut
finalement l'arrêter, bien que l'opposition de la veuve et de sa fille
s'exprime avec la même intensité qu'à midi. Le cadavre était revenu
de l'hôpital et la maison, pleine de gens compatissants, est également
envahie par une foule de curieux, ce qui explique que le nouvel
incident ait pris des allures de scandale.

Le capitaine Ortiz, qui se présente cette fois accompagné d'un
escadron de soldats, comme il le rapporte lui-même dans sa déposition du 27 octobre 1933, en poste plusieurs aux différentes issues et,
sans plus d'égards pour les deux femmes, il pénètre jusqu'au fond de
la maison à la recherche de Castañeda, qu'il découvre enfermé dans
les toilettes, complètement ivre, et qu'on doit presque traîner pour le
sortir.

Si le juge justifie l'ouverture de l'instruction criminelle sur la base
de la rumeur publique, c'est parce qu'il ne dispose pas d'indices suffisants pour inculper Castañeda. De telle sorte que sa capture par la
Garde nationale, sous l'accusation de sédition, n'est qu'une ruse pour
l'empêcher de s'échapper tandis que l'enquête avance; une ruse à
laquelle le juge, nous le verrons, ne s'oppose pas sur le moment.

Plus tard on nous expliquera également comme le juge lui-même
en vint à être témoin de la vigueur inaccoutumée avec laquelle la
rumeur s'étendait dans la ville ce matin-là. Citons, pour le moment,
le comptable Demetrio Puertas, employé de C. Contreras & Cie, qui
postérieurement devait être appelé à répondre de faits de la plus
haute importance, révélés à la fin du procès. Dans sa première déposition du 17 octobre 1933, le comptable affirme :

Le témoin se rendait, passé neuf heures du matin, chez lui dans le quartier du Calvaire, car le bureau et le magasin avaient été immédiatement fermés à la suite du décès de son patron, quand en passant par le marché municipal il a entendu les marchandes de quatre-saisons commenter d'une travée

à l'autre qu'un des richards de León venait d'être empoisonné, à sa propre table, par son gendre qui avait dissimulé de la strychnine dans le chocolat du petit déjeuner, parce que le chocolat est un peu amer ; et qu'une semaine plus tôt il avait donné de la strychnine à la fille du même homme, dans un sorbet cette fois, qu'il lui faisait déguster à la petite cuiller en lui disant : « Mange, tu vas voir comme c'est bon. Et si tu en veux plus, je t'en donnerai plus. »

Doña Flora de Contreras, en constatant que sa tentative d'empêcher la capture de son hôte avait échoué, adressa, le soir même, un télégramme au chef de la Garde nationale, le général Anastasio Somoza García :

Suffisamment abattue peine perdre mon mari et non consolée encore mort ma fille injuste emprisonnement jeune Oliverio Castañeda uniquement vient d'augmenter ma douleur et mes angoisses et celles de mes proches. Vous prie instamment ordonner sa libération immédiate. Salutations

Veuve Flora Contreras.

Une fois le télégramme expédié, tandis que se déroulait la veillée funèbre et que la rumeur publique continuait à s'amplifier, Oliverio Castañeda recevait dans sa cellule, à la prison XXI, le dîner qu'on avait préparé pour lui dans les cuisines de la maison, sous la direction de María del Pilar. Les assiettes et les soucoupes, disposées sur un plateau argenté et recouverts d'une petite nappe brodée, furent portées jusqu'à la prison par la jeune Leticia Osorio, qui le relate elle-même dans sa déposition du 19 octobre 1933 :

Alors que don Carmen était étendu dans son cercueil, dans le salon, et que dans la maison il y avait des gens partout, mam'selle María del Pilar pressait les femmes de la cuisine, qui devaient aussi s'occuper du café, de préparer le dîner de don Oliverio. Le chauffeur, Eulalio Catín, m'attendait déjà dehors, pour m'emmener dans la voiture, et je suis partie, assise sur le siège arrière, tenant le plateau du repas. Elle lui envoyait également, dans une taie d'oreiller, ses vêtements de nuit et ses affaires de toilette, ainsi que, accroché sur un cintre, un change complet qu'elle avait fait repasser. Dans la poche de la veste elle a mis une lettre qu'elle a écrite, assise sur son lit à lui, pendant que j'attendais qu'elle me remette tout ce que je devais emporter.

D'après le registre des entrées de la prison, don Oliverio Castañeda demanda d'ajouter l'attestation au dossier, dans son manuscrit révélateur du 6 décembre 1933, ces envois ont continué les jours suivants. Ils portent comme nom d'expéditeur tantôt celui de María del Pilar, tantôt celui de doña Flora veuve Contreras. En plus des trois repas quotidiens, des rafraîchissements et des vêtements repassés, ainsi qu'un vase de Chine et de bouquets de fleurs, la liste inclut les objets suivants, reçus à des dates différentes :

3 paires de chaussettes neuves, marque « Pyramide ».
1/2 douzaine de mouchoirs neufs, marque *idem*.
1 stylo « Esterbrook », neuf.
1 bouteille d'encre « Parker », couleur bleue.
1 bloc de papier à lettre rayé.
1 flacon d'eau de Cologne « 4711 ».
1 flacon de lotion capillaire de 3 onces, marque « Murray ».
1 flacon de « Listérine » pour bains de bouche.
6 sachets de poudre dentifrice du « Dr Kemp ».
3 savonnettes parfumées « Reuter ».
1 pot de talc parfumé, marque « Foin des Champs ».
1 rasoir en acier inoxydable, dans son étui, marque « Figaro », et son blaireau correspondant.
3 rouleaux de papier hygiénique, marque « Scott ».

Doña Flora avait reconnu l'existence de ces envois dans sa première déposition judiciaire du 14 octobre 1933, avant même qu'Oliverio Castañeda eût demandé l'attestation des registres d'entrée.

Le témoin signale que de chez elle on a envoyé à la prison, pendant plusieurs jours, des aliments à Oliverio Castañeda, ainsi que d'autres objets et des ustensiles indispensables à son confort et à son hygiène personnelle; mais qu'hier il avait fallu suspendre ces envois, car, comme on le lui a notifié, les autorités les avaient interdits.
Elle ajoute que si elle avait procédé de la sorte c'est parce qu'elle considérait – et elle continue à le considérer – comme injuste l'emprisonnement du jeune Castañeda, s'agissant d'une personne honorable et de bonnes mœurs, à qui l'on cause un tort moral irréparable.

Comment et pourquoi ces envois ont-ils été interrompus? Le capitaine Anastasio J. Ortiz, dans sa déposition judiciaire du 27 octobre 1933, déjà citée plus haut, l'explique en ces termes :

Par considération envers la famille Contreras, qui s'obstinait à assister l'accusé, en lui envoyant ses repas quotidiens et d'autres cadeaux, j'ai autorisé le directeur de la XXI à les laisser entrer, après une fouille préalable. On avait même permis l'entrée de bouquets de fleurs, ce qui sort du commun, il faut l'avouer.
Mais dans l'après-midi du 13 octobre, le directeur m'a appelé au téléphone au poste de commandement départemental pour m'informer que devant la porte de la prison se trouvait une charrette attelée transportant deux malles, une coiffeuse et une table à dessus de marbre, destinés à l'accusé Castañeda, en provenance de la maison Contreras. Devant cette situation, j'ai dû consulter mes supérieurs à Managua, qui m'ont donné l'ordre catégorique, non seulement de renvoyer la charrette avec les meubles qu'elle transportait, mais aussi d'interdire, à l'avenir, l'entrée de toute sorte de repas, de fleurs et de parfums.
Quand ces ordres lui ont été notifiés, l'accusé a menacé de se déclarer en grève de soins corporels, et en effet il a passé deux ou trois jours sans

prendre de bain, ni se raser, ni changer de linge, restant en manches de chemise, ce dont les journaux ont parlé. Mais il a mis fin de lui-même à cette grève d'un genre si particulier.

Le journaliste Rosalío Usulutlán fut congédié de son poste d'éditorialiste attitré du quotidien *El Cronista,* après avoir publié, en première page de l'édition du 25 octobre, le reportage intitulé « Il n'y a pas de fumée sans feu », imprudemment illustré par une photo de doña Flora Contreras; reportage qui, comme nous l'avons déjà observé, déclencha un très violent scandale dans les milieux huppés de la ville.

Bien que Rosalío ait truffé son reportage de noms d'emprunt, certains éléments utilisés par lui étaient déjà du domaine public : l'opposition, par exemple, de doña Flora et de sa fille à la capture de Castañeda, et les fleurs, parfums et autres présents qu'elles lui faisaient parvenir toutes les deux à la prison. Mais, malgré la publication imprudente de la photo, le scandale fut avant tout provoqué par la divulgation de conjectures et de ragots sur les dessous amoureux du drame qui, à l'époque, avaient débordé le cadre si redouté de la table maudite.

Pour justifier sa façon de procéder, le journaliste écrivit un article que ni *El Cronista* ni *Centroamericano* ne voulurent publier, mais que le quotidien de la capitale *La Nueva Prensa* fit paraître dans son édition du 29 octobre 1933.

Le poète Manolo Cuadra, envoyé à León par *La Nueva Prensa* pour couvrir les rebondissements du procès, envoya l'article à Managua avec une brève note de soutien, qui fut imprimée comme chapeau, où il louait le courage de son collègue, alors menacé de prison.

L'article s'intitule « Au nom de ma propre défense : les mérites de la rumeur publique » :

Un juge, investi de toute la majesté de la loi, a ouvert une instruction sensationnelle, en se fondant sur les dispositions pertinentes du Code de procédure criminelle de 1894, qui l'autorise à instruire quand la force de la rumeur publique signale qu'un délit ou une succession de délits ont été commis. Et il a raison. A partir du décès de don Carmen Contreras, la rumeur s'est enflammée comme de l'amadou dans cette ville de León jadis si calme.

Cette rumeur, on la sentait dans l'air, on la sent encore. Elle est palpable, on pourrait la couper au couteau. Si on marche dans la rue et qu'on aperçoit de loin deux personnes en train de parler à un coin de rue ou sur le pas d'une porte, on sait déjà que leur conversation porte sur ce qui a causé ce dernier décès et les décès précédents étroitement liés à lui; mais l'échange spécule également sur la trame amoureuse qui se cache ou peut se cacher derrière ces morts violentes et mystérieuses : amourettes réprimées, jalousie, déceptions sentimentales... et c'est là que la rumeur se dresse avec ses mille doigts, citant des noms et des péripéties sentimentales qui jusque-là étaient restés cachés sous le voile diaphane de la clandestinité.

Le journaliste aurait-il dû se taire ou, au contraire, protéger le droit de ses lecteurs à être informés, à travers la lettre imprimée, de ce que l'on répète publiquement dans les débits de glaces, les billards, les bistrots, les arènes de combats de coqs, les pharmacies et les merceries, à la gare et même dans les églises ? Se taire et priver des bienfaits de l'information journalistique ce qui circule, avec un luxe inouï de détails, de bouche en bouche, et ce que commentent à satiété cochers, barbiers, portefaix, employés de commerce, portiers des services publics ?

Se taire, oui. Taire ce que savent, mieux que quiconque, les notables qui jouent aujourd'hui les offensés, mais qu'ils répètent, avec délectation, quand ils se retrouvent dans leurs réunions vespérales du Club social. Taire, à condition que ce soit moi qui le taise, ce qui est l'objet de leurs commentaires peu édifiants – *sotto voce* – dans les salons aristocratiques. C'est un scandale de me bâillonner, de m'imposer ce châtiment infamant pour le seul fait d'avoir nourri un éditorial avec des faits que le chroniqueur est loin d'avoir inventés, chers messieurs !

Dans mon reportage, si critiqué aujourd'hui, pour lequel on va même jusqu'à me menacer d'excommunication – et peut-être, me dit-on, de la prison – je n'ai fait que confirmer la vertu de la rumeur publique. Et le juge lui-même, en ouvrant l'instruction, s'est permis de la reprendre pour lancer l'enquête. Quelqu'un va-t-il le poursuivre pour son zèle, alors qu'il ne disposait d'aucun élément de preuve ? Non, on le couvre plutôt d'éloges.

En vertu de ma profession, je me suis présenté le jour même du décès de M. Contreras dans sa maison et j'ai été le témoin oculaire de scènes qu'ensuite ma plume a décrites et a su relier à d'autres opinions, commentaires et révélations qui, pour être anonymes, n'en sont pas moins valables. J'ai d'ailleurs eu la prudence de recouvrir tout cela du pieux manteau de noms inventés. Les révélations ont été nombreuses ; les conjectures, abondantes. Tous dans la ville, toutes les classes sociales, y compris les enfants des écoles, connaissent sur le bout du doigt les histoires que l'on raconte à propos de cette affaire retentissante. Histoires scabreuses, certes, je ne le nie pas. Or ce n'est pas ma plume qui a été scabreuse, mais la conduite des protagonistes de ce drame.

Rosalío est dans le vrai quand il décrit la force de la rumeur publique, sujet d'autres de ses publications que nous lirons bientôt. Pendant toute la journée, et même une bonne partie de la nuit, la ville de León est la proie des flammes dévorantes de la rumeur. Les groupes qui commentent les événements et leur toile de fond sentimentale sont nombreux dans tous les lieux publics, ce qui finit par provoquer la plainte du propriétaire de l'*Hôtel Métropolitain,* don Lorenzo Sugráñez, qui estime qu'un tel désordre est préjudiciable à la libre circulation et à la tranquillité de sa clientèle, comme il l'exprime dans une pétition adressée aux autorités policières.

Les gens reçoivent et transmettent des rumeurs et des nouvelles en face du tribunal, de la maison du juge, de la prison XXI. Mais la foule la plus dense se masse aux alentours de l'université, vers six heures du soir, quand sont apportés de la morgue de l'hôpital San Vincente les bocaux qui contiennent les viscères de la victime, pour leur examen dans le laboratoire de la faculté de pharmacie.

A peine une heure plus tard, doña Flora Contreras rédige de sa main le télégramme urgent demandant la libération d'Oliverio Castañeda. Elle devait l'annuler, le 17 octobre 1933, par un nouveau message, toujours adressé au chef de la Garde nationale, le général Anastasio Somoza García :

Souhaitant maintenant ne pas gêner enquête réalisée par tribunaux de justice cause mort mon mari et ma fille et ma douleur me paralysant auparavant au point de m'empêcher raisonner à propos probabilité action criminelle vous prie considérer comme nul mon message télégraphique jours précédents sollicitant libération d'un accusé. Bien à vous

Veuve Flora Contreras.

Comme le rappelle la petite Leticia Osorio dans sa déposition du 19 octobre 1933, María del Pilar, brisée par les sanglots, avait arraché par deux fois ce dernier télégramme des mains de sa mère, pour le déchirer. Et par deux fois la mère avait dû le récrire.

25

Ne tremblez pas, ne pleurez pas

1. Le jour de sa mort, don Carmen Contreras se leva avant l'aube, comme c'était son habitude. La bonne, Salvadora Carvajal, s'affairait dans la cuisine, attisant le feu du fourneau à bois pour chauffer l'eau de son bain, quand elle le vit passer en direction des toilettes, enveloppé dans un drap et traînant les vieux souliers, sans talons, qui lui servaient de savates, comme elle le rappelle dans sa déposition du 19 octobre 1933 :

> J'ai attendu qu'il ait fini de faire ses besoins et je lui ai porté la bassine d'eau, qu'il a prise à la porte de la cabine, sans daigner me dire bonjour, car ne pas saluer les femmes de service faisait partie de sa façon d'être.
> Don Oliverio, qui était lui aussi très matinal, est venu dans la cuisine me demander du café. Il s'est plaint devant moi d'avoir mal dormi, car don Carmen avait passé une très mauvaise nuit, se levant à tout bout de champ et faisant des bonds dans son lit quand il réussissait à s'endormir. « Cette nuit vous me faites une petite place dans votre lit, doña Yoyita », m'a-t-il dit pour plaisanter, « comme ça vous me réchauffez et je dors tranquille. »

Dans l'interrogatoire auquel le juge soumet l'accusé pendant la déposition à charge du 1er décembre 1933, figurent de très nombreuses questions sur le déroulement de cette nuit :

> LE JUGE : Est-il vrai que vous avez déclaré à la bonne Salvadora Carvajal que vous aviez mal dormi, parce que don Carmen avait très mal passé cette nuit qui a précédé sa mort, en se levant à tout bout de champ et en faisant des bonds dans son lit?
> L'ACCUSÉ : Je lui ai déclaré, effectivement, que j'avais mal dormi, car il est vrai que don Carmen s'était levé plusieurs fois; mais à aucun moment je n'ai parlé de sauts dans le lit. Elle doit faire une confusion sur ce point et il conviendrait de lui reposer la question.
> LE JUGE : Comment dormez-vous la nuit? Vous dormez bien, ou vous souffrez d'insomnie?

L'ACCUSÉ : Je dors bien et je ne souffre pas d'insomnie, pour la bonne raison que j'ai la conscience tranquille.

LE JUGE : Comment vous êtes-vous rendu compte, dans ces conditions, que don Carmen avait passé une mauvaise nuit?

L'ACCUSÉ : Parce que, pour mieux bloquer la porte qui donne sur le couloir, don Carmen avait l'habitude d'y appuyer une lourde banquette et chaque fois qu'il se levait et qu'il sortait dans la cour, il retirait la banquette en faisant beaucoup de bruit. En plus, la porte a une jalousie dont les ressorts et les charnières grincent quand on la pousse. Et pendant qu'il se levait et sortait, et jusqu'à ce qu'il revienne se coucher, la lumière de la pièce restait allumée. Il n'est pas nécessaire d'avoir mauvaise conscience pour s'éveiller avec un pareil chahut.

LE JUGE : Je tiens à souligner que les commentaires sur la tranquillité de votre conscience, c'est vous qui les faites de votre propre initiative. Maintenant répondez : Quelles étaient selon vous les intentions de don Carmen en se levant?

L'ACCUSÉ : Je ne saurais dire exactement quelles étaient ses intentions, mais je suppose qu'il étouffait et qu'il sortait prendre l'air dans la galerie ou bien satisfaire quelque besoin physique pressant. Ou, simplement, il était angoissé et il n'arrivait pas à trouver le sommeil. Je ne le lui ai pas demandé, je vous laisse le choix.

LE JUGE : Ne vous est-il pas venu à l'esprit à vous, qui êtes si serviable, de vous lever derrière lui, pour voir ce qui lui arrivait?

L'ACCUSÉ : Merci, monsieur le Juge, de m'accorder au moins la vertu d'être serviable.

LE JUGE : Je vous prie de vous abstenir de faire des commentaires qu'on ne vous demande pas, et de répondre directement à mes questions.

L'ACCUSÉ : Alors ma réponse est que je ne me suis pas levé derrière lui parce qu'il ne me l'a pas demandé, comme il l'avait fait en des occasions précédentes. D'autres nuits, doña Flora, malade des nerfs à cause de la mort de sa fille, s'éveillait en sanglotant; et j'accompagnais don Carmen, à sa propre demande, jusqu'à la pièce où elle dormait avec María del Pilar, en l'attendant à la porte pendant qu'il lui faisait boire un sédatif.

Cette nuit-là, la première fois qu'il a ouvert la porte, je lui ai demandé : « Doña Flora est malade? » Et il m'a répondu : « Non, mon ami, dormez, merci », et j'en ai déduit que c'était peut-être lui qui était souffrant.

LE JUGE : De quel type de maladie, peut-on savoir?

L'ACCUSÉ : Vous pourriez le savoir si je le savais. J'ai dit « peut-être », ce qui est loin d'être une affirmation catégorique. Si quelqu'un se lève constamment de son lit, sans pouvoir concilier le sommeil, ce n'est certainement pas parce qu'il veut contempler les étoiles qui brillent dans le ciel, pour son délassement et sa distraction.

2. Nous pouvons qualifier cette matinée du lundi 9 octobre 1933 de tranquille, comme le commencement normal d'un jour ouvrable dans une maison en deuil, où l'on parle encore à mi-voix et où même les travaux de cuisine se font sans bruit. Oliverio Castañeda reconnaît qu'avant le petit déjeuner il a accompagné la mère et la fille à la messe du septième jour de la neuvaine de Mathilde, à

l'église de la Merced, à deux cents mètres de la maison. Il n'y avait rien d'étonnant pour les passants à voir cheminer à cette heure, calmement, sur les trottoirs, en direction de l'église, les deux femmes en deuil, couvertes de leurs châles de dentelle, séparées par le jeune étranger lui aussi vêtu de noir, selon son habitude.

Ils reviennent pour le petit déjeuner, et la cuisinière Salvadora Carvajal nous dit sur ce point :

Ils sont revenus de la messe et don Carmen les attendait dans la salle à manger. Ils ont mangé des oranges, que j'avais pelées moi-même, et on leur a également servi du pain avec du beurre, et du lait, qu'ils ont pris avec quelques gouttes d'essence de café. La jeune María del Pilar est venue à la cuisine chercher un verre d'eau, au moment où on débarrassait la table, pour donner à son père les pastilles de quinine ordonnées par le Dr Barrera.

Dans sa déposition à charge, Oliverio Castañeda fait la réponse suivante au juge à propos du déroulement du petit déjeuner :

LE JUGE : Doña Flora, veuve Contreras, dans sa seconde déposition en tant que témoin faite hier, 31 octobre 1933, précise que pendant le petit déjeuner vous vous êtes adressé à elle dans les termes suivants, que je cite exactement : « Je trouve don Carmen très affaibli, et écoutez avec courage ce que je vais dire : je ne crois pas qu'il en ait pour très longtemps. Mais ne tremblez pas, ne pleurez pas, vous avez à vos côtés un homme prêt à vous défendre et à vous soutenir. » Vous pouvez lire le texte de la déposition, si vous le souhaitez.

L'ACCUSÉ : Ce n'est pas nécessaire, monsieur le Juge, car je crois à la fidélité de votre lecture. Je ne peux pas en dire autant pour ce qui est de la fidélité de la mémoire, ou des intentions, de doña Flora ; et avant tout laissez-moi vous dire combien j'ai de peine à réprimer mon étonnement. Si de telles affirmations, qui ne sont jamais sorties de ma bouche, avaient quelques apparences de vérité, elle n'aurait jamais dû autant tarder à les dénoncer.

Il est certain que, comme tous les matins, je l'ai accompagnée ce jour-là à la messe de neuvaine pour l'âme de Mathilde, en compagnie de María del Pilar ; et comme tous les matins nous avons déjeuné ensemble, en parlant de choses et d'autres. Mais je dis, et j'insiste, qu'une telle ineptie n'a jamais pu sortir de ma bouche, pour une raison élémentaire, à savoir que don Carmen était présent.

Interrogez-la, interrogez les serviteurs, et vous constaterez que don Carmen nous attendait pour le petit déjeuner et qu'il s'est assis à table avec nous. Il aurait été plus facile pour elle de rendre son mensonge crédible, si elle avait cité une occasion plus vraisemblable, parmi toutes celles où nous avions l'habitude de nous retrouver en tête à tête. Mais, comme on peut le constater, on ne l'a pas bien conseillée.

LE JUGE : Doña Flora affirme également qu'au cours du même petit déjeuner vous lui avez fait la déclaration suivante, qu'à nouveau je cite : « Don Carmen m'a demandé, hier soir, de me charger de ses écritures et de tout son travail, car il veut me donner les pleins pouvoirs. Mais pour accepter je dois compter sur votre consentement. » D'après le témoin, don Carmen ne vous a jamais fait une telle proposition.

L'ACCUSÉ : Je n'ai jamais rien dit de tel à doña Flora et je rappelle à nouveau que don Carmen était présent à la table du petit déjeuner. Par contre doña Flora a raison sur un point, quand elle dit que cette proposition n'a jamais existé. Ce qu'il m'a proposé, le dimanche soir, en sa présence, c'est que j'installe mon bureau en face du sien, dans le corridor où fonctionnent les bureaux de la Compagnie, car il voulait mettre l'affaire du contrat entièrement sous ma responsabilité. Et il a beaucoup insisté pour que je ne parte pas à Managua.

Comme don Carmen parlait peu et avait peu d'amis, j'ai avoué à doña Flora, alors que nous revenions de la messe, que l'offre m'avait beaucoup flatté, non pas pour ce qu'elle signifiait en elle-même, car en abandonnant mon projet de livre je perdais au change, mais parce qu'elle venait de lui, qui accordait très rarement de telles marques de confiance.

3. Peu avant huit heures du matin, don Carmen est allé travailler dans son bureau; Castañeda a sorti de la chambre sa machine à écrire et l'a installée à une des extrémités de la table de la salle à manger, alors que les servantes n'avaient pas encore fini de débarrasser, et il s'est mis à travailler à la composition de l'éloge funèbre.

C'est alors qu'est arrivé en visite don Enrique Gil, majeur, marié, fabricant d'eaux-de-vie et habitant la ville de Chichigalpa, qui dans sa déposition du 21 octobre 1933 nous fournit les informations suivantes :

Le témoin précise que le 9 octobre de l'année en cours il a pris le train du matin pour se rendre dans cette ville, avec l'intention de présenter ses condoléances à don Carmen Contreras et à sa famille, avec lesquels il entretient depuis longtemps des relations amicales étroites. Il avait pris du retard dans l'accomplissement de ce devoir à cause de certains contretemps qu'il ne serait pas de mise d'évoquer ici.

Il ajoute qu'il est arrivé chez les Contreras après huit heures du matin et que sa présence a fortement impressionné son ami intime, qui est aussitôt sorti de son bureau pour l'accueillir dans le corridor. Ils se sont entretenus du malheur survenu et le témoin a tenté de le consoler, en lui parlant d'autres sujets et en rappelant à son bon souvenir l'agréable visite qu'il lui avait récemment rendue à Chichigalpa, quelques jours plus tôt, en compagnie de don Esteban Duquestrada.

Alors que le témoin s'apprêtait à se retirer pour accomplir quelques démarches en ville, en rapport avec la distribution du rhum Champion, don Carmen lui avait exprimé son souhait de lui montrer un album en préparation contenant des souvenirs de sa fille disparue. Aussitôt il s'était levé et s'était dirigé vers la table de la salle à manger, où Oliverio Castañeda était en train de taper à la machine. Après avoir échangé quelques mots avec lui, il est revenu en tenant l'album dans ses mains.

Quelques minutes avaient dû s'écouler, le temps nécessaire pour feuilleter l'album où figurait un poème dédié à Mathilde et écrit par Castañeda, quand don Carmen s'est plaint de ressentir un malaise très étrange dans tout le corps. Le témoin a appelé doña Flora, qui revenait à cet instant du magasin, et lui a fait part de ce qui se passait. Elle a alors décidé d'aller le coucher, ce qu'ils ont fait effectivement, en s'aidant l'un l'autre, car il accusait de la rigidité au niveau des jambes et il avait des difficultés à marcher.

Il se rappelle à ce stade qu'en se rendant dans la chambre ils sont passés près de la table de la salle à manger où Oliverio Castañeda tapait à la machine, sans que celui-ci donne le moindre signe d'inquiétude, car il n'a même pas tourné la tête et a poursuivi son travail comme si de rien n'était. Quand ils l'ont étendu sur le lit, don Carmen s'est plaint d'une plus grande rigidité dans les jambes, à tel point qu'il ne les sentait plus au toucher. Presque aussitôt il a été secoué par une forte convulsion qui a plongé doña Flora dans l'inquiétude. Morte d'angoisse, elle a demandé au témoin d'aller chercher sur-le-champ le Dr Darbishire.

Le témoin a quitté rapidement la chambre, en direction de la rue, et en passant à nouveau près d'Oliverio Castañeda il a remarqué qu'il continuait imperturbablement à taper à la machine, sans avoir conscience de rien. Une fois dans la rue il a vu s'approcher une voiture et il l'a hélée ; il allait y monter, quand du trottoir de l'*Hôtel Métropolitain* est accouru, la trousse à la main, le Dr Atanasio Salmerón, qu'il connaît de vue.

Le Dr Salmerón, tout essoufflé, lui a demandé s'il y avait quelqu'un gravement malade dans la maison, ce à quoi le témoin a répondu affirmativement, en l'informant de ce qui se passait et de la mission dont il était chargé. Le Dr Salmerón lui a alors dit : « Allez chercher le Dr Darbishire, je vais m'occuper du patient en attendant qu'il arrive. »

Le juge s'attache à vérifier pourquoi Oliverio Castañeda n'a pas bougé de l'endroit où il tapait à la machine, lors des différentes situations mentionnées par le témoin. Et l'accusé, dans sa déposition à charge du 1er décembre 1933, répond :

LE JUGE : Sur la base de vos affirmations antérieures, je dois conclure que vous vous comptiez parmi les rares amis de don Carmen, bien qu'une différence d'âge appréciable existât entre vous deux.

L'ACCUSÉ : C'est exact et je m'en honore. Notre confiance allait jusqu'au point que je lui donne à garder les sommes d'argent qui me parvenaient du Guatemala. Quand il est mort, il y avait dans son coffre-fort trois cents pesos m'appartenant, que par délicatesse je n'ai pas réclamés à la famille.

LE JUGE : Pouvez-vous affirmer que don Carmen était un homme résistant à la souffrance ?

L'ACCUSÉ : Je peux l'affirmer, sans la moindre équivoque. Je n'ai jamais connu d'homme aussi stoïque que lui. Il ne se plaignait jamais de rien et seule la mort de sa fille a été capable d'entamer son esprit et de finir par l'abattre. Mais sa vigueur physique était restée la même.

LE JUGE : Pourquoi, alors, ne vous êtes-vous pas levé pour l'aider quand, le matin de sa mort, il est passé soutenu par doña Flora et don Enrique Gil ? A quelques pas de là, vous avez continué à taper à la machine, comme si de rien n'était. Puisque vous étiez tellement amis, vous manquiez à un devoir élémentaire. Et si vous le considériez aussi robuste que vous le dites, le fait qu'on l'ait transporté en le soutenant aurait dû vous faire supposer qu'il était très gravement malade.

L'ACCUSÉ : Je dois vous avouer que je ne m'en suis pas rendu compte, tant j'étais absorbé par le travail de recopier les messages de condoléances reçus à l'occasion du décès de Mathilde. Je mettais tant de persévérance et tant d'affection dans l'accomplissement de cette tâche que j'oubliais complètement ce qui se passait alentour.

LE JUGE : Don Enrique Gil est parti chercher un secours médical et il est passé en toute hâte à côté de vous, alors que don Carmen venait d'avoir sa première crise de convulsions. Étiez-vous si absorbé que vous n'avez rien remarqué? Aucune alerte n'était capable d'attirer votre attention?

L'ACCUSÉ : Je ne me suis pas aperçu non plus que don Enrique Gil avait quitté la chambre pour la rue. Mais vous devriez plutôt lui demander la raison pour laquelle lui-même ne m'a pas prévenu. S'il est passé si près de moi, et s'il était si inquiet, n'aurait-il pas été logique qu'il s'arrêtât pour solliciter mon aide, au moins pour utiliser le téléphone et ne pas perdre de temps?

Doña Flora, dans sa déposition du 14 octobre 1933, avait affirmé que si Castañeda avait continué à taper à la machine alors qu'elle conduisait son époux vers son lit, avec l'aide de don Enrique Gil, son manque d'attention était certainement dû à sa vue défectueuse; elle avait justifié cette attitude en ajoutant qu'il était toujours très distrait quand il tapait à la machine, au point de ne pas remarquer l'heure quand on lui apportait un rafraîchissement, qu'il laissait un bon moment à côté de lui sans y toucher.

Mais dans sa seconde déposition elle dit, à propos de cet épisode auquel le juge accorde une importance capitale dans son instruction :

LE JUGE : Vous avez précisé antérieurement que Castañeda n'avait pas bougé de sa chaise quand don Carmen a été conduit dans sa chambre. Pouvez-vous ratifier cette affirmation?

LE TÉMOIN : Je la ratifie. Et j'ajoute qu'il lui était impossible de ne pas remarquer que nous emmenions mon époux vers sa chambre, quasiment en le traînant, car nous l'avons frôlé en passant, étant donné que la table de la salle à manger était en travers de notre route, comme vous pouvez le voir par la position dans laquelle elle est placée. Ce n'est que quand le Dr Salmerón est entré qu'il a paru se rendre compte de ce qui se passait, alors que mon époux avait déjà eu sa première attaque.

Il y a d'autres rectifications. Doña Flora, lors de sa première comparution, a donné au juge une version des événements de cette matinée qui, dans l'ensemble, coïncide avec celle des autres témoins, sauf sur quelques détails : elle affirme, par exemple, que la boîte de capsules de quinine, ordonnées par le Dr Segundo Barrera à son époux, était enfermée à clef dans un buffet; et que quand María del Pilar est allée chercher le médicament, à la fin du petit déjeuner, elle lui a demandé les clefs, qu'elle était la seule à posséder.

Cependant, dans sa seconde déclaration, du 31 octobre 1933, elle rectifie cette affirmation de la façon suivante :

LE JUGE : Confirmez-vous que vous étiez présente quand don Carmen a réclamé son médicament à María del Pilar, à la fin du petit déjeuner?

LE TÉMOIN : Oui, j'étais présente; c'est moi qui lui ai rappelé que c'était l'heure et alors il a demandé à ma fille María del Pilar de lui rapporter de la chambre la boîte de capsules. La boîte n'était dans aucun buffet, comme je l'ai dit auparavant par erreur, mais sur la table de nuit, à laquelle aussi bien Castañeda que mon mari avaient accès.

6. Dans sa première déposition, doña Flora n'a pas fait allusion à l'autopsie du cadavre ordonnée par le juge; mais à présent elle répond ainsi sur ce point :

LE JUGE : Quand je me suis présenté chez vous, le jour du décès de votre mari, Oliverio Castañeda m'a assuré que vous vous opposiez à l'autopsie du cadavre. Quels étaient vos motifs?

LE TÉMOIN : Je n'avais aucune raison particulière, sauf celles qu'il m'a données. Quand vous vous êtes présenté ce matin-là et que vous avez expliqué que le cadavre devait être conduit à l'hôpital, il est entré dans la chambre et il m'a dit : « Madame, le corps de votre époux va être victime d'une sauvage profanation. On lui brisera le crâne, avec une scie, pour en extraire le cerveau, on lui ouvrira l'estomac et on lui retirera les intestins, la rate, le foie. Il restera méconnaissable. On le remplira de sciure et de papier journal et, une fois rempli, ou le coudra avec une aiguille à repriser les sacs. » C'est pour cette raison que, dans un premier temps, je me suis opposée à l'autopsie, pourtant si indispensable, comme je le comprends à présent.

A l'affirmation précédente, l'accusé répond dans sa déposition à charge :

LE JUGE : Le jour où je me suis présenté dans la maison des faits, vous êtes venu m'informer que doña Flora était opposée à l'autopsie que j'avais ordonnée. D'après sa déposition, que vous pouvez lire sur ce point, il est révélé que vous avez été l'instigateur de ce refus de la veuve. Et votre objectif en l'occurrence est plus qu'évident, puisque l'autopsie devait permettre d'établir le corps du délit.

L'ACCUSÉ : Corps du délit qui n'a aucunement été établi, car les épreuves de laboratoire auxquelles ont été soumis les viscères, sont nulles, étant donné leur caractère précaire et antiscientifique. Et quant à la décision de doña Flora de s'opposer à l'autopsie, c'est elle seule qui l'a prise et je n'en ai jamais été l'instigateur. Je vous ai seulement transmis son opinion, qu'elle a fondée alors sur ses sentiments chrétiens. Ses dernières affirmations, à propos de la peur que je lui ai faite en lui décrivant le traitement qu'allait recevoir le cadavre de son mari, ne sont qu'une piètre invention de sa part, et elle me fait pitié.

7. Doña Flora avait encore certaines choses à ajouter. Le juge ayant considéré son questionnaire comme clos, l'avocat de l'accusation, Juan de Dios Vanegas, présent pendant la procédure, demande qu'une série de questions soient soumises au témoin en sa qualité d'offensée. La requête est acceptée :

Question n° 1. Que l'offensée dise s'il est vrai, comme cela est, que l'accusé a prononcé certaines phrases près du lit de la victime, et qu'elle explique ce qu'ont été ces phrases.

RÉPONSE : Il a dit que nous ne devions faire aucun bruit, pour ne pas gêner mon mari, ce à quoi je n'ai accordé aucune importance sur le moment ; mais ensuite j'ai su que les personnes empoisonnées à la strychnine sont très sensibles au bruit ; d'où je conclus qu'il connaissait déjà la cause et la gravité de son état.

Question n° 2. Que l'offensée dise qu'il est vrai, comme cela est, que l'accusé a observé une conduite insouciante après le décès de la victime.

RÉPONSE : En effet, sa conduite a été d'une indifférence totale, comme s'il ne s'était rien passé. Il n'a manifesté aucun chagrin et il a gardé tout le temps la même conduite, même au moment où, à midi, le capitaine Ortiz est venu le capturer. Il a fait preuve alors de nonchalance et il n'a pas résisté, il nous disait qu'on le recherchait pour des raisons politiques, mais qu'il s'en moquait car grâce au piston qu'il avait à Managua il obtiendrait sa libération immédiate. Par la suite, il a gardé cette mentalité fataliste, ce qui explique qu'il se soit mis à boire de l'alcool. Quand les autorités se sont enfin emparées de lui, il était complètement ivre et s'était enfermé dans les toilettes. Je ne l'avais jamais vu dans un état pareil.

Question n° 3. Que l'offensée dise s'il est vrai, comme cela est, qu'en s'opposant à la capture de l'accusé, elle défendait uniquement la tranquillité de son foyer.

RÉPONSE : C'est vrai. Je me suis opposée à sa capture à cause des troubles que cela entraînerait dans mon domicile et parce que j'ignorais totalement sa culpabilité, dont je ne doute absolument plus à présent.

Mais revenons à la déposition à charge d'Oliverio Castañeda et à l'endroit où il se réfère aux affirmations de doña Flora en réponse aux questions de son avocat :

LE JUGE : Doña Flora affirme que vous avez demandé qu'on ne fasse pas de bruit dans la chambre de don Carmen, d'où l'on conclut que vous saviez que l'agonisant avait ingéré de la strychnine. Je me fonde sur différents traités de toxicologie où j'ai lu que la strychnine provoque chez la victime une hypersensibilité aux bruits et à la lumière.

L'ACCUSÉ : Vous devriez m'expliquer, en premier lieu, sous quel recours légal on a donné la parole à l'avocat de l'accusation alors que je n'assistais pas à la procédure en ma qualité d'accusé, comme l'exige le Code d'instruction criminelle en vigueur, ce qui est plus que suffisant pour annuler aussi bien les questions que les réponses.

Mais je veux me montrer bienveillant vis-à-vis de votre enquête, monsieur le Juge. Et je vous dis : dès que je suis entré dans la chambre du moribond, j'ai multiplié les soins et les attentions à son égard, et je n'exagère pas en affirmant qu'il a exhalé son dernier soupir dans mes bras. J'aurais souhaité, non seulement qu'on ne fît pas de bruit, mais qu'on me donnât le pouvoir de le sauver, car il mourait sans aucun secours médical, étant donné qu'on ne saurait qualifier de tel les manipulations du Dr Salmerón.

Et j'ajoute : Qui peut croire qu'un assassin, qui a déjà disposé de la vie d'une personne en l'empoisonnant, s'attachera à la préserver du bruit?

LE JUGE : Je laisse de côté ce qui se rapporte à la conduite anormale que vous avez observée après le décès de votre victime, dont doña Flora fait également mention. Mais je voudrais vous demander : Pourquoi vous êtes-vous mis à boire de l'alcool en des circonstances aussi graves? Vous vouliez peut-être, vous sachant perdu, fuir la responsabilité de votre délit en vous aidant de la boisson?

L'ACCUSÉ : Je n'ai pas bu une seule goutte d'alcool ce jour-là et il n'est pas vrai non plus que je me sois enfermé dans les toilettes, en état d'ébriété, comme je le lis dans les réponses illégales de doña Flora ou comme je l'ai déjà lu dans la déposition du capitaine Ortiz. Reportez-vous plutôt au témoignage de la petite Leticia Osorio, qui est valable parce que son innocence la préserve du calcul et du mensonge, et vous vous apercevrez que tout ce que je dis à ce propos est vrai.

En effet, la petite Osorio, dans sa déposition du 19 octobre 1933, confirme les dires de Castañeda, tout en offrant sa propre version sur les circonstances de la capture :

Des gardes sont arrivés, vers midi, en demandant après don Oliverio et quand il a entendu les voix dans le salon, il est entré dans sa chambre. Les gardes sont venus jusque dans la galerie et, sur ce, mam'selle María del Pilar est sortie et leur a demandé ce qu'ils cherchaient ici, et qui leur avait donné la permission d'entrer. Don Tacho Ortiz, qui était leur chef, a dit que don Oliverio devait se livrer, selon des ordres venus d'en haut. A ce moment don Oliverio est apparu, le chapeau à la main, et il a dit au capitaine : « Ne faites pas de grabuge, don Tacho, je vous accompagne. » Il s'est retourné vers mam'selle María del Pilar et il lui a dit : « Ces gens me cherchent à cause de la politique, ils veulent peut-être me faire quitter par la force le Nicaragua. Adieu. »

Mam'selle María del Pilar l'a serré dans ses bras et elle s'est accrochée à lui de tout son cœur. Sur ce, doña Flora est arrivée et elle a dit : « Qu'est-ce que c'est que cette pagaille, respecte ma douleur, Tacho. — Ce n'est pas de la pagaille, madame, cet individu doit se constituer prisonnier sans résister, ou je ne réponds de rien », a dit don Tacho. Mam'selle María del Pilar pleurait à chaudes larmes et doña Flora répétait : « Il ne sortira pas d'ici », et elle aussi, elle pleurait. Alors, don Tacho a appelé les gardes qui avaient déjà entouré don Oliverio avec leurs fusils, et il leur a dit : « Allons-nous-en, je ne veux pas de comédie. » Et à don Oliverio, il lui a dit : « Ça ne te servira à rien de te cacher dans les jupons des femmes. »

Dans l'après-midi don Tacho est revenu avec plus de gardes et à nouveau doña Flora et mam'selle María del Pilar sont sorties pour discuter avec lui. « Si c'est à cause de la politique, ça regarde le Guatemala », lui faisait valoir doña Flora. « Ce n'est pas de la politique, cet homme est un criminel, ne le défendez pas, vous aussi il va vous tuer », leur a dit don Tacho, hors de lui. « Baisse la voix, les gens t'écoutent », l'a supplié doña Flora, et elle se remettait à pleurer. « Alors laissez-moi l'emmener, sinon le scandale va être encore plus grand, parce que de toute façon, je vais le sortir d'ici », a crié don Tacho encore plus fort, « où est cette crapule ? » Les gardes se mettaient à fouiller toute la maison. « Il est là », a crié l'un d'eux qui était entré jusqu'au fond, « il est enfermé dans les toilettes. »

Ensuite ils l'ont emmené, ligoté, entre deux soldats et les autres soldats écartaient mam'selle María del Pilar et doña Flora avec leurs fusils, jusqu'à ce qu'ils arrivent à le sortir de la maison, au milieu de la foule. Elles se sont enfermées dans une chambre, pour pleurer. Doña Flora disait qu'elle allait se plaindre à Managua et que c'est don Tacho qui se retrouverait en prison, quand le général Somoza saurait ce qu'on lui avait fait à elle.

Interrogée par le juge, le témoin affirme qu'il n'a pas vu don Oliverio boire de l'alcool et qu'elle ne sait pas s'il était éméché quand ils l'ont emmené, mais elle a entendu dire à doña Flora qu'il n'était pas éméché, que c'était une calomnie de don Tacho, car en voyant qu'on le sortait des toilettes, il avait dit : « Il est ivre, il a dû fêter quelque chose. »

8. Et pour terminer, voici la réponse de doña Flora à la dernière question de l'avocat de l'accusation, à propos de laquelle, bizarrement, le juge n'a pas interrogé l'accusé lors de la déposition à charge :

Question n° 4. Que l'offensée dise s'il est vrai, comme cela est, que si l'accusé connaissait tout des effets des poisons mortels, c'est parce qu'il était en possession d'au moins un livre sur le sujet. Et rapportez la façon dont l'existence de ce livre est venue à votre connaissance.

RÉPONSE : Il est vrai qu'il avait ce livre en son pouvoir. Deux semaines environ avant le décès de Marta et alors que le ménage habitait chez nous, j'ai remarqué que Castañeda sortait de sa chambre avec un livre à la main et qu'il se dirigeait vers ma fille Mathilde, qui était assise dans la galerie, où elle reprisait des chaussettes, pour le lui remettre. Je me suis approchée pour me renseigner sur ce livre et il m'a dit : « Vous n'imaginez pas comme ce livre est intéressant. On y enseigne la manière de supprimer les personnes et de leur faire toute sorte de maux, sans laisser de traces. » Inquiète, j'ai pris ce livre qui s'appelait *Secrets de la nature*, si je me souviens bien, et je lui ai reproché de proposer à Mathilde ce genre de lecture. J'ai rangé moi-même le livre, mais maintenant que je l'ai cherché pour vous le remettre, je ne l'ai pas trouvé.

Dans les pages dudit livre il y avait une photo de la mère de Castañeda, toute jaunie et décolorée par le temps. C'est une photographie qu'on n'oublie pas facilement, monsieur le Juge. Cette dame, encore jeune, mais très émaciée, apparaît sur un lit d'hôpital, appuyée contre des oreillers ; et ses cheveux, lisses et très longs, tombent sur les draps. Debout, près d'elle, apparaissent également des médecins avec des tabliers blancs et une nonne portant un plateau avec des seringues et des médicaments.

Le lecteur se rappellera que Rosalío Usulutlàn connaît cette photo qui, au moment où doña Flora dépose pour la seconde fois, est entre les mains du Dr Atanasio Salmerón, glissée entre les pages du livre que le journaliste lui a apporté dans l'arrière-boutique de Cosme Manzo, le soir du jour où l'on a enterré Mathilde Contreras.

26

Une présence surprenante et inopportune

Quand le Dr Atanasio Salmerón est apparu à la porte du salon qui donne sur la galerie, Oliverio Castañeda, imperturbablement, continuait à taper à la machine. Il a finalement levé la tête pour scruter ce visiteur imprévu et sans cesser de le regarder il a continué à taper jusqu'à ce que retentisse la petite sonnerie annonçant qu'il arrivait au bout d'une ligne.

Le Dr Salmerón s'est avancé, trousse à la main, jusqu'aux chambres, sans savoir dans laquelle pénétrer, car il n'était jamais entré auparavant dans cette maison. Castañeda, bondissant de sa chaise, lui a barré le passage.

« Avez-vous remarqué s'il était effrayé, ou simplement surpris ? » Rosalío Usulutlán tord le cou, sans cesser de soutenir l'annonce de laiton de l'« Anis du Singe » que le capitaine Prío s'apprête à clouer au mur, sur un côté du comptoir. On est au soir du 11 octobre 1933.

« Il a attrapé la chaise où il était assis et il l'a posée devant lui. » Depuis la table, le Dr Salmerón observe les autres, occupés à fixer l'annonce. « Il m'a demandé, sur un ton hautain, ce que je cherchais, comme si j'étais un voleur ou quelque chose dans le genre. Il m'a mis tellement en colère que je l'ai repoussé. Mais il m'a suivi et il s'est à nouveau mis en travers de ma route. En entendant les hurlements, parce qu'à ce moment je lui ai crié de s'écarter, doña Flora est sortie de la chambre.

– Elle aussi a dû être surprise. » Cosme Manzo fait signe à Rosalío que l'annonce n'est pas droite. « Descends-la un petit peu plus, sur la droite.

– Elle a été surprise de me voir dans la maison, elle a été surprise des cris et des bousculades, mais elle ne pouvait pas me renvoyer à cet instant. J'étais l'ange salvateur. " Entrez, entrez, il est en train de mourir ", c'est ce qu'elle m'a dit. » Le Dr Salmerón se soulève légèrement de sa chaise et jette un coup d'œil rapide à l'annonce. « Tu l'as trop descendue.

– Et Castañeda? » Le capitaine Prío, la bouche pleine de clous, se prépare à donner le premier coup de marteau. « Qu'est-ce qu'il a fait?

– Cet homme est un véritable artiste. Il a enlevé ses lunettes et il s'est frotté les yeux, comme s'il venait seulement de se rendre compte de ce qui se passait. » Le Dr Salmerón appuie les mains sur la table, sans reposer les fesses sur son siège, attendant le coup de marteau. « Il s'est approché d'elle, l'a prise dans ses bras, et lui a dit d'un ton de reproche : " Pourquoi ne m'avez-vous pas appelé? Je serais allé moi-même chercher le Dr Darbishire. " Et en deux enjambées il est entré sans coup férir dans la chambre.

– Tout en écrivant il guettait tout ce qui se passait », Cosme Manzo va aider Rosalío et il soutient l'annonce par-dessous; « il calculait combien de temps il faudrait à Gil pour aller jusqu'au cabinet de Darbishire et de combien de temps il aurait besoin pour revenir. Si tant est qu'il le trouve dans son cabinet.

– Il n'avait pas de raison de s'inquiéter; la dose de poison qu'il avait mise dans la capsule était plus forte. Il n'y aurait de temps pour rien. » Le Dr Salmerón frémit au coup de marteau.

« Et María del Pilar Contreras? » parvient à dire Rosalío avant de pousser un hurlement. L'annonce tombe par terre et le bruit du métal tarde à se dissiper.

« Quel douillet. Voyons, montre-moi ton doigt. » Cosme Manzo attrape la main de Rosalío. « Elle, il avait dû la voir entrer dans la chambre. Comment pouvait-il ne pas la voir? Elle est la lumière de ses yeux.

– Je l'ai trouvée dans la chambre. Elle frottait les jambes de don Carmen, mais elle n'avait pas l'air agité; dans son esprit ce n'était qu'un malaise passager. » Le Dr Salmerón quitte la table pour examiner le doigt de Rosalío, qui ne veut pas le montrer à Cosme Manzo. « Elle m'a demandé si je ne pensais pas que ce pourrait être une congestion. Mais c'est don Carmen lui-même qui lui a répondu que ce ne pouvait pas être une congestion, puisqu'il n'avait rien mangé de nocif au petit déjeuner et qu'il n'avait dîné que d'un verre de lait et d'un petit pain.

– Alors, il était conscient. » Le capitaine Prío ramasse la réclame sur le sol et il l'agite pour la nettoyer. « Il avait l'air calme?

– Il ne paraissait pas inquiet, mais, par contre, il semblait très abattu. " Je ne sais pas ce que ça peut être, je sens quelque chose d'horrible dans les jambes, comme une crampe qui monte ", a-t-il dit pendant que je lui déboutonnais sa chemise pour poser mon stéthoscope. » Le Dr Salmerón ouvre de force la main de Rosalío. « Or il ne s'adressait pas à moi, ni à sa femme, ni à sa fille, mais à Castañeda, qui lui soutenait la tête. Eh bien, mon vieux, pour un peu il t'arrachait l'ongle. Apportez de l'alcool, capitaine.

– Et là-dessus il a eu une attaque. » Cosme Manzo avance la tête pour voir le doigt de Rosalío qui est devenu violet. « S'il n'y a pas d'alcool, il faut lui mettre de l'Anis du Singe.

– Il a commencé à trembler. Ça a été horrible. Les convulsions étaient d'une violence épouvantable. Il bondissait sur son lit comme un possédé. » Le Dr Salmerón lâche la main de Rosalío et revient à la table. « Vous ne savez même pas planter un clou.

– Ça a été la dernière attaque ? » Rosalío Usulutlán se protège le doigt de son autre main. « Il vaut mieux que j'aille me mettre de la glace.

– Il en avait eu une très légère quand ils l'avaient couché. C'était la deuxième, et dernière. » Le Dr Salmerón tire la chaise sous ses fesses. « Mets-toi ce que tu voudras, tu nous emmerdes.

– Et comment avez-vous fait avec la sonde ? » Le capitaine Prío examine l'annonce de près, avant de la remettre contre le mur. « Venez me tenir la réclame, don Chalío.

– Tu peux toujours courir, arrache le doigt à un autre. » Rosalío, penché sur la réserve de glace, se retourne et lui fait un signe obscène de sa main valide.

« J'ai enlevé rapidement ma veste et j'ai relevé mes manches pour livrer bataille. » Le Dr Salmerón se redresse en faisant le geste de retirer sa veste. « Il fallait que je trouve comment lui enfoncer la sonde, même si je devais lui briser les dents. Finalement, après m'être beaucoup battu, j'ai réussi à lui déverrouiller la mâchoire avec une spatule. J'ai demandé un pichet et María del Pilar a couru à la cuisine m'en chercher un.

– Et Castañeda ? Il n'a pas essayé de vous arrêter ? » Maintenant Cosme Manzo soutenait tout seul l'annonce. « Attention, c'est sur moi que vous cognez, capitaine.

– Non. Il m'a seulement reproché, pendant que je manipulais la sonde, de ne rien faire pour venir vraiment en aide au malade. C'était pour que doña Flora l'entende. Et il ne s'éloignait pas du chevet, frictionnant le front de don Carmen. » Le Dr Salmerón se recroqueville devant l'imminence du coup de marteau.

« Mais c'est vrai que ce que vous faisiez ne lui était d'aucun secours. » Rosalío souffle sur son doigt, avant d'y poser un petit morceau de glace enveloppé dans son mouchoir.

« Qui pouvait le sauver, à ce stade ? Ne fais pas chier. » Le Dr Salmerón toise Rosalío d'un air de reproche. « Quand j'ai retiré la sonde, j'ai mis mon stéthoscope sur sa poitrine. Les battements du cœur étaient déjà lointains, éparpillés. Au bout de quelques instants, il est mort.

– C'est à quel moment que Castañeda a demandé de ne pas faire de bruit autour du moribond? » Cosme Manzo ferme très fort les yeux pendant que le capitaine Prío enfonce ses clous.

« C'était avant que je lui mette la sonde. » Le Dr Salmerón cligne des yeux à chaque coup de marteau. « Il tapotait ses oreillers, exigeant le silence. " Je t'ai repéré, fine mouche ", ai-je pensé. " Tu sais pertinemment ce que tu lui as donné."

– Il est mort. C'est alors qu'a commencé la bagarre pour le pichet. » Cosme Manzo soutient la réclame d'une seule main, maintenant qu'elle est clouée sur un côté.

« En réalité, il n'y a pas eu de bagarre. » Le Dr Salmerón se lève. Le singe était en place. « Pendant que je boutonnais mes manches et que je cherchais ma veste pour la remettre, Castañeda, très calme, a pris le pichet et l'a remis à une des servantes qui étaient entrées dans la chambre en entendant les cris des deux femmes. Il lui a donné des instructions à voix basse, sur un ton très naturel, pour qu'elle aille jeter le contenu dans les toilettes. Moi, également très calme, j'ai pris ma trousse et je l'ai suivie jusqu'à la galerie.

– Castañeda vous a alors emboîté le pas. » Rosalío, en balançant le bras comme s'il portait un encensoir, s'approche pour contempler le singe, maintenant fixé au mur. « Tu parles d'un singe têtu. Il ne lâche pas la bouteille.

– Il m'a emboîté le pas. Mais j'avais récupéré le pichet; la servante me l'avait remis sans faire de difficulté. » Le Dr Salmerón s'approche à son tour pour regarder le singe qui pressait la bouteille contre sa poitrine et il caresse de ses doigts la surface émaillée du laiton. « Il m'a apostrophé avec des airs de maître de la maison : pourquoi je m'opposais à ce qu'on jette ces saletés?

– Mais il n'a pas essayé de vous l'enlever. » Cosme Manzo passe, à son tour, la main sur le laiton et l'arrête sur l'étiquette de la bouteille que le singe protège entre ses bras. Sur l'étiquette, un autre singe protège une autre bouteille.

– Pas du tout. Je lui ai répondu que j'allais remettre ce pichet aux autorités, car cet homme était mort empoisonné. » Avant de retourner à la table, le Dr Salmerón recule de quelques pas, sans cesser d'admirer le singe qui le défie depuis l'annonce, avec détermination et fierté. « Il a tourné la tête, comme pour mieux entendre, en me faisant comprendre qu'il n'en croyait pas ses oreilles. Il m'a dit que je n'étais pas seulement un intrus, mais aussi un impertinent, et que ma présence était superflue. Je lui ai répondu que oui, je partais, qu'il ne s'inquiète pas, mais que j'emportais le pichet. J'étais prêt à lui balancer un coup de pied, s'il essayait de me l'arracher.

– Et il ne vous l'a pas arraché. » Cosme Manzo vient s'asseoir à côté du Dr Salmerón et il s'éponge la nuque avec son mouchoir d'indienne rouge. « Vous me devez un coup d'Anis du Singe, capitaine.

– On n'a pas d'Anis du Singe, ici. » Le capitaine Prío range le marteau dans le tiroir du comptoir. « Une bière, si tu veux.

– Pas de danger qu'il s'y risque! » Le Dr Salmerón porte les mains à sa poitrine et détourne le corps, comme s'il défendait toujours le pichet. « Et encore moins à l'instant où entrait le Dr Darbishire. En le voyant, il a changé d'attitude, il est allé à sa rencontre, l'air accablé. " Vous vous rendez compte, docteur, quel malheur ", lui a-t-il dit en ouvrant les bras comme pour lui donner l'accolade. " Une autre mort dans cette famille. Vous devriez prescrire qu'on nous analyse le sang à tous, parce qu'on dirait qu'il y a dans cette maison un microbe malfaisant. " Le Dr Darbishire ne lui a rien répondu. Il a vu le pichet dans mes mains et il a compris que je n'étais pas décidé à le lâcher.

– Si vous n'avez pas d'Anis du Singe, pourquoi bordel avez-vous cloué cette annonce, capitaine? J'y ai laissé un ongle pour rien. » Rosalío montre son doigt violacé au capitaine Prío.

« Le Dr Darbishire ne vous a rien dit? Rien qui vous permette de vous sentir épaulé? » Le capitaine Prío repousse Rosalío avec un geste d'agacement. « Je l'ai mise parce que ce singe me plaît et parce que le mur est à moi.

– Il m'a dit en toutes lettres : " Asseyez-vous, docteur. Le juge arrive. Remettez-lui ce récipient. Et faites ce qu'il décidera. " » Le Dr Salmerón s'éloigne de la table d'un pas tranquille comme s'il était le Dr Darbishire lui-même se dirigeant vers la chambre d'où continuaient à sortir des lamentations. « Pour se dégonfler par la suite, ce vieux trouillard.

– Alors, vous vous êtes retrouvés tous les deux seuls, Castañeda et vous. » Cosme Manzo approche le verre de bière de sa bouche et souffle sur la mousse.

« Non. Il a suivi le Dr Darbishire, comme s'il n'avait pas entendu mentionner le mot juge, en secouant la tête et en répétant : " Quel épouvantable malheur, un homme si noble et si bon, mourir comme ça, d'un seul coup. " » Le Dr Salmerón revient sur ses pas, il s'arrête devant le singe et porte les mains à sa poitrine. A nouveau, il protège le pichet.

Mais, brusquement, il se sent épuisé et importun dans la galerie de cette maison, où jamais dans sa vie il n'était entré auparavant et où il ne reviendrait sans doute jamais. Toutes les choses lui paraissent étrangères et hostiles. Il s'adosse à un pilier et son désarroi augmente à la vue des fauteuils appuyés contre le mur, qui lui montrent leurs bascules retournées à l'envers, parce que le nettoyage du sol a été interrompu, mais qui lui refusent, de toute façon, le droit de s'y asseoir. Sa trousse, posée sur la table de la salle à manger, a l'air, elle aussi, déplacée dans ce cadre, de même que ses souliers, éculés et couverts de poussière; l'aigre odeur de sueur de sa chemise le rebute, comme si cette odeur donnait raison à ceux qui le rejettent. Il entend à nouveau, venant de la chambre, les lamentations de la mère et de la fille, et ces cris déchirants ont la force d'un vent qui souffle en le poussant hors de la maison, comme un intrus.

Il serre le pichet contre sa poitrine et il cale ses humbles souliers sur le sol de mosaïque. Il ne va pas perdre maintenant cette bataille, il ne va pas partir d'ici avant l'arrivée du juge.

« Tu es un connard de merde si tu fous le camp, maintenant que tu tiens à ta merci ce fils de pute », il lève le menton dans un geste de détermination et de fierté, que personne ne voit dans la galerie déserte.

27

Un juge débutant entre en action

Le matin du 9 octobre 1933, le train provenant d'El Sauce arrive en gare de León avec plus d'une heure de retard. Il est près de huit heures et demie, quand le juge Fiallos qui, sans le savoir, allait vivre la journée la plus agitée de son existence, descend du wagon, ajustant sur son épaule son sac de cuir ; un domestique de sa propriété le suit, portant quelques grappes de bananes, et la fumée du train les enveloppe tous les deux.

Le capitaine Anastasio J. Ortiz, un voisin de longue date, l'attend depuis un bon moment sur le quai. Il le rejoint, en se frayant énergiquement un passage parmi les passagers et les vendeurs, qui, lorsqu'ils l'aperçoivent, s'écartent avec crainte : habillé de kaki, le chapeau Stetson des marines enfoncé jusqu'aux oreilles, la jugulaire coincée sous le menton, le capitaine Ortiz a l'allure d'un officier rescapé des troupes d'occupation qui n'avaient quitté le pays que quelques mois auparavant. Ses petits yeux bleus et son teint rubicond viennent renforcer cette apparence.

Ils s'éloignent en conversant vers la porte des entrepôts et sortent précipitamment, le capitaine Ortiz à la traîne du juge Fiallos, qui a un pas énergique et plus long. Le juge Fiallos confie le domestique avec le sac de cuir et les grappes de bananes à un fiacre, en sortant son porte-monnaie pour payer la course au cocher, et il monte dans la Ford décapotable du commandement départemental, héritage elle aussi des marines, au volant de laquelle l'attend le capitaine Ortiz, moteur en marche. Il va être neuf heures du matin.

Le lecteur ne doit pas oublier qu'à cette heure le Dr Atanasio Salmerón est déjà entré de manière intempestive dans la maison de la famille Contreras conformément à un plan prétendument établi avec le capitaine Ortiz. Nous disons prétendument, car dans sa déposition judiciaire du 27 octobre 1933, dont nous connaissons d'autres parties, ce dernier nie avoir été associé à ce plan.

Dans la matinée du samedi 7 octobre s'est présenté chez moi le Dr Atanasio Salmerón, qui souhaitait m'exposer une série de soupçons contre Oliverio Castañeda, qu'il rendait responsable de la mort de sa propre épouse et également de la mort de Mlle Mathilde Contreras. J'ai trouvé son argumentation assez incohérente et comme il m'a parlé de preuves qu'il prétendait détenir, mais qu'il ne révélerait que le moment venu, je n'ai pas accordé beaucoup de crédit à son discours.

Il m'a également proposé d'échafauder un plan pour espionner la maison de la famille Contreras où, d'après ce qu'il croyait, allait se produire un autre meurtre, plan auquel lui-même voulait participer. J'ai poliment dit non, sans lui opposer de refus catégorique. Mon manque de réceptivité à son plan, par ailleurs peu convaincant, venait du fait que je le considère comme un moulin à ragots et à cancans sur des personnes à l'honorabilité reconnue, comme un fabricant de mensonges qu'il s'ingénie à faire circuler comme s'il s'agissait de vérités irréfutables. On en a la preuve avec le chapelet de calomnies publiées sur la présente affaire dans le journal *El Cronista*, souscrites par Rosalío Usulutlán, mais dont je suis persuadé qu'elles lui ont été inspirées par son copain intime, le Dr Salmerón.

Pour les raisons qui précèdent, je n'ai pas voulu lui donner le moindre gage, même si cela ne voulait pas dire que je n'étais pas disposé à prendre des mesures de mon côté, ce pour quoi j'ai attendu prudemment votre retour, monsieur le Juge, afin de discuter entre nous de la situation, comme vous pouvez témoigner que nous l'avons fait.

J'ai été poussé à agir de cette manière par le fait que le Dr Salmerón m'avait indiqué que le Dr Darbishire était au courant des graves dangers que les machinations d'Oliverio Castañeda faisaient courir aux membres de la famille Contreras, car je tiens le Dr Darbishire pour une personne d'une solvabilité morale reconnue. C'est ainsi que quand nous nous sommes rencontrés à la gare, je vous ai conseillé, monsieur le Juge, après m'être appliqué à vous informer sommairement de l'affaire, que nous partions à sa recherche.

Au même moment, alors qu'il va être neuf heures du matin, nous trouvons le Dr Darbishire dans son cabinet de consultation, absorbé par une opération de chirurgie mineure qui s'est révélée plus compliquée que d'habitude : il incise un petit abcès sous l'aisselle gauche du chanoine Isidro Augusto Oviedo y Reyes et, bien qu'il lui ait à plusieurs reprises appliqué une compresse de cocaïne, le prêtre laisse échapper des plaintes de douleur, car la racine est très profonde. L'insistance des coups, qui font vibrer la porte de verre dépoli du cabinet, l'oblige à laisser son patient sur la table d'opération et il va ouvrir, furieux, le scalpel à la main. Il se prépare à tancer l'importun, lorsqu'il découvre qu'il s'agit de don Enrique Gil.

Perplexe, il écoute le message qu'il lui apporte et, après avoir hésité un instant, il revient sur ses pas; il jette le scalpel sur le plateau qui est sur la petite table aux instruments et il vise si mal que celui-ci tombe par terre; sans s'arrêter à cet incident, il prend une gaze avec les ciseaux, l'imprègne de mercurochrome et l'applique sur la blessure ouverte du prêtre qui continue à gémir, en lui demandant simplement, depuis la porte, de garder la gaze coincée sous l'aisselle en attendant qu'il revienne. Il n'enlève même pas sa blouse blanche et, oubliant don Enrique Gil, il sort par la cour en direction de la remise.

Ce n'est qu'en face du coin de *Chez Prío* que le capitaine Ortiz réussit à arrêter la voiture qui roule à bride abattue, après l'avoir poursuivie en klaxonnant sur une centaine de mètres, depuis le cabinet de consultation. Sur ce point nous citons à nouveau la déclaration du capitaine Ortiz :

Sur le trottoir du cabinet nous avons trouvé don Enrique Gil, qui nous a mis au courant des derniers événements et du départ précipité du Dr Darbishire dont nous avons aperçu la voiture qui s'éloignait par la rue Royale. Lancé à sa poursuite, j'ai enfin réussi à le rejoindre; furieux, et je reconnais maintenant qu'il avait raison, il a protesté parce qu'on l'obligeait à s'arrêter et qu'on l'empêchait d'arriver le plus vite possible là où il allait. Je lui ai proposé de l'emmener en automobile, qui est un moyen de locomotion plus rapide, mais il n'a pas voulu accepter et j'ai décidé de le laisser continuer.

Le Dr Darbishire se remettait à peine en route que nous avons entendu, vous comme moi, monsieur le Juge, des vendeuses de brioches et de pains au lait, qui marchaient sur le trottoir de *Chez Prío* avec leurs paniers sur la tête, expliquer que don Carmen Contreras venait de mourir empoisonné. Je me suis empressé de les interroger et elles ont répondu que c'était un bruit qu'on répétait à tous les coins de rue, ce qui, vous devez vous le rappeler, nous a convaincus qu'il devenait plus que nécessaire que nous concertions nos actions, de la manière la plus expéditive.

Bien que le juge Fiallos soit resté deux jours sans se raser ni changer de linge, et que son costume de lin gris, terriblement froissé, montre des taches de sève de bananier et des auréoles de boue, il n'hésite pas à demander au capitaine Ortiz de le mener directement au tribunal, afin d'y accomplir quelques démarches urgentes avant de se présenter sur le théâtre des faits.

Pendant le bref trajet, le capitaine Ortiz lui apprend que, de son côté, il se propose de téléphoner à Managua sur-le-champ afin d'obtenir une autorisation pour procéder à la capture d'Oliverio Castañeda et pour l'incarcérer à la prison XXI sous l'inculpation, non totalement injustifiée à son avis, de sédition, ruse qui a pour objet de l'empêcher de s'échapper pendant que les recherches progresseront. Ce n'est que plus tard, assailli par des doutes dont nous expliquerons le bien-fondé, que le juge Fiallos devait se reprocher sa légèreté, pour ne pas s'être opposé à cette mesure, de toute évidence illégale.

Quand l'automobile qui transporte le juge Fiallos pénètre dans la rue du tribunal, à grand renfort de klaxon, son secrétaire, le bachelier Alí Vanegas, qui se trouve sur le trottoir, en train de commenter les nouvelles au milieu d'un groupe de personnes sorties de l'échoppe de barbier *Aux amours d'Abraham* et de la salle de billard Titanic, descend dans la rue pour l'accueillir. Dès qu'ils sont entrés, le juge Fiallos commence par lui dicter une commission rogatoire adressée au médecin légiste, le Dr Escolástico Lara, lui enjoignant de se rendre à la morgue de l'hôpital San Vincente, où il doit attendre l'arrivée du cadavre pour pratiquer l'autopsie.

Il n'a pas encore ouvert de procédure d'instruction, mais ces pièces préalables s'ajouteront plus tard au dossier, suivant les conseils que ne cesse de lui prodiguer Alí Vanegas, plus rompu que lui aux artifices des informations judiciaires et enthousiasmé, dès le départ, par la perspective de traiter cette affaire, qui promet d'être sensationnelle.

Le juge Fiallos se présente chez les Contreras accompagné de son secrétaire, un peu avant dix heures du matin. Il se fraye un passage parmi la foule qui remplit le salon, il pénètre dans la galerie à la recherche des proches et, avant de pouvoir s'enquérir de l'un d'entre eux, il tombe sur le Dr Atanasio Salmerón, immobile près d'un pilier et semblant défendre le pichet serré contre sa poitrine, sans que personne ne paraisse remarquer le côté étrange de sa présence. En voyant le juge Fiallos, le Dr Salmerón se dirige vers lui d'une allure solennelle et il lui remet le pichet comme s'il s'agissait d'une offrande.

Le Dr Darbishire qui, à ce moment sort de la chambre et s'apprête à quitter la maison, s'associe aux explications rapides sur la valeur probatoire du contenu du pichet. Le juge Fiallos ordonne à son secrétaire de délivrer au Dr Salmerón un reçu, dont la copie viendra grossir le dossier qui doit être ouvert formellement dans quelques minutes, grâce à l'acte initial rédigé par ce même secrétaire sur la table de la salle à manger.

Le Dr Darbishire et son disciple partent ensemble, après avoir été informés qu'ils restent à la disposition de la justice pour venir témoigner quand ils seront requis. Dans la foulée, le juge Fiallos demande à don Esteban Duquestrada, que le lecteur connaît comme ami intime de don Carmen, de communiquer à la veuve que le cadavre va être transféré immédiatement à la morgue, afin d'y procéder à l'autopsie.

Cela va être, on nous l'a déjà dit, le premier moment de grave tension dans la maison. Doña Flora allègue qu'elle ne peut quitter la chambre où l'on est en train d'habiller le cadavre, et don Esteban revient sans réponse. Un instant plus tard, c'est Oliverio Castañeda lui-même qui sort pour informer le juge Fiallos que la veuve s'étonne vivement de sa présence chez elle, où il est le bienvenu en tant qu'ami de la famille, mais non pas pour y entreprendre des démarches qu'elle n'a pas autorisées. Le juge Fiallos, prenant pour témoins don Esteban et don Evenor Contreras, frère de la victime, avertit Castañeda, après avoir ordonné à Alí Vanegas de lui lire l'article correspondant du Code d'instruction criminelle, que s'il continue à faire obstacle aux dispositions de la loi, il le fera mettre aux arrêts, pour outrage à magistrat.

Tandis que Castañeda se retire au fond de la galerie et s'assied, avec un air renfrogné et le regard haineux, devant sa machine à écrire, don Esteban pénètre à nouveau dans la chambre pour persuader doña Flora qu'il convient d'accepter de bon gré l'autopsie car, de toute façon, le juge Fiallos est habilité à ordonner le transfert du cadavre par la force. On entend quelques sanglots, mais don Esteban réapparaît bientôt sur le seuil de la chambre et fait signe de la tête que le consentement est accordé.

A midi moins le quart, le cadavre est hissé sur la camionnette servant à transporter les vivres de la Garde nationale, mise à la disposition du juge Fiallos par le capitaine Ortiz, qui se trouve dans la maison et attend l'évacuation du corps pour introduire ses soldats et procéder à la capture de Castañeda. Le juge Fiallos, toujours accompagné de son secrétaire, monte dans la voiture de don Esteban qui, à allure très réduite, en raison de la densité de la foule agglomérée sur son passage, suit la camionnette en direction de l'hôpital. Quatre simples soldats, armés de fusils, voyagent debout sur la plate-forme, montant la garde autour du cadavre.

Le pichet contenant les sucs gastriques a été scellé, sous la surveillance du juge Fiallos, dans les bureaux de C. Contreras & Cie; on a utilisé pour l'opération la moitié d'une liasse de papier timbré, fixée sur l'ouverture du récipient par un élastique, semblable à ceux qui servent à attacher les billets de banque. Sur la liasse, le juge Fiallos appose sa signature et Alí Vanegas signe à son tour. C'est lui qui transporte personnellement la pièce à conviction jusqu'à la faculté de pharmacie de l'université. Le bachelier Absalón Rojas, directeur du laboratoire de chimie, la reçoit avec le mandat judiciaire qui l'habilite, à partir de ce moment, en tant qu'expert chimiste.

A trois heures et demie de l'après-midi l'autopsie, pratiquée par le médecin légiste, le Dr Escolástico Lara, est considérée comme achevée. Le rapport en découlant, dressé à la morgue, précise :

Après avoir dépouillé complètement de ses vêtements et placé sur la dalle de dissection de la morgue un cadavre, que le médecin légiste soussigné a sous les yeux, il a été procédé à l'examen physique externe. Il s'agit d'une personne de sexe masculin, de race blanche, âgée approximativement de cinquante ans. Le corps qui ne présente pas de mutilations, ni d'autres défauts physiques, ni de cicatrices, accuse une rigidité complète. La couleur de la peau est nettement jaune et on remarque des ponctuations cyanotiques dans la région thoracique antérieure, chaque ponctuation de la taille d'un centime de cordoba. Le visage présente la même teinte cyanosée et les yeux aux pupilles dilatées ont les conjonctives congestionnées, comme on peut l'observer à la lumière de l'arc voltaïque.

Prenant personnellement le scalpel, j'ai commencé la dissection du cadavre. J'ai d'abord pratiqué une incision depuis la région thoracique supérieure jusqu'à la région abdominale inférieure, disséquant toute la région concernée pour parvenir aux organes internes. J'ai immédiatement procédé à l'examen physique de l'estomac, sans rien trouver d'anormal, puis j'ai extrait cet organe selon la technique opératoire que recommande P. Marcinkus.

J'ai ensuite exploré la rate, dont j'ai constaté la normalité. Après j'ai entrepris l'examen de la masse intestinale, où je n'ai découvert aucun dommage ni aucune lésion, et j'ai extrait le duodénum sur une longueur d'un pied environ; dans la continuité, j'ai examiné le foie et la vésicule biliaire, dont j'ai également constaté la normalité; j'ai extrait la vésicule entière et un fragment du lobe droit du foie, toujours en suivant Marcinkus. J'ai procédé alors à l'extraction du rein droit, lequel est apparu sain dans ses tissus.

Passant à l'examen des organes contenus dans la cage thoracique, j'ai pu constater que le cœur et les grands vases sanguins qui s'y rattachent étaient normaux, et j'ai extrait le viscère mentionné en vue d'un examen postérieur, en accord avec la technique de M. Sindona; les poumons, le droit et le gauche, présentaient dans leur partie antérieure et postérieure une région cyanosée, attribuable à une asphyxie.

Je me suis occupé ensuite de la masse céphalique, utilisant la scie de Calvi pour l'extraire de la boîte crânienne. Après un examen superficiel et des coupes longitudinales, le cerveau m'a paru normal; j'ai conservé un fragment correspondant à l'hémisphère gauche, pour un examen ultérieur.

De l'examen extérieur des organes décrits on ne peut déduire de façon définitive la cause précise de la mort, sauf pour ce qui est des traces d'asphyxie que révèlent les poumons. C'est pourquoi on doit procéder, postérieurement, à la dissection interne de ces mêmes poumons, avant les tests chimiques de caractère toxicologique que le soussigné médecin légiste estime nécessaire de pratiquer.

Une fois la dissection terminée, j'ai ordonné à mes assistants de procéder au remplissage à l'aide de matières inertes des cavités ainsi dégagées et de suturer les incisions. On précise également qu'il a été finalement injecté au cadavre une solution à base de formol, suffisante pour une conservation de quarante-huit heures. Tous les organes et morceaux d'organes extraits ont été mis dans des bocaux de verre et aucune solution préservatrice ne leur a été ajoutée.

Jusqu'à une heure avancée de la nuit, la foule reste sur le qui-vive en divers endroits de la ville, comme la nouvelle nous en est parvenue. Dans sa chronique du lendemain, publiée de façon tapageuse en première page de *El Cronista*, sous le titre « Une commotion ébranle la vieille métropole », Rosalío Usulutlán compare cette mobilisation à celle des jours de fête religieuse :

La vieille crinière de notre chère León s'agite, se hérisse, s'émeut... Jeudi saint, Fête-Dieu... le rédacteur ressent la même impression de ferveur et d'affluence propres aux grandes célébrations catholiques, quand les fidèles visitent en pèlerinages multitudinaires les autels dressés en différents endroits de la ville. Le public, en proie à une volonté étrange, est poussé d'un côté à l'autre; et, refusant de rester en un seul lieu, cette même volonté commune l'engage à se déplacer vers un nouveau site, où une nouvelle inédite, un événement imprévu peut se produire.

Mais la foi chrétienne a été remplacée par une ardeur païenne, courant de cent mille volts qui secoue la pesante torpeur du fruste devenir quotidien... la sensation est à la mode, et aussi bien les questions que les réponses; et dans cette soif de savoir et de commenter s'unissent le grand et le petit, les hommes en veston et ceux en chemise, le puissant et le serviteur, car telle est la nouvelle quand elle électrise...

Le juge Fiallos se trouve encore à la morgue, où le déroulement de l'autopsie vient de s'achever quand, peu avant quatre heures de l'après-midi, se présente le bachelier Absalón Rojas pour lui remettre les résultats de l'examen chimique des sucs gastriques. Ces résultats provoquent un trouble profond dans son esprit et, comme nous le verrons bientôt, dès qu'il en a l'occasion il téléphone depuis l'hôpital même au Dr Darbishire pour les lui communiquer.

Le bachelier Rojas profite de l'occasion pour présenter au juge une note où il sollicite la réquisition du réfrigérateur de *Chez Prío*, car le laboratoire ne dispose pas des moyens appropriés pour conserver les viscères en bon état. Au lieu d'une commission rogatoire formelle, le juge Fiallos remet au bachelier Rojas un mot manuscrit adressé au capitaine Prío, dont la copie est ajoutée aux actes et qui dit:

León, 9 octobre 1933
Capitaine,
Je vous prie instamment de mettre à la disposition du bachelier Absalón Rojas le réfrigérateur de votre établissement, qui vous sera retourné après-demain au plus tard. Je compte sur votre aimable coopération. Bien à vous,

Mariano Fiallos Gil

A cinq heures de l'après-midi le réfrigérateur à deux portes, de marque Kelvinator, alimenté par des brûleurs à essence, préalablement vidé de son contenu de bouteilles de bière Xolotlán, est hissé sur un chariot tiré par des chevaux, pour être transféré à la faculté de médecine, où il arrive accompagné d'une longue procession de curieux.

28

Les chiens se montrent peu aimables
avec le Dr Salmerón

Un murmure d'impatience s'élève dans la foule qui remplit la rue, quand le Dr Darbishire apparaît à la porte vêtu de sa blouse blanche, qu'il n'avait pas pensé à enlever le matin même dans la précipitation de son départ. Le Dr Salmerón se tient à ses côtés pendant qu'ils passent entre deux rangées de curieux, et il monte avec lui dans la voiture attelée. Sans échanger un seul mot ils parcourent le trajet jusqu'au cabinet de consultation de la rue Royale, poursuivis sur une petite distance par une volée d'enfants qui courent à leurs trousses.

Les chiens bondissent allégrement vers le trottoir alors que Teodosio le petit muet leur ouvre la porte, mais cette fois le vieillard ne condescend à aucune caresse. Teodosio lui apprend par signes que le père Oviedo y Reyes n'est plus là : ses deux sœurs, Adelina et Migdalia, les vieilles filles qui vivent avec lui, sont venues le chercher pour lui donner la nouvelle de l'empoisonnement. Quand elles l'ont trouvé abandonné sur le brancard, elles ont décidé de l'emmener avec la compresse sous le bras, en l'enveloppant dans sa chape pluviale parce qu'elles n'ont pas pu lui enfiler sa soutane.

Le silence se prolonge, tandis que maître et disciple se balancent, assis face à face dans la galerie surchauffée par la fournaise de midi, se jetant de temps en temps des regards furtifs. On n'entend que le grincement des rocking-chairs et les battements d'ailes des quiscales qui descendent des branches des citronniers du jardin pour se promener tranquillement sur les dalles de la galerie, indifférents à la présence des chiens qui maintenant somnolent à l'ombre.

Le Dr Salmerón sait que le silence de son maître est un silence coupable. S'il avait été plus énergique, s'il avait pris son courage à deux mains, la main du criminel aurait pu être arrêtée à temps. L'orgueil l'aiguillonne, mais il se tait parce qu'il veut se comporter avec la noblesse du vainqueur face au vaincu. Depuis son fauteuil il examine le vieillard et il le trouve plus décrépit que jamais, tassé moralement par sa défaite; il ressent la tentation de l'achever, mais il se contient et se contente d'imprimer avec les semelles de ses chaussures un mouvement de balancier plus vigoureux à son fauteuil.

Le serveur de *Chez Prío* entre avec le déjeuner et le Dr Darbishire lui fait signe de laisser le plateau sur une petite table qui se trouve près du mur, sous le portrait de sa seconde épouse. Il ne veut rien manger, mais il ne fait même pas le geste d'inviter le Dr Salmerón à partager les plats. Il se rend compte que son collègue le tient dans le collimateur : il se sent accablé, honteux. Tout le poids des événements lui retombe dessus, et dans sa tête se compose et se décompose le discours qu'il veut entamer pour épancher son cœur, peut-être lui proposer un compte rendu détaillé, adressé au juge, soussigné par son collègue et par lui, où ils dresseraient la liste de toutes les présomptions, de toutes les déductions logiques que le Dr Salmerón lui avait soumises avec tant de clairvoyance depuis la mort de Marta Jerez, et qu'il compléterait avec ses propres conclusions, maintenant qu'il y voyait parfaitement clair. Le Dr Salmerón tient un compte minutieux des faits sur son carnet, ce ne serait pas bien difficile de rédiger ce compte rendu.

Ce qui l'agace, en plus, c'est la pensée de devoir se préparer à répondre le plus exactement possible à l'interrogatoire du juge car il ne fait aucun doute qu'il va être appelé à déposer. Il se tourmente, dès à présent, à l'idée d'avoir à comparaître dans un tribunal bourré de curieux, où, d'une façon ou d'une autre, il se verra contraint d'avouer sa négligence; mais compte tenu de sa position et de son âge, il pourrait au moins demander que l'on vienne recueillir sa déposition chez lui.

Teodosio le petit muet qui, posté sur le trottoir, recueille les nouvelles de la rue, apparaît dans la galerie pour leur faire savoir que le cadavre de don Carmen a été transféré à l'hôpital et que les gardes n'ont pas pu emmener prisonnier Oliverio Castañeda, en raison du vacarme provoqué par les femmes de la maison. Le vieillard se refuse pratiquement à l'entendre et le renvoie désagréablement; mais le Dr Salmerón, encouragé par ces nouvelles qui confirment qu'il avait raison, descend de son fauteuil et s'approche du plateau contenant le repas; il retire la nappe qui le recouvre et se met à picorer dans les aliments avec ses doigts, qu'il suce après chaque bouchée. Pendant qu'il va et qu'il vient de la table à son fauteuil, un des quiscales vole jusqu'à la petite table et se pose à distance prudente des plats.

« Asseyez-vous et servez-vous à votre aise. » Le Dr Darbishire trouve enfin une occasion de rompre le silence et il s'étonne du son de ses paroles, comme si c'était les premières qu'il balbutiait de sa vie.

« Non, je n'ai pas faim. »

Le Dr Salmerón avale avec entrain. Il se nettoie les doigts en se les passant comme un râteau dans les cheveux et il sort sa montre de la poche de son pantalon pour regarder l'heure. Il est une heure passée.

« Vous devez déjà partir ? » Le Dr Darbishire sursaute. La dernière chose qu'il souhaite, c'est de rester seul pour le reste de la journée.

« A l'heure qu'il est ils doivent être en train d'explorer la cage thoracique. » Le Dr Salmerón mâche, la bouche pleine. « Pourquoi n'appelez-vous pas l'hôpital pour vérifier ? »

Le Dr Darbishire se redresse avec empressement et va jusqu'au couloir d'entrée, où se trouve l'appareil téléphonique, accroché au mur. Il revient bientôt pour annoncer que l'autopsie en est au milieu et qu'elle sera terminée vers trois heures. Le Dr Salmerón est à nouveau assis dans son fauteuil, le carnet de chez Squibb ouvert sur les genoux.

« Il y a une donnée en rapport avec le premier assassinat, celui de l'épouse, qu'il est bon de prendre en compte, maintenant que le juge va avoir besoin de vous. » De son doigt graisseux, le Dr Salmerón suit les lignes sur la page.

Le vieillard arrange les pans de sa blouse et croise les bras. Il s'engage à nouveau sur ce terrain marécageux qui lui répugne tant, mais tous ses arguments pour refuser ce type de conversation se sont évanouis.

« Quand l'assassin, aux abois, est sorti dans la rue pour chercher ses amis, la victime est restée tranquillement chez elle, à vaquer aux tâches ménagères. » Le Dr Salmerón va du carnet aux yeux du vieillard. « Ce fait est revenu dans beaucoup de commentaires que nous avons entendu ce jour-là. Doña Flora assurait avec insistance que, quand elle est entrée avec ses filles, elle l'a trouvée bien. Ce n'est qu'après qu'elle a eu sa première crise.

– Mais vous vous rappelez également que, s'il allait alerter tout le monde, c'était pour un problème de menstruation, pas de fièvre pernicieuse. » Le Dr Darbishire se rend compte du ton servile avec lequel il répète les vieux arguments de son disciple.

« En effet l'idéal aurait été que cette inquiétude soit justifiée dès le départ par une crise de convulsions », le Dr Salmerón pointe le vide avec son crayon à double mine, « l'idéal aurait été qu'une servante désespérée sorte recevoir doña Flora à la porte et lui dise : " Ma patronne a une attaque ! "

– Ce qui veut dire que l'assassin a mal calculé l'heure où le poison devait commencer à produire ses effets. » Le Dr Darbishire se recroqueville dans son fauteuil, exagérant son attitude soumise, et il ne surprend même pas lui-même en s'entendant traiter Castañeda d' « assassin ».

« Exact, maître », le Dr Salmerón secoue énergiquement son carnet, « il y a là une faille qui va lui coûter cher, car elle va apparaître en toute évidence dans les déclarations de tous ceux qui sont accourus à son appel.

– Bizarre pour un assassin professionnel, de faire un aussi mauvais calcul », le Dr Darbishire cligne des yeux, dans son désir de montrer de l'intérêt, « alors que son intention était de prouver aux yeux de ses amis que son appel angoissé était justifié.

– Tout le monde peut faire une erreur, maître. » Le Dr Salmerón se balance triomphalement, poussant au maximum sur son fauteuil. « Castañeda est un expert en poisons. Et n'oubliez pas que, cette fois, délibérément, il n'a pas utilisé le système de la roulette russe. Quand, ce matin-là, il a fait prendre à sa femme les trois dernières capsules, il savait qu'il y en avait une empoisonnée. Parce qu'il préparait une pantomime, qui a en partie raté.

– Vous voyez, un expert qui peut se tromper, parce qu'il n'a pas étudié cette profession dans les livres. Il n'est même pas pharmacien. » Le Dr Darbishire affiche son sourire le plus affable.

« Pourtant c'est précisément dans les livres qu'il a appris à empoisonner. » Le Dr Salmerón tend le cou d'un air mystérieux. « Pour préparer les toxiques qu'il administre à ses victimes, il tient compte de leur âge, de leur poids, de leur sexe, de leur complexion physique. J'ai en ma possession le premier livre sur les toxiques mortels qui lui est tombé entre les mains.

– Un livre? De quel livre s'agit-il? » Le Dr Darbishire tend le cou à son tour.

« Il s'appelle *Secrets de la nature.* » Le Dr Salmerón cherche dans son carnet et il signale un passage au vieillard. « Il a demandé à Rosalío Usulutlán, au début de l'année, de le lui garder, allez savoir pourquoi. Et quand il est parti pour le Guatemala, il a oublié de le lui réclamer.

– Alors, quelle explication donnez-vous à une erreur pareille? » Le Dr Darbishire ne parvient pas à lire le passage, mais il se considère satisfait. « On suppose que puisqu'il connaissait son épouse mieux que personne, il aurait dû lui préparer une dose de strychnine qui fasse effet au moment où il le souhaitait.

– Il l'a jugée moins résistante qu'elle ne l'était en réalité. » Le Dr Salmerón se dirige de nouveau vers la petite table et chasse avec son carnet les quiscales qui ont envahi les assiettes. « C'est pour ça qu'il ne veut plus courir de risque. L'agonie de Mathilde Contreras a duré exactement une heure; et dans le cas de don Carmen, comme il s'agissait d'un homme sain et robuste, la quantité de strychnine qu'il a mise dans la capsule mortelle l'a emporté en une demi-heure.

– Il se peut que, quand il a empoisonné son épouse, il n'ait pas eu d'expérience. » Le Dr Darbishire, pensif, suit son disciple pas à pas, les mains nouées dans le dos.

« Bien sûr qu'il avait de l'expérience. Il avait déjà empoisonné plusieurs personnes. » Le Dr Salmerón pose une cuillerée de haricots sur un morceau de galette. « Il a commencé à quatorze ans, en empoisonnant sa propre mère. »

Le Dr Darbishire s'arrête net et il revient à son fauteuil, comme un convalescent qui craint de trop s'aventurer.

« Il a soustrait le livre dont je vous parle à l'hôpital de Chiquimula. » Le Dr Salmerón met une main sous la galette pour pouvoir recueillir les haricots qui tombent de sa bouche en mangeant. « Sa mère y a été internée plusieurs mois en 1920, elle souffrait d'un cancer. Et à l'hôpital il l'a empoisonnée, pour qu'elle cesse de souffrir.

— Comment savez-vous qu'elle avait un cancer? Qu'est-ce que c'est que cette histoire d'empoisonnement de sa mère? » Le Dr Darbishire sent le fauteuil trop fragile et il maintient les bascules immobiles.

« Entre les pages du livre, il y a une photo d'elle, prise sur son lit d'hôpital. » Le Dr Salmerón mobilise ses deux mains pour s'introduire le reste de galette dans la bouche.

« Et c'est de là que vous tirez qu'il l'a empoisonnée pour qu'elle ne continue pas à souffrir? » Le Dr Darbishire plisse les yeux et recule la tête, incrédule.

« Non, je le tire des confessions qu'il a faites à son ami Oviedo la Baudruche et que celui-ci a répétées à Cosme Manzo. » Le Dr Salmerón se lèche les dents avec la langue, puis il crache. « Quand j'ai été en possession du livre, je l'ai étudié et j'ai analysé son rapport possible avec la photo. Alors, j'ai envoyé Cosme Manzo vérifier ce que savait Oviedo la Baudruche sur la mère.

— Vous allez me dire que Castañeda a osé avouer à Oviedo qu'il avait empoisonné sa mère? » Dans son impatience, le Dr Darbishire frappe les bras du fauteuil de ses poings.

« Pas du tout. » Le Dr Salmerón recouvre les assiettes avec la petite nappe. « Mais, par contre, il lui a avoué qu'il n'a jamais pu chasser de son esprit les terribles souffrances de sa mère. Elle avait une tumeur maligne logée dans une vertèbre lombaire et même avec de fortes doses de morphine on ne pouvait pas calmer ses douleurs.

— Et tout le reste, c'est vous qui l'inventez. » Le Dr Darbishire ne veut pas discuter, il ne veut pas se faire violence, et l'écho de sa voix est plutôt morose.

« Un : sa mère souffrait et il ne voulait pas la voir souffrir. » Le Dr Salmerón lève un doigt pour commencer le compte de ses arguments. « Deux : il s'approprie un livre qui décrit les propriétés, les doses et les effets des alcaloïdes végétaux; et trois : il conserve la photo de sa mère dans ce même livre.

— Et il l'a empoisonnée à quatorze ans? » Le Dr Darbishire fait la moue, comme si on l'obligeait à avaler une purge. « Rappelez-vous que nous parlons d'un enfant.

— Un enfant extrêmement intelligent, et dépourvu de moralité. » Le Dr Salmerón se sert de l'eau avec la petite carafe qu'on a apportée sur le plateau avec le repas. « Le criminel inné dont nous parle Lombroso, maître. »

Le Dr Darbishire le voit absorber une gorgée d'eau, se diriger vers la rambarde de la galerie et se rincer la bouche, avant de tout recracher sur un massif de bégonias du jardin.

« En plus, le livre contient un chapitre destiné à justifier l'euthanasie, au moyen d'alcaloïdes qui évitent la souffrance en procurant un sommeil mortel. » Le Dr Salmerón est toujours penché sur les bégonias. « Il a dû voler l'alcaloïde dans la pharmacie de l'hôpital. Il l'a endormie, comme un petit oiseau.

– Quelle histoire répugnante. » Le Dr Darbishire fronce à nouveau le visage. « Pardonnez-moi, mais mon esprit a du mal à croire à une telle horreur.

– Demain je vais vous apporter le livre pour que vous le lisiez, et vous serez convaincu. » Le Dr Salmerón regagne son fauteuil en se palpant le ventre, repu.

« Ne prenez pas cette peine. Apportez ce livre au juge. Moi, qu'est-ce que j'en ferais ? » Le Dr Darbishire agite les mains en détournant la tête.

La sonnerie du téléphone retentit à ce moment. Le Dr Salmerón consulte à nouveau sa montre de poche et le Dr Darbishire, ouvrant sa blouse, sort aussi la sienne : il va être quatre heures de l'après-midi. S'éloignant d'un pas pressé, il va répondre.

Quand il revient, le Dr Salmerón l'attend, son carnet à nouveau ouvert sur les genoux, prêt à continuer à marteler les quelques clous non encore enfoncés. Mais il reste pantois en remarquant que sur le visage du vieillard il n'y a plus trace du dégoût inspiré par ce qu'il avait entendu. Au contraire, son expression est d'une extrême sévérité.

« C'était le juge. » Le Dr Darbishire enfonce les mains dans les poches de sa blouse.

« Que dit le juge ? » Le Dr Salmerón ferme son carnet.

« J'ai de mauvaises nouvelles pour vous. » Le Dr Darbishire va jusqu'à son fauteuil et il s'arrête, s'accrochant au dossier.

« Il n'y a pas eu d'autopsie ? » Le Dr Salmerón se lève, étonné.

« L'autopsie est déjà terminée. Ils rédigent le rapport. Ensuite, il vont transférer les viscères au laboratoire de l'université. » Le tremblement des mains du Dr Darbishire se communique au fauteuil tout entier.

« Et c'est ça, les mauvaises nouvelles ? » Le Dr Salmerón éclate d'un rire nerveux.

« L'examen des sucs gastriques contenus dans votre pichet donne des résultats négatifs. Complètement négatifs. Il n'y a pas de traces de poison. » Les mains du Dr Darbishire serrent le dossier du fauteuil, comme s'il voulait le briser.

« Les blagues ne sont pas votre fort, maître. » Le Dr Salmerón, en prenant sur lui-même, éclate à nouveau de rire.

– Riez de vos propres absurdités, moi je me mets à votre niveau. »
Le Dr Salmerón écarte le fauteuil en le traînant par le dossier. « Vous
avez chié dans mes bottes, de ça aussi vous pouvez rire.

– Ne craquez pas au premier pépin, maître. Asseyez-vous. » Le
Dr Salmerón avale très difficilement la salive qui lui inonde la
bouche. « L'important, maintenant, c'est l'autopsie. L'examen des
viscères va nous dire la vérité. »

Les chiens avaient terminé leur longue sieste et ils se précipitaient
dans le jardin en poursuivant les quiscales qui s'enfuyaient épouvan-
tés. Le vieillard hurla, pour les rappeler à l'ordre.

« M'asseoir pour continuer à entendre des âneries ? Par votre faute
je suis dans la mouise jusqu'au cou. A quel moment me suis-je laissé
entraîné, moi qui, pourtant, vous connais ? » La voix du Dr Darbishire
tremble aussi fort que ses mains. « J'ai commis l'imprudence de vous
appuyer devant le juge pour qu'on analyse le contenu du pichet. Et
maintenant je joue les cons dans votre scénario à la gomme.

– On commence à peine, maître. » Le Dr Salmerón, brusquement
abattu, laisse un des chiens s'installer entre ses jambes, sans même
bouger.

« Allez bouffer de la merde. Vous commencerez tout seul. » Le
Dr Darbishire se dirige vers l'entrée du couloir et il se plante là, raide
comme un piquet, sans rien ajouter.

« Vous vous rendez compte que vous m'insultez, maître ? » Le
Dr Salmerón, penaud, ramasse son chapeau.

« Non, je prends congé de vous. Vous ne voyez pas que je vous
montre où est la sortie ? » Le Dr Darbishire, poussé par les chiens qui
sont venus en courant serrer les rangs autour de lui, vacille sur ses
jambes.

Le Dr Salmerón met son chapeau n'importe comment et se dirige
précipitamment vers le couloir. Quand il passe près du vieillard, il ne
se retourne pas pour le regarder.

« Et quant à l'histoire que Castañeda a empoisonné sa mère, même
à la table maudite on ne vous croira pas ! lui crie le Dr Darbishire au
moment où il atteint la sortie.

– Vieux péteux ! » lui crie à son tour le Dr Salmerón en ouvrant la
porte.

Et il doit la refermer à toute vitesse derrière lui car la meute en
furie se lance en aboyant dans le couloir à sa poursuite.

29

Une journée agitée et angoissante

On avait déjà allumé les lumières de l'éclairage public, bien que la nuit ne fût pas complètement tombée, quand la foule rassemblée dans les rues proches du bâtiment de l'université aperçut l'automobile de don Esteban Roquestrada qui s'approchait en direction de l'église de la Récollection. Les gens entourèrent le véhicule, lui bloquant le passage, et la curiosité générale se concentra sur les bocaux de verre dépoli que le juge Fiallos et son secrétaire Alí Vanegas surveillaient sur le siège arrière. Ce n'est qu'après bien des difficultés qu'ils purent stationner et descendre devant la porte de la faculté de pharmacie, fermée de l'intérieur et placée sous la surveillance d'un soldat de la Garde nationale.

Tandis qu'Alí Vanegas se chargeait de l'opération consistant à descendre les bocaux, aidé par les appariteurs de l'université, le juge Fiallos pénétra dans l'édifice d'un pas rapide, sous une pluie de questions. Et au milieu de l'agitation qui régnait, personne ne fut à même de percevoir la grave préoccupation affichée sur son visage.

Il tenait à la main les conclusions de l'expertise, où était consigné le résultat négatif de l'analyse des sucs gastriques contenus dans le pichet. Une fois l'autopsie terminée, quand il put enfin s'éloigner de la morgue, il s'était rendu dans le bureau du directeur de l'hôpital, afin d'entrer en communication téléphonique avec le cabinet du Dr Darbishire, à qui il avait communiqué le diagnostic, comme nous le savons déjà, en lui demandant, de surcroît, de garder le secret.

Ce diagnostic, source de ses premières angoisses, affirme dans sa partie centrale :

Le sceau de l'embouchure du pichet a été brisé en présence des témoins dont la liste détaillée figure à la fin de ce compte rendu. Le contenu en ayant été mesuré dans une éprouvette, préalablement stérilisée, on a obtenu 250 cm^3 de sucs gastriques, d'apparence relativement claire et présentant une réaction acide.

On a prélevé 100 cm³ du liquide de référence et on a procédé à l'extraction d'alcaloïdes par la méthode de F. Carlucci-Schultz. Les résultats obtenus ont été négatifs.

On a prélevé 60 cm³ et on a effectué la détection de strychnine en utilisant les réactifs de Casey-Bush sur des échantillons plus ou moins neutres. La détection s'est révélée négative pour ce qui est de la strychnine.

On conserve le reste du liquide pour que l'autorité judiciaire compétente puisse en disposer.

Quand à vingt-deux heures passées on a interrompu les expériences pour les reprendre le lendemain, de nouveaux éléments d'angoisse vinrent s'ajouter à ceux que le juge avait déjà exposés au téléphone au Dr Darbishire. Le Dr Escolástico Lara, aidé par le bachelier Absalón Rojas, avait procédé à l'examen physique de chacun des bocaux. Le passage de quelques échantillons au microscope avait également donné des résultats négatifs, comme il est consigné dans le compte rendu effectué à cette occasion :

Les organes que l'on détaille ci-dessous ayant été soumis au découpage par scalpel afin d'apprécier leur état interne et un test d'acidité ayant également été effectué sur eux, on a obtenu le résultat suivant :

Bocal n° 1 : Rein droit. Très congestionné, présente une odeur particulière, pas d'amande amère ni d'ammoniac. Couleur rouge vermillon, sang rouge. Réaction acide.

Bocal n° 2 : Estomac et partie de l'intestin (duodénum). Odeur particulière, pas d'amande amère ni d'ammoniac. Couleur blanchâtre; contient un liquide filant avec des restes de suc citrique. Réaction fortement acide. La muqueuse presque totalement décollée, la céreuse en partie attaquée, avec par endroits des ecchymoses. L'intestin ne renferme aucun contenu et il n'y avait pas de muqueuse. Sa couleur est rougeâtre, son odeur particulière et la réaction fortement acide.

Bocal n° 3 : Cœur et partie de la rate, très congestionnés. Odeur particulière, sang rouge et réaction fortement acide.

Bocal n° 4 : Vésicule biliaire : odeur particulière et couleur *sui generis*. Sang brun et réaction acide.

Bocal n° 5 : Foie : très congestionné. Odeur particulière, couleur *sui generis* et sang brun; la réaction est fortement acide.

Bocal n° 6 : Partie du cerveau : modérément congestionné, un peu ramolli; sa couleur est particulière et sa couleur *sui generis*. Sang rouge, et réaction modérément acide.

Des prélèvements appropriés de tissus de chacun des organes ayant été soumis à un examen préliminaire au microscope, on n'a trouvé aucune cristallisation montrant la présence de strychnine ni d'aucun autre alcaloïde. A cette fin on a utilisé les techniques de démonstration de J. Kirkpatrick, révisées par son disciple Eagelburger.

Qu'avait-on prouvé, au cours de cette journée? Rien. Totalement ignorant de l'affaire à son arrivée ce matin à León, le juge avait trouvé correcte la décision de contacter sur-le-champ le Dr Darbishire : si le médecin de famille leur avait confirmé que, véritablement, il existait un danger imminent, on aurait pu ordonner des actions préventives, y compris mettre sous séquestre les médicaments qui étaient administrés à don Carmen Contreras.

Cependant, devant la mort soudaine de don Carmen, un racontar entendu dans la rue avait entraîné de sa part une conduite précipitée et pour le moins légère, et il n'avait pas non plus réfléchi sur les conséquences de la capture échafaudée par le capitaine Ortiz. C'est ce qu'il allait lui montrer, maintenant qu'ils conversaient dans la galerie intérieure de l'université, proche du laboratoire. Le capitaine Ortiz s'était présenté à lui, aux environs de neuf heures du soir, pour l'informer que Castañeda était enfin enfermé dans une cellule de la prison XXI.

« Rien dans les sucs gastriques », le juge Fiallos tend au capitaine Ortiz la feuille rose de papier manifold où est inscrit le diagnostic, « et jusqu'à présent, c'est marqué là, rien dans les viscères.

– Rojas doit être bien fatigué. Il faut attendre demain. » Le capitaine Ortiz lui rend la feuille, en la pliant en quatre.

« Il ne s'agit pas de fatigue. » Le juge Fiallos se passe la main sur les yeux ; lui-même se sent épuisé. « Si les vérifications continuent à être négatives demain, l'affaire est close. Castañeda doit être remis en liberté.

– Vous allez un peu vite en besogne, on commence à peine. » Le capitaine Ortiz repousse son Stetson pour se gratter la tête. « Je ne vais pas relâcher comme ça ce jaboteur.

– On ne peut pas mettre quelqu'un derrière les barreaux parce qu'il jabote. » Le juge Fiallos range le feuillet dans la poche de sa chemise.

« Jaboteur et calomniateur. Il raconte qu'il a baisé toutes les femmes du coin, mariées et célibataires. » Le capitaine Ortiz enlève son Stetson et le secoue énergiquement. « On se retrouve avec un drôle de scorpion sous la chemise.

– On parle de preuves et les preuves s'évanouissent dans la nature. » Le juge Fiallos passe ses doigts sur son menton non rasé. « Le Dr Darbishire lui-même s'en est lavé les mains quand je lui ai lu le diagnostic et il a rejeté toute la responsabilité de l'affaire sur le Dr Salmerón. Il ne veut plus rien savoir de cette histoire.

– Ce rigolo de Salmerón est lui aussi un calomniateur. » Le capitaine Ortiz se fouette la jambe avec son Stetson. « Lui aussi il faudrait l'arrêter.

– Exactement. S'il ne s'était agi que de la parole du Dr Salmerón, je ne me serais jamais risqué à bouger le petit doigt. » Le juge Fiallos plisse les yeux pour recevoir un souffle de vent qui arrive de la cour cloîtrée. L'odeur âcre des réactifs lui colle encore aux narines.

– Il faut piquer les chiens demain. » Le capitaine Ortiz vérifie le nœud de la jugulaire, avant de remettre son chapeau. « Si les chiens meurent, c'est que les viscères contiennent du poison.

– C'est ce qu'on va faire. » Le juge Fiallos fait signe d'attendre à Alí Vanegas, quand il voit apparaître sa tête à la porte du laboratoire. « Mais s'il n'y a rien, vous et moi on va avoir l'air ridicules.

– Celle qui est ridicule, c'est la veuve, qui s'est exhibée devant tout le monde. » Le capitaine Ortiz tend le cou pour y ajuster la jugulaire. « Elle en a fait assez pour qu'on continue à dire du mal d'elle dans cette ville.

– Si Castañeda se révèle innocent, elle aura eu amplement raison de s'opposer à ce qu'on le sorte par la force de chez elle. » Le juge Fiallos saisit l'œuf d'ivoire qui servait de poignée à la porte. « Et alors ce serait vous le coupable du scandale, et non pas elle. On a besoin de moi à l'intérieur.

– Coupable, moi? Mais je me suis contenté de vous donner un coup de main, elle est forte celle-là. » Le capitaine Ortiz avance vers la porte et l'arrête avant qu'elle ne se referme sur le juge. « Finalement, s'il n'y a rien, il faut au moins déporter cet individu au Guatemala. Là-bas Ubico va lui régler son compte.

– C'est une autre affaire. Si je classe ce dossier, vous allez me faire le plaisir de remettre Castañeda en liberté. » Le juge Fiallos pousse doucement la porte, et le capitaine Ortiz n'a pas d'autre issue que de s'écarter.

La journée terminée, Alí Vanegas accompagne à pied le juge Fiallos sur les quelques centaines de mètres qui le séparent de sa demeure. Pendant une partie du trajet des groupes de curieux se lancent à leurs trousses. Tout en marchant, il prévient son secrétaire qu'il ne doit commenter avec qui que ce soit les résultats obtenus jusqu'à présent; si des spéculations contradictoires se répandaient, les expériences du lendemain n'auraient plus aucune crédibilité.

Pendant qu'il dîne, entouré de ses proches et de voisins qui se pressent autour de la table de la salle à manger, il se montre très chiche d'explications sur l'instruction, s'appliquant à nier que les expériences aient même commencé.

Mais les gens présents mettent surtout beaucoup d'enthousiasme à commenter les circonstances de la capture d'Oliverio Castañeda, finalement arraché des mains de doña Flora et de sa fille par la force publique; et tous considèrent comme évident qu'il y a du poison dans les sucs gastriques et dans les viscères, certitude que le juge Fiallos, qui examine sa fourchette avant chaque bouchée, hésite à partager, pour les raisons expliquées plus haut.

Assez tard dans la nuit, tandis qu'il se déshabille et que son épouse s'affaire encore près du berceau où dort leur premier enfant, ses pensées continuent à être occupées par le cas d'Oliverio Castañeda.

Compagnons d'études à la faculté de droit, ils avaient obtenu leur titre à quelques semaines de distance. C'était, à n'en pas douter, un impertinent, très enclin à divulguer des histoires où il apparaissait comme le don juan de service, constamment harcelé par les femmes. Sans le repousser complètement, il s'était toujours efforcé de prendre ses distances à son égard, dans l'amphithéâtre et dans les couloirs.

Il avait été surpris de le rencontrer dans la salle de billard du Club social, quelques jours plus tôt, car il le croyait définitivement revenu au Guatemala; et il se souvient maintenant qu'il avait fait partie des très rares étudiants du cours à assister à l'enterrement de son épouse, et que Castañeda lui avait envoyé, avant de partir, une carte de remerciement pour ce geste, où il louait sa noblesse d'esprit.

Dans leurs conversations de bureau habituelles, Alí Vanegas lui avait fait des commentaires, en termes assez scabreux, à propos des rapports sentimentaux entre Castañeda et les femmes Contreras, qu'on colportait çà et là, y compris du vivant de son épouse, et le plaisir que prenait Castañeda à les rendre jalouses les unes des autres, sans aucun respect pour le toit qui les abritait tous. Ces histoires lui étaient revenues à l'esprit dans la matinée, quand il était allé chercher le Dr Darbishire à son cabinet; il ne leur avait jamais accordé beaucoup de crédit, car il connaissait Castañeda et il connaissait les penchants de son secrétaire qui, lorsqu'il ne parlait pas de littérature, aimait patauger dans des ragots recueillis dans les billards et les bistrots, et incubés, en règle générale, à la table maudite du Dr Salmerón.

Allongé sur le dos dans son lit, vêtu de son seul pantalon de pyjama, il réfléchit à sa propre situation. Pendant la matinée, alors qu'il prenait ses premières dispositions, il s'était senti au comble de l'enthousiasme en raison des perspectives prometteuses que lui ouvrait cette affaire; et au cours de la journée, la notoriété imprévue dont il était l'objet n'avait pas manqué de le flatter, bien qu'il ne se sentît aucune vocation pour le métier d'avocat ni pour la carrière judiciaire.

A ce stade de ses réflexions et afin d'avoir une meilleure idée de la personnalité du juge Fiallos et des aspirations de son âge juvénile – né comme Oliverio Castañeda en 1906, il frisait alors les vingt-six ans –, il est utile de se reporter, pour éclairer le lecteur, à l'article de Manolo Cuadra, « Le juge Fiallos et autres poètes », publié dans *La Nueva Prensa* du 14 octobre 1933 :

Au terme d'un voyage en train, qui dans un pays civilisé serait deux fois plus court, nous voici dans l'auguste cité de León, berceau de la pensée libérale et, plus encore, berceau spirituel de Rubén Darío.

Nous sommes envoyés, avec plus de devoirs à remplir que d'argent en poche, par le directeur de ce journal, Gabry Rivas, bien décidé à ne pas se laisser devancer dans l'enquête sur les événements sensationnels qui ébranlent l'opinion publique depuis plusieurs jours, et qui ont fait de cette fière métropole la mecque de la presse nationale.

Le déjà célèbre procès Castañeda ne pouvait manquer de compter parmi ses protagonistes une foule de poètes, car nous sommes dans une ville de poètes : depuis l'accusé jusqu'au juge de cette affaire, son secrétaire, les avocats ; une liste dans laquelle je dois moi-même m'inclure, moi qui suis plus poète d'avant-garde que chroniqueur, bien que je sois prêt à accomplir, avec toute la rigueur nécessaire, ma tâche délicate. Me voilà aujourd'hui soldat du journalisme car, avec infiniment de sagesse, j'ai raccroché pour toujours mon infâme équipement de soldat mercenaire, malencontreusement recruté par Lacédémone pour combattre dans ma propre patrie d'Hélios contre les ilotes nationalistes..., mais ceci est une autre histoire.

Poètes, poètes, répète l'écho... dans les papiers de l'accusé saisis dans ses malles on a trouvé des poèmes de facture romantique. Alí Vanegas, greffier, écrit des poèmes d'inspiration avant-gardiste ; il nous les a lus et il nous informe qu'il fera bientôt paraître un livre. Son père, Juan de Dios Vanegas, qui se prépare à être partie civile dans ce procès, d'après ce qu'on dit, taquine lui aussi le luth et se pose en héritier du courant moderniste qui a fait de León sa citadelle... Et Mariano Fiallos, juge de cette affaire, est également poète.

C'est de lui que nous voulons nous occuper dans ces feuilles volantes, même si les tragiques événements nous harcèlent de leurs décharges électriques, de même que nous harcelaient les messages en morse transmis au plus profond des montagnes endeuillées de Las Segovias, au temps peu glorieux où nous y bivouaquions. Nous connaissons le juge Fiallos depuis l'an dernier, quand il parrainait les tournées du boxeur léonais déchu Kid Tamariz, lui qui est un amateur du noble art, comme je le suis moi-même, qui ai parrainé Kid Centella, le plus dangereux rival de son protégé, même si je dois chevaleresquement reconnaître qu'il lui était inférieur.

Kid Tamariz était en route pour la gloire et sur le point de compléter un implacable chapelet de quinze knock-out, quand nous le vîmes tomber, lui qui méritait un meilleur sort, couché au tapis par un mauvais coup de Kid Centella qui s'est écrasé sur son visage par une nuit tragique, sur le ring du Champs-de-Mars à Managua, et qui l'a privé de ses facultés mentales. Aujourd'hui, l'air égaré, il déambule dans les rues de León, lançant ses crochets meurtriers, toujours en garde, multipliant les sauts défensifs dans une débauche frénétique d'énergie, cruellement applaudi par le cortège de chenapans qui le suit. De son passé prometteur, il ne reste que la prestance et la puissance de son image sur l'étiquette du rhum Champion.

Égaré, Kid Tamariz, le trouvère du ring, car les hexamètres de ses uppercuts étaient harmonie pure ; égaré, Alfonso Cortés, enchaîné à la grille d'une fenêtre dans la rue Royale, la tête bouillonnante du fracas des bielles des sphères sidérales, dans leur infinie rotation ; égaré par l'alcool et les frasques lugubres d'une bohème perpétuelle, Lino Argüello, « Lino de la Lune », le poète aux fiancées mortes qui n'ont jamais existé, « sauf dans ses rêveries aimables et malsaines », hantant dans une solitude farouche des rues et des estaminets sordides : comme dans son âme éclairée par de funèbres brasiers, la tragédie trouve un chaleureux refuge, il a récemment chanté la mort de Mathilde Contreras, l'Ophélie aux lys blafards du drame Castañeda.

Mais revenons à Mariano Fiallos, le poète à la veine aimable qui chante les joies de la vie familiale, le narrateur d'histoires vernaculaires, amoureux du terroir et de l'appel tellurique des plaines ardentes de la région du Pacifique, de la présence hautaine des volcans qui ponctuent le paysage de leurs crêtes millénaires, « rudes d'ancienneté et lourds de mythe », comme Rubén les a décrits. Musicien, pianiste, virtuose de la guitare dans de longues veillées et de furtives sérénades, il connaît la juste mesure de la bohème, et en sa compagnie bon enfant on peut bavarder aussi bien de Hölderlin que de Babe Ruth, de García Lorca que de Primo Carnera, de Jean-Sébastien Bach que de María Grever, du pessimisme de Nietzsche que des longues jambes de Greta Garbo...

La dernière fois que nous nous sommes vus, après la chute de Kid Tamariz, l'Icare de la boxe, il m'a confié qu'il avait accepté le poste de juge après avoir obtenu son diplôme, car il devait faire face à ses besoins de jeune marié; et qu'il n'attendait que d'être nommé professeur de philosophie du droit, comme le lui avait promis le doyen de la faculté, père de son secrétaire-poète, pour démissionner.

Depuis les quelques semaines qu'il exerçait sa charge, il ne voyait arriver dans son prétoire que des affaires de vols de poules, d'affrontements à la machette dans les lotissements proches de León, provoqués par des litiges de clôtures, de bagarres dans des arènes pour combats de coqs ou dans des tripots qui se terminaient parfois à coups de pistolet, de vols à l'étalage dans des boutiques, de troncs fracturés dans une église. Et pour qu'on voie qu'il n'était pas prêt à renoncer à ses penchants véritables, sur le mur du tribunal, derrière son bureau, il a fait encadrer une pensée de Térence qu'il considère comme sa devise et qu'Alí Vanegas s'est proposé de recopier en lettres gothiques : RIEN DE CE QUI EST HUMAIN NE M'EST ÉTRANGER.

Les dossiers des affaires qui passent par ses mains lui servent pour creuser ses personnages et les thèmes de ses contes; et ses voyages en fin de semaine dans sa propriété *Le Secours*, héritée de son père dans la vallée des Zapatas, près d'El Sauce, servent le même objectif. La propriété n'est qu'une source de dépenses, mais il trouve là l'occasion de fréquenter des ouvriers agricoles, des surveillants de troupeaux et des contremaîtres, et d'apprendre d'eux les secrets du parler local, comme je les ai appris moi-même de Caliban pendant la guerre de Las Segovias, en écoutant, en même temps, le louche langage d'Ariel.

Il a déjà choisi un titre pour le recueil de nouvelles qu'il va publier un jour prochain : *Horizon brisé*, tout comme moi j'ai le mien : *Dans le maquis contre Sandino*. Et dans la solitude de son tribunal, quand il n'y a pas de plaideurs, ou lors de ses tournées d'inspection dans les provinces, à bord de sa Ford démantibulée, baptisée « l'Oiseau bleu » en hommage à Maeterlinck, son secrétaire et lui passent leur temps à parler de livres et d'options littéraires, plus que de codes. Et l'Oiseau bleu prend également d'autres directions... J'ai été son passager.

Voilà l'homme qui juge l'affaire Castañeda, tel que j'ai voulu le faire connaître au lecteur. Dès que j'eus secoué la poussière de ma casquette de voyage et rangé mes pauvres hardes dans la chambre de la pension *Chabelita*, dont les murs devront s'habituer durant les prochaines semaines au crissement de mon stylo et au spleen de mes soliloques nocturnes, je me suis rendu directement au tribunal en quête de nouvelles et de la franche poignée de main de Mariano Fiallos.

La rencontre a été brève, car il partait accomplir des démarches pour le procès. En guise de hors-d'œuvre, j'ai fait un agréable brin de causette avec Alí Vanegas; mais je suis persuadé que la gravité des circonstances ne m'empêchera pas d'avoir avec M. le Juge une première joute oratoire... et de profiter d'un raid enchanteur à bord de notre complice *in fraganti*, l'Oiseau bleu.

Malgré la fatigue, le juge Fiallos ne parvient toujours pas à s'endormir. Il entend chanter les coqs du voisinage et il se redresse pour vérifier l'heure aux aiguilles phosphorescentes du réveil placé sur la table de nuit. L'aube est encore loin, il va être à peine une heure. Il retourne se coucher, lorsque des coups très violents résonnent contre le portail de la maison. Il se lève plein d'inquiétude et il sort dans le couloir tout en revêtant sa robe de chambre, tandis que sa femme s'efforce de calmer les sanglots du bébé qui a été réveillé par le vacarme. Le garçon de ferme, qui dormait pour une nuit sur un lit de camp dans l'entrée, vient à sa rencontre en s'éclairant avec une pile, et il lui remet une enveloppe qu'on vient de glisser sous la porte. Il déchire l'enveloppe et il demande au garçon d'approcher la lumière pour pouvoir lire le papier.

León, le 9 octobre 1933

Monsieur le Président de la cour d'assises du district

Cher Maître Fiallos,

Mon honneur et ma réputation professionnelle sont en jeu. Puisque l'analyse des sucs gastriques que j'ai prélevés sur la victime avant qu'elle ne meure a donné un résultat négatif, il est impératif que vous ordonniez que ces mêmes sucs soient injectés à un chien, acte auquel on n'a pas encore procédé. D'après les informations que je possède, ces expériences capitales commenceront demain matin. Que l'on fasse une injection au chien. Si le chien meurt, ce dont je suis plus que certain, il se confirmera que j'avais raison, comme c'est effectivement le cas. Sinon, que la vindicte publique retombe sur ma tête.

Que l'on procède ainsi. En attendant, je reste à vos ordres et vous prie d'accepter mes respectueuses salutations.

Atanasio Salmerón
Médecin et chirurgien

P.S. : Votre secrétaire, le bachelier Vanegas, a informé en outre notre ami commun Rosalío Usulutlán qu'il reste encore 90 cm^3 du liquide. C'est suffisant pour pratiquer l'expérience que je sollicite. Adieu.

Le juge Fiallos est tenté de déchirer le papier et de le jeter dans la cour, dégoûté par cet abus, et plus dégoûté encore par le comportement d'Alí Vanegas, qu'il avait expressément prévenu de ne commenter devant qui que ce soit les résultats des tests. Mais il sait que son devoir est de conserver tous les documents en rapport avec l'affaire, pour les ajouter au dossier, même lorsqu'il s'agit d'une impertinence de cette sorte.

Nous avons retrouvé dans le dossier ce petit papier, cousu à la liasse : il s'agit d'une feuille de l'ordonnancier du Dr Salmerón, avec son en-tête, où figurent l'adresse de sa clinique et les heures de réception du public.

« Qu'est-ce qui se passe? » L'épouse du juge Fiallos apparaît sur le seuil de la chambre, en tenant le bébé qui pleure toujours.

« Rien. » Le juge Fiallos glisse le petit papier dans la poche de sa robe de chambre. « Un des fous lâchés dans cette ville, qui m'écrit à minuit. »

30
Des expériences sensationnelles à l'université

Le 10 octobre 1933, le jour se leva sur un ciel couvert et agité par d'évidentes menaces de pluie, ce qui n'empêcha pas les gens de commencer à se rassembler très tôt aux abords de l'université, un vieux bâtiment de deux étages, contigu à l'église de la Merced. Là fonctionnaient la faculté de droit, la faculté de médecine, de chirurgie et d'obstétrique, et la faculté de pharmacie, dont les salles de cours et les laboratoires occupaient l'aile occidentale du premier étage.

Sur les trottoirs et autour de la petite esplanade menant à l'amphithéâtre, où le cadavre de Rubén Darío avait été veillé pendant dix jours en 1916, s'est installé un fort contingent de marchandes ambulantes avec leurs étals, leurs bâches et leurs charrettes, ce qui donne à cet établissement d'enseignement auguste et centenaire des allures de marché animé. C'est ce que souligne Rosalío Usulutlán dans sa chronique « Des expériences sensationnelles à l'université », publié dans *El Cronista* daté du 11 octobre.

A l'inverse, la maison de la famille Contreras, où le cadavre de don Carmen était toujours exposé, puisque l'enterrement devait avoir lieu à quatre heures de l'après-midi, se retrouvait à présent déserte et comme à l'écart des événements alors qu'elle n'était distante que d'une centaine de mètres. On ne voyait entrer que peu de gens, particulièrement des femmes en deuil, et les cloches de la cathédrale sonnant gravement le glas toutes les heures sous un ciel chargé de pluie étaient elles aussi impuissantes à rappeler aux curieux l'existence de la maison mortuaire.

La chronique de Rosalío Usulutlán déjà mentionnée nous fournit les détails suivants sur les événements initiaux de cette matinée :

Le premier à arriver a été le juge Fiallos, qui a fait son entrée à sept heures vingt minutes, armé d'un parapluie et d'un ciré. A quelques minutes de différence se sont présentés ensuite son secrétaire, le bachelier Alí Vanegas, et le médecin légiste, le Dr Escolástico Lara. A l'intérieur du laboratoire se trouvait déjà le bachelier Absalón Rojas, occupé à ranger et à désinfecter les éprouvettes et autres instruments qu'il devait utiliser pour les tests, aidé dans cette tâche par un groupe de ses étudiants.

Dans le couloir, à l'intérieur et sous la surveillance d'un appariteur, se trouvaient déjà, attachés aux piliers et dûment séparés, les chiens et les chats qui serviront aux expériences, selon les nouvelles glanées dans la rue par le chroniqueur qui vous parle et qui, au même titre que le reste des représentants de la presse, s'est vu refuser l'accès au bâtiment, dont par ailleurs toutes les portes et les fenêtres étaient closes. On savait qu'il y avait aussi des grenouilles, attrapées à l'aube sur les rives de la rivière Chiquito par de diligents appariteurs.

À partir de huit heures ont commencé à affluer voitures à chevaux et automobiles à moteur, d'où descendaient des personnalités connues de la vie publique et mondaine. Ils devaient attendre que le soldat de la Garde nationale, de faction devant la porte, frappe celle-ci avec la crosse de son fusil, à la suite de quoi une des fenêtres s'entrouvrait et le bachelier Alí Vanegas montrait sa tête. Il consultait le juge et si ce dernier donnait son autorisation, on ordonnait d'ouvrir la porte.

Une telle procédure a engendré un climat de persiflage, allant jusqu'à des manques de respect excessifs de la part de bons à rien et de vagabonds qui se moquaient des personnes obligées d'attendre sur le trottoir, avant qu'on leur permette d'entrer. D'une voix criarde ils les appelaient par leurs sobriquets et leurs surnoms, et ceux qui ne recevaient pas leur oukase devaient rebrousser chemin sous les sifflets et les huées. A un moment donné, un noyau de mangue, lancé par une main anonyme, vint s'écraser sur la tête du bachelier Vanegas, qui s'était imprudemment penché à une fenêtre.

Parmi les citoyens dont l'accès fut autorisé par le juge nous pouvons citer M. le Maire de la commune, le Dr Onesífero Rizo; le président de la cour d'appel d'Occident, Mᵉ Octavio Martínez Ordóñez; le père Augusto Isidro Oviedo y Reyes; le directeur de l'hôpital San Vincente, le Dr Joaquín Solís; et le chef du Service de santé de León, le Dr Rigoberto Sampson, en plus de médecins et de pharmaciens connus de la ville. C'est par l'entremise de ces personnes que le public a été tenu au courant du progrès des expériences, car le juge n'a pas pu éviter qu'ils donnent des nouvelles sur ce qui se produisait, le plus souvent en entrouvrant les fenêtres pour communiquer avec des amis et des proches postés au-dehors. C'est de ces circonstances dont s'est servi le chroniqueur qui vous parle, ainsi que ses autres collègues du quatrième pouvoir.

Les premières analyses pratiquées par le bachelier Absalón Rojas sont ainsi décrites dans le procès-verbal ajouté au dossier :

ANALYSE CHIMIQUE DES VISCÈRES

A huit heures quarante minutes du matin, j'ai entrepris l'analyse chimique des viscères et, pour ce faire, on a broyé finement tous les organes et divisé la pâte en quatre parties égales : la première pour la recherche de poisons volatils (alcool, éther, chloroforme, aniline, etc); la seconde pour les acides (sulfurique, nitrique, oxalique, picrique, phénique) et les métaux (cyanure, arsenic, antimoine, mercure, etc.); la troisième pour les alcaloïdes (par ex., la strychnine); et la quatrième pour être conservée au réfrigérateur et permettre de refaire un essai en cas de besoin.

Comme conséquence des tests effectués sur les deux premières portions, j'ai pu constater qu'il n'y avait pas trace de produits volatils, en appliquant la méthode de distillation de E. Abrahams; ni d'acides ni de métaux, en suivant la procédure de réaction organique de Secord et Allen, dans chacun des cas. Il a été démontré par ailleurs que l'acidité qu'avaient présentée la veille tous les organes avait été la conséquence naturelle de l'action des sucs gastriques de l'estomac, répandus par une erreur de manipulation.

En utilisant la troisième portion, j'ai tenté d'extraire des alcaloïdes au moyen d'éther, en suivant la méthode North-Singlaub; j'ai ainsi obtenu une substance aussi jaune que l'acide picrique, qui ne m'a pas montré les réactions caractéristiques des alcaloïdes. Je n'ai pas non plus obtenu avec cette substance les réactions propres à la strychnine, en la sublimant dans la cornue de Poindexter; mais je l'ai conservée pour un essai chimique postérieur et pour d'autres de caractère biologique.

Il était déjà près de midi. La foule, informée de ces résultats grâce aux témoins qui se montraient aux fenêtres, commença à s'agiter, et il y eut même des gens pour aller jusqu'à réclamer, à cor et à cri, la liberté d'Oliverio Castañeda, comme le note Rosalío Usulutlán dans sa chronique :

Une femme qui faisait des affaires en vendant de la viande en saumure, s'avança, un couteau à la main, jusqu'à une des fenêtres, protégée des faibles rayons du soleil par les rebords de son énorme chapeau de palme, elle demanda, dans un langage indigne d'être répété par écrit, qu'on ouvre les portes de la prison à l'accusé et qu'on y colle à sa place tous ces docteurs et autres cuistres; sur le ton de la plaisanterie, elle s'exclama qu'elle se faisait fort de leur porter suffisamment de nourriture pour qu'ils ne souffrent pas de la faim au fond de leur cellule. La plaisanterie fut saluée par un tonnerre d'éclats de rire, et le héraut officieux, craignant d'être victime de quelque projectile, ferma prestement la fenêtre.

Les expériences continuèrent sans relâche jusqu'au déjeuner. Nous nous reportons une nouvelle fois au procès-verbal :

J'ai entrepris la recherche de strychnine à l'aide du percyanure de fer, du ferrocyanure de potassium, d'acide sulfurique et du bichromate de potassium, selon la méthode de V. Walters, et la réaction a été négative.

A travers une évaporation d'extrait chloroformique j'ai ensuite effectué les tests prescrits par la méthode de Gavin-Tamb. Dans ce cas il est apparu des traces de strychnine, et j'ai observé au microscope, après évaporation, des cristaux de cet alcaloïde.

Ces nouvelles, communiquées dans la plus grande confusion à travers les fenêtres, agitent à nouveau la foule; on entend des cris favorables et hostiles à l'accusé, des huées et des applaudissements, et les chiens attachés dans le couloir intérieur se mettent à aboyer ; « des aboiements qui furent salués par des rires épais », rapporte Rosalío Usulutlán, « car on savait pertinemment quel sort était réservé à ces pauvres cabots ».

On procède alors aux expériences tant attendues sur des animaux, dont les résultats sont consignés dans le procès-verbal :

TESTS BIOLOGIQUES SUR UNE GRENOUILLE

J'ai entrepris des tests biologiques sur une grenouille, en procédant de la façon suivante : on a fait macérer dans l'éprouvette 25 grammes de la troisième portion de viscères, celle réservée pour l'essai sur les alcaloïdes, en dissolvant la pâte dans 10 cm^3 d'eau légèrement additionnée d'acide sulfutique à 0,30 %, ce qui a permis de préparer une injection intramusculaire de 2 cm^3.

A une heure dix l'injection a été administrée à la grenouille dans la région scapulaire qui est apparue humide et tuméfiée. A une heure douze elle donne des signes de nausée ; on la laisse en liberté et elle ne bouge pas ; elle se recroqueville, elle vomit. A une heure treize, les vomissements se poursuivent, sans effort à présent. La nausée cesse. A une heure quinze elle réagit au toucher par de petits mouvements. En entendant des coups frappés sur la table, elle bouge peu. Respiration agitée. A une heure dix-sept, convulsions franches. Elle ne peut plus sauter. Quand on la touche, les convulsions s'accroissent. A une heure dix-neuf, pattes arrière étirées. On la pique et elle ne bouge pas. Elle ne parvient pas à récupérer sa position antérieure. A une heure vingt, pattes postérieures rigides, thorax et abdomen gonflés, légère sueur. Pattes de devant rigides. A une heure vingt et une, pattes postérieures flasques, ventre flasque. Pattes antérieures moins rigides. A une heure vingt-deux, réflexes très atténués. A une heure vingt-trois, elle ne réagit pas. Mouvements respiratoires légers. Agonie. A une heure vingt-quatre, collapsus final. Mort de la grenouille.

TESTS BIOLOGIQUES SUR UN CHIEN

A une heure cinquante, j'ai entrepris d'injecter 6 cm^3 du même extrait à un chien d'un poids de six kilos et les réactions suivantes ont pu être observées : à une heure cinquante-deux, il présente une dilatation des pupilles et des réactions de nervosité aux bruits et à la lumière. A une heure cinquante-quatre, le chien prend un air triste, abattu. A une heure cinquante-sept, on l'incite à bouger et il n'obéit pas. A deux heures zéro minute, le chien vomit ; respiration agitée. A deux heures deux, hurlements étouffés et plaintifs ; il vomit à nouveau. A deux heures trois, première crise. Battements cardiaques accélérés au stéthoscope. Rigidité de la mâchoire (trismus). A deux heures quatre, la crise cesse. Épuisement, rigidité des extrémités inférieures au toucher et insensibilité à la piqûre avec une aiguille. A deux heures sept, deuxième crise. Rigidité des quatre extrémités. A deux heures neuf la crise cesse. Flaccidité totale, signes de vitalité moins accentués et absence de réactions ; le chien ne répond pas aux appels et refuse d'ouvrir les yeux. A deux heures douze, troisième crise. Propulsion oculaire (strabisme) ; rigidité de la mâchoire, empêchant le passage de la pince (trismus). A deux heures quatorze la crise cesse. Respiration légère, battements cardiaques très faibles au stéthoscope. A deux heures dix-sept, agonie. A deux heures dix-huit, mort du chien.

La troisième expérience a été effectuée sur un chat d'un poids de un kilo. Après avoir reçu à deux heures trente de l'après-midi une injection contenant 4 cm³ de la même solution, il est mort à deux heures cinquante, après avoir manifesté des symptômes très proches, ce qui nous évite de recopier ici la description de ce test qui figure dans le procès-verbal déjà cité.

Quand on apprend que les animaux ayant reçu des injections de viscères mouraient empoisonnés les uns après les autres, le désordre est porté à son comble. Voici ce que note Rosalío Usulutlán :

En différents points du bâtiment les fenêtres se mirent à s'ouvrir simultanément, à deux battants, dans un grand fracas de loquets et de heurtoirs, ce qui poussait les spectateurs à courir de tous côtés en cherchant à se regrouper sous ces mêmes fenêtres, tant ils étaient avides de nouvelles.

Ayant appris l'issue fatale qui avait été réservée à chacun des animaux, la foule mugissait, tel un océan déchaîné, et nombreux étaient ceux qui, à gorge déployée, réclamaient un châtiment exemplaire pour le coupable ; on voyait se former des groupes prêts à marcher sur la prison XXI, dans le but de faire sentir à l'accusé, concrètement, la force de l'opinion publique. Un autre parti parlait de la nécessité de recueillir des signatures et d'organiser une pétition adressée aux autorités suprêmes, en exigeant qu'on lui applique sans délai la peine de mort. Mais aucune de ces initiatives n'a eu de suite.

Les tests auraient dû s'arrêter là ; mais je juge Fiallos, libéré pour l'heure de ses préoccupations, prit une décision de dernière minute qui ne manqua pas de surprendre Alí Vanegas, qui ne s'était pas encore remis de la violente réprimande reçue pour son manquement à la parole donnée : il ordonna au bachelier Absalón Rojas de piquer un chien en utilisant le reste des sucs gastriques prélevés sur don Carmen par le Dr Atanasio Salmerón.

C'était là un acte de justice. Le Dr Salmerón s'était présenté à la porte de la faculté, tôt le matin, en demandant à entrer ; devant le refus catégorique du juge Fiallos, le médecin avait dû subir les quolibets de la foule, quolibets que le juge avait entendus derrière les fenêtres fermées. De son côté, Rosalío Usulutlán avait assisté à la scène, mais il s'était abstenu de mentionner le nom du Dr Salmerón quand il avait rendu compte de l'épisode dans sa chronique.

Le chien fut piqué à trois heures quinze de l'après-midi et il mourut à trois heures quarante-cinq, après avoir subi trois crises de convulsions aiguës.

Ensuite on procéda à l'élaboration du procès-verbal, qui fut signé à cinq heures de l'après-midi. Toutes les personnalités présentes y souscrivirent en qualité de témoins, à l'exception du chanoine Oviedo y Reyes qui dut se retirer avant quatre heures, comme l'indique Rosalío dans sa conclusion :

Le premier à abandonner l'édifice a été le révérend chanoine, doyen de la cathédrale, le père Isidro Augusto Oviedo y Reyes, car il devait prononcer l'oraison funèbre à la messe d'enterrement où officierait Sa Grandeur Mgr Tijerino y Loáisiga, évêque du diocèse de León, à la mémoire de don Carmen Contreras; et l'heure du départ de l'enterrement approchait.

Avec son bras levé, le chanoine donnait l'impression de bénir la foule et certains des présents commirent l'erreur de s'agenouiller; mais votre serviteur a appris, de source sûre, que la position de son bras était plutôt due à une récente intervention chirurgicale sous l'aisselle, ce qui l'empêchait de dûment replier son extrémité douloureuse.

31

Le Dr Salmerón reprend du poil de la bête

Alí Vanegas avait l'habitude de laisser ouverte la porte de sa chambre d'étudiant jusqu'à une heure avancée de la nuit, en partie à cause de la chaleur suffocante des nuits de León, et en partie parce qu'il aimait guetter les noctambules pour chercher avec qui bavarder. La chambre faisait partie de la demeure de son père, Mᵉ Juan de Dios Vanegas, et elle donnait sur la rue Royale, tout en étant mitoyenne avec une autre maison de maître où Rubén Darío avait passé son adolescence et où à présent croupissait, enchaîné à la grille de la fenêtre, le poète Alfonso Cortés, depuis qu'il était devenu fou, comme le lecteur l'a appris.

Pauvre en mobilier et abandonnée aux vents indolents du désordre, la pièce n'était nettoyée que lorsque Alí Vanegas, cédant aux réclamations de sa mère qui l'accusait, de l'autre côté de la cloison, de se complaire dans cette véritable bauge, finissait par ouvrir la porte intérieure pour que les domestiques puissent entrer. La mère, qui refusait de laisser ses bonnes à la merci de son fils, se postait alors pour le surveiller, le ceinturon à la main, tandis que les femmes poussaient avec leurs balais les saletés sur le trottoir ; c'était aussi la seule fois où elle l'obligeait à mettre son pantalon. De la rue on apercevait l'armature imposante d'un lit de fer, son bien le plus précieux, où quatre têtes de chérubins surmontant chacun des pieds montaient la garde et que recouvraient des rideaux de gaze assombris par la poussière.

Le lecteur sait déjà qu'en raison de ses habitudes Alí Vanegas avait vu passer, roulant à vive allure, la voiture attelée où s'enfuyaient les empoisonneurs de chiens, pendant la nuit du 18 juillet 1932, et que peu après Rosalío Usulutlán était apparu et lui avait rapporté l'épisode des coups de canne. Tous deux seraient amenés à rendre compte de ces faits dans leurs dépositions respectives, puisque la battue contre les chiens deviendrait une pièce essentielle dans l'instruction du procès ouverte le 9 novembre 1933.

Il convient maintenant de ne pas quitter Alí Vanegas qui, au terme d'une journée agitée et après avoir pris congé du juge Fiallos sur le pas de sa porte, regagne sa chambre. Après s'être déshabillé, pour se retrouver comme d'habitude en caleçon, il se propose de réviser certaines matières qu'il a négligées; mais au bout d'un moment, dans l'impossibilité de se concentrer, il abandonne sa chaise longue et se rend jusqu'à la malle où il range ses livres et ses papiers pour y prendre la liasse de ses poèmes et mettre au propre le plus récent d'entre eux, « Élégie à la femme inconnue ». Il s'est à peine rassis qu'apparaît de nouveau à la porte Rosalío Usulutlán qui se présente pour l'occasion en tant que messager du Dr Atanasio Salmerón.

La dernière fois que nous avions vu le Dr Salmerón, il fermait précipitamment la porte du cabinet du Dr Darbishire, terrorisé par la meute qui se précipitait dans le couloir à sa poursuite. Maintenant nous devons l'accompagner lorsque, en regagnant la rue, il dirige ses pas de chien battu vers *Chez Prío*. Nous reviendrons dans la chambre d'Alí Vanegas.

Au soir de toutes ces péripéties, les clients se pressent *Chez Prío*. En passant au milieu des tables où on ne peut boire que de la bière tiède car le réfrigérateur a été vidé dans l'attente de son transfert à l'université, le Dr Salmerón entend répéter, sans en éprouver la moindre joie, les commentaires les plus divers à propos du sujet unique qui enthousiasme tout le monde : la capture de l'empoisonneur Oliverio Castañeda après la mort de sa dernière victime.

Il se rend directement dans le coin de la salle, pour s'asseoir à sa place habituelle. Il sort son carnet de la maison Squibb et le pose près de lui. Il n'a aucune envie de l'ouvrir. Au fur et à mesure qu'il retrouve ses esprits, il se sent de plus en plus démoralisé : il a été chassé, comme un vulgaire fils de famille qui a perdu les faveurs du maître de maison. De plus, en contradiction avec ses manières habituelles, le vieillard l'avait insulté grossièrement, pour bien signifier que la rupture était définitive.

Au bout d'un bon moment, Cosme Manzo entre dans l'établissement, s'arrêtant aux tables, à nouveau pleines après la débandade qui avait accompagné le départ du réfrigérateur, pour divulguer les détails de la capture. Il arrive de chez la famille Contreras, il a vu comment on en extrayait l'empoisonneur, totalement ivre, au milieu d'un grand déploiement militaire, il a entendu les cris et les protestations des deux femmes qui de nouveau s'opposaient à ce qu'on l'emmène. Il raconte la scène en imitant les pleurnicheries et les gestes de supplication, pour la plus grande joie de tous ceux qui sont là; mais sa prestation ne fait naître qu'un pâle sourire sur les lèvres du Dr Salmerón.

Manzo ne manifeste pas la moindre inquiétude quand le Dr Salmerón le met au courant de l'échec de l'analyse des sucs gastriques.

Pour lui qui a passé toute la journée à aller d'un endroit à l'autre et qui a été le témoin oculaire des événements les plus divers, dans la maison des faits, à l'hôpital, les choses ne font que commencer ; et ce résultat préliminaire, que le Dr Salmerón lui transmet sur un ton tellement angoissé, n'a rien d'inquiétant. Il faut attendre l'analyse des viscères, les expériences sur les animaux, les dépositions des témoins clés. Les preuves les plus flagrantes restent toujours consignées dans le carnet de chez Squibb : l'acquisition du poison, la part de strychnine que Castañeda avait conservée pour lui, après avoir tué les chiens, l'histoire de l'homme à la morue, le livre *Secrets de la nature*. Personne ne se risquerait à contredire de telles évidences, révélées dans toute leur ampleur.

« La réserve du haut commandement. » Le capitaine Prío dépose avec ostentation deux bières glacées sur la table. « J'ai caché la réserve de glace, au cas où vous en voudriez d'autres. »

Cosme Manzo boit avidement au goulot. Le Dr Salmerón repousse la sienne avec lassitude.

« Écoutez-moi, docteur », Cosme Manzo essuie la mousse de ses lèvres avec le poignet de sa chemise, « n'oubliez pas une chose : nous tenons le Dr Darbishire. Tout ce qu'il déclarera apporte de l'eau à notre moulin. »

Le Dr Salmerón passe le doigt sur la trace humide laissée par la bouteille et il ne lui répond pas. Il a honte d'avouer à Manzo que le vieillard l'a mis dehors et que même les chiens l'ont poursuivi, avec la claire intention de le mordre.

« Ne me dites pas que le petit vieux s'est dégonflé. » Cosme Manzo le regarde, sans écarter la bouteille de ses lèvres.

« On ne peut rien attendre de ce prétentieux. » Une vague de colère monte à la tête du Dr Salmerón. « Maintenant il dit que c'est ma faute si on n'a pas trouvé de poison dans le pichet.

– Et il s'est disputé avec vous pour cette raison. » Cosme Manzo repose la bouteille avec précaution, comme s'il ne voulait pas le gêner en faisant le moindre bruit. « Ce vieux croûton a toujours été un bêcheur. »

Le Dr Salmerón acquiesce, en détournant le regard. Sa mâchoire tremble. Fier, et pourtant déconsidéré ; plus jamais de la vie il ne remettra les pieds chez lui, pas même en tant que médecin, au cas où il aurait une crise d'apoplexie.

« Il a même dû vous chasser de chez lui. » Cosme Manzo surveille le Dr Salmerón qui continue à ne pas le regarder et qui se ronge maintenant les articulations, le poing serré. « Et il est tout à fait capable d'avoir lancé ses chiens à vos trousses.

– C'est ce qu'il a fait. » Le Dr Salmerón sent jaillir les larmes et il serre la mâchoire.

« Il vous a blessé dans votre orgueil, docteur. » Cosme Manzo lui saisit vigoureusement le bras. « En fin de compte, tous ces richards ne valent pas un pet de lapin.

– Où est Rosalío? » Le Dr Salmerón attrape brusquement la bouteille de bière par le goulot et il avale une grande gorgée. Cosme a raison. Ce sont tous les mêmes; il n'y en a pas un pour racheter l'autre. « J'ai besoin de lui parler.

– Voilà qui me plaît, docteur, on ne va pas se laisser avoir. » Avec un sourire, Cosme Manzo vide le reste de la bouteille. « Il doit se balader du côté de l'université. Les viscères sont sur le point d'arriver et dehors c'est le chambard.

– Va me le chercher. » Le Dr Salmerón bouscule Cosme Manzo et ses doigts se referment sur le genou de l'autre. « J'ai besoin qu'il essaie de parler avec Alí Vanegas et qu'il s'informe de tout ce qui se trame dans le laboratoire. Et qu'il lui dise que c'est une question de vie ou de mort qu'on injecte les sucs gastriques aux animaux.

– Je voudrais vous faire une proposition, docteur. » Cosme Manzo, qui s'est levé, fait danser la bouteille vide dans sa main. « Vous allez me dire ce que vous en pensez. »

Le Dr Salmerón, qui s'est déjà replongé fébrilement dans les notes de son carnet, lève les yeux.

« Il faut dévoiler le pot aux roses. » Cosme Manzo appuie ses mains sur la table; et il s'approche tellement de l'oreille du docteur qu'il le frôle du rebord de son chapeau. « Un bon article de Rosalío, où il raconterait tout ce que nous savons. Les petits mots doux, les explications, les sanglots. Il faut que ça leur revienne dans la gueule.

– Ça me plaît. » Le Dr Salmerón, après avoir réfléchi un instant, acquiesce avec conviction. « Mais il faut d'abord régler l'affaire du pichet. »

Manzo part avec les instructions alors que la salle se vide à nouveau précipitamment. Les clients se ruent vers l'université parce que les viscères débarquent et que les expériences vont commencer. Une heure après, il revient : pendant tout ce temps, Rosalío n'est pas parvenu à entrer en contact avec Alí Vanegas; les portes étaient closes et l'accès avait été interdit aux journalistes par le juge. Vers dix heures, Manzo et Rosalío reviennent ensemble, en annonçant que les expériences, suspendues en raison de l'heure tardive, ne commenceraient qu'à huit heures du matin le lendemain; et il ne leur a pas été possible d'approcher Alí Vanegas à la sortie, car il a accompagné le juge jusque chez lui.

C'est ainsi que la décision est prise d'envoyer Rosalío le chercher dans sa chambre et qu'Alí Vanegas le voit passer la tête à sa porte, en soulevant aimablement son chapeau pour le saluer.

« On ne donne pas d'interviews à la presse. » Alí Vanegas met de côté la liasse de ses poèmes.

Rosalío, le corps penché, se précipite pour prendre un tabouret, comme s'il courait après lui; il le traîne et s'installe près de la chaise longue d'Alí Vanegas.

« Si vous vous baladez en petite tenue, votre inspiration va se refroidir, mon petit vieux, lui susurre Rosalío à l'oreille.

— L'inspiration, c'est dans mes couilles qu'elle est et je ne veux pas qu'on vienne me cuisiner. » Alí Vanegas agite son éventail de palme.

« Le juge m'a formellement interdit de dire le moindre mot sur le procès. Si tu es venu vérifier quelque chose, tu peux considérer ta mission comme déjà terminée.

— Si tu veux avoir des détails sur le procès », Rosalío rapproche un peu plus le tabouret, « il vaudrait mieux que tu me le demandes à moi, j'en sais plus que le juge.

— Alors, mon cher chroniqueur, pourquoi venir chez moi aussi tard dans la nuit? » Alí Vanegas lui donne une pichenette sur la jambe avec son éventail.

« Je veux seulement que nous aidions un ami. » Rosalío enlève son chapeau et se couvre la bouche.

« Tout dépend de l'ami et tout dépend de l'aide. » Alí Vanegas le regarde du coin de l'œil. La sueur perle entre les pointes de ses cheveux coupés ras.

« Le Dr Salmerón a fourni une preuve capitale qui a permis d'appréhender le criminel. La société doit lui en être reconnaissante. » Rosalío écarte le chapeau de sa bouche, puis il la recouvre.

« Quel type de preuve? » A présent Alí Vanegas s'évente énergiquement. « Il s'est introduit chez les Contreras sans autorisation. Ce qui lui pend au nez, c'est d'être accusé de violation de domicile. Dans son pichet il n'y avait pas de poison.

— Alors le chien n'est pas mort? » Rosalío appuie son chapeau contre ses jambes et il parcourt du bout du doigt la poussière accumulée sur le bras de la chaise longue.

« Quel chien? » Alí Vanegas arrache un poil qui dépasse de sa braguette et il le contemple à contre-jour.

« Le chien auquel on a injecté aujourd'hui les sucs gastriques, dans le laboratoire. » Rosalío trace une croix sur la couche de poussière. « Et arrête tes saloperies, mon vieux.

— On pourrait parler de saloperie si je t'arrachais à toi les poils du pubis. » Alí Vanegas projette le poil dans les airs d'un coup d'ongle et il suit sa trajectoire jusqu'au sol. « On n'a piqué aucun animal, on a seulement commencé à examiner les viscères. C'est demain le jour des chiens, des chats et autres bestioles. Le test chimique sur le fameux pichet a été fait d'abord et c'est lui qui s'est révélé négatif.

— Le Dr Salmerón le sait déjà », Rosalío étire le cou, en essayant de lire ce qu'Alí Vanegas est en train d'écrire, « mais il dit que ce n'est pas le test chimique qui est important. C'est le chien qui l'intéresse.

– Alors, s'il le sait déjà, ce n'est pas de moi qu'il l'a appris. » Alí Vanegas recouvre brusquement de sa main la feuille de papier. « Et quand tu partiras d'ici, rappelle-toi que je ne t'ai pas dit un traître mot de toute cette affaire.

– Ce qu'il t'envoie demander, c'est qu'on injecte les sucs gastriques à un chien, pour que la vérité éclate. » Rosalío lui écarte la main et il déchiffre le titre du poème. « C'est l'élégie dont tu m'as parlé?

– Je ne suis qu'un simple greffier. » Alí Vanegas renonce à couvrir la feuille et il le laisse lire. « Qu'il demande au juge tout ce qu'il voudra, s'il l'ose. Le juge est en rogne, à cause de l'histoire du pichet. Mais qu'il parle avec lui, il reste encore quatre-vingt-dix centimètres cubes du liquide.

– Quatre-vingt-dix centimètres cubes. » Rosalío ramasse le tabouret et il le repose à l'endroit où il l'a trouvé en entrant.

« Tu es venu ici pour me tirer les vers du nez. » Alí Vanegas lui tend l'élégie de loin. « Et pour espionner ce que je suis en train d'écrire. Mais lis, régale-toi. Admire l'éclat de ce joyau d'avant-garde.

– Je préfère que tu lises. » Rosalío se rapproche et met les mains sur ses hanches. « « Le sonnet sur Sandino que je t'ai publié était moyen.

– Moyen? Dis plutôt parfait, ignorant. » Alí Vanegas apporte une dernière correction avant de commencer à lire.

– Moyen, n'aie pas la tête enflée, mon petit vieux. » Rosalío tire sur l'étoffe de son pantalon, qui s'était coincé entre ses fesses. « Celui qui n'a pas dû apprécier, c'est Somoza.

– Je n'en ai rien à foutre de Somoza », et Alí Vanegas commence à déclamer avec des accents gutturaux, comme si on lui pinçait le nez : « " Toi, l'inconnue au corps frémissant, qui frappes à ma porte, prête à enflammer d'une tiède chaleur les draps blancs de ma couche, veilles parcourues par l'ouragan du désir... "

– J'imagine que cette inconnue doit être une putain quelconque. » Rosalío se précipite vers la sortie. « C'est pour ça que tu laisses ta porte ouverte!

– Va te faire foutre! » Alí Vanegas bondit à sa poursuite, mais Rosalío a déjà disparu. On entend encore son rire résonner dans la rue.

Cette conversation permettra au lecteur de comprendre pourquoi au milieu de la nuit du 9 octobre 1933 on entendit des coups inquiétants frappés au portail de la maison du juge Fiallos.

A peine Rosalío Usulutlán est-il de retour *Chez Prío*, porteur d'une information aussi capitale que prometteuse – il reste encore quatre-vingt-dix centimètres cubes de sucs gastriques, ce qui est suffisant pour faire une injection à un chien –, que le Dr Salmerón griffonne la note déjà citée sur une feuille de son ordonnancier. Et Cosme Manzo s'offre à la remettre personnellement à qui de droit.

« Et demain, docteur », Cosme Manzo plie la feuille et la glisse dans le rond de son chapeau, « vous devez vous présenter au laboratoire quand commenceront les expériences. Vous êtes le premier à avoir droit à être là.

– On verra. » Le Dr Salmerón sourit, tout ragaillardi.

« Et toi », Cosme Manzo assène une grande claque sur l'épaule de Rosalío, « prépare-toi à faire le reportage du siècle.

– C'est précisément de cela que je vais parler avec Rosalío. » Le Dr Salmerón prend congé de Cosme Manzo avec un geste d'impatience.

32

Princesse aux fleurs noires

Les symptômes indiscutables d'empoisonnement lors de la mort de la grenouille, des chiens et des chats ayant reçu une injection au laboratoire persuadèrent l'opinion publique de la culpabilité d'Oliverio Castañeda; et bien qu'on n'ait pas réussi à réunir les signatures pour la pétition réclamant qu'on lui applique la peine de mort, un éditorial du quotidien *La Prensa* de Managua, publié le 11 octobre 1933 sous la signature de son directeur, M° Pedro Joaquín Chamorro Zelaya, et intitulé « L'ennemi public n° 1 », précise :

La république vit une époque néfaste, alors que les fondements de la morale sont ébranlés par des attaques aussi ignobles que méprisables contre la première et la plus sacrée de nos institutions : la famille, comme dans l'abominable affaire qui émeut la société de León. Et nous ne devons pas seulement louer le zèle de la Garde nationale pour son intervention opportune dans la prompte arrestation *in continenti* du coupable de ces crimes barbares, vite prouvés grâce aux énormes progrès de la science; nous devons également réclamer, sans ambages, que se dresse sur-le-champ l'ombre vindicative de l'échafaud afin d'effacer l'ignominie de la trahison et de la barbarie.

C'est ce qu'exige *La Prensa*, non pas par manque de charité chrétienne, mais parce qu'elle interprète à sa juste mesure la clameur des citoyens. Le thermocautère est douloureux, mais nécessaire, car si on laisse suppurer la pustule infectée d'humeurs malignes, le corps social se verra bientôt couvert de plaies et exposé à un démembrement déchirant.

Ce même 11 octobre, le juge Fiallos reçut de Managua un télégramme signé par le président de la Cour suprême de justice, M° Manuel Cordero Reyes, qu'on a ajouté au dossier et qui dit :

Au nom unanime magistrats de cette Haute Cour sensible expression vindicte publique vous ordonne utiliser tous les recours loi met à votre disposition et procéder sans aucun égard ni hésitation enquête sur faits relatifs mort don Carmen Contreras (qu'il repose en paix) et autres connexes de façon à faire retomber sur coupable poids indiscutable justice le tout sur autel paix sociale et bénéfice honneur et sécurité citoyens honorables. Toute coopération requise par vous autorités judiciaires de pays doit vous être accordée sans retard. Accusez réception.

Sans parvenir jusqu'aux journaux, de sévères critiques s'élevaient contre la veuve et sa fille, qui continuaient à envoyer à l'accusé des aliments, du linge de nuit et toutes sortes de cadeaux, en dépit du résultat des tests de laboratoire. Comme nous l'avons vu, le capitaine Ortiz s'est vu contraint d'interrompre ces envois après avoir reçu des instructions du haut commandement de la Garde nationale, décision fêtée à grand renfort d'applaudissements par un nouvel éditorial de *La Prensa* qui, cependant, prend soin de mentionner le nom des expéditrices frustrées.

Les critiques contre doña Flora montèrent d'un cran quand, dans sa déposition du 14 octobre 1933, elle se posa, de façon voilée, en défenseur de l'innocence de l'accusé ; déposition qui servit à ranimer, dans les milieux huppés de León, la vieille antipathie qui existait à son égard, depuis le moment où, jeune mariée, elle était arrivée dans la ville, bien des années auparavant, et que nous avons déjà soulignée.

Le Dr Atanasio Salmerón, malgré la mauvaise réputation que lui valait son rôle de mentor de la table maudite, acquit du jour au lendemain la réputation d'un homme intelligent et sensé ; le fait de s'être spontanément présenté dans la maison du crime, armé d'une sonde afin de prélever à tout prix les sucs gastriques de la victime, lui valait des éloges quasi unanimes. Pour cette raison et parce que tout le monde connaissait déjà l'existence du carnet qu'il couvrait de notes et dont les pages contenaient les preuves des crimes d'Oliverio Castañeda, on attendait sa déposition avec une impatience justifiée.

Il comparut le 28 octobre 1933, alors que la ville bruissait du scandale provoqué par le reportage de Rosalío Usulutlán. Le juge Fiallos, comme nous le verrons plus tard, n'avait pas pu se soustraire à l'impact du scandale, ce qui le conduisit à s'affronter durement avec son témoin ; en raison de cette confrontation et d'autres circonstances postérieures dont on nous fera part plus tard, les précieuses données ne furent jamais en possession de la justice.

Mais nous n'en sommes pas encore arrivés là. Pour le moment, le crédit du Dr Salmerón était en hausse. C'est pourquoi il se permit de donner quelques conseils au juge Fiallos dans une interview, mise au point avec Rosalío Usulutlán et publiée dans *El Cronista* du 14 octobre 1933, sous le titre « Opinions d'un médecin » :

Le reporter : Considérez-vous que le juge, Me Fiallos, doit procéder à de nouvelles démarches décisives dans son enquête ?

L'interviewé : Je me permettrais respectueusement de suggérer à M. le

Juge, sans que cela signifie une quelconque intromission dans les délicates fonctions qui lui sont confiées, de procéder à l'exhumation rapide des cadavres de Mme Marta Jerez épouse Castañeda et de Mlle Mathilde Contreras.

Le reporter : Sur quoi vous fondez-vous pour faire cette suggestion ?

L'interviewé : Sur le fait que nous sommes en présence d'un agent commun, d'un seul sujet, qui s'est trouvé à proximité des trois personnes, dont les décès sont survenus à des dates différentes, mais dans des circonstances et avec des symptômes identiques. Puisqu'on a établi que la dernière de ces trois personnes est décédée sous l'effet d'un toxique qu'on lui a fait absorber de façon sournoise, déguisé en médicament, il convient de vérifier si les deux autres n'ont pas été, elles aussi, victimes du même toxique.

Le reporter : Une des deux personnes que vous signalez, Mlle Mathilde Contreras, est décédée récemment. Mais la première, Mme Marta Castañeda, est enterrée depuis déjà plusieurs mois. Sera-t-il possible de découvrir dans son corps, après un temps aussi long, les traces du poison ?

L'interviewé : C'est possible. Les poisons ingérés se conservent très longtemps dans les dépouilles mortelles des victimes. Nous avons le fameux cas Bouvard, survenu dans le midi de la France, en 1876. L'épouse d'un greffier, M. Bouvard, décéda brusquement et des années plus tard on découvrit des indices prouvant que le greffier l'avait empoisonnée, par jalousie à l'égard d'un camarade travaillant dans la même étude, M. Pécuchet. L'exhumation a été pratiquée en 1885 et l'examen des viscères, selon la méthode de J. Barnes, a déterminé l'existence de strychnine.

Le reporter : Et ne considérez-vous pas que troubler le repos des cadavres constitue une profanation ? Cette procédure n'est-elle pas en contradiction avec les règles de Notre Sainte Mère l'Église ?

L'interviewé : En aucune façon. La justice, main dans la main avec la science, doit se placer au-dessus des bigoteries et de l'obscurantisme. La médecine légale prévoit cette procédure et le juge, arguant de la loi, doit l'appliquer.

Le juge Fiallos envisageait déjà, dans ses plans, d'exhumer les cadavres, mais il préférait garder le secret pour éviter qu'apparaisse un nouveau foyer de scandale et de curiosité. Une fois les expériences terminées, il avait fait part, le soir même, de sa détermination au capitaine Ortiz, en lui demandant de placer les sépultures sous une surveillance discrète. Quand il reçut le télégramme du président de la cour suprême de justice, il répondit par un autre télégramme, qui contenait son accusé de réception et qui, en même temps, sollicitait un budget spécial de dépenses se montant à 240 cordobas, destiné à régler les différentes démarches, qui se décomposait ainsi :

Deux médecins auxiliaires du médecin légiste : 150 cordobas.
Deux étudiants en médecine : 40 cordobas.
Heures complémentaires de quatre fossoyeurs : 12 cordobas.
Boissons pour les fossoyeurs : 10 cordobas.
Alcool et autres désinfectants : 8 cordobas.
Imprévus : 10 cordobas.

Cette fois, il ne fut pas agacé par les conseils du Dr Salmerón, même s'ils risquaient de lancer un débat sur le sujet, comme cela s'est effectivement produit. Les opinions du médecin, ajoutées au fait qu'Oliverio Castañeda lui-même avait osé affirmer, dans l'interview accordée en prison à Rosalío Usulutlán, qu'il avait déjà de son côté demandé l'exhumation du cadavre de son épouse afin de démontrer son innocence, le contraignirent à confirmer publiquement sa décision.

C'est ce qui ressort des déclarations faites à Manolo Cuadra pour *La Nueva Prensa* et publiées le 16 octobre, dans le cadre d'un article intitulé « Princesse aux fleurs noires » :

En cette matinée de tempête nous avons trouvé Mariano Fiallos taciturne et mélancolique quand nous l'avons cherché dans le but de confirmer les bruits qui courent sur l'exhumation de deux des présumées victimes du poison dans l'affaire Castañeda.

Une aveugle habillée d'une tunique nazaréenne élimée, que les avocaillons et les plaideurs surnomment Miserere, chantait un passage de la Passion au pied d'un pilastre dans les couloirs du tribunal, sa place habituelle, avec son visage à la beauté enfuie où ne reste que la braise éteinte de ses étranges yeux verts, collé contre la caisse de sa guitare rauque et mal encordée. Nous avons demandé au juge si par hasard il était troublé par l'arpège de cette chanson, dont les paroles laissent derrière elles un sillage de tristesse : « pense qu'au fond de la fosse, nous porterons les mêmes vêtements... »

Il nous a répondu que non, mais la persistance de la pluie fine qui égrène sa fragile cantilène du haut des toits mouillés fait peser la même mélancolie sur l'âme du plus féroce des mortels et le juge ne fait pas partie des plus féroces. Par ailleurs, l'affaire dont il s'occupe, pour scandaleuse qu'elle soit, ne laisse pas d'être triste. Le manteau de pluie, la pitoyable litanie de la chanson, l'effraction des tombeaux de femmes qui ont aimé et qui sont peut-être mortes pour avoir aimé... en vérité, cette matinée grise est lourde de bien des présages.

J'abandonne ces réflexions, j'en viens à mon interrogatoire, et il me répond : « Effectivement, je me propose de procéder à l'exhumation des cadavres de Marta Jerez et de Mathilde Contreras. Dans cette perspective, j'ai demandé à la Cour suprême un soutien financier approprié. Cette procédure ne doit surprendre personne, car elle est parfaitement normale dans des cas comme celui-ci et il ne s'agit en aucune façon d'exciter l'esprit morbide du public. Et soyez assuré que je ne tolérerai la présence d'aucune personne étrangère à ces démarches, je ne veux pas que cette exhumation se transforme en un spectacle de cirque romain. »

« Je ne souhaite pas entrer dans des spéculations scientifiques avant d'avoir les résultats sous la main », nous dit-il en réponse à une nouvelle question ; « s'il existe de la strychnine dans les cadavres et si la strychnine subsiste ou non dans les corps enterrés depuis un certain temps, seuls les examens et les tests de laboratoire nous le diront. La justice ne pense pas, elle constate. »

La strychnine. Le public lecteur sera sensible à quelques références utiles sur l'origine de son empire et sur son secret pouvoir destructeur. Pour cela nous avons consulté les bibliothèques de l'Institut national d'Occident, guidés par la main du père Azarías H. Pallais, directeur de l'établissement d'éducation et aussi poète, « qui vit à Bruges en Flandre », où il a été ordonné prêtre et où il signe toujours ses vers, transi de réminiscences, même s'il se trouve aujourd'hui derrière les murs du vieux couvent Saint-François, siège de son collège.

Origine et nature :

Du grec *strychnos* – ombre de la nuit –, la princesse nocturne des alcaloïdes, princesse aux fleurs noires, elle est capable de paralyser par son étreinte obscure les palpitations du plus robuste et du plus angoissé des cœurs ; mais elle possède également des dons salutaires, son souffle enchanté éteint la fièvre et elle se dispense en baume émétique, comme ses frères héraldiques le tartrate et l'antimoine ; elle vivifie, si son caprice le veut ainsi, car elle est habile à tempérer les cordes subtiles du système nerveux, tel un luth joué par ses doigts invisibles, pouvoirs qu'elle partage avec d'autres de sa caste, le laudanum et la belladone.

La princesse aux fleurs noires accroche son bouquet de deuil aux linceuls, pieuse marraine des affligés et des découragés, consolation à la torture morale des suicidés, dispensatrice des vengeances de l'amour, souveraine des convoitises, secours des ambitions, maîtresse des haines, *mater admirabilis* de la trahison, *mater dolorosa*... Il y a dans son nom, qu'on ne prononce qu'avec une révérence craintive, des accents trompeurs de glycine, de bougainvillée, de magnolia, de camélia, d'azalée, de myosotis, de corolles précoces que la tempête effeuille sans pitié sur les plates-bandes submergées des jardins brumeux, en cette matinée maussade...

Elle dort cachée dans les entrailles de la fève de Saint-Ignace et de la noix vomique, fruits interdits des Philippines et de l'Océanie ; quand on perturbe son sommeil, elle prend son envol à travers le monde, agitant ses ailes funèbres, offrant le silence en remède à l'ennui, à la mélancolie sans recours et aux tourments fatals de la passion malheureuse ; affable, elle se fait complice de la rancune perfide et de la main silencieuse de la revanche.

La fève de Saint-Ignace fleurit dans le printemps tropical, pavoisant les haies au bord des chemins de ses grappes élégantes de campanules noires au délicat calice allongé et parfumant l'air d'une senteur plus enivrante que celle des jasmins, semant la torpeur même chez ceux qui l'aspirent à distance. Ses fleurs tombent sur le sol, arrachées par les brises, et les jeunes filles insouciantes les ramassent pour les entrelacer aux guirlandes de fête qui ornent leurs chevelures lors des réjouissances nocturnes de la Saint-Ignace, comme si elles célébraient plutôt la nuit et son cortège de songes, d'insomnies et d'ombres.

Son fruit cramoisi, à la pulpe charnue, ressemble par sa forme et sa taille à la poire, mais sans en avoir la douceur, car son amertume est infecte ; ses graines, serrées dans ses entrailles, ont une écorce cornée, une couleur fauve et le volume d'une noisette.

Aplatie, dure, arrondie, avec son écorce de couleur grise, couverte d'épines comme si elle voulait prévenir de sa périlleuse intimité, la noix vomique pend au milieu des feuilles nervurées de l'arbre touffu et élancé qui lui donne vie ; son amande sans saveur mais à l'odeur âcre et à la teinte foncée n'acquiert son amertume intense qu'à la chaleur du feu, quand elle passe du noir au blanc éblouissant.

Effets mortels :

La princesse aux fleurs noires s'avance de son pas silencieux et sa présence se fait oppressante car dans la poitrine du possédé s'accumule une terrible sensation d'angoisse qui se brise en un cri désespéré, un cri prémonitoire de toutes les catastrophes et de toutes les douleurs du monde.

Le corps demeure alors immobile sous son étreinte, les muscles se raidissent, la tête se renverse en arrière, le visage pâlit, la parole devient saccadée. Peu à peu les mâchoires se bloquent. Les membres s'agitent ensemble, secoués par une violence de plus en plus grande. La victime s'acharne à se libérer des bras implacables qui l'étouffent. Arrive un moment où les membres se contractent à l'instar du reste du corps. La victime, clouée sur le dos, ne peut changer de position, le faciès tuméfié et congestionné, la respiration hachée et convulsive. La mort semble imminente, mais après un temps variable les muscles se relâchent et la tête retombe, les contractions et la rigidité cessent pour laisser place à une abominable période de calme : la princesse ménage une trêve dans son étreinte et elle se tient à l'écart.

Cependant, cet instant de rémission est de courte durée, car survient une étreinte plus violente que la précédente. Les secousses convulsives peuvent être assez fortes pour soulever le corps d'une seule pièce et le projeter à une certaine hauteur au-dessus du lit. L'épistonus atteint son degré maximal et le trismus finit de s'exacerber, les membres deviennent rigides et convulsés, la plante des pieds se tourne vers l'intérieur.

Il est impossible d'articuler des sons, la respiration devient de plus en plus pénible, les battements du cœur de plus en plus irréguliers, les yeux saillants et fixes, la pupille dilatée, la peau livide et bleutée. Il est rare que l'intelligence perdure à un tel niveau de paroxysme, la victime est immobile et insensible, comme si elle était morte.

Malgré tout, ce second spasme n'est pas le dernier dans la mesure où intervient un nouvel intervalle de calme qui permet de rétablir la circulation; la victime retrouve ses sensations, mais pas la liberté de ses mouvements. Pendant ce temps, une soif ardente torture sa gorge, jusqu'à ce qu'apparaissent de nouvelles convulsions, de plus en plus rapprochées, de plus en plus terribles. L'étreinte est désormais implacable.

La sensibilité est tellement exacerbée que le moindre bruit ou contact provoque de nouvelles convulsions. Enfin on constate une dernière tentative, plus brève que les autres, pour se libérer de cette étreinte. La princesse prend congé et abandonne son bouquet de fleurs noires sur la poitrine de sa victime. Son ombre irrémissible a tout envahi.

J'ai lu à Mariano Fiallos mes notes sur la princesse aux fleurs noires, qui étaient prêtes sur mon cahier à être intégrées à cet article, et il m'a écouté, silencieux et sombre. La pluie continue à déverser sa cantilène fatidique, les arpèges de la chanson se sont tues. Je m'en vais et, alors que je traverse les couloirs, l'aveugle Miserere gît endormie au pied de son pilastre, serrant dans ses bras sa rauque guitare aux cordes déficientes.

La confirmation du juge Fiallos, ajoutée aux opinions précédemment exprimées, a débouché sur le déclenchement d'une polémique houleuse par journaux interposés, où s'est distingué le chanoine Isidro Augusto Oviedo y Reyes avec un article intitulé « Halte à la profanation sacrilège! », publié par *El Centroamericano* du 17 octobre 1933 :

Il était déjà suffisant qu'un libre penseur invétéré, que nous n'avons jamais vu poser le pied dans l'enceinte sacrée d'un temple catholique, ait l'audace d'affirmer avec impudence que les dépouilles mortelles de deux estimables dévotes de la foi en Jésus-Christ, qui ont rendu l'âme dans le réconfort et avec l'aide de Notre Sainte Mère l'Église, doivent être déplacées de leurs sépulcres, troublant ainsi la paix dont elles jouissent au sein du Très-Haut. Le lecteur éclairé sait à qui je fais allusion, même si je tais le nom de ce suppôt de Voltaire et non point de Galène, érigé en Jupiter tonnant dans cette affaire qui afflige la société de León, et qui se permet de décider, à lui seul, comment on doit mener l'enquête dans cette affaire, même si c'est aux dépens des valeurs et des croyances des ouailles et des commandements de leurs bergers.

C'était déjà suffisant. Mais il est proprement inouï que cet étranger, accusé par la justice, et qui ferait mieux de se taire par respect envers la société et la famille qui lui ont offert un généreux asile, proclame publiquement, en réponse aux questions d'un journaliste, que le cadavre de son épouse douce et dévouée, qui était sienne selon la loi de Dieu, doit être profané, sous le prétexte que le susdit puisse prouver son innocence. Ô Seigneur, quel temps nous est-il donné de vivre et quelles choses devons-nous entendre!

Eh bien, non, ce n'était pas suffisant. Je suis frappé de stupeur quand je lis dans *La Nueva Prensa* les déclarations péremptoires du Dr Fiallos, accordées à un plumitif qui trouve plaisant de tourner en dérision les litanies de la Vierge Marie. Il soutient dans ce journal que sous son autorité il ordonnera et sanctionnera l'exhumation.

Il ne veut pas, dit-il, de spectacle digne du cirque romain, comme si cela suffisait. La barbarie n'a pas besoin de témoin pour s'accomplir, il suffit qu'un comportement impie soit observé par l'unique Témoin et qu'Il le réprouve pour qu'il devienne une indignité.

M. le Juge a encore le temps de faire acte de contrition dans l'intimité de sa conscience et de renoncer à ses intentions. Ou bien devons-nous le considérer comme adepte de la franc-maçonnerie et apostat de la foi qu'il a héritée de ses ancêtres comme le don le plus précieux? Que le juge réponde et nous saurons ainsi à quoi nous en tenir.

Le Dr Juan de Dios Darbishire effectua sa déposition à midi, le 17 octobre 1933, dans son propre cabinet de la rue Royale, alors que l'article du chanoine circulait déjà. Le juge Fiallos ne soupçonnait pas que le vieillard allait bientôt prendre part à la polémique qui faisait rage dans les journaux; et il pouvait encore moins soupçonner qu'il allait se montrer, dès le début, hermétique et évasif en répondant à ses questions, cachant délibérément des faits dont il avait, le juge Fiallos le savait, directement eu à connaître.

S'il est vrai que la mort du chien ayant reçu une injection de sucs gastriques donnait raison à son disciple, le Dr Darbishire n'allait plus varier de la position assumée au moment de la séparation précipitée avec le Dr Salmerón, le soir de la mort de don Carmen Contreras, comme cela se reflète dans sa déposition; au contraire, il plaidera désormais pour un affrontement.

C'est ce qui se dégage de son article, « A la recherche de la vérité scientifique », publié dans *El Centroamericano* daté du 19 octobre et qu'il avait déjà donné à composer au journal – ce qu'il a également caché – quand il a comparu devant le juge Fiallos.

Dans l'intention de prendre mes distances par rapport aux passions, toujours pernicieuses, je me permets d'exprimer quelques critères qui, si Dieu le veut, pourront servir le dessein d'une application loyale de la justice.

Pour ce qui est des analyses toxicologiques pratiquées dans le laboratoire de la faculté de pharmacie au cours des derniers jours et dont les résultats ont remué tant de poussière quand ils ont été rendus publics, je considère qu'on a commencé par où il ne fallait pas. L'expérimentation sur des animaux est une méthode très ancienne; elle date de l'année 1863 et elle a été éliminée des traités de toxicologie les plus modernes, comme on peut facilement le vérifier si on prend le soin de consulter F. Moreau et S. Arnoux, pour ne mentionner que deux noms célèbres dans ce domaine, tous deux professeurs de l'Institut des hautes études en criminologie de Bordeaux.

Une telle pratique donne lieu à d'énormes erreurs. C'est un principe trivial – mais on s'étonne qu'on l'ignore d'une façon aussi olympienne dans l'affaire qui nous occupe – que lorsqu'une personne meurt il se forme immédiatement dans son cadavre des substances toxiques appelées ptomaïnes qui, si elles sont injectées à d'autres personnes ou à des animaux, entraînent un empoisonnement, avec des symptômes également convulsifs.

Les ptomaïnes possèdent, en outre, des propriétés chimiques qu'elles partagent avec les alcaloïdes végétaux, circonstance qui explique que les novices en la matière puissent lourdement se tromper. Il en résulte que dans les enquêtes il est déconseillé d'accorder un grand mérite aux résultats obtenus à partir de telles expériences physiologiques sur des animaux; dans le cas contraire, on pourrait commettre de douloureuses erreurs, comme cela s'est produit, par exemple, dans le cas du général Calvino, mort à Rome en 1886, quand les experts ont pris pour de la delfine une simple ptomaïne et qu'on a faussement qualifié cette affaire de complot politique; ou dans le cas du crime de Montereau, survenu en 1893, quand les analyses ont confondu la morphine et une simple ptomaïne, envoyant à l'échafaud un innocent, Deslauriers, pour l'assassinat de sa maîtresse, une certaine Mme Moreau.

Dans les deux cas, les chiens ayant reçu une injection sont morts parce qu'ils avaient été piqués avec des substances provenant de viscères où l'on prétendait avoir décelé ces poisons, alors qu'il ne s'agissait que de ptomaïnes. Mais dans notre affaire, la situation est plus grave, car les analyses préalables des substances qu'on a injectées à différents animaux, se sont révélées douteuses et contradictoires.

Il y a plus encore. Même dans les méthodes anciennes auxquelles je me réfère et que la science moderne a répudiées, on constate qu'elles comportent certaines démarches qui n'ont pas été accomplies dans le cas présent; en effet on sait que la strychnine n'agit que sur la substance grise du bulbe rachidien et sur la moelle épinière tandis que, par exemple, la vératrine opère sur les muscles, sans affecter le système nervo-spinal. De telle sorte que, de toute façon, la substance préparée pour être injectée aux animaux aurait dû être extraite du cerveau et non pas d'une macération indistincte des organes prélevés. A partir de quel argument scientifique peut-on alors soutenir qu'aussi bien don Carmen Contreras que les animaux piqués sont morts victimes de la strychnine?

Maintenant je souhaiterais parler de l'examen des sucs gastriques prélevés sur don Carmen, quelques instants avant sa mort, par le Dr Atanasio Salmerón. Je dois rappeler à mon collègue, car apparemment il l'a oublié, que la strychnine produit un effet de trismus, c'est-à-dire la contraction de la mâchoire, ce qui rend impossible l'introduction d'une sonde par la bouche, à moins qu'on ne se décide à briser les dents du patient, chose que mon ancien et très estimé disciple s'est bien gardé de faire.

J'ai la meilleure opinion du bachelier Absalón Rojas, je crois qu'il agit en toute bonne foi et mon intention n'est pas de porter ombrage à son prestige professionnel. Mais on doit se rappeler qu'à León nous ne disposons pas d'un laboratoire convenablement équipé ni des appareils et des instruments nécessaires, ce qui n'est pas une critique à l'égard du bachelier Rojas, mais à l'égard du retard scientifique de notre pays.

Et maintenant un dernier mot sur l'exhumation annoncée des cadavres de Mme Castañeda et de Mlle Contreras. L'histoire clinique nous cite, par la bouche du célèbre toxicologue Lautréamont, un exemple précieux qu'il est judicieux de prendre en compte pour ne pas commettre d'erreurs monumentales. Il s'agit d'un jugement prononcé en Bavière en 1896, où le vétérinaire F. J. Strauss a été accusé d'avoir empoisonné à la strychnine sa sœur, afin de s'emparer de l'héritage familial. Quatre mois après la mort, le corps fut exhumé, le pharmacien-chimiste Kohl procéda à l'analyse et prétendit avoir trouvé de la strychnine. Mais les professeurs Blüm et Biedenkopf remirent cette découverte en question et, pour démontrer qu'elle était fausse, ils décidèrent d'empoisonner dix-sept chiens à la strychnine. Les animaux furent enterrés et exhumés au bout de huit mois; une fois les restes analysés, les réactions chimiques n'y décelèrent pas la moindre trace de strychnine. Et ils avaient été empoisonnés à la strychnine pure! C'était trop tard, pourtant, pour le vétérinaire, qui avait déjà passé la tête sous la guillotine.

C'est pourquoi le juge Fiallos doit méditer sur cet exemple édifiant et se garder d'ébranler des convictions religieuses, très enracinées dans notre société. Il risque de se retrouver plus tard avec une conscience coupable, s'il se laisse guider par les conseils irresponsables de certains individus qui, sous des prétextes scientifiques, tentent d'alimenter un sensationnalisme propre aux farces fabriquées à Hollywood dont malheureusement ils sont amateurs.

Le soir où l'article est paru, Cosme Manzo l'a lu à voix haute aux participants de la table maudite réunis *Chez Prío*.

« Regardez comme c'est signé : " Ex-pensionnaire de l'Institut Pasteur de Paris, France. Membre *ad honorem* de la Société de méde cine de Philadelphie, États-Unis. Président par trois fois du jury du concours de recrutement médical de León. " » Cosme Manzo imitait l'accent français du Dr Darbishire.

« Et on a mis la photo de sa première communion. » Rosalío Usulu-tlán lui prit le journal des mains pour le passer au Dr Salmerón. « Le microscope qu'il a près de lui doit être le premier à être entré au Nicaragua. »

Le Dr Salmerón déplia le journal et, baissant la tête, il commença à souligner au crayon rouge les paragraphes les plus cuisants pour lui.

« Répondez-lui dans *El Cronista*. » Rosalío Usulutlán fit le geste d'écrire d'une main ferme sur sa paume.

« Pourquoi tirer sur une ambulance? » Cosme Manzo se contorsionne avec impatience sur son tabouret. « Ce qu'il faut faire, c'est cracher le morceau une bonne fois pour toutes. Ce vieux cul-bénit va le sentir passer. Un miracle comme ça on n'en a jamais vu dans les litanies de sa confrérie du Saint-Sépulcre.

– Le reportage est prêt. » Rosalío glisse un regard vers le Dr Salmerón, pour lui demander son consentement. « Quand vous voudrez, je le sors.

– Chaque chose en son temps. » Le Dr Salmerón plie soigneusement le journal et il le met dans sa poche. « D'abord je vais lui répondre. Ce vieux, moi, je vais le bouffer tout cru. »

33

On apporte subrepticement deux cercueils
à la caserne de la Garde nationale

Au matin du 20 octobre 1993, le juge Fiallos se lève d'une humeur de chien. Depuis deux jours il souffre d'un fort refroidissement et, privé à nouveau de son bain, il s'habille à contrecœur. Tout l'agace, même le frottement de ses vêtements sur son corps brisé par une fièvre qui a duré toute la nuit.

Au petit déjeuner il n'absorbe que quelques gorgées de café au lait et mâchonne un morceau de pain français; pour ne pas entrer dans une discussion inutile, il laisse sans réponse les arguments de sa femme qui le pousse à manger, car avec l'estomac vide il va se sentir plus mal encore. L'odeur des œufs frits servis dans son assiette lui soulève le cœur et le pain qu'il finit de mastiquer tout en se levant de table a un goût d'étoupe.

Quand il franchit le seuil de chez lui, le messager du Bureau des télégraphes, qui arrivait en actionnant la sonnette de sa bicyclette, lui remet un télégramme. Il laisse sa femme signer le reçu sur le carnet et tout en marchant il lit le message : la Cour suprême de justice, réunie en séance plénière pour examiner sa demande de frais relatifs à l'exhumation des cadavres, ne lui accorde que cinquante cordobas, qu'il doit aller retirer à l'administration départementale du Trésor.

Il doit également ajouter ce télégramme, qui n'améliore en rien son état d'esprit, au dossier; avec un geste d'impatience, il le fourre à même la poche de sa veste où il a mis une bande de papier hygiénique pour se moucher : devant une ladrerie pareille, il n'a plus qu'à se poster au coin des rues pour demander une obole aux passants.

Le refroidissement est pour quelque chose dans la mauvaise humeur du juge Fiallos, mais il n'en est pas la cause principale. L'instruction entre dans une étape semée d'embûches sérieuses et l'exhumation, dont l'échéance approche, en est la plus importante; non pas parce que la Cour de justice a réduit de façon draconienne les moyens qu'il avait demandés pour mener cette exhumation à bien, comme il vient tout juste de l'apprendre, mais à cause de l'ingérence de la Garde nationale dans cette affaire, sur des points largement aussi graves.

Il en a été informé la veille au soir, par la bouche d'Alí Vanegas, et il lui faut élucider cette question sur-le-champ. C'est pourquoi, au lieu de se rendre au tribunal, où avant huit heures il se consacre à l'examen de la liste des témoins et à la préparation des interrogatoires de la journée, il dirige ses pas vers le poste de police de la Garde nationale pour y chercher le capitaine Ortiz, selon la décision qu'il a prise.

Il monte péniblement l'escalier du second étage du bâtiment situé sur la place Jerez, en face du théâtre González. De loin, il entend le capitaine Ortiz injurier des tueurs de l'abattoir de Telica qui ont été arrêtés parce qu'ils dépeçaient du bétail femelle, en infraction avec l'interdiction qui en est faite. En apercevant le juge Fiallos dans l'encadrement de la porte le capitaine Ortiz accélère la procédure ; il finit par leur infliger une amende et il les envoie à l'administration du Trésor pour la payer. Les chevillards partent accompagnés d'un soldat auquel ils doivent remettre le reçu du fisc, ce n'est qu'à cette condition qu'ils seront libérés.

Ensuite, essuyant la sueur de son front avec la manche de la chemise kaki de son uniforme, le capitaine Ortiz récupère sur son bureau l'assiette de son petit déjeuner qui fume encore et il se met à manger debout. Le juge Fiallos ne s'assoit pas non plus.

« Tu as l'air crevé. » Le capitaine Ortiz déambule dans le bureau, son assiette à la main. « Tu devrais être couché.

– Je me suis levé uniquement parce que je dois vous parler. » Le juge Fiallos racle sa gorge endolorie.

Le capitaine Ortiz, la bouche pleine, s'arrête de mâcher. Ses petits yeux bleus disparaissent presque complètement sous ses sourcils froncés.

« Je veux savoir qui a autorisé Usulutlán à aller interviewer Castañeda à la prison. » Le juge Fiallos porte la bande de papier hygiénique à son nez et celle-ci se déroule en feston pendant qu'il se mouche. « Je ne l'ai interrogé qu'une seule fois en tant que témoin et il se permet de dire n'importe quoi sur l'instruction.

– Cet accusé relève de la Garde nationale et pas de toi. » Le capitaine Ortiz mâche maintenant avec calme. « J'ai là la copie du télégramme de Doña Flora où elle demande au général Somoza de le maintenir en prison. Si elle ne te le demande pas à toi, c'est que ça ne te regarde pas.

– Ce qui veut dire que vous pouvez faire de lui ce que vous voudrez. Et moi je tiens la chandelle. » Le juge Fiallos vacille sur ses pieds. Devant le bureau il y a deux chaises métalliques, mais il repousse l'idée de s'asseoir.

« Moi j'obéis aux ordres de Managua. » Le capitaine Ortiz plonge un morceau de pain dans le jaune d'un des œufs au plat. « Castañeda est sous la coupe du général Somoza et c'est lui qui décide.

– Alors c'est Somoza qui a écrit les questions qu'Usulutlán a posées à l'accusé. » Un accès de toux monte dans la poitrine du juge Fiallos, mais il ne veut pas non plus tousser.

« Personne n'a transmis la moindre question à Usulutlán. » Le capitaine Ortiz pose son assiette sur le bureau, avec un bruit sourd.

« Bien sûr qu'on les lui a transmises. Et c'est vous-même qui les avez rédigées. Usulutlán les a montrées hier au tribunal à Alí Vanegas, quand il est venu déposer. » Le juge Fiallos froisse la bande de papier. Dans un instant, il va être contraint de s'asseoir. « Et elles ont été préparées dans le but de discréditer les tests de laboratoire.

– Tu dois reconnaître qu'ici on n'a ni appareils ni substances chimiques offrant assez de garantie. » Le capitaine Ortiz fixe longuement l'assiette, comme s'il lui en coûtait de se résoudre à continuer son repas. « Tu vois bien ce que dit le Dr Darbishire dans son article.

– Darbishire donne maintenant une autre version des choses. Vous avez aussi parlé avec lui pour qu'il écrive cet article ? » Le juge s'avance vers une des chaises et il reste à côté, retardant son geste de s'accrocher au dossier rouillé.

« Non, je ne suis pas allé jusque-là. » Le capitaine Ortiz examine son verre de limonade à contre-jour, avant d'en boire une gorgée. « Le vieux est têtu et maintenant il veut se venger de Salmerón, parce qu'ils se sont disputés. Mais il n'empêche que ce qu'il dit est vrai.

– Ce sont là des opinions parmi beaucoup d'autres. » Le juge Fiallos ne peut détourner son regard de l'assiette, barbouillée du jaune de l'œuf éventré. Il se voit obligé de s'agripper à la chaise. « La seule chose qui est sûre, c'est que la Garde veut transférer l'enquête à Managua et qu'on est en train d'échafauder une exhumation illégale des cadavres.

– Qui dit ça ? » Le capitaine Ortiz approche sa fourchette et l'agite énergiquement dans le jaune de l'autre œuf.

« Usulutlán l'a également rapporté à Alí Vanegas. » Le juge Fiallos relâche la tension de son corps. Pourquoi ne pas s'asseoir ; il ne peut éviter que cette substance visqueuse lui rappelle le pus. « La Garde a fait acheter deux cercueils à l'entreprise de pompes funèbres Rosales et on les a apportés ici, au commandement, avant-hier soir.

– Et toi tu crois Usulutlán. » Le capitaine Ortiz suce la fourchette et quand elle est propre il la pose dans l'assiette. « Un de ces jours je vais te retrouver assis à la table maudite avec tous ces zoulous.

– Je suis obligé d'écouter tout ce qui se rapporte à cette instruction. Et je ne recueille pas des rumeurs, j'enregistre des dépositions. » Le juge Fiallos secoue la tête sans lâcher la chaise, en essayant de ne pas se laisser envahir par la nausée. « C'est pour cette raison que je vais convoquer le propriétaire de l'entreprise de pompes funèbres.

– Ce que veut le général Somoza, c'est donner un coup de main, pour qu'on ait de vraies preuves. » Le capitaine Ortiz s'éloigne vers la fenêtre. Il s'appuie sur le chambranle et, écartant les jambes, il lâche un pet sonore. « A Managua le laboratoire du ministère de la Santé a des appareils modernes, ici il n'y a rien. Sur ce point Castañeda a raison, même si ça ne nous plaît pas.

– Ce qui veut dire qu'on a affaire à une armée d'occupation, au même titre que celle des Yankees. » Le juge Fiallos est secoué par un frisson et il se protège de ses bras. « Et Somoza se sent autorisé à se torcher avec les lois.

– Tu te noies dans un verre d'eau. Rappelle-toi que si la Garde nationale n'était pas intervenue, Castañeda se la coulerait douce au Guatemala. » Le capitaine Ortiz revient de la fenêtre, d'une allure plus légère. « Qu'est-ce que tu as à perdre à ce que les examens des cadavres se fassent à Managua?

– C'est moi qui décide de ce qu'on va faire dans ce procès. » Le juge Fiallos s'avance et frappe le bureau du poing. Les couverts tintinnabulent sur l'assiette, et il se sent tout étonné de son énergie. « Et si vous déterrez ces cadavres, je vous dénonce dans les journaux.

– Faisons un marché. » Le capitaine Ortiz repousse des liasses de papier et s'assoit d'un bond sur le bureau.

Le juge Fiallos tousse maintenant tout son soûl, en se tenant la poitrine. Il va falloir qu'il cherche une voiture pour rentrer chez lui.

« Toi tu t'occupes de l'exhumation, je ne m'en mêle pas. » En balançant ses jambes le capitaine Ortiz découvre que les lacets d'une de ses bottes se sont desserrés et il pose le pied sur le bureau pour les rattacher. « Mais les viscères tu les divises en parts égales. Tu en envoies une partie à Managua et l'autre tu l'examines ici.

– Qu'est-ce que veut Somoza, au juste? » Le juge Fiallos fait le tour du bureau et, sans y penser davantage, il se laisse tomber dans le fauteuil du capitaine Ortiz. « Il veut sortir Castañeda de tôle ou le voir condamné? Qu'est-ce qui se passe si à Managua les résultats de l'autopsie sont négatifs? Castañeda est libre, même si ici on démontre qu'il y a du poison dans les viscères?

– Je vais te faire une confidence. » Le capitaine Ortiz attache maintenant le cordon de son autre botte. « Ubico a envoyé un message à Somoza, en lui demandant la tête de Castañeda. Il le considère comme son ennemi politique. Et en plus, il croit que Castañeda a assassiné son neveu au Costa Rica.

– D'où la question sur Rafael Ubico parmi celles qu'a reçues Usulutlán. » Le juge Fiallos se sent bien dans le fauteuil. Il ne se relèverait pour rien au monde.

« Disons que oui. » Le capitaine Ortiz descend du bureau et fait quelques pas pour vérifier que les lacets sont bien attachés. « Don Fernando Guardia va te remettre les documents concernant cette affaire, il les a déjà demandés au Costa Rica. C'est lui qui a fait pression sur sa sœur pour qu'elle envoie le nouveau télégramme. C'est un homme très sérieux.

– Mais vous n'avez pas répondu à ma question. » Le juge Fiallos se palpe les joues, enflammées par la fièvre. « Ce que veut Castañeda, c'est précisément qu'on emporte les viscères à Managua. Et la Garde, au lieu de l'enfoncer, finit par l'aider.

– Ne sois pas naïf. » Le capitaine Ortiz ouvre un tiroir du bureau et il y range les assiettes et les couverts du déjeuner. « Là-bas, à Managua, Somoza peut s'arranger pour que les examens soient déclarés positifs. C'est pour ça qu'il est le chef. »

Dans les oreilles du juge, assourdies par le rhume, les paroles du capitaine émettent un son creux et confus. Tout à coup il trouve le fauteuil inconfortable et dur. Il se rappelle la pénombre de sa chambre et il est pris du désir de se voir couché dans son lit, sous des draps propres, récemment repassés. Il s'y affalerait d'un seul coup, sans se déshabiller.

« Alors ce marché, on le fait ? » Le capitaine Ortiz lui emboîte le pas, car il se dirige déjà, avec une agilité un peu forcée, vers la sortie.

« Je ne fais pas ce genre de marché. » Le juge Fiallos a passé la porte et il atteint l'escalier. « Mais je suis heureux que vous me rendiez ce service.

– Service ? Quel service ? » Le capitaine Ortiz le devance pour lui barrer le passage.

« Me délivrer du tribunal. Comme ça je démissionne une fois pour toutes. » Le juge Fiallos le contourne et il commence à descendre. L'escalier lui semble beaucoup plus raide. Ses pieds n'arrivent pas à toucher les marches, comme s'il flottait au-dessus d'elles.

« Mariano ! » Le capitaine Ortiz se penche par-dessus la rambarde.

Le juge Fiallos ne se retourne pas et il continue à descendre, sans essayer de s'accrocher à la rampe. Il sera bientôt dans la rue, il y a toujours des fiacres sur la place Jerez.

« On n'a rien dit ! » Le capitaine Ortiz dévale l'escalier quatre à quatre. « Et oublie cette histoire de démission à la manque ! »

Le juge Fiallos traverse déjà le vestibule quand le capitaine Ortiz le rattrape à nouveau.

« Merde, avec toi on ne peut même pas plaisanter. » Le capitaine Ortiz le prend par le bras.

« Alors, faites rapporter ces cercueils à l'entreprise de pompes funèbres. » Le juge Fiallos s'arrête, épuisé, devant la grille du portail. La bouffée d'air chaud qui balaie le vestibule depuis la rue serait capable de le renverser. « Et pour une fois montrez-vous à la hauteur. Apprenez qu'il faut remettre les cadavres en terre ; ce qu'on garde pour l'autopsie, ce sont les viscères.

– Pour quand as-tu programmé l'exhumation ? » Le capitaine Ortiz baisse le ton, les banquettes sont pleines de demandeurs.

« Pour le 25 octobre. Et j'ai besoin de surveillance. Je ne veux aucun curieux à proximité. » Le juge Fiallos se fait une visière de ses mains. La blancheur éblouissante à l'orée du porche est trop intense pour ses yeux.

« Pas même moi ? » Le capitaine Ortiz éloigne d'un geste hautain une femme qui s'approche et qui tente de l'aborder.

« Invitez aussi Somoza, si vous le souhaitez. » Le juge Fiallos sourit pour la première fois. Bien que maintenant il ait l'impression que son crâne va éclater.

34

Strychnine pour empoisonner une perruche

A mesure que l'instruction avançait, elle éveillait des passions de plus en plus contradictoires; de véritables factions finirent par se constituer, les unes hostiles, les autres favorables à l'accusé. Les dépositions des témoins, reproduites intégralement par les journaux dans la plupart des cas, faisaient l'objet d'une curiosité non négligeable et étaient à l'origine de débats dans toutes les villes du Nicaragua.

L'interview dans la prison réussie par Rosalío Usulutlán fut reprise par plusieurs journaux d'Amérique centrale; et ses articles sur les incidences du procès ne cédaient en rien, tant qu'il put les publier, à ceux qui paraissaient dans les journaux de Managua, dont les reporters vedettes, parmi eux Manolo Cuadra, avaient été désignés comme envoyés permanents à León. Nous savons déjà que Rosalío fut brutalement congédié aussitôt après la publication de son reportage scandaleux du 25 octobre, dont nous nous occuperons à part.

Étant donné que tout le monde s'intéressait au procès, le tribunal recevait souvent des messages porteurs d'informations et de conseils divers, parfois anonymes, d'autres fois signés de noms véritables ou d'emprunt. Le juge Fiallos se voyait dans l'obligation de vérifier, dans chaque cas, leur provenance et leur authenticité. Des déposants spontanés se présentaient pour fournir des renseignements, qu'il fallait là encore contrôler. Dans les journaux apparaissaient les interprétations les plus variées sur le mobile et les circonstances des crimes, lorsqu'on ne niait pas avec la plus extrême véhémence que de tels crimes aient existé; dans le courrier des lecteurs et les rubriques de faits divers on prétendait dénoncer d'autres empoisonnements, jusqu'alors cachés, et on pressait le juge de les ajouter sur le compte de l'accusé.

On trouve même des lettres de voyants, de spirites et de chiromanciens dans les liasses du procès, comme celle-ci, du 23 octobre 1933, signée par le célèbre médium de León, le maître Abraham Paguagua :

En présence de personnes connues qui sont prêtes à jurer la vérité de ce qu'elles ont vu et entendu, j'ai convoqué à comparaître l'esprit de don Carmen Contreras qui, en dépit d'appels répétés, ne s'est pas présenté. Par contre, s'est présenté l'esprit de sa fille Mathilde, en pleurs et folle d'angoisse. Elle a clairement dit qu'Oliverio Castañeda l'avait empoisonnée, en lui donnant à boire de la strychnine dans une tasse de café. Il avait jeté la poudre dans le café quand personne ne le regardait car il gardait cette substance dans une petite enveloppe dans la poche-gousset de son pantalon. Et elle a dit : il faut fouiller le pantalon d'Oliverio. Elle a demandé qu'on prie pour son âme et qu'on prévienne sa mère de ne pas se tourmenter car elle va très bien et de faire dire des messes priées tous les jours, car elle ne veut pas de messes chantées. Et de distribuer des aumônes pour les œuvres de charité du père Mariano Dubón.

Une lettre déposée au bureau central de la Poste de León, le 25 octobre 1933, signée par une prétendue Rosaura Madregil, signale :

Mᵉ Castañeda en avait par-dessus la tête, car chez les Contreras toutes les femmes lui faisaient des avances et la situation ne pouvait pas continuer ainsi. Il en a prévenu María del Pilar la dernière fois qu'ils se sont vus en secret à la ferme de la propriété de don Carmen sur la route de Poneloya, la propriété *Notre Maître*, c'est là qu'ils se donnaient tout le temps rendezvous. Ils arrivaient dans l'automobile de don Carmen, conduite par le Dr Castañeda, elle, elle disait qu'elle allait voir des amies mais c'était des mensonges, il l'attendait au coin de Balladares pour la faire monter et il ne lui a pas dit cette fois-là qu'il donnerait du poison à sa sœur mais il lui a dit je n'en peux plus et mieux vaut être tranquilles, ça juste avant de tuer Mathilde, vérifiez. A don Carmen il lui a donné du poison pour qu'on n'apprenne pas certaines fraudes avec les doubles livres de comptabilité où don Carmen et Mᵉ Castañeda étaient embringués, cherchez ces livres dans le coffre-fort du bureau et on va découvrir les tripotages.

Sur le moment le juge Fiallos ne devait pas accorder d'importance à cette missive, surtout après avoir établi que le nom de son expéditeur était faux ; mais quand Oliverio Castañeda présenta sa confession écrite du 15 décembre 1933, où il modifiait radicalement son attitude respectueuse et mesurée à l'égard de la famille Contreras, en faisant une série de révélations qui allaient provoquer un renversement dramatique du procès, ses rencontres clandestines avec María del Pilar Contreras à la ferme de la propriété *Notre Maître* furent remises sur le tapis, de même que les doubles livres de comptabilité. De tout cela, matière également du reportage fracassant de Rosalío et de la comparution frustrée du Dr Salmerón, nous serons informés plus tard.

A propos de quelques-unes des accusations spontanées contre l'accusé, apparues à l'époque, nous devons dire dès à présent qu'elles se révélèrent fausses. Par exemple, dans sa déposition du 18 octobre 1933, le fleuriste Rodemiro Herdocia en profite pour dire :

Le témoin à qui l'on demande s'il a quelque chose à ajouter dans sa déposition, déclare : qu'il a appris que Mᵉ Castañeda avait l'habitude d'aller déjeuner dans le bistrot du nègre Williams à Cinco Esquinas et que là, tout en déjeunant, il appelait les chiens qui passaient parmi les tables pour leur donner des petits morceaux de viande empoisonnée; que les clients du bistrot en avaient été témoins à plusieurs reprises, ainsi que le patron lui-même; que Mᵉ Castañeda avait laissé sur le carreau des tas de chiens empoisonnés dans cet établissement.

Sinclair Williams, originaire de Bluefields et ancienne première base de l'équipe de base-ball Le Sphynx, propriétaire du bistrot, dit en répondant aux questions du juge Fiallos, le 21 octobre 1933 :

Que jamais Oliverio Castañeda, qu'il ne connaît que par ce qu'on en dit ces jours-ci, n'est venu déjeuner chez lui, et que par conséquent il n'a jamais empoisonné aucune sorte d'animaux à cet endroit dont le déposant interdit l'entrée aux chiens errants qui pourraient importuner sa clientèle, et lui-même n'a pas de chien à lui car il n'a jamais aimé leur compagnie.

Dans le quotidien *La Prensa*, daté du 28 octobre 1933, on donna l'information que le jeune poète de Masaya, Julio Valle Castillo, était décédé soudainement à la gare de Managua, en janvier 1930, alors qu'il se préparait à monter dans le train pour rentrer à Masaya, après avoir passé toute la journée à boire verre sur verre au bar de l'*Hôtel Lupone*, en compagnie d'Oliverio Castañeda. Réagissant à cette publication, le Dr Fernando Silva adresse au juge, le 30 octobre, une lettre où nous lisons :

A ce propos, je crois être de mon devoir de vous faire savoir que j'ai connu Julito et que s'il venait à Managua, c'était pour être suivi professionnellement par moi, en tant que médecin. Il s'agissait d'un jeune homme de bonnes mœurs, dépourvu de vices, de santé délicate, victime d'une affection cardiaque depuis son enfance, ce qui lui interdisait tout exercice physique et même le travail routinier; pour ces raisons il ne pouvait pas abuser du tabac, et ne parlons pas de l'alcool, auquel il n'a jamais goûté.

Que la présente serve donc à démentir la vague rumeur qui prétend associer le cas de mon défunt patient au nom du Dr Oliverio Castañeda, auquel il n'était lié par aucune amitié. S'il est mort à la gare, c'est parce que son cœur fatigué l'a lâché; mais cela aurait pu arriver à n'importe quel autre endroit.

Dans le même journal *La Prensa*, du 3 novembre 1933, paraît l'information suivante, qui fut également ajoutée au dossier :

On apprend qu'au Costa Rica se déroulent un certain nombre d'enquêtes, légalement authentifiées à la demande de don Fernando Guardia, frère de doña Flora veuve Contreras, où l'on démontre qu'Oliverio Castañeda a empoisonné dans la capitale de ce pays MM. don Juan Aburto, d'origine nicaraguayenne, et don Antonio Yglesias, appartenant à la bonne société de San José. Ces crimes ont été commis en 1929, quand Castañeda était attaché de la légation du Guatemala au Costa Rica.

La mort d'Aburto est survenue après qu'il eut fait la tournée de plusieurs bistrots de San José en compagnie d'Oliverio Castañeda. Vers une heure du matin ils sont revenus à la pension où ils habitaient tous les deux, dont la propriétaire était une certaine comtesse allemande de Poméranie, assurément très riche; on sait que tous deux se disputaient les faveurs de la comtesse et, pour Castañeda, éliminer Aburto a été une façon de se débarrasser en silence de son rival : le lendemain matin, il a été trouvé mort dans la chambre qu'ils partageaient.

Le cas de M. Yglesias rappelle de très près celui de Mlle Mathilde Contreras. Un beau jour Yglesias offrit un banquet chez lui, pour célébrer le premier anniversaire de son mariage. En s'asseyant à table et après avoir ingéré plusieurs verres, Yglesias annonça qu'il avait très mal à l'estomac; alors Oliverio, qui était un des invités, lui dit, avec la gentillesse et la sociabilité qui le caractérisent : « Écoutez, ami Yglesias, j'ai un remède qui ne rate jamais. » Et en se levant, il a ajouté : « Je reviens tout de suite, je vais vous en apporter un peu. Ayez l'obligeance de m'attendre pour manger, messieurs. »

Quelques minutes plus tard, Castañeda était de retour avec son « remède infaillible » et il en a donné un tout petit peu à boire à son ami Yglesias. Le banquet a commencé, et quand il a été terminé chacun est rentré chez soi.

Le lendemain, la société de San José allait pleurer un douloureux événement : au matin don Antonio Yglesias n'était plus qu'un cadavre gisant auprès de sa jeune et belle épouse.

Le tribunal de León n'a eu aucune autre nouvelle sur la mort présumée d'Yglesias; mais le même journal qui avait donné cette information a publié, deux jours plus tard, un télégramme daté de Managua, qui disait :

Dr Pedro J. Chamorro Zelaya
Directeur de *La Prensa*
Rue du Triomphe
En ville

Me surprend énormément nouvelle diffusée votre journal me donnant pour mort sous effet poison. Me trouve encore dans monde des vivants jouissant excellente santé. Quand ai résidé Costa Rica ai toujours pris garde ne pas boire hors de chez moi. N'ai jamais connu Castañeda ni courtisé comtesses européennes. Suis homme goûts simples me suis marié avec jeune fille vertueuse originaire Cartago et me trouve pleinement satisfait mon mariage. Vous invite passer mon bureau commercial pour que trinquions ma santé et la vôtre.

Juan Aburto
Agent Murray & Lahmann
A partir d'Arbolito cent mètres plus bas

Ce télégramme a conduit le juge Fiallos à repousser les deux versions comme fantaisistes. Mais nous savons déjà, parce que le capitaine Ortiz en a fait part, que don Fernando Guardia se préparait à présenter des preuves de l'assassinat du jeune Rafael Ubico, attribué à Castañeda, et que le capitaine Ortiz lui-même avait incité Rosalío Usulutlán, en lui permettant d'interviewer l'accusé, à lui poser des questions sur cette affaire.

Le 23 novembre 1933, sur la demande de don Fernando Guardia, le juge Fiallos fait ajouter au dossier les documents authentifiés qui, effectivement, arrivent du Costa Rica. Nous copions ici des parties substantielles de trois d'entre eux, dans la mesure où ce sont eux qui revêtent la plus grande importance, et que, comme le lecteur le remarquera, ils reflètent certains des éléments recueillis par *La Prensa* dans l'histoire concernant Aburto :

a) La déposition de Mlle Sophie Marie Gerlach Diers, âgée de quarante ans, célibataire, de nationalité allemande, maîtresse de maison et propriétaire de la Pension allemande, qui comparaît le 31 octobre 1933 devant l'huissier de justice, Me Daniel Camacho :

Le jeune Rafael Ubico, qui faisait fonction de premier secrétaire de la légation du Guatemala, a habité ma pension pendant plusieurs mois, en s'attirant la sympathie de tous les hôtes, ainsi que la mienne, par sa conduite irréprochable et son commerce raffiné.

Au mois de novembre 1929 – je ne peux préciser le jour –, le jeune Ubico a assisté au mariage de Mlle Lily Rohrmoser et il est rentré à la pension vers trois heures du matin. De ma chambre j'ai pu entendre qu'il s'entretenait avec une autre personne et qu'il lui disait : « Je vais chercher l'argent. » Je n'ai pas entendu ce que lui a répondu cette autre personne, laquelle est repartie dans l'automobile avec laquelle ils étaient arrivés. M. Joe, qui dormait dans la chambre contiguë, m'a appris plus tard que le jeune Ubico s'était couché tranquillement et qu'il n'avait rien pu remarquer d'anormal dans sa chambre.

Très tôt le lendemain je suis partie au marché ; on n'entendait rien dans la pièce. Alors que j'étais sortie, le jeune Ubico a appelé une chambrière nommée Victoria et il lui a dit qu'il ne se sentait pas bien, qu'il n'allait pas prendre de petit déjeuner et de lui apporter simplement un verre de jus d'orange. Il lui a également demandé de téléphoner à son ami, le jeune Oliverio Castañeda, deuxième secrétaire de la légation, pour qu'il vienne le voir dans sa chambre, car il ne se sentait pas le courage de se présenter au travail ce matin-là et il devait régler certaines questions avec lui.

Quand je suis revenue du marché, vers neuf heures et demie du matin, j'ai entendu de ma chambre que le jeune Ubico se plaignait et appelait José Muñoz, le serveur. Je le lui ai aussitôt envoyé et le serveur m'a appris que le jeune Ubico était plus calme; mais comme ses gémissements se poursuivaient, je me suis rendue dans sa chambre pour vérifier par moi-même son véritable état.

J'ai été prise de frayeur en entrant, car je l'ai trouvé se débattant au milieu de terribles convulsions, le sang lui était monté à la tête, il changeait de couleur, passant du bleu au pâle ou au blanc. J'ai commencé à le frictionner vigoureusement et c'est alors qu'il m'a dit : « Ah, Fräulein Sophie, je vais mourir, on m'a empoisonné. » Je lui ai demandé ce qu'il avait pris et il m'a répondu : « J'ai envoyé Oliverio me chercher du citrate de magnésie et il m'a donné du poison. »

A ce moment précis arrivait Castañeda, qui était allé chercher un médecin guatémaltèque, dont je ne me rappelle pas le nom. En ma présence, le jeune Ubico lui a alors demandé : « Que m'as-tu donné, dis-moi? Tu m'as empoisonné. » Simultanément je lui ai moi-même demandé ce qu'il lui avait donné et il a répondu avec sérénité : « J'ai apporté du Bromo-Seltzer. Qu'est-ce que c'est que cette histoire d'empoisonnement? », et il a pris sur la table de nuit le petit flacon bleu contenant le médicament pour me le montrer. Le jeune Ubico a ajouté, très faiblement : « Et dans les capsules, qu'est-ce tu m'as donné? – C'était du bicarbonate de soude, c'est le pharmacien qui m'a recommandé ces deux remèdes », lui a répondu en riant Castañeda, ce qui ne m'a pas beaucoup plu.

Quelques minutes après, est entré le médecin guatémaltèque appelé par Castañeda, qui a fait au malade une piqûre d'huile camphrée. Sur le moment les convulsions se sont calmées, mais comme son état continuait à empirer, j'ai envoyé chercher le Dr Mariano Figueres qui, après l'avoir examiné, m'a indiqué qu'il s'agissait d'une intoxication à un degré aigu et il a recommandé un lavement au sel purgatif, ce que l'autre médecin a accepté. Mais une nouvelle convulsion l'a secoué, plus violente cette fois, et le Dr Figueres m'a précisé qu'il considérait le cas comme désespéré. Le médecin guatémaltèque lui a administré une dernière injection de camphre, et quelques instants plus tard, après une brève convulsion, il a expiré. Ses dernières paroles ont été : « Ah, Fraülein, je vais mourir. Mon pauvre père... » Et il a serré ma main dans les siennes. Ça s'est passé entre onze heures et midi.

Je n'ai pas oublié les paroles du jeune Ubico concernant le poison et j'ai décidé d'appeler le commissariat de police, qui a envoyé des agents à la pension; ils ont pris plusieurs dépositions et je n'ai plus entendu parler de rien. Les jours avaient beau passer, chaque fois que je me souvenais de ce pauvre jeune homme la colère me prenait, car Castañeda se promenait tranquillement dans les rues et personne ne se préoccupait d'enquêter sur son crime. Je l'ai rencontré à diverses reprises et il me regardait toujours d'un air provocateur et agressif, auquel je répondais en le dévisageant sans crainte, avec envie de lui crier : assassin!

Le lendemain de la mort du jeune Ubico, un de mes compatriotes, le père Dieter Masur, m'a rendu visite et, alors que nous parlions de cette affaire, il m'a fait part de son souhait d'examiner la chambre de la victime. Nous avons trouvé, répandue sur la table du lavabo, un petit peu de poudre médicinale, que nous avons ramassée très soigneusement sur un papier. Cette poudre a été portée à l'hôpital Saint-Jean-de-Dieu de cette ville par le prêtre en question, qui l'a remise à une sœur de charité nommée Anselma, pour qu'elle la donne à un chien qui venait tous les jours à l'hôpital chercher de quoi se nourrir. Le père Masur m'a raconté par la suite que ce chien n'était jamais revenu à l'hôpital, d'où nous avons supposé qu'il était mort empoisonné.

Je dois également indiquer que, deux jours avant que se produise l'accident, s'est présenté à la pension, vers sept heures du soir, un jeune garçon que José Muñoz, le serveur, a reçu; celui-ci m'a informée que le garçon venait chercher le jeune Ubico; et comme il n'était pas chez lui, il lui a laissé le message de faire très attention à la jalousie de ses amis les plus proches. Comme c'était l'heure du repas, je ne suis pas sortie, mais du fond de la salle à manger j'ai pu évaluer sa taille, il était petit, dix-huit ans environ, en manches de chemise; il me semble qu'il était pieds nus et habillé comme une personne de condition modeste; je ne lui ai pas vu de chapeau.

Quand on me dit maintenant que Castañeda est en prison au Nicaragua pour avoir empoisonné toute une famille honorable, je n'ai plus aucun doute sur sa responsabilité dans la mort du jeune Ubico; et si les autorités avaient à l'époque réagi énergiquement, ses crimes se seraient arrêtés là.

b) La déposition de Samuel Rovinski, marié, âgé de trente ans, pharmacien de profession, faite devant le même huissier de justice :

J'ai été l'ami personnel du jeune diplomate originaire du Guatemala, don Rafael Ubico Zebadúa, qui, à son tour, m'a mis en rapport avec son compatriote, diplomate lui aussi, Oliverio Castañeda; tous les deux avaient un penchant pour la bohème, ils étaient très portés sur les plaisanteries grossières et ils choisissaient comme victimes des personnes importantes.

A cette époque, je terminais mes études de pharmacie et j'avais un emploi à la Droguerie française. Quand j'étais de service au comptoir, il m'arrivait de m'occuper d'eux, car c'est là qu'ils achetaient leurs articles de toilette et des remèdes contre les gueules de bois dont ils souffraient fréquemment.

A plusieurs reprises, Ubico m'a demandé de la strychnine, alléguant qu'il en avait besoin pour empoisonner des chats du voisinage qui troublaient son sommeil. A chaque fois je lui en fournissais jusqu'à trois grammes. Je ne prenais pas la peine de noter ces livraisons sur le livre que la pharmacie était obligée de tenir, car il s'agissait de petites quantités et je ne les lui faisais pas payer. Castañeda lui-même était associé à cette entreprise d'empoisonnement des chats; ils tenaient tous les deux le compte des chats occis et ils connaissaient par cœur leurs noms et ceux de leurs propriétaires respectifs.

Le jour de la mort d'Ubico, Oliverio Castañeda s'est présenté entre huit heures et neuf heures du matin, et il m'a demandé de lui vendre du bicarbonate pour son ami, qui, une fois de plus, avait une gueule de bois carabinée; je lui ai conseillé de prendre plutôt du Bromo-Seltzer, un produit homologué, nouveau et très efficace, ce qu'il a fait; mais il a insisté pour avoir du bicarbonate, que je lui ai vendu sous forme de capsules n° 4.

Alors qu'il m'avait déjà payé les médicaments, Castañeda m'a dit : « Tu vas me vendre aussi un petit peu de strychnine pour tuer la perruche de l'Allemande. » Il m'a expliqué que ladite perruche se réveillait très tôt et faisait un vacarme épouvantable, ce qui gênait beaucoup Ubico. Dans ces conditions je lui ai fourni gratuitement quatre grammes dudit poison, suffisants pour tuer deux personnes adultes; car comme la perruche devrait donner deux ou trois coups de bec et que le goût amer allait la rebuter, il en fallait une plus grande quantité. Dans ce cas précis je n'ai pas non plus fait mention de la quantité fournie et j'ai enveloppé la strychnine dans du papier sulfurisé. Je n'ai remarqué aucune nervosité ni aucune altération dans sa conduite; au contraire, comme toujours il était désinvolte et communicatif.

Après avoir déjeuné je revenais à la pharmacie quand un ami dans la rue m'a raconté qu'Ubico était décédé. Inquiet, je me suis immédiatement rendu à la Pension allemande. Je n'ai pas pu voir son cadavre car on ne m'a pas laissé entrer dans la pièce; en effet, les inspecteurs étaient déjà là, pour l'enquête. Le bruit courait qu'il était mort empoisonné. J'ai pensé, *ipso facto*, à la strychnine que j'avais remise quelques heures plus tôt à Castañeda et le doute m'a assailli; mais comme il s'agissait d'une chose tellement grave je n'ai pas osé informer de l'affaire les agents présents dans la maison.

J'allais me retirer, quand Castañeda est sorti; en me voyant, il s'est approché de moi et m'a dit : « Vous avez vu, Samuel, la perruche a eu la vie sauve. Puisqu'elle n'embêtera pas Ubico, il est inutile de lui donner le poison que vous m'avez remis. Je vous le rendrai. » Ces mots m'ont choqué, comme son attitude au cours des jours qui ont suivi; en effet tous les amis du défunt ont été peinés et je dirai presque scandalisés par sa conduite insouciante pendant les obsèques célébrées en l'église de la Merced de cette ville et préalables au voyage en chemin de fer que nous avons fait pour accompagner le cadavre jusqu'à Puntarenas; j'ajoute qu'il s'est obstiné à adopter le même comportement pendant le voyage lui-même.

Dans le train, il devisait avec un calme étonnant, une indifférence incroyable et, j'irais jusqu'à dire, un irrespect inimaginable. Tous ses amis, nous l'avons blâmé : il bavardait, fumait, faisait des plaisanteries, riait dans certains cas et très fréquemment il rejoignait, non pas ses amis, mais la fille de M. l'Ambassadeur du Guatemala, une demoiselle surnommée familièrement « Coconi », à qui il offrait des rafraîchissements et des gourmandises, comme s'il s'agissait d'une promenade d'agrément et non pas d'un voyage funèbre; il ne cachait d'ailleurs pas son intention de flirter, ce qui le ramenait constamment vers le siège occupé par cette demoiselle.

Plus tard Castañeda s'est présenté à la droguerie, à plusieurs reprises, pour acheter du savon de toilette et de la poudre dentifrice, sans jamais faire allusion devant moi à la restitution du poison, dont je suis persuadé à présent, en apprenant les nouvelles qui arrivent du Nicaragua, qu'il l'a administré à Ubico pour l'assassiner, car il aspirait à le remplacer dans son poste de premier secrétaire à la légation.

c) Le procès-verbal de l'autopsie pratiquée sur le cadavre par le médecin légiste, le Dr Abel Pacheco, le 22 novembre 1929, à la morgue de l'hôpital Saint-Jean-de-Dieu, qui précise dans sa partie finale :

Après avoir effectué l'autopsie légale de la façon qui a été décrite, on peut arriver à la conclusion suivante, en ce qui concerne l'état des organes : forte congestion de la rate, du foie et des reins ; sang liquide et noirâtre dans les viscères indiqués et mousse sanguinolente dans les poumons, tous ces éléments rendent probable la mort par intoxication aiguë.

Une fois pratiqué l'examen histologique des organes, on a découvert une tuméfaction opaque dans les conduits contournés des reins et une forte congestion de la pulpe blanche de la rate. Foie également congestionné. J'écarte toute intoxication alcoolique aiguë. La présence de poisons devra être établie selon les procédures chimiques adéquates.

Ces examens chimiques n'ont pas été effectués ou du moins ne figurent-ils pas parmi les documents envoyés au Costa Rica au tribunal de León. Cependant, le procès-verbal de l'autopsie et les témoignages recueillis ont été enregistrés par le juge Fiallos parmi les antécédents du mandat d'arrêt prononcé le 28 novembre 1933, par lequel étaient formellement retenues contre Oliverio Castañeda les charges de meurtre sur la personne de sa femme, Marta Jerez épouse Castañeda, et d'assassinat aggravé sur les personnes de Mathilde Contreras Guardia et de Carmen Contreras Reyes.

Quand on eut fini de lire l'acte d'accusation, une voix s'est élevée parmi la foule qui remplissait les couloirs du tribunal, pour s'exclamer : « Il a monté la première marche de l'échafaud ! »

Mais cette voix était la seule, comme devait le noter Manolo Cuadra. Le reste de l'assistance ovationnait Oliverio Castañeda avec un enthousiasme débordant.

35

Cave ne cadas, doctus magister!

Dans la soirée du 25 octobre 1933, une fois terminée l'exhumation des cadavres, le capitaine Anastasio J. Ortiz quitta le cimetière de Guadalupe, décidé à donner une leçon, une bonne fois pour toutes, au Dr Atanasio Salmerón, en le collant sans autre forme de procès en prison.

Dans la rue circulait déjà l'édition de *El Cronista* où figurait le reportage à scandale de Rosalío Usulutlán et il ne doutait pas un seul instant que si quelqu'un devait payer pour cette insolence, c'était bien le chef de cette bande de trublions de la table maudite.

Ses efforts pour établir la communication avec le commandement de la Garde nationale à Managua avaient été vains, car les lignes étaient coupées à cause de la pluie et il ne réussit pas à obtenir l'autorisation nécessaire ni ce jour-là ni les suivants. D'autres circonstances s'ajoutèrent au retard avec lequel finalement il reçut les ordres, et ce n'est que le 12 novembre qu'il parvint à ses fins. Cet après-midi-là, le Dr Salmerón fut capturé devant son cabinet au milieu d'une débauche de violence.

Sur ce point il est bon de souligner les réticences que le capitaine Ortiz manifeste quant à la personne du Dr Salmerón dans son témoignage du 27 octobre, déjà cité plus haut, afin que le lecteur apprécie, de façon plus complète, l'orientation que devaient prendre ses initiatives :

Je répète, par conséquent, que le Dr Salmerón ne pouvait m'inspirer qu'une confiance très limitée; il s'était immiscé dans cette affaire selon son habitude, qui consiste à fourrer son nez dans tout ce qui attise l'avidité du chef de cette bande d'escrocs, comme les a justement appelés ces jours-ci, du haut de sa chaire, le révérend père Oviedo y Reyes; car c'est une usine à ragots qu'il a montée *Chez Prío*. Il s'agit d'un individu aux mœurs dangereuses et dissolues, qui doit avoir une clientèle très réduite, étant donné tout le temps qu'il consacre, en compagnie de ses protégés, à des divertissements grossiers.

Je sais, parce que je suis obligé de le savoir, que ce sont eux qui élaborent clandestinement le Testament de Judas, qu'on retrouve glissé sous les portes tous les Samedis saints, un chiffon de papier insolent, sans nom d'imprimeur, dont les couplets plutôt salés inventent des surnoms pour les honnêtes citoyens de León, se moquent de leurs défauts physiques et les injurient de façon éhontée, n'hésitant pas à exposer à la lumière publique des détails indécents et compromettants de leurs vies privées, y compris au risque de conduire au tombeau les victimes de leurs calomnies, comme cela est arrivé pour doña Chepita veuve Lacayo, qui est tombée mortellement malade après qu'ils ont exposé dans l'un de leurs pamphlets la prétendue liaison de son époux avec une domestique qui avait vieilli à leur service.

On retrouve la même obscénité dans les manifestes des candidats au titre de Roi des Affreux, proclamés pendant les carnavals étudiants que patronnent officieusement les individus sus-nommés, et auxquels n'échappent ni les prêtres les plus vertueux ni les matrones des confréries catholiques. A de nombreuses reprises, les allusions scabreuses à des adultères et à des concubinages contenues dans ces feuilles ont eu pour conséquence de graves dissensions entre familles, quand la question ne se réglait pas à coups de pistolet.

C'est pour cela que je dis, et que je répète, que ces gangsters de la morale, avec le Dr Salmerón à leur tête, n'ont pas d'autre intérêt, dans l'affaire que vous traitez, monsieur le Juge, que de déverser toute la hargne de leur ressentiment social sur l'honneur de la famille Contreras, dont ils ont fait la proie de leurs attaques mesquines, comme ils l'ont démontré avec ce « reportage » paru dans *El Cronista*, auquel je me suis déjà référé dans le cours de cette déposition. Un tel outrage à la décence ne devrait en aucune façon rester impuni, et le Dr Salmerón a véritablement passé les bornes.

Mais avant que le scandale n'ait éclaté, nous savions déjà que le capitaine Ortiz, décidé à saper l'enquête que le juge Fiallos menait à León, n'avait pas hésité à se servir de Rosalío Usulutlán, un des affidés de la table maudite. Au soir du 13 octobre, il s'était présenté au journal *El Cronista* pour le voir, afin de lui offrir l'occasion d'interviewer Oliverio Castañeda à la prison XXI. Une offre dont il savait pertinemment qu'en fin de compte il la faisait au Dr Salmerón lui-même.

Ce soir-là, Rosalío était arrivé plein d'enthousiasme *Chez Prío*, avec la nouvelle de cette visite inattendue. Le Dr Salmerón l'avait écouté, plongé dans des abîmes de perplexité. Il devinait l'intention des questions qu'imposait le capitaine Ortiz comme condition préalable à la réalisation de l'interview; mais sans s'arrêter à des détails, il avait autorisé le journaliste à aller au rendez-vous du lendemain à la prison, tout en calculant sereinement les risques.

Pour lui, les tests réalisés au laboratoire de l'université, qui avaient consolidé son prestige scientifique, ne laissaient planer aucun doute; et il était persuadé que les analyses des viscères donneraient les mêmes résultats, une fois pratiquée l'exhumation des cadavres suggérée par le juge Fiallos lui-même dans la brève interview publiée dans *El Cronista* de l'après-midi.

Rien ne lui laissait soupçonner que son vieux mentor, le Dr Darbishire, se fendrait quelques jours plus tard d'un article dans *El Centroamericano*, où il contesterait de façon aussi catégorique la procédure suivie et où il s'opposerait aussi violemment à lui. Il espérait plus que tout qu'une chance de réconciliation se présenterait et il s'était préparé mentalement à considérer comme oubliée l'offense reçue, tant il était certain que le vieillard, en dépit de son obstination et de sa fierté, finirait, comme à d'autres occasions, par reconnaître qu'il avait raison.

En compagnie de Rosalío il passa en revue la totalité du questionnaire, y introduisant ces fameuses questions qui, dans un certain sens, favorisaient son plan d'acculer l'accusé à la défensive ; mais il veilla à ne pas aborder des sujets qu'il réservait pour sa propre déposition. Les lettres furtives et autres dessous amoureux qui constituaient l'arrière-plan de l'affaire seraient traités d'avance dans le reportage.

Mais ce 18 octobre 1933, une fois publiée l'interview de la prison et alors qu'il avait entre les mains le numéro de *El Centroamericano* avec l'article du Dr Darbishire que Cosme Manzo venait de lire à voix haute, le Dr Salmerón, gravement offensé par la virulence avec laquelle son maître le traitait, se sentait, par-dessus tout, déconcerté.

La coïncidence d'opinions entre Oliverio Castañeda et le vieillard était dangereuse pour la suite du procès ; car si la validité des tests de laboratoire était frappée de discrédit, les convictions du juge Fiallos pouvaient faiblir, tout comme celles de la famille Contreras elle-même. Ce n'était que la veille que doña Flora s'était décidée à annuler sa demande de mise en liberté de l'accusé ; et si son propre médecin se mettait de la partie, il n'y aurait rien d'étonnant à ce qu'elle fasse à nouveau marche arrière.

L'article lui démontrait que le vieillard avait médité pendant plusieurs jours la démarche capitale qu'il allait entreprendre ; il s'était amplement documenté en se plongeant dans ses livres et les attaques qu'il lui adressait, présentées sur un ton faussement modéré, étaient celles d'un ennemi mortel. A présent, ce n'était pas seulement son prestige professionnel qui était à nouveau en jeu, mais aussi toute la validité du procès. Il n'avait donc pas d'autre issue que de lui répondre.

« Votre maître vous claque à nouveau la porte au nez. » Cosme Manzo se ramonait soigneusement les narines. « C'est comme s'il vous chassait encore une fois de chez lui.

– Ce n'est pas le premier endroit d'où on me chasse. » Le Dr Salmerón continua à souligner en rouge certains paragraphes de l'article. « J'avais déjà eu l'honneur d'être expulsé de chez les Contreras, et rien moins que par Oliverio Castañeda.

– Du nid d'amour. » Cosme Manzo frotta son doigt contre la jambe de son pantalon, pour l'essuyer. « Là-bas, il était le seigneur et maître. Et vous avez foutu la merde dans ses ébats amoureux. Ne l'oubliez pas, docteur.

– Et le juge Fiallos m'a lui aussi expulsé de la porte de l'université. » Le Dr Salmerón souligna une phrase avec tant de violence qu'il déchira le papier. « Tu reconnaîtras que je suis de loin l'homme le plus expulsé de León.

– Tout ça c'est la même engeance, et ils ne vous ont jamais aimé, parce que vous n'êtes pas de leur monde. » Sous le coup d'une émotion véritable, la voix de Cosme Manzo se mit à trembler. « Le juge a la trouille et il ne sait pas quoi faire du tison qu'il a entre les mains. Et l'autre vieux rigolo, comme c'est une histoire de riches, veut faire capoter l'enquête.

– Mais Tacho Ortiz est dans le même camp. » Le capitaine Prío ouvrit la chemise à soufflet où il rangeait les reconnaissances de dettes du bistrot. « Pourquoi alors veut-il grossir le scandale en transférant l'affaire à Managua ?

– Il y a une magouille là-dessous. » Cosme Manzo prit une des reconnaissances pour la lire. « Ils vont vous mettre en faillite, capitaine. Tout le monde veut boire à crédit.

– Moi je crois que, si elle le pouvait, la Garde emmènerait Oliverio Castañeda à Managua. Là-bas ils le fusillent, et tout ce vacarme s'arrête. » Rosalío Usulutlán revenait des toilettes avec la ceinture ouverte, en reboutonnant sa braguette.

« La Garde a tous les pouvoirs. » Le Dr Salmerón, son crayon à la main, lève les yeux vers Rosalío. « Somoza veut rester en bons termes avec les richards de León. Si ça se trouve, Rosalío est sur une bonne piste.

– Parce que Somoza est un cul-terreux, même s'il est marié avec une Debayle. » Le capitaine Prío déchire une des reconnaissances de dettes. « Celle-là, c'est le Dr Ayón qui me l'a laissée en souvenir. Maintenant il est mort, il est parti sans payer.

– Un cul-terreux comme moi. » Le Dr Salmerón fit une moue attristée, tout en essayant de sourire.

« Mais vous, vous n'avez pas d'épaulettes », Cosme Manzo lui rend son sourire triste, « et vous n'avez pas les fusils des Yankees. Ne les déchirez pas, capitaine. Conservez-les, pour faire un musée des ardoises des hommes illustres.

– Je n'ai pas de galons, c'est sûr. Mais toutes mes munitions sont là. » D'un froncement de lèvres le Dr Salmerón montre son carnet de chez Squibb.

– A vrai dire, si la Garde veut voir Oliverio Castañeda passé par les armes, de notre côté on n'est pas en reste sur ce plan. » Rosalío Usulutlán, les mains sur les genoux, fouille le sol des yeux ; un des boutons de sa braguette s'est détaché.

« Ce n'est pas moi qui lui ai dit d'aller empoisonner les gens. » Le Dr Salmerón se penche pour apercevoir Rosalío, qui maintenant se déplace à quatre pattes sous la table. « Auriez-vous par hasard une reconnaissance de Castañeda, capitaine ? Dépêchez-vous de vous la faire payer.

– Si j'en avais, je lui en ferais cadeau. Vu le tour que prennent les choses, il ne va pas courir bien loin. » Le capitaine Prío déchire une autre reconnaissance. « Les ardoises d'Oviedo la Baudruche deviennent vraiment conséquentes. Il va falloir que je me les fasse payer par son père.

– Vu le tour que prennent les choses », après avoir plié le journal, le Dr Salmerón le met dans sa poche, « on va bientôt le sortir de sa prison à dos d'homme. Et le premier porteur du cortège sera le Dr Darbishire. »

Rosalío Usulutlán s'aperçoit que le Dr Salmerón se prépare à partir. Il cesse de chercher son bouton et, toujours à genoux, il sort de sa chemise des feuilles de papier machine qu'il déroule avec empressement.

« Voilà le reportage en question. » Cosme Manzo tend la main. « Passez-le-moi, très cher. Je vais le lire.

– Un autre jour. Maintenant je vais me consacrer à régler son compte à mon cher maître. Lui, il ne partira pas sans me payer. » Le Dr Salmerón s'est levé et il se frotte les mains. « Et Cosme Manzo n'a qu'à régler les ardoises d'Oviedo la Baudruche, capitaine.

– J'ai déjà réfléchi au titre : " L'amour n'apparaît qu'une seule fois dans la vie. " » Rosalío Usulutlán remet le paquet de feuilles dans la chemise et il les regarde tous depuis le sol, satisfait de sa trouvaille.

« Ça ne me plaît pas. » Cosme Manzo agite la main, comme s'il voulait effacer le titre dans les airs. « Il faut quelque chose de plus percutant. Combien vous doit Oviedo la Baudruche, capitaine ?

– Ici il y en a pour plus de soixante pesos. » Le capitaine Prío extrait la liasse de reconnaissances déposées dans le compartiment O de la chemise à soufflet.

« On verra cette histoire de titre plus tard. » Le Dr Salmerón tapote du plat de la main l'épaule de Rosalío. « Ce n'est pas le temps qui manque.

– Ça dépend pour quoi. » Cosme Manzo traîne son tabouret sur le sol en se levant. « Donnez-moi ces reconnaissances, capitaine. Je vais faire casquer Oviedo la Baudruche. Mais vous me paierez ma commission en tafia. »

De retour chez lui, le Dr Salmerón s'active fébrilement jusqu'au petit matin, pour préparer sa réponse au Dr Darbishire ; au cours des jours suivants, il la fignole et la corrige à de nombreuses reprises, en puisant dans la bibliothèque de l'université pour y chercher dans des ouvrages de toxicologie et des manuels de chimie analytique des références indiscutables.

Nous pouvons lire sa réponse dans l'édition de *El Cronista* datée du 21 octobre 1933 :

BÉVUES ET NAÏVETÉS D'UN PRATICIEN

C'est un profond étonnement qu'ont provoqué chez moi les opinions exposées par mon distingué collègue et docte maître, le Dr Darbishire, qui, abandonnant le refuge de sa modestie proverbiale, est parti battre la campagne de Montiel, la plume en bataille, pour s'en prendre avec un zèle démesuré aux moulins à vent que, dans sa confusion, il prend pour d'épouvantables géants ; et dans son aveuglement borné il terrasse, peut-être sans l'avoir voulu, nos professionnels de la chimie, par ailleurs hommes sérieux, honnêtes et dévoués.

C'est ainsi qu'il frappe, bouclier au bras, le valeureux bachelier Absalón Rojas, qui certes n'a pas acquis sa science à Londres ou à Paris, parce que son humble famille n'a pas su lui offrir autre chose que les salles de cours de notre plus grand centre d'enseignement : privilège dont, par contre, a joui mon cher et pas toujours pondéré maître, lui qui dès le berceau s'est vu emmailloté dans d'agréables langes de soie.

Mon cher et pas toujours pondéré maître, également transformé en Jupiter tonnant, daigne descendre de son Olympe jusqu'à la plaine où nous, pauvres mortels, nous résidons et il soutient, du haut de sa suffisance, que c'est le propre des profanes et des ignorants de confondre un alcaloïde avec une simple ptomaïne : *dixit*. Comme si nous autres au Nicaragua nous ignorions que les cadavres génèrent d'eux-mêmes des substances toxiques grâce au processus de la décomposition organique !

Un seul cas suffira peut-être pour rafraîchir votre mémoire, maître illustrissime : le célèbre savant de Masaya, le Dr Desiderio Rosales, instruit dans ces mêmes universités européennes que vous avez jadis fréquentées – et qui lui aussi a pris pour épouse une jeune Française, sans pouvoir l'acclimater à notre pays –, a vécu l'expérience de se blesser au doigt avec le scalpel qui lui servait à pratiquer l'autopsie d'un cadavre et il n'a pas hésité à demander à son assistant de procéder à l'amputation immédiate de la phalange, infectée par les ptomaïnes. Ceci est arrivé en 1896, dans le bloc opératoire de l'hôpital San Vincente de Masaya, que le Dr Rosales lui-même a fondé ; mais mon cher maître semble avoir oublié cet épisode, qu'il a si souvent rabâché par le passé dans ses cours.

Il y a bien longtemps que nous autres, les professionnels de la médecine, sommes au courant de l'existence des ptomaïnes, parce que nous ne sommes pas des guérisseurs, mais des scientifiques ; et nous savons parfaitement les distinguer des poisons d'origine végétale, ce qui explique qu'une telle nouveauté n'a rien pour nous surprendre. Mon maître d'hier a-t-il oublié qu'il m'a lui-même enseigné que les ptomaïnes sont faciles à identifier et à éliminer, à l'aide d'éther, dans la mesure où elles sont généralement volatiles ? Cet éminent praticien affirme que nous ne disposons pas à León des réactifs appropriés pour pratiquer des tests toxicologiques. Le moindre de nos médecins et de nos chimistes sait, comme le savent nos étudiants, que l'arsenic ou la strychnine précipitent facilement sous l'action du réactif de M. Tatcher, et nous possédons ici des substances de ce type. En outre, la précipitation de la strychnine est si spécifique qu'il est impossible de la confondre avec une ptomaïne ou toute autre substance alcaloïde. Le test pour détecter la strychnine, selon la méthode Le Pen, qui consiste en une hydrolisation puis en un traitement au nitrate de soude, reste irréfutable, en Cochinchine comme chez nous, Dr Darbishire.

Par ailleurs, je trouve singulièrement légère l'opinion de mon maître d'hier, quand il prétend qu'on ne peut pas prélever les sucs gastriques de quelqu'un ayant ingéré de la strychnine, à cause du trismus qui empêcherait toute introduction de sonde de caoutchouc par la bouche; il est certain que l'opération requiert un grand effort et une grande habileté, qui m'ont été nécessaires dans le cas de M. Contreras *(requiescat in pace)*. Mais si le Dr Darbishire doute de l'enseignement qu'il m'a lui-même transmis, au chevet des malades de l'hôpital Saint-Jean-de-Dieu, qu'il se reporte à Fraga qui, dans son *Traité général de toxicologie appliquée* (et je cite un auteur espagnol parce que je ne domine pas, comme mon maître, les langues étrangères), nous signale douze cas pris dans les annales des asiles de Madrid, où la sonde a pu être introduite dans la bouche d'empoisonnés, sans recourir au procédé barbare consistant à leur briser les molaires au ciseau.

Quant à l'ironie déguisée avec laquelle mon très docte maître traite les expériences pratiquées dans le laboratoire de l'université sur diverses espèces d'animaux, je me bornerai à lui signaler deux choses : la première, que le Dr Darbishire ne devait pas s'attendre que telles expériences soient pratiquées sur des êtres humains, ce qui rendait obligatoire l'utilisation d'animaux; et en second lieu que si les animaux ont succombé, après avoir reçu une injection, sous les méfaits du poison, c'est parce que la substance toxique existait, comme l'ont démontré les symptômes convulsifs, provoqués non pas par des ptomaïnes, mais par un authentique alcaloïde, la strychnine, ce dont, par un étrange caprice, le Dr Darbishire se permet de douter. Et qu'il ne vienne pas me dire maintenant qu'un des deux résultats a été négatif; car lorsqu'on divise la preuve de la vérité, c'est l'évidence qui s'impose, et non pas la négation de la vérité, d'après une simple règle de logique.

Enfin mon maître tente d'étaler son savoir, dans l'intention de discréditer à l'avance l'exhumation des cadavres que le juge se propose d'effectuer; et il cite un cas célèbre où, dit-il, une armée de chiens a été empoisonnée et ensuite enterrée, sans qu'on ait trouvé aucun poison quand on a analysé leurs restes.

C'est d'êtres humains et non pas de chiens que nous parlons, maître illustrissime, car peu d'entre nous souffrent de la manie consistant à commander à des armées canines. Sachez que la puissance stomacale du chien ne saurait être comparée à celle de l'homme, car elle est plus forte, elle est susceptible d'assimiler rapidement les poisons, et son organisme peut tout aussi promptement les éliminer à travers la sueur, l'urine et les excréments. La même chose se produit avec d'autres animaux. Par exemple, la taupe mange la tête de la vipère et il ne lui arrive rien; la chèvre mange la baie de la belladone et elle ne s'empoisonne pas, en dépit de l'atropine qu'elle contient; et enfin nous avons l'autruche, qui peut avaler une noix vomique et la digérer comme si c'était un avocat.

Mais chez les humains les choses sont différentes; et si aussi bien Mme

Castañeda que Mlle Contreras sont mortes empoisonnées, un chimiste avisé trouvera le poison dans leurs viscères, même au bout de mille ans; tandis que chez le chien, la taupe, la chèvre, l'autruche, la trace du toxique ne dure pas.

Il ne s'agit pas de prétendre que nous autres, à León, nous sommes en retard et que nous vivons au Moyen Age de la science. Il s'agit d'être responsables, de penser en professionnels et de prendre garde à nos jugements afin qu'ils ne sèment ni la confusion ni le désarroi.

Suivez mon conseil, en paiement de tous ceux que vous m'avez prodigués en des temps meilleurs, et ainsi vous éviterez de servir les intérêts d'un habile criminel qui doit certainement se réjouir, après avoir lu votre prose, car il n'aurait jamais espéré trouver en vous, le médecin de famille de ses victimes, un défenseur d'office, disposé à lui faire ouvrir les portes de sa prison. En attendant, grand bien lui fasse.

Sur ce, je prends congé, avec ma gratitude éternelle pour vos enseignements, si doctes et toujours respectés.

Cave ne cadas, doctus magister!

36

L'exhumation des cadavres a lieu
avec un jour de retard

L'exhumation des cadavres, fixée pour le 24 octobre 1933 à huit heures du matin, a dû être retardée d'un jour en raison de la pluie dense qui est tombée sur la ville de León depuis le petit matin et qui ne s'est calmée que tard dans la nuit.

Le secret de la procédure, jalousement gardé afin d'éviter le déferlement des curieux, fut éventé à cause de ce retard. Le juge Fiallos put immédiatement s'en rendre compte quand, en sortant très tôt de chez lui pour se rendre au cimetière, drapé dans son ample ciré, il était tombé sur les habitants massés sur les trottoirs et impatients de le voir monter dans l'automobile de louage où l'attendait déjà Alí Vanegas.

Tout au long du trajet, depuis la cathédrale jusqu'à l'église de Guadalupe, un véritable pèlerinage progressait vers le cimetière. En arrivant, ils durent se frayer un chemin à coups de klaxon au milieu des vendeuses de fritures et de boissons, installées depuis l'aube sur le frontispice, à nouveau avec leurs carrioles, leurs bâches et leurs rafraîchissements.

La même agitation régnait aux abords de la prison XXI, où l'on attendait la sortie d'Oliverio Castañeda, contraint, en vertu d'un mandat d'amener, d'assister à la procédure afin de reconnaître les cadavres. C'est ce que note Rosalío Usulutlán dans sa longue et ultime chronique : « Triste exhumation sous un ciel endeuillé », publiée dans *El Cronista* daté du 27 octobre, alors qu'il était déjà congédié.

Le peuple ici présent, que personne n'avait convoqué, semblait répondre à l'attitude recueillie de l'accusé, lorsqu'il lui ouvrit un passage pour qu'il descende les marches du bagne sous une bruine tenace. Tous gardaient le silence, un silence que nous qualifierions même de respectueux et non exempt de pitié. Nous avons vu des hommes, peut-être des charretiers ou des portefaix, ôter leur chapeau au passage du prisonnier, qui portait sa tenue de deuil habituelle, chemise et cravate impeccables, bottines, noires elles aussi, parfaitement cirées. Mais son visage était pâle et émacié, il avait les yeux cernés, comme si l'insomnie lui avait fait perdre la vitalité et l'enthousiasme dont il avait toujours fait preuve. Et, chose étrange chez lui, il arborait une barbe de plusieurs jours, ce qui lui donnait l'aspect d'un vieillard. Sous le bras il portait un drap de lin qui, comme il l'a expliqué en passant, en réponse à une question rapide de votre dévoué reporter, était destiné au cadavre de son épouse; et dans ses mains fébriles il serrait un bouquet de gardénias, fanés depuis longtemps. Comme par magie, une des femmes du peuple sortit de dessous une serviette une brassée de dahlias fraîchement coupés et, en les remettant à l'accusé, elle lui enleva le bouquet fané. Quand l'automobile de la Garde nationale démarra lentement, l'emportant lui, le capitaine Anastasio J. Ortiz et deux soldats porteurs d'un fusil réglementaire, la populace, toujours silencieuse, la suivit à pied, en direction du cimetière.

Malgré la surveillance des sentinelles de la Garde nationale, quelques journalistes réussirent à se glisser dans le cimetière, en sautant par-dessus la partie la plus éloignée du mur d'enceinte, et parmi eux Rosalío lui-même et le poète Manolo Cuadra. Nous allons dorénavant utiliser les articles de chacun d'entre eux pour nous informer du déroulement de la procédure qui se prolongea pendant presque dix heures et nous nous servirons également du texte de deux procès-verbaux, dont le dernier fut achevé après six heures du soir.

En tant qu'experts médicaux chargés d'assister le médecin légiste, le Dr Escolático Lara, le juge Fiallos nomma les Dr Alejandro Sequeira Rivas et Segundo Barrera, qui se présentèrent, non sans réticences, à la convocation; étaient également présents deux étudiants en médecine, les bacheliers Sergio Martinez et Hernán Solórzano, pour parer aux besoins de l'autopsie; le bachelier Absalón Rojas, expert chimiste, qui devait recevoir les bocaux contenant les viscères, dûment scellés; le concierge du cimetière de Guadalupe, le bachelier Omar Cabezas; l'accusé et ses gardiens, avec à leur tête le capitaine Anastasio J. Ortiz; et une équipe de fossoyeurs et de maçons, désignés à l'avance; en plus du juge Fiallos et de son secrétaire, Alí Vanegas, qui a rédigé les procès-verbaux.

Aucune autre autorité sanitaire ou judiciaire ne voulut être présente, en dépit de la notification envoyée par le juge, comme il apparaît dans le premier des deux procès-verbaux, où l'on peut lire :

A cet effet le juge, soussigné, reçut le serment des experts médicaux et des auxiliaires, du concierge du cimetière et de Me Oliverio Castañeda, en qualité de témoin, après avoir entendu les avertissements d'usage sur les conséquences d'un faux témoignage en matière criminelle.
On demanda au concierge le registre des concessions dans le but de localiser, en premier lieu, la tombe où est enterrée Mme Marta Jerez épouse Castañeda. Comme il est consigné dans ce registre, que l'on a eu sous les yeux,

l'inhumation, notée sur les folios 8 et 9, a été effectuée le 14 février de l'année en cours sur le lot sud-est n° 15, première fosse nord n° 113, lot propriété du général Carlos Castro Wassmer; ce qui a été totalement confirmé, aussi bien par le concierge que par le Dr Castañeda lui-même, quand la sépulture leur a été montrée.

On a pratiqué l'excavation et extrait un cercueil en forme de zeppelin, de couleur lie-de-vin, en bon état de conservation. On a ensuite procédé à la séparation du couvercle, et un cadavre est apparu, recouvert des pieds à la tête d'une courtepointe de toile blanche. Une fois découvert le cadavre susdit, on a appelé le Dr Castañeda, qui, en réponse à la question de rigueur formulée par le juge, a affirmé qu'il s'agissait du corps de son épouse décédée, Marta Jerez épouse Castañeda.

De son côté, Rosalío Usulutlán, dans son article intitulé « Triste exhumation sous un ciel en deuil », rapporte les faits suivants :

Quelques instants avant qu'on ne commence les travaux d'ouverture du sarcophage qui conservait les restes de Marta, les médecins distribuèrent aux spectateurs et à tous ceux qui allaient prendre part à l'exhumation des cotons imprégnés d'une substance antiseptique pour qu'ils les placent sur leur bouche et leur nez. On remit également ces cotons à l'accusé; mais il les a pris dans ses mains et, après les avoir regardés en silence, il s'est exclamé : « Merci beaucoup, je n'en ai pas besoin », et il a préféré les jeter sur le sol.

Les rares journalistes ici présents avons reçu nous aussi notre provision de cotons, sans rencontrer la moindre opposition du juge Fiallos; et je dois sur ce point lui exprimer toute ma gratitude pour son attitude généreuse, car je sais que notre présence n'avait pas son assentiment; il aurait très bien pu alors, non seulement nous refuser les cotons, mais ordonner, comme il en avait le droit, notre expulsion du cimetière. Ce geste, je le paie de retour, en ce qui me concerne, par le ton mesuré de ce reportage; car M. le Juge souhaitait précisément éviter tout tapage à sensation.

C'est exactement à neuf heures cinquante du matin que fut brisé le couvercle du cercueil qui gardait les restes de Marta. Le pied-de-biche utilisé par le maçon a pénétré dans la jointure, faisant craquer le bois; et le cadavre, enveloppé dans son suaire, est apparu aux yeux de ceux qui étaient là. A la hauteur de la poitrine étaient accrochés un scapulaire du vénérable Ordre tertiaire et quelques médailles bénites.

Après exposition du cadavre, le juge Fiallos a fait appeler Mᵉ Castañeda, qui attendait derrière le mausolée de la famille Debayle. Il est accouru, en compagnie du capitaine Ortiz, et il s'est placé au pied du cercueil en démontrant, jusqu'à cet instant, une grande présence d'esprit. « Reconnaissez-vous ce corps? » lui a demandé d'une voix grave le juge, qui en raison de l'odeur très forte s'était attaché un mouchoir sur le nez, à la façon d'un masque, tout en ayant placé au préalable une compresse de coton sous le mouchoir. « Oui, je le reconnais », répondit l'accusé saisi de vertige, après avoir lancé un regard non dépourvu de tendresse vers le corps inerte de son épouse. Et une larme furtive a alors couru sur sa joue, sans que nous détections chez lui la moindre intention de l'essuyer.

Une fois accomplie la reconnaissance de rigueur, le cadavre a été extrait du cercueil par les assistants et transféré dans le mausolée de la famille Debayle, car la table de marbre qu'il renferme et qui sert à célébrer la messe avait été réservée par le médecin légiste aux besoins de l'autopsie.

Avec l'atmosphère de pluie qui régnait, la pénombre du mausolée devenait encore plus épaisse et plus troublante; et du tableau des médecins et de leurs assistants revêtus de leurs blouses blanches, s'affairant à leurs préparatifs tels les prêtres d'un culte secret, se dégageait une impression étrange. Deux anges de marbre montaient la garde dans le local, muets et sévères du haut de leur piédestal.

Le procès-verbal décrit le résultat de la première autopsie en ces termes :

Le cadavre se trouve en position normale. Il accuse un état avancé de putréfaction, ce qui s'explique compte tenu du temps écoulé depuis le décès. Toutes les parties molles des extrémités supérieures et inférieures ont disparu. Les organes de l'abdomen et du thorax se sont détachés et sont identifiables. Le cerveau et le bulbe sont transformés en une pâte semi-solidifiée. Le visage, dont tous les muscles semblent avoir fondu, présente une couleur café grillé. Les cavités des globes oculaires sont vides.

Une fois les organes extraits, on procède à leur transfert dans six bocaux de verre dépoli, selon la distribution suivante :

Bocal n° 1 : Foie et vésicule biliaire.
Bocal n° 2 : Estomac et première section du duodénum.
Bocal n° 3 : Utérus et vessie.
Bocal n° 4 : Cœur.
Bocal n° 5 : Rein droit.
Bocal n° 6 : Cerveau et bulbe.

Vers deux heures de l'après-midi, la camionnette Ford de la Garde nationale franchit en klaxonnant, ou plutôt en poussant son mugissement de vache, le porche du cimetière. Le bachelier Absalón Rojas était assis dans la cabine près du chauffeur, et sur la plate-forme, gardés par deux soldats, les bocaux partaient pour le laboratoire de l'université, où ils devaient être à nouveau déposés dans le réfrigérateur emprunté à la maison Prío.

Le capitaine Ortiz se rendit dans la rue au moment où le portail s'ouvrait pour laisser passer la camionnette. Il avait été prévenu de la présence de don Evenor Contreras, qui venait en tant que représentant de la famille témoigner de l'exhumation du cadavre de Mathilde Contreras. Il avait retrouvé là le Dr Darbishire. Bien qu'il eût été convoqué pour participer à la procédure en sa qualité de médecin des deux défuntes, le vieillard s'était présenté avec un retard délibéré.

Assis sur le siège avant de sa voiture à chevaux, il lisait *El Cronista*, qu'il venait d'acheter. Le quotidien avait vu sa diffusion retardée par les pluies de la veille et la foule des curieux massée sur le frontispice arrachait les derniers exemplaires des mains des crieurs :

le reportage de Rosalío Usulutlán, « Il n'y a pas de fumée sans feu », circulait maintenant dans les rues.

Le capitaine Ortiz les fit entrer tous les deux; tandis qu'ils parcouraient l'allée principale, le Dr Darbishire lui tendit, avec un sourire d'avertissement, le numéro de *El Cronista*.

A deux heures trente de l'après-midi commença la procédure concernant la tombe de Mathilde Contreras. Le deuxième procès-verbal identifie la fosse comme ayant le numéro 301, lot sud-ouest n° 18, section occidentale, en accord avec l'entrée correspondante du registre des concessions, folios 76 et 77.

C'est maintenant Manolo Cuadra qui prend la relève de Rosalío Usulutlán, pour nous offrir ses impressions personnelles. Voici un extrait de son article du 27 octobre, intitulé « Le même vêtement » :

L'aveugle Miserere n'entonne pas ici ses lamentations de l'autre jour au tribunal, mais le trémolo de repentir de la chanson semble claquer sous les assauts du vent froid dans les branches des cyprès élancés, quand la dépouille de Marta Jerez est déposée par les fossoyeurs au fond de la fosse, enveloppée dans le linceul qu'Oliverio Castañeda a apporté et qu'il a déplié lui-même avant de le remettre aux assistants.

En enfonçant les pieds dans les tendres mottes de terre il s'approche du bord de la sépulture et il lance dans les profondeurs un bouquet de dahlias, tout en murmurant une prière qui s'envole dans le vent comme la chanson dans mon souvenir. Impossible de se pencher sur l'abîme de ses pensées en cette heure grave, seule sa tête engloutit les clefs du mystère. Et à nouveau nous l'avons vu pleurer à chaudes larmes, des larmes qu'on pourrait feindre difficilement. Était-ce le chagrin de regrets réactivés, le remords de fautes lourdes? Personne d'autre ne connaît la source obscure de ces larmes.

Les fossoyeurs restent pour jeter à grandes pelletées l'argile humide sur le cercueil qui disparaît peu à peu à nouveau, cette fois pour toujours. Et nous suivons l'accusé jusqu'à la tombe de l'autre, où ses gardiens le conduisent.

Don Evenor Contreras, oncle par le sang de la victime, et le Dr Juan de Dios Darbishire, médecin de la famille, arrivent à l'endroit de la nouvelle excavation, en compagnie du capitaine Ortiz. Castañeda et Contreras ne se saluent pas et ils n'échangent aucune parole : l'attitude de Contreras est d'un calme absolu; celle de Castañeda est fuyante et gênée, mais dénuée de toute grossièreté. Le Dr Darbishine ne lui adresse pas non plus le moindre salut, mais Castañeda ne semble pas en attendre.

Aussitôt arrive Mariano Fiallos, accompagné des médecins, des assistants et des ouvriers; on remarque clairement chez ces derniers les effets des boissons alcooliques qu'ils doivent ingérer pour rendre plus supportable leur tâche ingrate. Avec l'aide du registre des concessions on procède à l'identification de la tombe, comme dans le cas précédent. Cette fois, il n'y a qu'un tas de terre fraîche sur lequel s'accumulent guirlandes et bouquets de fleurs fanées, laissés là le jour de l'enterrement encore proche. A la demande de Mariano Fiallos, aussi bien Contreras que Castañeda reconnaissent, chacun de son côté, avec précision le lieu de la sépulture, située près de la grille à pointes de fer qui entoure le panthéon familial.

Les ouvriers préparent leurs pelles pour creuser à l'endroit désigné. Sous leurs coups lourds le cercueil blanc, taché par le contact avec la terre végétale, émerge peu à peu. Quand on retire le couvercle, le cadavre de la jeune fille apparaît; son visage non reconnaissable est enveloppé dans la gaze d'un voile de tulle.

Contreras s'approche et identifie sa nièce d'un signe de tête; Castañeda, convoqué à son tour près du cercueil, dit d'une voix à peine audible : « C'est elle. » A nouveau les grandes ailes du mystère palpitent autour de sa tête, recouvrant les secrets qu'aucune enquête judiciaire ne sera capable de révéler. Le prisonnier a-t-il éprouvé un jour pour elle de l'amour, une passion secrète ou seulement un désir charnel? Ou, en fin de compte, a-t-il uniquement voulu la tromper et la détruire? Cette femme abusée a-t-elle succombé parce qu'il l'avait écartée de sa route, insensible aux déboires de son cœur amoureux? Ou bien la maladie ne lui a-t-elle pas permis de savoir, si tant est que le poison n'est pour rien dans sa mort, si elle sortait vainqueur ou vaincue de ce combat amoureux? A leur tour mes questions, frissonnantes comme les ramages des funèbres cyprès, s'envolent dans le vent, sur les ailes du vent.

La tâche des médecins et de leurs assistants touche à sa fin. Mariano Fiallos, dont je n'ai pas osé m'approcher, se remet de sa propre détresse, assis à l'écart sur le ciment d'une tombe. J'ai lu auparavant les inscriptions et sur cette dalle est inscrit le nom d'une autre Mathilde Contreras (1897-1929); elle est morte de phtisie, recluse dans une propriété, hors de la ville, m'apprend mon collègue de *El Cronista*, Rosalío Usulutlán.

Le Dr Escolástico Lara s'approche d'un pas fatigué, tenant les minutes de l'autopsie afin de les remettre à Alí Vanegas, qui rédige le dernier des procès-verbaux assis sur une autre tombe de la concession familiale. Appuyant les feuillets sur son vieux cartable en lézard il s'efforce de terminer le plus vite possible pour que tous puissent signer. Bien que les menaces de pluie aient maintenant disparu, le ciel de León se couvre d'une nuée sanglante et bientôt l'obscurité va tomber.

On va procéder, à nouveau, à l'enterrement. L'accusé s'est retiré, suivi de ses gardes, car il a invoqué une forte migraine, et sa présence n'est plus nécessaire. Quant à nous, nous nous retirons également, pour ne pas retarder l'envoi de cet article qui devra voyager par le train du matin.

Pendant ce temps, dans la rue, de l'autre côté du mur, se prolonge le brouhaha de fête qui émane de la foule braillarde.

Le procès-verbal de l'autopsie du cadavre de Mathilde Contreras, signé avec un certain retard après avoir été corrigé, comme nous allons le voir bientôt, précise dans ses préliminaires :

Le cadavre se trouve en légère position de décubitus dorsal, la tête inclinée vers la droite. Le visage présente une coloration noirâtre, avec une défiguration considérable des traits faciaux; les yeux sont un peu sortis des orbites, la bouche et les paupières sont ouvertes, les cheveux sont desséchés mais intacts. Degré de putréfaction normale étant donné la durée de l'inhumation, assez avancée dans sa phase emphysémateuse. Le thorax et l'abdomen, de même que les extrémités, sont en un bon état de conservation. Les mains, croisées sur la poitrine, semblent avoir fondu.

Bien qu'à ce stade il eût de nombreuses raisons d'être inquiet et aucune de rester, Rosalío Usulutlán se trouvait encore dans le cimetière alors qu'on allait procéder à la signature du procès-verbal, et il put ainsi assister au bref épisode provoqué par la requête imprévue du Dr Darbishire, épisode dont il rendit compte le soir même à la table maudite.

« Alors ce vieux fou a présenté cette demande », insiste d'un air amusé le Dr Salmerón. « Mais ce n'est pas possible, sur un cadavre.

– Je crois qu'il n'est venu que pour cela. » Rosalío, préoccupé, n'a pas voulu s'asseoir. Il tenait à la main les notes destinées à son article sur l'exhumation. « C'est lui-même qui a dicté le paragraphe : "Après examen externe des organes génitaux on a constaté leur totale intégrité, d'où l'on conclut que la victime est morte en état de virginité. "

– Et le médecin légiste? Et les autres médecins, quelle tête ils ont faite? Son ennemi, le Dr Barrera, n'a rien dit? » Le Dr Salmerón éclate à nouveau de rire, en frappant la table avec enthousiasme. « Il faut avoir entendu des choses pareilles dans sa vie!

– Personne n'a dit mot. Alors le juge a ordonné à Alí Vanegas de corriger le procès-verbal. » Rosalío agite les feuilles contenant ses notes. « Et il a obéi. On l'a éclairé avec une lampe pour qu'il puisse écrire.

– Le capitaine Ortiz t'avait déjà averti. » Avec une certaine complaisance, Cosme Manzo fait reluire l'or de ses dents.

« Qu'est-ce qu'il t'a dit? » Le capitaine Prío se tient debout à côté de Rosalío. Il est le seul à partager son inquiétude.

« Depuis qu'il était revenu avec le journal, il s'était tenu à l'écart pour le lire. » Rosalío, défait, laisse les papiers sur la table. « Quand il a eu terminé, il est venu directement vers moi. " Tu t'es mis dans la merde, m'a-t-il assené; prépare tes abattis. "

– Évidemment », les dents en or de Cosme Manzo jettent des éclats perfides quand il renverse la tête en arrière pour éclater de rire, « il se trouve maintenant que comme la petite était vierge, tout ce que dit le reportage est pur mensonge.

– Mais on m'a déjà chassé du journal. » Rosalío s'acharne sur le bouton de cuivre de sa chemise, en remuant le cou comme un dindon qu'on va égorger. « " Cet article sur l'exhumation, c'est le dernier que je te publie, uniquement parce qu'il est déjà écrit ", c'est ce que vient de me notifier mon patron. Il m'attendait sur le pas de la porte.

– Qui d'autre le capitaine Ortiz a-t-il condamné? » Le capitaine Prío assaille Rosalío sur un ton cauteleux.

« Nous tous. » Rosalío lâche son bouton et il les enveloppe d'un geste circulaire de la main. « Il a dit à voix haute : " Maintenant ça va barder pour tous ces fils de pute de faussaires de la maison Prío ", au moment où on sortait du cimetière, pour que tout le monde puisse l'entendre.

– Tout ça c'est du vent. » Cosme Manzo bat joyeusement de la semelle, sous la table. « Capitaine puisqu'ils veulent faire chier, reprenez-leur votre frigo, pour que toutes leurs petites tripes pourrissent.

– Ils peuvent nous baiser. » Le capitaine Prío reste à côté de Rosalío et il n'arrête pas de le regarder, comme s'il l'avait devant lui pour la dernière fois. « Je crois que vous avez passé les bornes avec ce reportage.

– Mais puisque c'est présenté comme une histoire inventée, il n'y a même pas les vrais noms. » Cosme Manzo remue la tête, repoussant toutes ces craintes. « Par contre, il a fallu que ce crétin aille y mettre la photo de doña Flora. Qui est-ce qui te l'a demandé?

– Comme ça elle était vierge, par décision judiciaire. » Le Dr Salmerón regarde Cosme Manzo d'un air goguenard, en fermant un œil.

« Et qu'est-ce qu'ils vont nous faire? Ils vont nous fusiller? Hou la la! » Cosme Manzo frétille sur sa chaise, jouant à trembler de peur.

« On m'a chassé du journal et maintenant je vais vivre de la charité publique. » Rosalío baisse la tête et met les mains dans les poches de son pantalon. « Même si tu penses que c'est un jeu, on peut tous se retrouver en prison.

– Plus belle que ses deux filles réunies. » Le Dr Salmerón prend le journal et le rapproche de son visage. « Rosalío avait raison.

– Qui est-ce qui t'a demandé de mettre cette photo dans le reportage? » Cosme Manzo se lève et vient défier Rosalío. « Les noms sont déguisés, mais toi tu publies la photo.

– Et toi, qui t'a demandé de raconter l'histoire des lettres à un pédé? » Rosalío, en colère, resserre sa ceinture pour maintenir son pantalon. « En plus, ce n'est pas à cause de la photo qu'on va aller en prison.

– Qu'ils me mettent dans le même cachot que Castañeda », le Dr Salmerón s'évente avec le journal, « comme ça je le confesse tranquillement et je vérifie ce qui me manque. Il manque les visites clandestines à la propriété *Notre Maître*.

– C'est ce monsieur qui devait vérifier ce point. » Cosme Manzo donne quelques petites tapes sur l'épaule de Rosalío. « Il devrait avoir fait son enquête maintenant.

– Oui, tu es en retard, Chalío. » Le Dr Salmerón s'approche à son tour. Maintenant Rosalío est cerné. « Quand vas-tu aller à la propriété? J'ai besoin de ces informations avant de faire ma déposition.

– Quand j'aurai trouvé du travail. » Rosalío met ses poings sur ses hanches, dans une attitude de défi. « On me donnera peut-être du boulot comme balayeur municipal.

– Ne sois pas con, mon petit vieux, j'ai déjà un travail pour toi. » Cosme Manzo plisse la bouche et il frotte le dos de Rosalío.

« Quel travail ? » Méfiant, Rosalío le regarde en coin.

« Tu va fai'e danser ma mo'ue, mon ga'çon. Un co'doba de l'heu'e, et le 'epas. » Cosme Manzo lui pince la joue.

« Va faire danser ta mère. » Rosalío Usulutlán l'écarte d'un geste brusque et tout aussi brusquement il enfonce son chapeau.

L'écho des éclats de rire se répercute sur la place Jerez, maintenant presque vide de passants. Depuis un autre angle de la place parvenaient également les sons lointains de la projection de cinéma au théâtre González. Une voix plaintive, une musique de violons et, ensuite, un sanglot étouffé.

IV

APRÈS CONSTAT, IL APPERT :

Hélas! un galant de cette ville,
hélas! un galant de cette maison,
hélas! qui venait de loin,
hélas! qui arrivait de loin.
– Hélas! dites ce qu'il voulait,
hélas! dites ce qu'il cherchait.

Ballade asturienne

37

Un scandale aux rebondissements imprévus secoue la société métropolitaine

Le 25 octobre 1933 ne fut pas un jour de gloire dans la carrière journalistique de Rosalío Usulutlán, comme Cosme Manzo le lui avait prédit, mais le plus noir de sa vie, uniquement comparable, en raison des tracas qu'il allait lui causer, avec tous ceux qui suivaient, lorsqu'il s'est vu contraint par la force de l'adversité de se réfugier dans la clandestinité, craignant à tout moment de se retrouver derrière les barreaux ; et quand il voulut sortir dans la rue pour acheter sa nourriture au marché et accomplir des démarches urgentes, il dut désormais le faire déguisé avec une soutane de curé.

Il est vrai que ce soir-là, en revenant au journal dans le fiacre qu'il avait pris à la porte du cimetière, il avait été le témoin direct de son propre succès. La procession désordonnée des gens qui rentraient chez eux continuait à se battre pour s'arracher *El Cronista*, que les crieurs proposaient à cette heure à un cordoba, prix exorbitant jamais atteint par le quotidien, pas même lorsque les colonnes sandinistes avaient pris la ville de Chichigalpa. Sur le parvis de l'église de Guadalupe, juché sur la plate-forme d'une charrette qui lui servait de tribune, un homme lisait le reportage à la lumière d'une lampe à essence que soutenait près de lui une vieille femme, tandis qu'un groupe de passants se pressaient autour de la charrette pour mieux entendre, tout en se retenant de rire.

Mais il était également vrai que la menace du capitaine Ortiz était fichée comme un pieu dans sa poitrine ; et son orgueil de journaliste, flatté par les effluves du succès, sombrait avec la détresse d'un noyé dans la mer démontée de la peur.

Il descendit du fiacre, encore imprégné de l'odeur de cadavre qui allait l'obliger pendant des jours à humer constamment ses vêtements, sans soupçonner qu'un autre grand malheur allait bientôt s'abattre sur lui. Bien qu'il fût urgent d'entrer en contact avec ses commensaux de la table maudite, il devait d'abord écrire son article sur l'exhumation, afin de le laisser aux mains des typos pour l'édition qui serait imprimée le lendemain. Ce n'est qu'après qu'il se rendrait *Chez Prío*.

Le directeur-propriétaire de *El Cronista* était le médecin Absalón Barreto Sacasa, cousin germain du président Juan Bautista Sacasa. Il n'exerçait plus et consacrait tout son temps à ses exploitations laitières ; il ne mettait jamais les pieds au journal, laissant Rosalío traiter les informations et les sujets des éditoriaux à sa guise. Ce n'était que lorsqu'il fallait trancher un conflit qu'il l'appelait chez lui, comme cela s'était produit avec l'affaire des attaques contre la Compagnie métropolitaine des eaux, et s'il le rencontrait dans la rue ou à la porte du cinéma, il se bornait à lui recommander de jeter des fleurs de temps en temps à son cousin et au Parti libéral.

Étant donné ces antécédents, Rosalío éprouva de l'inquiétude quand il vit apparaître le Dr Barreto vers sept heures, encore tanné par le soleil et les guêtres maculées de bouse de vache.

S'arrêtant de taper avec acharnement et avec deux doigts sur les touches de sa machine à écrire, il se redressa pour lui souhaiter aimablement le bonsoir, mais l'autre ne daigna pas répondre. Il le vit s'installer dans la pénombre des ateliers et commencer à donner des ordres en houspillant les typos, occupés à cette heure-là à démonter les morasses et à remettre les caractères dans leurs boîtes. Peu après arrivèrent des crieurs qui venaient chercher d'autres exemplaires de l'édition fatidique, à ce moment complètement épuisée, et il les renvoya en hurlant, les chassant en tapant dans ses mains comme si c'était du bétail.

Rosalío n'osa pas se rasseoir et il finit de taper debout le paragraphe qui lui restait à écrire. Il sortit la page du chariot et d'un pas prudent il s'approcha du chef des typos pour lui remettre le manuscrit ; il allait lui demander de lui consacrer un titre sur toute la première page quand le Dr Barreto arriva par-derrière et lui arracha les feuillets, qui s'éparpillèrent sur le sol.

Renonçant à se baisser pour les ramasser, chose que fit un des typos, il préféra s'éloigner pour aller uriner dans la cour plongée dans l'obscurité. Il commençait à déboutonner sa braguette quand la notification lui arriva aux oreilles : il était mis dehors et cet article était le dernier qu'on lui publiait, uniquement parce qu'il était déjà écrit et que de toute façon il entrait dans son salaire du mois. Quand il revint dans la galerie, sans avoir pu uriner car le jet se refusait à sortir, le Dr Barreto était déjà reparti, en emportant en otage la machine à écrire.

Les typos se rendirent en procession jusqu'à la porte pour prendre congé de lui et l'un après l'autre ils lui donnèrent une vigoureuse accolade. Ce fut son unique consolation de la journée, car dans la rue les malheurs allaient continuer à pleuvoir sur lui : les réunions nocturnes sur les trottoirs se défaisaient quand on le voyait s'approcher, à son passage les fauteuils à bascule disparaissaient derrière les portes que l'on claquait en toute hâte; et pour couronner le tout, une vieille fille, au lieu de fuir devant lui, se tint en embuscade et en levant les bras au ciel elle se mit à glapir, à gorge déployée, une oraison jaculatoire, comme si elle voulait repousser le diable. Quand il arriva enfin près de *Chez Prío*, il courait presque; il se sentait dans la peau d'un chien enragé qu'on chasse à coups de bâton.

Nous avons déjà vu qu'à la table maudite on n'écouta pas ses mises en garde. Plus affligé que jamais, il rentra chez lui rue de La Españolita, en tenant son chapeau dont il se recouvrait périodiquement le visage et en essayant de se défendre des regards hostiles. Il bloqua la porte avec une table et sur la table il disposa des bancs et des tabourets, craignant une attaque nocturne de la part de la Garde nationale.

Les événements qui commencèrent à se déchaîner le lendemain allaient confirmer combien les craintes de Rosalío à propos de l'imminence des représailles étaient justifiées.

La Nueva Prensa du 27 octobre 1933 propose un article intitulé « Petites culottes et tirs en l'air. Les troubles s'étendent », où Manolo Cuadra décrit ces événements de la façon suivante :

León (par téléphone). Un fait insolite, présageant d'autres événements plus graves, s'est produit très tôt ce matin. Les passants, habitués à découvrir les employées du magasin *La Renommée* occupées à répandre de la poudre Bayer jaune sur le trottoir pour faire fuir les chiens errants, s'arrêtaient pour les observer, d'après nos informateurs, alors qu'elles s'affairaient curieusement à faire descendre avec une perche trois culottes de femme, de différentes couleurs, accrochées au goulot de la bouteille de Vichy-Célestins qui sert d'enseigne publicitaire à l'eau médicinale du même nom.

La nouvelle de ces culottes, aux tons vert d'eau, fuchsia et mauve, d'après ceux qui purent les admirer, se balançant au gré du vent, attira une partie de la foule rassemblée autour de l'université et attendant le début de l'examen des viscères extraits des cadavres exhumés; et même quand les culottes eurent disparu de la vue de tous, les gens continuèrent à assiéger la maison, tout en lançant des chapelets d'expressions obscènes contre la veuve et sa fille; on les appelait avec des voix mielleuses et déguisées, en leur donnant les noms d'emprunt sous lesquels notre collègue de *El Cronista* les désigne.

Bien que le reportage de *El Cronista*, signé par Rosalío Usulutlán, travestisse les noms véritables, il est évident que la trame de cette historiette, tout à fait dans le style de Ricardo Palma, le célèbre auteur des *Traditions péruviennes*, englobe les acteurs du drame Castañeda.

Vers midi, au fur et à mesure qu'on apprenait la mort de nouveaux chiens et chats dans les affres de l'empoisonnement, les railleries des manifestants, qui allaient et venaient de la maison de la famille à l'université en bandes bruyantes, devenaient irrépressibles, au même titre que les demandes de remise en liberté du prisonnier.

Alors que la foule se montrait de plus en plus turbulente et qu'on avait lancé des pierres et autres projectiles contre les fenêtres de l'Alma Mater et contre celles de la maison en question, ainsi que contre le magasin adjacent, ce qui obligea à fermer les portes à la clientèle habituelle, le capitaine Anastasio J. Ortiz ne tarda pas à se présenter à la tête d'un peloton de soldats et il entreprit d'avertir les manifestants de se disperser immédiatement.

Cette mise en garde ne fut pas entendue et les militaires furent reçus par des lazzi et des insultes, ce qui a incité la troupe à faire imprudemment usage de ses armes et à tirer plusieurs salves en l'air; aussitôt les rues furent dégagées. A partir de ce moment, aussi bien l'université que la maison de la famille Contreras furent placées sous la surveillance de la Garde nationale, dont les sentinelles postées au coin des rues interdisent le passage à qui que ce soit. D'après nos informations, le blocus des rues se prolongera, pour ce qui est de l'université, jusqu'à la conclusion des expériences, prévues pour durer jusqu'à demain. Et pour ce qui est de la maison, jusqu'à nouvel ordre.

Bien que le reportage de *El Cronista* n'innocente pas l'accusé, il n'y a pas de doute que le peuple a commencé à prendre ouvertement parti pour lui et qu'il se refuse à donner crédit aux charges portées contre lui, comme on peut le constater à la violence des manifestations de rue; au contraire, les gens célèbrent les prouesses amoureuses qu'on lui attribue dans le reportage.

En rapport avec ce qui précède, le capitaine Ortiz envoya le télégramme suivant au directeur de *La Nueva Prensa*, Gabry Rivas :

Considère nouvelles votre journal incidents survenus hier à León irrespectueuses et extrêmement exagérées. Est fausse allusion vêtements intimes accrochés bouteille et journaliste devrait mieux s'informer avant de répandre telles obscénités. Est certain groupe réduit éléments antisociaux a essayé de provoquer troubles en lançant pierres bâtiment université et foyer famille Contreras mais majorité public rassemblé a conservé calme et rejeté ces manifestations inspirées écrits calomnieux devraient remplir de honte journalisme national. Autorité est intervenue dans but éviter confrontation personnes respectables et vagabonds semeurs troubles étant inexact moi aie ordonné tirer en l'air car cette mesure n'a jamais été nécessaire. Pouvez être sûr gens de bien n'appuient pas ici débordements favorables assassins ni les considèrent héros de même rejettent calomnies propres âmes basses et rancunières. Léonais nous considérons cultivés et civilisés.

Les expériences durèrent deux jours et se terminèrent le 27 octobre 1933 à deux heures de l'après-midi, sur la confirmation de la présence de strychnine dans les viscères des deux cadavres, après la mort violente des animaux inoculés. A la lecture du procès-verbal on peut s'apercevoir que le nombre de notables intéressés à assister aux tests a été, au contraire de ce qui s'était passé la fois précédente, extrêmement réduit. Même s'il s'agissait de répéter des expériences identiques, ce qui excluait toute nouveauté scientifique, une telle absence, en partie motivée par le désagrément logique causé par la proximité de dépouilles putréfiées, comme cela avait été le cas au moment de l'exhumation, doit être principalement attribuée au fait que les notables de León étaient pris à ce moment par des tâches fort urgentes.

Ce même après-midi, après d'énormes préparatifs, une assemblée nombreuse, convoquée par Mgr Tijerino y Loáisiga, évêque de León, se réunissait au Palais épiscopal; on y décida de lancer immédiatement une « Croisade de Salubrité Morale ». La commission responsable de mener cette croisade comprenant les personnalités suivantes :

Chanoine Isidro Augusto Oviedo y Reyes, doyen de la cathédrale, représentant l'Illustrissime Mgr Tijerino y Loáisiga, évêque de León.

Me Onosífero Rizo, maire de la ville.

Don Arturo Gurdián Herdocia, président du Club social.

Dr Juan de Dios Darbishire, président de la confrérie des Chevaliers du Saint-Sépulcre.

Doña Rosario de Lacayo, présidente de l'Association des dames de León.

Doña Mathilde de Saravia, présidente des Dames de charité.

Mlle Graciela Deshon, présidente des Filles de Marie.

Mlle María Teresa Robelo, prévôte de l'Ordre tertiaire de Saint-François.

La croisade débuta par la collecte de signatures en faveur d'un « Acte de juste réparation et d'adhésion chrétienne », publié par les deux journaux de León dans leurs éditions du soir, tant fut grande la célérité avec laquelle plus de deux cents signatures figurant au pied de l'acte furent réunies.

Les soussignés, membres de la bonne société de León, repoussent de la façon la plus énergique les concepts de toute évidence calomnieux véhiculés par un écrit irresponsable qui, avec une audace inouïe, a été publié dans un journal de cette localité et dans lequel on prétend entacher sous une forme grossière l'honneur de la distinguée famille Contreras Guardia, déjà suffisamment affligée par les funestes événements sur lesquels enquête l'autorité judiciaire.

Seuls le ressentiment social et la dissolution des mœurs qui à notre époque mettent si fort en péril l'ordre et la tradition familiale, ainsi que nos croyances religieuses, ont pu conduire l'auteur ou les auteurs dudit libelle à bafouer de la sorte la décence, au bénéfice de la calomnie la plus échevelée et de la dérision.

Un tel attentat a déjà produit ses premiers fruits, car avec chagrin et effroi nous avons vu la populace, excitée par toutes ces infamies, s'agiter devant la porte du foyer d'une si honorable famille, comme si sa rancœur lui était insufflée par l'haleine fétide de Moloch ou de Satan.

C'est pour cela qu'en cette heure d'épreuve décisive, nous n'hésitons pas à resserrer les rangs autour de l'irréprochable dame doña Flora Guardia veuve Contreras et de sa fille, que nous invitons à se réfugier dans la foi de notre sauveur, le Seul capable de juger la bonté ou la méchanceté de nos actes.

Nous lançons un appel à toutes les personnes honnêtes de cette ville croyante pour qu'elles répudient l'ignoble vilenie des calomniateurs, et qu'elles participent à la Messe Solennelle qui sera célébrée le 28 octobre à seize heures en notre Sainte Église Cathédrale, et à la procession du Saint-Sacrement qui aura lieu à la suite, pour culminer par un office eucharistique au foyer de la famille Contreras Guardia.

Vive le Christ Roi!

Vive Marie Immaculée!

El Cronista accompagna la publication de cet acte de la note explicative suivante, signée par son directeur-propriétaire, le Dr Absalón Barreto Sacasa :

C'est avec le plus grand plaisir que nous ouvrons gratuitement nos pages à l'acte qui précède, corroboré par les signatures des personnalités des deux sexes les plus importantes et les plus représentatives de cette noble cité, bien qu'on nous ait demandé de le publier comme annonce payante. Nous pensons que c'est le moins que nous puissions faire pour nous joindre à la manifestation justifiée de réparation provoquée par la publication, dans ce même journal, d'un libelle diffamatoire, dont nous ne partageons en aucune façon les concepts ni les affirmations et qui a ignoblement surpris notre bonne foi.

El Cronista a déjà pris les mesures qui s'imposaient dans cette affaire et nous pouvons assurer solennellement qu'une telle négligence ne se reproduira plus. Il ne nous reste plus qu'à joindre notre voix à celle des éminents signataires de l'acte et à nous exclamer, à gorge déployée, avec eux : Vive le Christ Roi! Vive Marie Immaculée! Et nous ajouterons pour notre part : Louons la morale de nos aînés! *Sursum Corda!*

La célébration de la messe solennelle et la procession du Saint-Sacrement, annoncées de la sorte, constituaient les moments clés de la croisade. *El Centroamericano* nous en propose un compte rendu, daté du 30 octobre, dans une chronique signée de son directeur lui-même, le général Gustavo Abaunza :

Dans la Sainte Église Cathédrale se pressait une assistance choisie, quand le Saint Office a commencé, à quatre heures de l'après-midi, célébré par Son Excellence l'évêque entouré de tout le chapitre ecclésiastique. Le révérend père Isidro Augusto Oviedo y Reyes est monté en chaire et, faisant montre, une fois encore, de son éloquence torrentielle, il a vilipendé le signataire du libelle et ses inspirateurs. Il est rare qu'on entende des applaudissements sous les nefs de cette Basilique Sacrée, mais c'est ce qui s'est produit cette fois, quand le prédicateur a élevé la voix pour menacer d'excommunication les « réprouvés impurs », comme il les a judicieusement appelés.

A la fin de la messe, Son Excellence l'évêque a conduit la procession solennelle du Saint-Sacrement jusqu'au foyer de la famille Contreras Guardia, dont les portes se sont ouvertes pour la première fois depuis plusieurs jours, afin d'accueillir l'effigie sacrée. Le cortège était nombreux; formant une haie autour du dais marchaient les membres du chapitre, revêtus de leurs ornements; immédiatement après le dais suivaient les autorités civiles; ensuite, défilant dans l'ordre, les différentes confréries et associations religieuses, composées de dames, de messieurs et de demoiselles ; les présidents et présidentes respectifs de ces associations, portant drapeaux et étendards.

Tous les membres de la famille, à l'exception de la toute jeune María del Pilar, qui était indisposée et gardait la chambre, reçurent avec dévotion l'eucharistie des mains de Son Excellence l'évêque, après qu'on eut préparé à l'avance un autel à l'intérieur de la maison afin d'y déposer le tabernacle. A la fin l'honorable veuve adressa à tous ses remerciements en des termes émus, lus à sa requête par son frère, don Fernando Guardia ; nous nous sommes fait un plaisir de les lui demander afin de les inclure dans cet article : « Je remercie en mon nom et en celui de mes enfants Mgr l'Évêque, les prêtres et tous les catholiques présents d'avoir introduit dans ma maison la force du Christ Vivant, présent dans le Pain Eucharistique. Et je remercie également avec beaucoup d'émotion les démonstrations de soutien dont nous avons été l'objet. C'est dans cet état d'esprit que je supplie la bonne société de León de rester unie et de ne pas céder avant d'avoir obtenu un châtiment juste et exemplaire pour le coupable des crimes barbares commis sur la personne de mon époux et de ma fille ; lui seul est responsable de la tragédie qui s'est abattue sur mon foyer, car en s'abritant, par une ignoble fourberie, derrière le paravent de la confiance que nous lui avons dispensée à pleines mains, il est venu détruire la paix et le bonheur de cette demeure exemplaire. Je vous supplie également de rester unis dans cette "Croisade de Santé Morale", comme l'a fort bien baptisée Mgr l'Évêque et ses autres mentors, afin que la calomnie qui aujourd'hui tente de nous souiller, en tant que membres de cette bonne société, ne submerge pas de sa boue hideuse d'autres honnêtes foyers. Nous nous sentons, mes enfants et moi, protégés par la bonté de Dieu Notre Seigneur. Je suis plus que persuadée que votre affection à tous nous préserve également, et que cela vaut en particulier pour moi qui, sans être originaire de cette ville, me considère comme appartenant à la grande famille de León, comme les Écritures nous assurent que ce fut le cas de Ruth sur la terre de son époux. J'ai dit. »

En dépit de l'exhortation finale contenue dans le message lu par son frère, les vents du scandale allaient ballotter la veuve avec une telle force qu'elle finit par se retrouver seule face à la médisance. Le 29 octobre 1933, don Carmen Largaespada retira à Me Juan de Dios Vanegas la défense qui lui avait été confiée et il soumit au juge un texte où il rejetait toute accusation contre Oliverio Castañeda, sans prendre le moindre soin d'expliquer ses motivations, ce qui faisait d'elle la seule offensée.

Les manifestations de piété qui se poursuivirent commencèrent à se retourner contre elle de façon subtile. Les aspersions journalières d'eau bénite sur les murs de sa maison par le chanoine Oviedo y Reyes, accompagnées des prières de pénitence du chœur des dévotes Filles de Marie, prirent publiquement la tournure d'un exorcisme contre le péché. La stupidité de ces réparations continuelles l'obligea à fermer à nouveau sa porte, devant le déferlement des ragots alimentés par les bigotes elles-mêmes selon lesquelles sa fille allait prendre le voile, ce qui était la seule façon de laver la tache de sa faute. Le chanoine lui-même écrivit sur ce sujet un article que nous citerons bientôt.

Les murs arrosés d'eau bénite étaient à leur tour maculés pendant la nuit de slogans orduriers, écrits au charbon de bois, et les employées de *La Renommée* devaient les effacer tous les matins. Le 12 novembre 1933, quand le juge Fiallos se présenta pour interroger María del Pilar Contreras, on pouvait encore lire près de la porte du coin de la rue : ISI CET UNE MAISON DE PASE.

Étrangère malgré elle, la veuve avait d'innombrables raisons de perdre courage devant cet acharnement qui maintenant n'était plus seulement le fait de la rue, mais qui venait également de ses connaissances et même de sa belle-famille. Et elle prit la décision de quitter le pays. Dans *El Centroamericano* du 3 novembre 1933 on trouve l'annonce suivante :

OCCASION

Je mets en vente à des prix très avantageux tout le mobilier de ma maison d'habitation.

En fait partie un magnifique piano à queue de marque Marshall & Wendell et un ravissant salon de style louis XV composé de douze pièces. On y trouve également d'élégants meubles de chambre à coucher et de salle à manger, et un poste de radio de marque Philco.

On peut visiter tous les jours de 9 heures à midi et de 4 heures à 5 heures.

J'ouvrirai également dans les prochains jours une vente de liquidation de marchandises au magasin *La Renommée*, dont je préciserai le détail en temps opportun. On bradera également les étagères et les comptoirs à des prix à profiter.

Veuve Flora Contreras
Tél. 412.
Coin de la rue face à l'*Hôtel Métropolitain*.

Mais les gens qui se présentèrent à l'adresse donnée, qu'ils aient été vraiment intéressés par l'acquisition des meubles ou qu'ils aient été poussés par la curiosité, trouvèrent porte close aux heures indiquées par l'annonce; et la braderie des marchandises du magasin *La Renommée* ne se fit pas non plus.

Elle se résigna en fin de compte à résister et elle ne partit pas, convaincue par son frère que sa place était au Nicaragua. La succession testamentaire était un obstacle de plus et lui-même était resté pour s'occuper de la défense des intérêts de la veuve et de ses enfants dans le litige l'opposant à la famille au sujet des biens de C. Contreras & Cie. L'action en justice intentée par don Carmen Contreras Largaespada se dessinait à l'horizon et elle allait prendre réalité devant les tribunaux civils quelques mois après la fin du procès contre Oliverio Castañeda.

Concluons en rappelant que le 28 octobre 1933 était la date fixée pour la comparution du Dr Anastasio Salmerón devant le juge Fiallos. Pour son malheur, il fut convoqué au tribunal à l'heure même où la procession du Saint-Sacrement sortait de la cathédrale, au milieu des fumées des encensoirs et des voix des notables de León, qui s'élevaient en chœur pour chanter sur un ton vengeur « Tu régneras éternellement, Mon Sauveur », chœur auquel se joignait la voix chevrotante du Dr Darbishire, brandissant l'étendard violet de la confrérie des Chevaliers du Saint-Sépulcre.

Le Dr Salmerón avait perdu l'aplomb et l'insolence qu'il affichait à la table maudite le soir où Rosalio Usulutlán l'avait averti, en vain, des graves dangers qui planaient sur leurs têtes. Assis sur le bord de son tabouret, de l'autre côté du bureau, il jette un regard contrit sur le juge Fiallos qui, quelques instants auparavant, a fait évacuer la salle. Et qui, à présent, tout en mettant de l'ordre d'un air sévère dans ses papiers, commence par lui demander son nom, son âge, son état civil, sa profession et son domicile, comme s'il ne l'avait jamais vu de sa vie.

38

Il n'y a pas de fumée sans feu

Reportage en XV tableaux, version originale de Rosalío Usulutlán

Les noms cités dans ce drame sont fictifs et l'auteur a de bonnes raisons pour les déguiser; la ville où se passe l'action somnole dans un endroit quelconque, plus près d'ici que de là, à l'ombre de ses auvents et de ses clochers. Je n'ajouterai rien à ce petit préambule, parce que... je ne le souhaite pas. On y va?

I

La fille cadette, la plus gâtée, de don Honorio Aparicio, Espagnol de vieille souche et cousu d'or, s'appelait Laurentina. La petite était un bouquet, frais et parfumé, de dix-sept roses printanières. Elle avait une sœur, un peu plus âgée, Ernestina... dont les doigts savaient arracher au clavecin de suaves mélodies. Ernestina n'était pas la préférée, mais elle avait une place réservée dans le cœur de métal de don Honorio; car s'il est vrai que cet homme se plaisait surtout à entendre le tintement argentin des pièces de monnaie, il ne méprisait pas pour autant les délices de l'affection paternelle.

Sa seigneurie frisait les cinquante Noëls et le monde se limitait pour lui aux murs de sa demeure, d'où il conduisait, d'une main prudente et toujours avisée, les aléas de ses affaires. Il conservait, dans un coffre métallique solide et bien gardé, ses livres de comptes en double exemplaire : sur les uns, ses comptes apparaissaient dans leur vérité, loin de tout regard indiscret, affichant de juteux bénéfices; sur les autres, ils étaient falsifiés mais c'était les seuls qu'il montrait aux contrôleurs des impôts, en leur faisant grise mine. Les gains y apparaissaient médiocres et le plus souvent les pertes l'emportaient. Don Honorio en excluait également certaines transactions en rapport avec des liquidations, interdites à l'époque, qu'il s'ingéniait à organiser en secret, ce qui lui permettait d'approvisionner son magasin en tissus coûteux et en colifichets importés de l'étranger, sans s'abaisser à acquitter les droits de douane auprès du trésor public.

Par un système d'aqueducs, don Honorio avait capté les sources de la ville; il considérait comme son patrimoine personnel ce qui était un don du Ciel et les citadins devaient lui verser leur obole pour pouvoir étancher leur soif. Pourtant, non satisfait des tarifs léonins qu'il avait fixés, il voulait les renchérir et il n'hésitait pas pour ce faire à suborner et à graisser la patte des autorités municipales. Cette belle âme était possédée de l'appétit insatiable du dieu Mammon!

II

Sa seigneurie avait pris épouse en terre étrangère; la dame avait pour nom doña Ninfa, mais son naturel ouvert et alerte ne parvint jamais à conquérir les esprits des vieilles familles de la ville, engoncées dans un catholicisme vieillot. Don Honorio, à l'automne de sa vie, physiquement délabré pour s'être si longtemps refusé à soumettre son enveloppe terrestre à d'autres vents que ceux, confinés, de sa tanière prosaïque, prêtait peu d'attention à sa grâce et à son charme. Doña Ninfa avait l'air d'être la sœur de ses filles, elle était plus belle que les deux réunies, ce qui faisait rager d'envie les dames de la ville. Rude casse-tête pour le barbon que ces trois fleurs pétulantes dans son jardin clos!

Doña Ninfa aida son mari dans son négoce, en s'occupant de la boutique de tissus et de colifichets, où elle montrait son savoir-faire et son élégance dans le maniement du mètre à mesurer, son habileté à conseiller sa clientèle féminine choisie et grincheuse en matière de fards et de parfums. Pendant ce temps les deux filles, Laurentina et Ernestina, languissaient dans les appartements de la maison seigneuriale, dévorées du désir de connaître les plaisirs et les nouveautés du monde, sans autre distraction que de s'installer à la tombée du soir sur le seuil de la porte donnant sur la rue, pour y tuer les heures d'été et d'ennui... Mais un jour funeste il arriva que...

III

... Apparut tout à coup dans cette placide cité un jouvenceau appelé Baldomero, venu de par-delà les frontières pour faire son Droit. Il était fringant et bien mis, avec un talent de séducteur et un sourire facile, mais c'était un libertin de vocation. Quand il s'agissait de faire le siège d'un cœur, personne ne l'égalait en matière de persévérance et de ruses; mais une fois la forteresse conquise, il partait papillonner ailleurs : je ne me souviens pas de vous avoir rencontrée.

Et n'allez pas croire qu'il était célibataire, et libre de tout engagement ; pas le moins du monde. Il arrivait avec une épouse bien de chez lui, qui s'appelait Rosalpina. Et pour ce qui était de la grâce et de la beauté, Rosalpina ne le cédait en rien aux trois roses du jardin clos de don Honorio.

Le galant et sa conjointe descendirent dans la meilleure auberge de la ville, située, pour le malheur de don Honorio, en face de sa propre demeure. Baldomero ne tarda pas à remarquer, derrière leur palissade, les trois roses, sur lesquelles perlait nuit et jour la rosée peu propice de la solitude, et il se mit sur le pied de guerre pour les cueillir... Nous savons déjà que murailles, fossés et palissades n'étaient pas pour l'effrayer : il eut tôt fait d'investir des défenses peu aguerries. Il réussit à pénétrer dans le jardin. Il prit la maison d'assaut et y établit son quartier général... avec épouse et bagages.

Comment s'ingénia-t-il à remporter une victoire aussi rapide, compte tenu de la ladrerie de don Honorio dès qu'il s'agissait d'avoir table ouverte, voilà qui devrait nous intriguer. Mais n'oublions pas que toute place forte se conquiert plus facilement de l'intérieur ; et c'est doña Ninfa elle-même qui a servi ses desseins, en lui remettant les clefs avec un tendre empressement... elle fut effectivement la première à tomber dans les filets subtils tendus par Baldomero, chasseur aguerri de papillons et de libellules... de vagues libellules volant autour d'une vague illusion.

IV

Mais la pauvre Rosalpina, toute désemparée, ne tarda pas à s'apercevoir que son galant n'avait plus beaucoup le cœur à remplir de bon gré ses devoirs conjugaux, car à force de braconner dans les appartements, non pas de buisson en buisson, mais de lit en lit, il finissait par négliger la couche matrimoniale. Il trompait son épouse et il les trompait toutes, autrement dit il les trompait toutes les quatre ; et bien que le jouvenceau fût porté sur les jeux érotiques, il avait des difficultés à accomplir ses exploits sans s'épuiser. Rosalpina n'était pas disposée à n'être plus qu'un des sommets du rectangle, alors qu'elle se sentait de droit propriétaire du corps et de l'âme de Baldomero... et même de ses chaussettes, constamment sales car il enlevait ses chaussures à tout bout de champ, au cours de ses escapades clandestines.

V

Baldomero ne négligeait pas don Honorio pour autant. Il fabriqua un épais bandeau, tissé des fils de son habileté et de sa prévenance, dont il lui recouvrit soigneusement les yeux. Le gentleman devint aveugle au pillage de ses plus chers trésors ; et c'est également en proie à l'aveuglement qu'il montra au cambrioleur ses livres de comptes, les faux et les vrais. Baldomero lui promit de lui enseigner des règles de comptabilité encore plus subtiles et de consacrer son talent à l'obtention d'un nouveau contrat pour l'exploitation des sources d'eau potable. Et on allait bientôt voir le jouvenceau en pourvoyeur de pots-de-vin et de dessous-de-table destinés à permettre l'augmentation des tarifs selon les désirs et les appétits de sa seigneurie. L'argent ouvre toutes les portes !

Don Honorio, ravi de la diligence que mettait le jouvenceau à remplir d'espèces sonnantes et trébuchantes son coffre-fort déjà bien garni, continuait à ne rien voir. L'épais bandeau l'empêchait de s'apercevoir que sa maison était devenue un véritable enfer aux flammes crépitantes, bien entretenues par ce combustible inflammable qu'est la jalousie... Jalousie entre les sœurs, jalousie entre la mère et les filles, jalousie de l'épouse à l'égard de la mère et des filles, et *vice versa*...

VI

Mais la malheureuse Rosalpina connut son heure de triomphe ; car après avoir inondé de pleurs les oreillers de sa couche désertée, après bien des protestations et des réclamations, elle arracha au jouvenceau le serment d'abandonner le jardin et de partir avec elle à la recherche d'un nid souverain où ils pourraient, enfin ! consommer les délices d'Hyménée, sans encombre et loin de ses rivales.

L'affliction et des torrents de larmes déferlèrent sur la demeure de don Honorio quand le jouvenceau prit congé, poussé vers la porte par son heureuse et chère moitié ou quart de moitié. Rosalpina était la seule à rire, et elle avait bien tort ! tandis que trois paires d'yeux s'accrochaient aux basques de son mari et le criblaient des flèches endeuillées de leurs regards. Ils ne laissaient derrière eux qu'amertume et abattement, alors que Rosalpina savourait sa victoire à la Pyrrhus ; en effet, cette séparation, provoquée par sa décision irrévocable de s'en aller, allait bientôt lui coûter... la vie.

VII

Oui, la vie. Baldomero ne tarda pas à l'ôter à sa malheureuse conjointe, en se servant de ce fatal recours qu'est le poison, domaine où il excellait, car il connaissait bien les « secrets de la nature ». Le lecteur pourra s'en étonner, mais il lui faut savoir qu'encore adolescent il avait décidé d'épargner à sa génitrice les tourments d'une maladie de toute façon mortelle, en accélérant grâce au poison la fin de ses douleurs.

Baldomero gardait la main en exterminant des chiens dans les rues de la ville. Ignorant ses noirs desseins, les autorités elles-mêmes lui fournissaient le poison, remettant ainsi à ce voleur de vies les clefs de la mort, comme doña Ninfa lui avait remis celles de sa demeure. C'est par cette ruse qu'il se procura le breuvage, qu'il administra à son épouse en le faisant passer pour un médicament. Il prétendait la guérir d'une maladie très répandue dans la ville, infestée à l'époque de moustiques anophèles, dont la piqûre traîtresse était la cause d'un mal endémique.

Répondant à l'appel hypocrite de Baldomero, doña Ninfa et ses deux filles accoururent avec empressement près du lit de Rosalpina agonisante, qui, pleine de résignation chrétienne, prenait congé d'un monde dont les joies lui étaient refusées par la cruauté d'un mari inconstant. Et on avait à peine jeté la dernière pelletée de terre que les trois femmes se disputaient déjà le privilège de fermer à jamais les portes de l'éphémère foyer de Rosalpina; le jour même des funérailles le jouvenceau réintégrait leur maison. Don Honorio, ruisselant de bonheur, bénissait le retour de son intelligent conseiller en tours de passe-passe.

Impatientes de lui faire oublier la morte, les trois femmes multiplièrent petits soins et attentions; et le jouvenceau, qui ne manquait pas de répondant ni d'allant, acceptait d'être consolé, car aux grands maux les grands remèdes; et si un clou chasse l'autre, que dire de trois? La malheureuse Rosalpina gisait sous terre, mais cet écheveau amoureux était loin d'être démêlé. Périlleux écheveau, imprudente doña Ninfa!

VIII

Car sur ce point le lecteur doit savoir que, même absent, Baldomero n'avait pas lâché les fils et qu'il s'ingéniait à échanger secrètement des lettres avec Laurentina, le bourgeon le plus tendre du jardin de don Honorio. Une servante de sa nouvelle maison, telle une Célestine improvisée, apportait et remportait les lettres depuis une église toute proche où Laurentina se rendait soi-disant pour prier, mais, en vérité, pour y attendre des nouvelles de son amant. (Il y a eu des témoins dans cette ville, et il y en a encore, prêts à déposer à propos de cette correspondance interdite.) La dernière de ces lettres, truffée de promesses, Laurentina la reçut l'église le jour même où Rosalpina allait rendre l'âme au milieu de râles atroces! Baldomero lui promettait de reprendre bientôt soin du rosier qui, loin de ses caresses bienfaisantes, menaçait de s'étioler. Et il n'a guère traîné à tenir sa promesse!

Baldomero regagnait donc son paradis; en fait, je m'exprime mal : il retrouvait l'enfer, bien décidé à y attiser les flammes de la concupiscence que pendant son absence il s'était contenté d'entretenir de loin. Nous sommes au courant des lettres remises dans l'église; mais le lecteur peut se douter qu'il existait d'autres lettres, expédiées par des canaux tout aussi secrets et destinées aux deux autres destinataires.

IX

Insensée, pauvre insensée doña Ninfa! Insensées que ses deux filles! Et plus insensé encore, l'ambitieux don Honorio! Les trois femmes continuèrent à se disputer les faveurs de l'habile galant; elles réclamaient toutes les trois des privilèges identiques et leurs cœurs étaient, l'un comme l'autre, le berceau d'une jalousie dévorante. Les arpèges s'envolaient à nouveau dans la nuit des doigts d'Ernestina qui s'attachait comme jadis à flatter l'ouïe du jouvenceau. Mais Baldomero ne prêtait plus attention aux appels insistants du clavecin, car depuis son retour ses flatteries et ses cajoleries n'étaient destinées qu'à la gracile et tendre Laurentina; et la sœur aînée ignorait que ces sonates désespérées, loin de susciter l'amour, précipitaient le moment funeste de sa propre mort.

Ernestina allait tous les soirs en compagnie de Baldomero fleurir la tombe de son épouse. Alors que le crépuscule colorait de mauve et de grenat le site lugubre et solitaire du cimetière de la ville, ces visites étaient l'occasion de sollicitations amoureuses fébriles et impuissantes; Ernestina versa plus d'une larme amère sur la terre qui dans un avenir proche allait constituer un refuge et un havre de paix pour ses propres tourments.

X

Pendant ce temps, que faisait doña Ninfa, consciente elle aussi d'être délaissée? Elle s'occupait avec ardeur, tout en restant songeuse, de sa boutique. Elle se taisait et attendait, elle attendait et se taisait. Car elle pensait tout savoir : ce n'est pas aux vieux singes qu'on apprend à faire la grimace.

XI

Un beau jour Baldomero rentra dans son lointain pays, après avoir promis en secret à chacune des trois femmes qu'il reviendrait et après avoir affirmé aux trois, à l'heure du départ, qu'il ne reviendrait plus. Ni vu ni connu, je t'embrouille, comme dit le proverbe. Ernestina, écrasée de chagrin, lui envoyait des lettres enflammées qu'elle déposait elle-même à la poste de la ville ; et c'est à la poste qu'elle allait chercher les réponses, qui tardaient à arriver, mais qui arrivaient. Et alors qu'elle trempait de ses larmes le papier à lettres, doña Ninfa partait en voyage d'agrément et d'affaires dans son pays d'origine, proche de celui où se passe cette histoire, en compagnie de la jeune Laurentina.

Mais cette fripouille de Baldomero, mettant à profit l'annonce de ce voyage que lui avait communiquée Ernestina, monta à bord du premier brigantin où il put prendre place, afin de gagner rapidement les côtes du pays de doña Ninfa. Qu'avais-tu fait de ton engagement, Baldomero ? Tu revenais sur ta parole, car l'ambition était plus forte que la prudence...

Que de joie, que de liesse, quand Baldomero est apparu ! Il se montra à nouveau généreux avec la mère et la fille, leur distribuant du bonheur à pleins bras, et si elles ont exhalé la moindre plainte... ce fut celle de femmes comblées.

A toi, par contre, Ernestina, t'étaient réservées tristesse et désillusion. Tu t'es aperçu trop tard que tu avais favorisé par l'imprudence de tes lettres cette nouvelle migration improvisée du rapace ; et sans que tu saches comment, le rapace revenait à tire-d'aile dans cette ville, en compagnie de tes deux rivales et à bord du même bateau ! Amertume, désarroi... tu étais mise à l'écart, flouée ; mais ton amour, bien que malmené, ne faiblissait pas pour autant ; un espoir tenace l'emportait, une fois encore, sur ta jalousie. Tu étais persuadée de le reconquérir, en dépit du terrain gagné par tes rivales à l'étranger et loin de ta vigilance... Infortunée Ernestina ! Comment ne devinais-tu pas que maintenant tu étais de trop ?

XII

Le perfide utilisa un incident fatal ; en effet, Ernestina, éperdue d'amour, fut piquée par les anophèles et présenta les symptômes de la maladie qui avait emporté Rosalpina. Il s'empressa de lui faire absorber du poison, dilué dans le médicament d'usage.

Baldomero invita quelques étrangers de ses amis, un dimanche soir chez don Honorio, fort de l'allégeance qu'on lui montrait, car en seigneur et maître il avait fait endosser à tous ses hôtes la livrée de la soumission. Les étrangers furent régalés d'un succulent banquet, dont les mets avaient été préparés par les mains diligentes et expertes des trois rivales. Tandis que l'on savourait les vins exquis en provenance des rayons de la boutique tenue par doña Ninfa, le traître demanda à Ernestina de jouer du clavecin. Elle obtempéra volontiers et s'assit pour la dernière fois à son instrument; les doux arpèges tressés par ses doigts célébrèrent mieux que jamais les peines et les vicissitudes de l'amour non récompensé, de même que le cygne, cher lecteur, ne chante que pour mieux disparaître à jamais.

Ernestina succomba au cours de la nuit suivante; une nuit où le ciel, apitoyé par sa fin tragique, déversait des torrents de larmes au milieu du tonnerre et des éclairs; et quand s'interrompaient les râles provoqués par le poison pervers, ses lèvres ne s'ouvraient que pour supplier sa mère et sa sœur de lui pardonner : elles qui étaient ses rivales!

XIII

Le corbillard partit vers le cimetière, et le blanc cercueil réservé aux vierges dont les yeux se ferment sans qu'elles aient connu d'autres plaisirs que ceux d'une pureté absolue croulait sous un déluge de fleurs parfumées... Pieux artifice, car l'habile damoiseau avait déjà escaladé les murailles de sa vertu, si mal protégée par l'imprévoyance de don Honorio. Et l'enterrement à peine achevé, les cœurs crédules de doña Ninfa et de sa fille Laurentina, voyant qu'un nouveau fil du tissu de leurs rivalités avait été tiré par les doigts experts des Parques, se gonflaient d'un espoir renouvelé.

Maintenant, plus encore qu'auparavant, Baldomero était l'objet de soins, de flatteries et d'égards dans le manoir de don Honorio; les combattantes se préparaient à livrer l'ultime bataille, revêtues de leurs heaumes les plus étincelants et de leurs cottes de mailles les mieux tressées, armées de piques acérées et de masses d'armes pesantes. Au bout du compte l'une des deux resterait en possession du trésor. Mais laquelle des deux? Quelles ignorantes! Dire qu'elles n'avaient pas deviné que sur la sinistre liste de l'exécuteur, c'était don Honorio qui était le suivant; car avant de fixer son choix définitif, Baldomero devait éliminer le détenteur des capitaux. Puisqu'il avait aidé à les augmenter grâce à ses conseils sibyllins, ils devaient être à lui et à personne d'autre!

Arborant un deuil rigoureux pour la mort de sa sœur, Laurentina s'occupait avec diligence d'entretenir la garde-robe de Baldomero; elle surveillait l'empesage de ses poignets et de ses plastrons, ainsi que la netteté de ses chemises; elle lui servait elle-même des boissons rafraîchissantes à la table où il travaillait et où il se plongeait avec un zèle infini dans la préparation du contrat inique concernant les sources d'eau potable. Les pupilles étincelantes d'amour, elle attendait humblement que le damoiseau ait vidé son verre pour le lui retirer, et s'il tardait à le vider, elle attendait tout pareil, en fidèle servante de ses moindres désirs.

On assure que doña Ninfa aurait dit un soir en présence des deux hommes : « Baldomero, celle qui faisait votre lit et qui y mettait tant de soin s'en est allée. C'est à toi maintenant, Laurentina, que ce devoir incombe. » Et Laurentina ne rechignait guère à faire le lit de Baldomero !

Pas ce lit-là, il est vrai. Préoccupé d'éviter des débordements nocturnes qui auraient porté atteinte à ses désirs et à ses prétentions personnels, doña Ninfa envoya son mari partager la chambre de Baldomero et elle emmena Laurentina dormir dans la sienne. Mais le rapace et la colombe, plus avisés, quittaient la cage et s'envolaient au loin, l'après-midi, cherchant refuge dans une ferme appartenant à don Honorio, située à quelques lieues, sur la route d'une station balnéaire. Ils s'y livraient, dans une solitude parfaite, aux plaisirs profanes de l'amour, un plaisir gâché, et de quelle façon ! par le poison. (On trouve encore en ville des témoins de ces rencontres furtives, des témoins toujours disposés à les confirmer et à fournir des dates et des heures précises.)

XIV

Don Honorio fut victime du même mal endémique et Baldomero s'empressa de le soigner, ce qui le fit périr très vite au milieu des râles habituels. Mais c'était sans compter avec un médecin perspicace, l'habile Teodosio, qui s'était évertué à suivre depuis longtemps, pas à pas, les machinations du rusé damoiseau. Persuadé qu'il allait frapper à nouveau et sachant qui il allait frapper, il eut le temps d'arriver jusqu'au lit de mort de don Honorio; après lui avoir introduit une sonde, il parvint à extraire, au terme de manœuvres compliquées et habiles, les sucs gastriques de la victime. Livrés à l'analyse des chimistes du lieu, ils révéleraient la présence du poison et, par conséquent, le délit.

Don Honorio était mort, victime de ses ambitions sordides et de sa naïveté rustique. Mais le criminel était découvert. Cependant, quand les argousins, escopette au poing, se présentèrent dans la maison afin de mettre le malfaiteur sous les verrous, la mère et la fille, poussant des cris d'orfraie, tentèrent de l'arracher des mains de ceux qui venaient l'arrêter. Ce fut un spectacle pathétique, horrible; et l'autorité dut se montrer énergique pour ne pas être empêchée d'exécuter sa mission.

Comment n'avez-vous pas compris, insensée doña Ninfa, que l'action opportune du docteur Teodosio évitait à Votre Grâce le sort de mourir empoisonnée à votre tour? Une fois l'héritage paternel à sa portée, le galant aurait convolé avec votre Laurentina. Mais comment consommer ce mariage si Votre Grâce, formidable rivale, était encore en vie? La réponse inéluctable résidait dans votre mort rapide, par le moyen expéditif du poison.

Mais vous vous êtes montrée intraitable et vous n'avez pas cédé. Fleurs, parfums, mets variés étaient acheminés jusqu'à la prison, autant de présents tantôt envoyés par vous tantôt par votre fille, car ni l'une ni l'autre ne renonciez à la confrontation. Vous-même avez réclamé sa libération sans sourciller et sans faiblir, proclamant ainsi à tous vents combien vous étiez compromise dans cette histoire. Le poids de la fatalité ne vous rendait pas chiche pour autant, doña Ninfa...

XV

Les habitants de cette tranquille cité, que des événements aussi funestes n'avaient jamais troublée auparavant, ont été délivrés du danger par l'habile et désintéressé docteur Teodosio. Le séduisant et convoité damoiseau, qui était arrivé un jour avec dans ses bagages les formules mortelles de son poison, a été promptement déféré devant la justice. Nous l'avons laissé dans son cachot, livré à son sort, qui ne pourra être que l'échafaud.

D'autres médecins, ennemis jurés du sage Teodosio, frappés de sénilité et aux connaissances totalement dépassées, allaient essayer en vain de réfuter les preuves du crime; mais nous espérons ne pas nous tromper en affirmant que ces critères obsolètes n'ont rencontré aucune approbation dans l'esprit intègre des magistrats.

Que cet humble reportage, basé sur des événements qui se sont réellement produits, puisse servir de leçon à tous. Les noms, je le répète, sont faux. Le reporter a voulu dissimuler sous des effets d'ombre et de lumière le vrai profil des protagonistes; tantôt il les a éclairés, tantôt il les a obscurcis, pour ne pas enfreindre le devoir de compassion ni blesser des susceptibilités.

Qu'on en tire les enseignements qui s'imposent. Sur ce, cher lecteur, je sors de scène sur la pointe des pieds.

39

Un témoignage capital qui s'effondre

Au soir du 27 octobre 1933, le théâtre González changea de programmation sans prévenir, afin de s'associer à la « Croisade de Salubrité Morale » qui avait débuté le jour même. Au lieu de *L'Ennemi public*, joué par James Cagney et Jean Harlow, on présenterait *Le Miracle de Bernadette*.

Oviedo la Baudruche, qui ignorait la substitution des films, arrivait à l'heure comme toujours, mais avant qu'il pût s'approcher de l'affiche inattendue, couleur bleu pâle, qui montrait Bernadette à genoux et non pas le rébarbatif gangster James Cagney, émergeant sur un fond rouge sang, la mitraillette fumante au poing, son frère le chanoine lui barra le passage. Posté sur les marches, revêtu de son surplis et de son étole, comme s'il se préparait à officier, il remettait des flacons d'eau bénite aux spectateurs, à la tête d'un essaim de dames de la confrérie du Saint-Esprit, toutes sur leur trente et un, portant des rubans bleus autour du cou et la tête couverte d'écharpes de dentelle.

« *Vade retro, Satanas !* » Le chanoine prend un flacon dans la boîte en carton qu'il porte et le brandit comme s'il allait l'asperger. « On attend ta généreuse obole.

— D'abord je veux savoir pourquoi tu as apposé ma signature sur l'acte de réparation. » Oviedo la Baudruche porte la main à la poche intérieure de son plastron. « Personne ne m'a demandé si je voulais signer.

— Ton épouse a signé pour toi. » Le chanoine lui présente le flacon. « Tu devrais être reconnaissant de ne pas avoir été oublié.

— Cet argent appartient à Satan. » Oviedo la Baudruche finit par sortir son portefeuille et il dépose un billet de deux cordobas dans le tronc aux aumônes, accroché à la pointe d'un bâton, qu'un des membres de la confrérie lui tend. « Je te préviens que je l'ai gagné en jouant aux dés.

– Les gains que le Malin te procure, le Seigneur te les reprend. »
Le chanoine lui trace un signe de croix sur le front. « Par contre le
Seigneur ne pourra pas te tirer de prison.

– De prison? Pourquoi irais-je en prison? » Oviedo la Baudruche
approche de ses yeux le flacon de Laxol, de couleur bleue. Dans la
boîte il y a également des flacons d'Eau fleurie, de Trichofer de
Barry et de Tir au But, le remède le plus efficace contre les vers, tous
remplis d'eau bénite.

« A cause de tes mauvaises fréquentations. » Le chanoine secoue la
boîte pleine de flacons. « La Garde est sur les traces de tes copains.
On va tous les coffrer, pour imposture.

– Encore heureux. » Oviedo la Baudruche repose dans la boîte le
flacon pour lequel il vient de payer. « J'ai cru qu'on allait m'emprisonner à cause de mon amitié avec Oliverio Castañeda. C'est toi qui
as dit en chaire que de lui rendre visite en prison était un délit.

– C'est aussi un délit que d'emprisonner les âmes. » Le chanoine
salue d'un signe de tête les gens qui entrent et à chacun il remet son
flacon. « Ne retourne pas *Chez Prío*. Le Dr Salmerón et ses
complices sont sur des charbons ardents.

– Je vais le donner au Dr Salmerón. » Oviedo la Baudruche
reprend dans la boîte le flacon de Laxol. « Pour qu'il soit protégé de
tous les maux. Amen.

– Bien que tu sois un mécréant endurci, demain tu devrais assister
à la procession du Saint-Sacrement. » Le chanoine le retient par la
manche de sa veste car l'autre gravit déjà les marches, en direction
du guichet. « Tu n'as rien à y perdre. Ou alors c'est que tu es partisan
du scandale?

– En subissant une fois de plus les niaiseries de Bernadette, j'ai
bien gagné mon paradis. J'ai déjà vu le film trois fois en matinée avec
mes enfants. » Le double menton d'Oviedo la Baudruche, malmené
par le rasoir qu'il vient de se passer sur la peau, est secoué par le rire.
« Et arrêtez toutes ces âneries. C'est vous qui faites du scandale.

– Tu veux parler de toute la bonne société de León quand tu dis
vous? » Contraint de se montrer énergique car la bigote qui tient le
tronc s'est signée en entendant ce rire irrespectueux, le chanoine
arrange son rabat. « Tu en es arrivé au point de renier les tiens?

– Je veux parler de vous tous, autant que vous êtes. » Oviedo la
Baudruche essuie avec son doigt la sueur qui coule sur son front
depuis ses boucles suintant la brillantine. « Avec vos manifestations
et vos processions vous ne réparez pas le tort fait aux Contreras. C'est
votre propre tort que vous réparez. Ou bien voulez-vous prendre votre
revanche sur doña Flora? Qui êtes-vous pour pardonner publiquement les amourettes de María del Pilar?

– Laisse cette pauvre petite brebis égarée. » Le chanoine incline la
tête et ferme le poing, qu'il plaque contre sa poitrine. « Elle doit

expier ses péchés. On dit qu'elle va entrer dans un ordre de charité, au Costa Rica. C'est là une démarche digne d'éloges.

– Ça alors, tu crois qu'elle a péché, pas vrai ? » Oviedo la Baudruche hume son doigt, parfumé à la brillantine, et ensuite il montre le chanoine. « Dis-moi, de laquelle de ses offenses allez-vous demander le pardon ?

– Je t'écoute mais je ne te connais pas. » Le chanoine ferme les yeux et fronce les sourcils. « Oublie cette histoire de réparation, mais fais attention à ce que je te dis. Éloigne-toi de ces imposteurs.

– Moi je te connais mais je ne t'écoute plus, car le film va commencer. » Oviedo la Baudruche se hâte de gravir les marches, en montrant de loin son billet à la caissière.

Bien qu'il ne veuille pas le montrer devant son frère, Oviedo la Baudruche est très préoccupé par ses remontrances et, contre son habitude, il quitte le cinéma avant la seconde apparition de la Vierge à Bernadette, et il se rend directement *Chez Prío* pour y rencontrer les habitués de la table maudite.

Il n'en trouve aucun. Le Dr Salmerón est chez lui, où il prépare sa déposition du lendemain, comme le lui précise le capitaine Prío : en outre, il était déjà au courant des menaces du capitaine Ortiz et il les prenait pour autant de fanfaronnades, il n'allait pas oser les mettre à exécution ; il avait même envoyé sa bonne offrir des tabourets aux miliciens en faction devant son cabinet, pour qu'ils s'assoient sur le trottoir.

Rosalío Usulutlán ne partageait pas cette confiance imprudente et il restait caché. Cosme Manzo, après bien des réticences, avait pris à son tour ses précautions et il ne quittait plus son arrière-boutique ; les employés disaient à la clientèle qu'il était à Managua, pour affaires.

Oviedo la Baudruche décide alors d'écrire une missive au Dr Salmerón et de la faire porter chez lui par un des garçons. Au billet, il joint le flacon d'eau bénite. La note, qui apparaît dans les chemises du dossier secret, est rédigée en ces termes :

Cher Docteur Teodosio,

On vous cherche pour vous emprisonner, comme vous le savez très certainement, à cause de la petite histoire de Baldomero et des trois roses du jardin clos de don Honorio. On me l'a certifié ce soir, de source indiscutable. Faites très attention et cessez de le prendre à la légère. Le prévôt en chef n'y va pas par quatre chemins. Le flacon d'eau bénite ci-joint vous fera deviner quelle est ma source. La procession de réparation de demain va encore aggraver la situation. Affectueusement,

O.O.R.

Le capitaine Ortiz n'avait pas l'intention de capturer Manzo ni Rosalío, bien que grâce aux informations suivies de ses espions il connût la cachette de chacun d'eux. Il savait que Cosme Manzo n'avait pas quitté León et qu'il dormait dans l'arrière-boutique de *L'Effort*; et que Rosalío s'était réfugié sous les combles du moulin à huile que son père, le musicien amateur don Narciso Mayorga, possédait dans l'arrière-cour de sa maison. Il voulait seulement s'emparer du gros bonnet, du Dr Salmerón, mais le mandat d'arrêt demandé à Managua pour atteinte à l'ordre public tardait à arriver; le général Somoza se trouvait à Bluefields, en tournée sur la côte Atlantique, et il n'y avait aucun moyen de le joindre.

Le Dr Salmerón restait confiant et persuadé de son bon droit, alors qu'il se préparait à se rendre au tribunal dans l'après-midi du 28 octobre 1933, et il n'arrêtait pas de fredonner sa chanson favorite, « Au cas où je ne te reverrais pas », de María Grever, tout en s'affairant à cirer ses bottines. Il changea de chemise et mit son costume trois-pièces de cachemire bleu à rayures, qu'il réservait pour les enterrements et les épreuves de doctorat à la faculté de médecine; il plaça sa montre dans la poche de son gilet, pour que la chaîne d'or fût bien visible. Il sortit ses instruments de sa trousse et il y disposa le carnet offert par maison Squibb, les feuillets du dossier secret et le livre *Secrets de la nature*.

Il n'avait pas prêté beaucoup d'attention au message alarmiste d'Oviedo la Baudruche; sa déposition, soigneusement préparée, était sa meilleure garantie et, une fois présentée en présence des journalistes et des curieux qui se pressaient constamment au tribunal, il se proposait de demander la protection du juge, publiquement, en sa qualité de témoin fondamental de l'affaire. Et le capitaine Ortiz pouvait bien se noyer dans sa bile.

Mais une première mauvaise surprise l'attendait quand le juge Fiallos ordonna d'évacuer le local, comme nous le savons déjà. La tension devint évidente dès le début; et cette tension, qui avait son origine dans la rue, car la procession de réparation était sur le point de quitter la cathédrale, conduisit à un profond désaccord entre le juge et le témoin, ce qui eut pour effet de faire échouer la déposition. Les tintements de la grosse cloche, graves et espacés, marquèrent comme un avertissement le début de l'interrogatoire.

Le juge Fiallos commit l'erreur, comme il devait le reconnaître plus tard devant Alí Vanegas, de ne pas conduire correctement les débats, dès les premières questions, en se tenant aux notes qu'il avait préparées pendant toute la matinée. Il savait qu'à ce niveau, comme il devait le dire plus tard là encore à Alí Vanegas, il était inévitable de patauger, au-delà de tout réflexe de dégoût, dans le cloaque du procès, et que le témoignage du Dr Salmerón était la clef pour pénétrer dans ces eaux troubles. Mais en agissant de façon irréfléchie, il s'était écarté de ses notes.

L'interrogatoire, tel qu'il est transcrit dans le dossier judiciaire, se déroula ainsi :

LE JUGE : Vous devez certainement avoir connaissance de la grave agitation qui règne dans cette ville, à la suite de la publication d'un pamphlet scandaleux paru sous la signature de Rosalío Usulutlán dans l'édition de *El Cronista* datée du 25 octobre 1933. L'avez-vous lu, par hasard?

LE TÉMOIN : Je l'ai lu, comme j'ai lu beaucoup d'informations publiées sur l'affaire Castañeda dans différents journaux, aussi bien de Managua que de cette ville. J'ai même lu des journaux étrangers qui contiennent des informations pouvant vous intéresser et que j'ai classés parmi mes documents, afin de les mettre à votre disposition.

LE JUGE : Reconnaissez-vous, par conséquent, que ledit pamphlet fait allusion, de façon détournée, à des faits sur lesquels l'autorité judiciaire de cette ville a pour mission d'enquêter?

LE TÉMOIN : Je n'ai pas à le reconnaître, car je ne suis pas l'auteur de l'écrit mentionné. En tant que lecteur, j'ai trouvé des similitudes, que d'autres personnes moins informées que moi ont également remarquées. Animé de l'intention louable et désintéressée d'aider la justice, je me suis attaché à rassembler des informations sur l'affaire, avant même que vous en soyez chargé; et ce sont ces informations, et non pas d'autres, que je suis disposé à vous exposer.

LE JUGE : Dans ce pamphlet il est fait mention d'un médecin, du nom de Teodosio. Estimez-vous que vous êtes le médecin dont on parle dans ce libelle?

LE TÉMOIN : Je vous répète que je n'ai aucune accointance, et je ne vois pas pourquoi j'en aurais, avec les affirmations de cet écrit. Cependant, je peux effectivement déclarer que, comme vous le savez vous-même, je me suis présenté au domicile de la famille Contreras, de ma propre initiative, dans la matinée du 9 octobre 1933, dans le but de pratiquer un lavage d'estomac à la victime, M. Carmen Contreras; selon mes propres réflexions et mon enquête personnelle, je nourrissais des soupçons fondés me permettant de penser qu'il avait été empoisonné, comme cela avait été le cas de sa fille Mathilde Contreras et, auparavant, de Mme Marta Jerez épouse Castañeda. Ces soupçons, comme l'ont démontré les examens de laboratoire ordonnés par vous-même, se sont révélés exacts. C'est pourquoi ce n'est pas un Teodosio fictif qui vous a aidé à éclairer cette affaire, mais celui qui· comparaît aujourd'hui comme témoin, armé d'évidences nouvelles et irréfutables.

LE JUGE : Êtes-vous ami avec le journaliste Rosalío Usulutlán?

LE TÉMOIN : Je suis son ami et il est mon patient.

LE JUGE : La *Vox populi* signale que le libelle auquel j'ai fait allusion a été préparé de concert par vous-même, par Rosarío Usulutlán et par le commerçant Cosme Manzo, lors de réunions qui se sont tenues *Chez Prío*. Ce pamphlet contient de graves accusations qui attentent à l'honneur de doña Flora, veuve Contreras, et de ses filles. Sans que les auteurs de cet écrit aient tenu compte que l'une d'elles, Mlle Mathilde Contreras, a déjà trépassé et ne peut pas, par conséquent, se défendre contre de tel ragots.

LE TÉMOIN : Je rejette cette imputation que vous faites à mon encontre et qui n'est fondée sur rien. Et je vous informe respectueusement que, indépendamment de ce qui est affirmé dans cet écrit, je dispose de données qui vous aideront à éclaircir les mobiles du criminel, mobiles de caractère amoureux, si l'on peut dire; et aussi de caractère pécuniaire. Une fois que vous serez en possession de ces évidences, que j'ai apportées ici avec moi, vous pourrez juger s'il s'agit de ragots ou de preuves appréciables pour le procès. Je dispose même d'autres éléments qui peuvent conduire à démontrer que cet homme a été capable d'empoisonner sa propre mère.

LE JUGE : Je dois donc en déduire que ce sont ces évidences qui ont été utilisées pour composer le pamphlet en question ; et je dois également en déduire, dans ce cas, que vous avez vous-même, par un tel procédé, disqualifié de telles évidences, si elles existent vraiment.

LE TÉMOIN : En l'occurrence vous déduisez mal, si je puis me permettre. Si vous avez l'intention de vérifier comment les crimes ont été progressivement programmés, comment le poison a été utilisé et mélangé à des médicaments prescrits en toute innocence, comment le délinquant a profité de la ressemblance des signes cliniques de la fièvre pernicieuse avec les symptômes de l'intoxication par absorption de strychnine, interrogez-moi sur les preuves dont je dispose. Et si vous voulez connaître les mobiles de ces crimes, soumettez-moi également à un interrogatoire. Ce n'est pas moi qui ai inventé des lettres d'amour, des dates de rendez-vous clandestins, des noms de personnes ayant transmis ces messages enflammés, des noms de témoins oculaires disposés à comparaître devant vous pour corroborer ce que j'affirme. C'est ainsi que seront éclairées les coulisses sentimentales de cette affaire, ainsi que certaines tractations frauduleuses en rapport avec la firme C. Contreras & Cie, qui ne lui sont pas étrangères. Afin de permettre l'application intègre de la justice, comme vous en avez l'obligation, n'ajournez pas davantage le moment de mon témoignage et renoncez à m'accuser d'être l'auteur de cet écrit, ce que je nie et continuerai à nier.

LE JUGE : Vous n'ignorez pas qu'existe le délit d'injures et de calomnies, et que la diffamation visant l'honneur des personnes doit être poursuivie, conformément à la loi.

LE TÉMOIN : Je ne l'ignore pas et je n'ignore pas non plus qu'il s'agit d'un délit privé, qui ne fait l'objet de poursuites que si la partie qui se considère offensée formule une accusation. Mais je vois bien, parce que vous m'en avertissez, qu'on va certainement inciter la famille Contreras à m'accuser, comme récompense de mon zèle.

LE JUGE : J'affirme expressément que je ne vous adresse aucun avertissement, car cela ne relève pas de mes compétences.

LE TÉMOIN : Le fait d'avoir fait évacuer le tribunal et l'intention que révèlent vos questions sont des avertissements suffisants à mes yeux. On m'a déjà prévenu que la Garde nationale envisage de me capturer pour sédition et de me rendre responsable de l'écrit publié dans *El Cronista*, ce qui ne me surprend pas, compte tenu du peu de respect que ce corps armé, entraîné par des barbares, manifeste à l'égard de la loi. Je constate donc qu'on veut trouver un bouc émissaire afin de donner satisfaction aux grenouilles de bénitier qui se sont répandues à travers la ville de León, sous le prétexte de venger l'honneur de la famille Contreras. Et je constate que l'on prétend m'imposer le silence, pour que les preuves concernant l'arrière-plan de ce crime ne soient pas connues. Ce qui, du même coup, empêchera que l'on connaisse les preuves du crime lui-même. On en a une démonstration ici même, puisque vous refusez de m'entendre.

LE JUGE : Si, comme vous l'affirmez, vous vous sentez menacé, vous devez déposer une plainte en bonne et due forme. Personne ne vous en empêche.

LE TÉMOIN : D'après ce que je constate, une plainte de ma part serait de peu d'utilité. Qu'on me mette en prison, je suis prêt à affronter cette épreuve. Je suis un honnête homme, j'ai obtenu mon diplôme de médecin, non pas parce qu'on m'en a fait cadeau, ni parce que j'étais fils de famille. Celui qui a permis la découverte du crime va se retrouver derrière les barreaux et le criminel sera remis en liberté, ce qui donne une idée claire du type de justice qui est rendue dans ce pays.

Le juge : Veuillez donc rapporter tout ce que vous savez à propos de cette affaire sur laquelle ce tribunal enquête, sans omettre le moindre détail ni la moindre preuve.

Le témoin : Je n'ai pas la moindre preuve ni le moindre détail à vous exposer.

Le juge : Vous venez de déclarer vous-même, il y a quelques instants, dans l'enceinte de ce tribunal, que vous disposiez de ces preuves. Par conséquent, ayez l'obligeance de les exposer sans plus tarder.

Le témoin : Je vous répète que je n'ai rien à déclarer.

Le juge : En accord avec le Code pénal, je suis dans l'obligation de vous aviser que, compte tenu de votre refus réitéré, je suis habilité à engager des poursuites contre vous pour délits de parjure et de faux témoignage, et pour le délit de rétention de preuves dans l'enquête sur une affaire soumise à instruction d'office.

Le témoin : Cela ne fera qu'une raison de plus de me mettre en prison. Pour la dernière fois, je répète que je n'ai rien à déclarer sur cette affaire et je veux que ceci soit notifié dans le procès-verbal.

Le juge : C'est tout ce que j'ai à vous demander.

Le témoin : Je suis en état d'arrestation ?

Le juge : Je vous ai dit que c'est tout. Une fois que vous aurez signé, vous pourrez vous retirer.

C'est sur ce constat que s'interrompt la déposition du témoin qui, une fois le procès-verbal lu et vérifié, procède à sa signature sans autres formalités. M. Fiallos. A. Salmerón. Alí Vanegas, secrét.

Tandis que le Dr Salmerón examine scrupuleusement les feuillets du procès-verbal avant de signer, Alí Vanegas manipule nerveusement son éventail de palme, en s'éventant périodiquement le visage. Le juge Fiallos, les mains sur le menton, feint de lire les feuillets qu'il a sortis d'un tiroir du bureau. Une chaleur poisseuse a envahi la petite pièce fermée, si petite que lorsqu'elle est bourrée de curieux beaucoup doivent rester à l'extérieur, à s'entasser, pour essayer de capter la voix des témoins, ou attendre que ceux qui sont plus près leur transmettent les nouvelles.

Le soir tombe et le visage congestionné du Dr Salmerón semble être sur le point d'éclater sous la lumière de l'ampoule, autour de laquelle s'amoncelle une nuée de moustiques. Le costume de cachemire le gratte à l'entrejambe et le frottement du col amidonné de sa chemise l'agace. Quand il a fini de lire, Alí Vanegas lui tend un porte-plume, mais il le repousse, sort son stylo de sa poche et en dévisse le capuchon avec beaucoup de dignité. Il signe, d'un paraphe énergique, et il s'en va, sans prendre congé, ramassant sur le sol la trousse où s'accumulent ses preuves.

Les curieux sont partis. L'aveugle Miserere, sa guitare en bandoulière, déambule dans les couloirs déserts en martelant le sol de ses pieds nus, comme si elle ne pouvait pas trouver la sortie qu'elle connaît par cœur. Une fois sur le seuil, on l'entend chanter et sa voix nasillarde semble venir d'étranges solitudes : « Toi qui es si fière, parce que tu sais que tu es belle, ne me prive pas de ton amour... Toi qui en parlant as l'accent de la terre dont je m'éloigne, peut-être pour ne plus revenir... » C'était sa chanson préférée.

Dans la rue le Dr Salmerón tombe sur un dernier groupe de bigotes portant l'habit couleur café de l'Ordre tertiaire, avec leurs chapelets à gros grains noués autour de la taille, qui reviennent de la procession. L'une d'entre elles arbore un étendard où pendent, virevoltant dans l'air tiède de la nuit qui s'épaissit, d'innombrables rubans bleu ciel. Un rictus de mépris se dessine sur ses lèvres et il reste à les observer tandis qu'elles s'éloignent. Puis, d'un pas rapide, il prend le chemin de son cabinet de consultation.

Il traverse la place Jerez et s'arrête pour acheter les journaux à l'invalide qui a stationné là sa charrette tirée par un cabri, près d'un des lions de ciment se dressant sur le parvis de la cathédrale. En première page de *El Centroamericano* se trouvait le nouvel article du Dr Darbishire, encore une fois illustré par une photo de sa jeunesse où il apparaissait de profil, se penchant sur l'objectif d'un microscope.

J'AI ÉTÉ SON PROFESSEUR, MAIS IL N'A RIEN APPRIS

Le Dr Salmerón, médecin de pacotille, me fait l'honneur de m'appeler son maître dans son article publié par *El Cronista* du 21 octobre dernier ; mais son obstination à m'affubler de ce sobriquet ne fait pas de moi le garant des graves bévues qu'il s'entête à recouvrir, avec une opiniâtreté digne d'une meilleure cause, du voile étriqué de ses connaissances scientifiques précaires, mal mastiquées et mal digérées. Le lecteur patient doit donc m'exonérer de toute responsabilité concernant la brutale indigestion qui afflige mon ancien disciple, car ce n'est pas moi qui l'ai nourri de mets aussi lourds, bien qu'il se soit collé à mes basques dans la salle d'opérations et bien qu'il ait fréquenté mes cours pendant six années aussi longues que stériles.

Le Dr Salmerón m'accuse de ne pas savoir distinguer entre un alcaloïde et une ptomaïne. Même si ses facultés mentales limitées l'empêchent à nouveau de me suivre, je lui réponds : les ptomaïnes possèdent les mêmes réactions chimiques que les alcaloïdes végétaux ; comme eux, elles donnent un précipité dans la solution de iodure de potassium et elles présentent des réactions identiques à celles de n'importe quel alcaloïde. Elles ont les mêmes effets toxiques et se comportent de façon semblable ; quand on les examine au microscope, on ne parvient pas à les distinguer les unes des autres.

La ptomatropine, par exemple, est un alcaloïde cadavérique, une ptomaïne qui produit des effets semblables à ceux de l'atropine, un alcaloïde artificiel extrait de la belladone; et nous savons tous, ou nous devrions le savoir, que nous, les êtres humains, sommes un laboratoire vivant d'alcaloïdes naturels, sécrétés par les millions de corps bactériens qui vivent dans notre organisme et qui, au moment de la mort, se transforment en de redoutables poisons (Théophile Gautier, *Toxines microbiennes et animales*, Paris, 1887).

Étant donné l'identité commentée ci-dessus, il est nécessaire d'utiliser la centrifugeuse spectrographique de Mérimée, seul moyen valable d'analyse, introduite en France en 1892 et qui, d'après ce qu'on me dit, a été installée récemment dans les laboratoires du ministère de la Santé à Managua, chose dont je doute mais que je ne nie pas. C'est pourquoi, si on ne soumet pas d'abord les substances cadavériques à la centrifugation dans cet appareil moderne, ce qui permet de vérifier s'il s'agit d'une ptomaïne, d'un alcaloïde animal ou d'un alcaloïde végétal (artificiel), on ne peut ni ne doit injecter ces substances à des animaux, car les résultats en seraient mortels, c'est évident, mais entachés d'équivoque. Je le répète : rien de tout cela n'a était fait. Le prétendu alcaloïde (strychnine) tiré des viscères de don Carmen n'a pas été sérieusement identifié, compte tenu de la précarité des procédures; et mes affirmations sont confirmées par le fait que l'identification alléguée a été double, avec des résultats négatifs à la première tentative et positifs à la deuxième. Et de quels appareils s'est-on servi? Je pourrais dire la même chose des essais pratiqués avec les viscères des cadavres exhumés.

En matière de science, il faut se tenir au courant, et mon ancien disciple semble en être très loin, au point de ne pas savoir que la liste des ptomaïnes augmente chaque jour; il devrait savoir également, et pourtant il l'ignore, que les ptomaïnes sont des bases formées par le métabolisme, quand se produit dans la matière organique frappée par la mort la séparation entre le bioxyde de carbone et les aminoacides (G. Grass, *Zur Kennis der Ptoma*, Berlin, 1895). C'est de là que provient la putrécine, qui bien qu'étant une ptomaïne simple ne s'en comporte pas moins comme un toxique mortel, aux propriétés identiques à celles de la strychnine, comme l'a clairement montré Mallarmé (*Documents de toxicologie moderne*, Paris, 1893).

Si ces découvertes ne sont pas encore connues ici, ce n'est pas ma faute; mais l'ignorance ne doit pas nous rendre irresponsables. Je dis, et je répète, que les animaux sacrifiés au laboratoire, y compris ceux qui ont succombé après qu'on leur a injecté des substances provenant des cadavres récemment exhumés, procédé auquel je me suis opposé en son temps, sont certes morts empoisonnés; mais sous l'action des ptomaïnes.

C'est pour la même raison que l'éminent Dr Rosales a dû sacrifier son doigt dans le bloc opératoire de l'hôpital de Masaya; il craignait précisément de mourir empoisonné par les ptomaïnes. Il n'était pas nécessaire que le Dr Salmerón me rappelât ce cas, bien qu'aujourd'hui je l'en remercie, car ce faisant il renforce ma position. Pourtant je ne parviens pas à m'expliquer ce que vient faire ici le mariage du Dr Rosales avec une dame française et sa comparaison avec mon propre mariage avorté. Est-ce que, faute d'arguments scientifiques, il ait dû faire appel au commérage, comme il en a la malencontreuse et invétérée habitude? Je laisse le lecteur seul juge, car pour ma part je ne m'intéresse guère à de telles stupidités.

Je ne souhaite pas abuser de la patience du lecteur en revenant sur l'incursion étrange et peu glorieuse du Dr Salmerón au domicile de don Carmen Contreras, afin de prélever sur le mourant des sucs gastriques qui, je le répète, étaient loin de contenir de la strychnine. Dans ce cas précis, il n'aurait jamais réussi à accomplir l'exploit de lui introduire la sonde par la bouche et, que je sache, il n'a jamais tenté de le faire en passant par le nez. Laissons donc cet épisode de côté et venons-en à son étrange théorie sur la puissance stomacale des chiens.

Avec cet argument mon disciple écervelé pensait se ménager une porte de sortie, en affirmant que la présence de strychnine serait détectée dans les cadavres exhumés le 25 octobre, uniquement parce que les animaux ayant reçu une injection allaient mourir, victimes des mêmes procédés profanes. Ils sont morts, mais cela ne démontre rien non plus sur la prétendue permanence, au long des siècles, de la strychnine dans les dépouilles humaines.

Fort bien, Dr Salmerón : les animaux que vous me citez, plus à la façon d'un propriétaire de cirque d'attractions que d'un professionnel de la médecine, VIVENT en raison de leur puissance stomacale et ne MEURENT pas à cause de cette puissance, qu'on peut appeler, comme le fait le Dr William Styron, président de la Surgeon American Society, dans son fameux opuscule de 1897, « Refractory idiosyncrasy » (idiosyncrasie réfractaire). Ces animaux, en continuant à vivre en toute insouciance malgré le poison ingéré, nous montrent que non seulement ils le digèrent et le transforment, mais qu'ils sont capables de l'éliminer par les poumons, par la salive, les urines et les excréments. Mais, s'il vous plaît, ne mettez pas dans le même sac les chiens et les autruches, les taupes, les chèvres et autres espèces de votre spectacle de cirque. Le chien N'A PAS d'idiosyncrasie réfractaire; et si la strychnine ne séjourne pas dans son organisme après sa mort, c'est pour la même raison qu'elle ne séjourne pas NON PLUS dans les restes humains, alors que les ptomaïnes, elles, subsistent.

Si les chiens avaient une idiosyncrasie réfractaire et qu'ils fussent ainsi protégés des toxiques, comme le sont les taupes, les chèvres et les autruches, expliquez-moi alors pourquoi les chiens meurent-ils empoisonnés, procédé peu élégant qu'on utilise avec tant de brutalité dans des sociétés aussi rustres que la nôtre, afin de nous en débarrasser, en en faisant les victimes innocentes de la barbarie villageoise? Et ne les utilise-t-on pas, comme dans le cas présent, pour prouver des théories atrabilaires dans des laboratoires qui à Londres serviraient à peine à satisfaire la curiosité des élèves d'une école primaire?

Je crois qu'il suffit. J'en finis ici avec mon ex-disciple et ex-collègue, qui perd toute contenance en me traitant d'ingénu, tout en osant m'appeler maître et en insinuant au passage que je suis complice de criminels, uniquement parce que sur la base d'arguments irréfutables je m'efforce de défendre l'auguste majesté de la science, tellement malmenée et décriée dans nos foyers. Passons sur l'ingénuité que je porte au compte de sa maladresse. Pour ce qui est de ma qualité de maître, je le prie de ne plus m'attribuer ce titre, car si je me suis évertué à lui enseigner quelque chose, on voit bien qu'il n'en a pas retenu la moindre miette.

Mon argumentation n'est pas destinée à favoriser Oliverio Casteñeda, car je ne mange pas de ce pain-là, docteur Salmerón. Ce n'est pas le cas de ceux qui raffolent des ragots irresponsables, des histoires à dormir debout et des calomnies déguisées, tel M. Castañeda qui obéit à des penchants pathologiques, comme on peut le constater à travers les nombreuses dépositions des personnes honorables qui ont comparu devant le juge.

Je me suis attaché à enseigner au Dr Salmerón l'art de la médecine, mais jamais l'art de la calomnie, qu'il a appris à ses propres risques et périls. S'il ressemble sur ce point à M. Castañeda, ce doit être par empathie consubstantielle et non pas par idiosyncrasie réfractaire. Nous finirons par les voir tous les deux manger dans la même assiette. Que le lecteur se souvienne de cette prophétie.

Le Dr Salmerón lit l'article, appuyé à un réverbère, et il ne se remet en route qu'après l'avoir parcouru à nouveau deux fois.

Dans la salle d'attente de son cabinet, il trouve Rosalío Usulutlán, qui est là depuis un bon moment, déguisé en curé.

40

Le témoin avoue qu'elle a été l'objet d'attentions particulières

Depuis le jour où le cercueil de son père était parti pour le cimetière, personne n'avait plus revu María del Pilar Contreras. Elle cessa
de suivre ses cours au collège de l'Assomption et elle ne sortit jamais
plus, comme elle le faisait chaque soir, son fauteuil d'osier près de la
porte d'angle, d'ailleurs presque constamment fermée. Quand éclata
le scandale provoqué par le reportage de Rosalío Usulutlán, la
rumeur publique affirmait qu'après avoir lu le journal elle avait
couru s'enfermer dans sa chambre et n'était pas réapparue, à partir
de cet instant, même pas pour prendre ses repas, que sa mère lui laissait sur un plateau près du linteau de la porte.

C'est pourquoi dans l'après-midi du 28 octobre 1933, quand
l'évêque Tijerino y Loáisiga arriva à la tête du défilé, portant le
tabernacle afin de proposer la communion à tous les habitants de la
maison, ceux qui participaient à la procession s'empressèrent de se
situer près de l'autel improvisé dans la galerie, impatients de la voir
recevoir l'hostie à genoux et de témoigner que sur son visage s'inscri-
vaient ou non les marques d'un repentir qui, d'après les mêmes
rumeurs, l'avait poussée à prendre la décision de se faire bonne sœur.
Mais elle n'était pas apparue, comme le souligne la chronique de *El
Centroamericano*, et la porte de sa chambre, située à quelques pas de
l'autel, était restée fermée pendant la durée de la cérémonie.

La rumeur selon laquelle elle était bientôt prendre le voile circulait
particulièrement dans les milieux dévots, encouragée par le chanoine
Oviedo y Reyes; nous l'avons déjà entendu faire mention de cette
affaire à son frère Oviedo la Baudruche. Et si doña Flora avait mis
ses biens aux enchères, c'était parce qu'elle partait pour le Costa
Rica afin d'être près de sa fille, promise à des vœux perpétuels chez
les sœurs de l'ordre de Saint-Vincent-de-Paul, qui s'occupaient d'un
sanatorium pour tuberculeux sur les pentes du volcan Irazú.

Dans l'article « Il nous faut de saintes vocations », publié dans le numéro de l'hebdomadaire *Los Hechos* correspondant à la première semaine de novembre, le chanoine aborde le thème de la façon suivante :

Il est aisé de remarquer que les vocations féminines sont en crise. Il nous faut des légions de nonnes pieuses, prêtes à consoler ceux qui souffrent; on ne louera jamais assez le travail bénéfique de ces saintes femmes, qui, ayant renoncé aux vanités du monde, se consacrent à tempérer, en appliquant le baume de leur dévouement, les souffrances des malades des hôpitaux, des maisons de santé, des léproseries, des sanatoriums pour tuberculeux, etc.

C'est fréquemment le repentir qui indique le chemin de la piété, lui-même souvent hasardeux. Le repentir purifie, tel un feu salutaire, les âmes et les corps qui se sont un jour égarés, surtout quand cet égarement coïncide avec la tendre jeunesse ou l'adolescence. Rien ne vaut le lit d'un malade, d'un moribond; rien de tel que de soigner et de nettoyer des plaies, afin de consommer cet acte purificateur, les yeux dans ceux du Seigneur.

On me dira qu'il ne s'agit pas dans ce cas de véritables vocations, mais d'artifices afin d'échapper aux tourments de l'âme. « Mon péché est toujours devant moi », nous disent les Saintes Écritures; la contemplation incessante de la faute dans le miroir de notre propre passé est un chemin de perfection. Nous autres, bergers des âmes, nous applaudissons aux vocations quand elles proviennent d'un appel pur et sans réticence; mais nous ne dédaignons pas celles que dictent les fatales méprises d'un cœur égaré.

En raison, précisément, de tous ces bruits divers qui couraient à son sujet et parce qu'on ne l'avait pas revue, la déposition de María del Pilar Contreras était attendue avec une véritable anxiété. Et quand elle comparut devant le juge, le 12 novembre 1933, nombreux étaient ceux, entre autres les journalistes de León et de Managua, qui décidèrent de se poster devant son domicile, où l'interrogatoire devant se dérouler. Manolo Cuadra, dans son article de *La Nueva Prensa*, publié le 14 octobre sous le titre : « Rien dans deux assiettes... ou tout dans deux assiettes? », nous propose sur ce point le récit suivant :

L'accès a été refusé à la presse à l'heure où Mlle Contreras a dû déposer, car en vertu d'un accommodement judiciaire cette formalité s'est faite à son domicile, dont les portes ne s'ouvrirent qu'un instant pour laisser entrer Mariano Fiallos et son secrétaire, le poète Alí Vanegas. Dans une ville qui se nourrit jour et nuit des rumeurs les plus variées alimentées par les avatars secrets de l'affaire Castañeda, la nouvelle de cette déposition imminente suscita une certaine agitation dès les premières heures de la matinée. Personne n'a vu la jeune fille, elle ne sort pas de son domicile, et, comme on le comprend, les suppositions sont à l'ordre du jour.

Nous avons profité de l'attente, qui promettait d'être longue, pour rendre visite au magasin *La Renommée*, dont les portes se sont régulièrement rouvertes au public; nous étions en quête des impressions que pourraient nous communiquer les vendeuses, et on verra que cela valait la peine, car ces impressions se sont révélées être du plus grand intérêt pour nos avides lecteurs.

La brunette gracile aux traits indigènes qui n'hésite pas à s'occuper de nous, alors que les autres employées s'enfuient, avec des rires pudibonds, loin du reporter, s'appelle Liliam García. Nous l'interrogeons : des bruits persistants à León indiquent que la jeune Contreras est sur le point de se rendre dans la république sœur du Costa Rica, où elle prendra le voile.

Avec beaucoup d'aisance elle répond : c'est ce qu'elle a entendu dire dans la rue, mais elle n'a remarqué aucun préparatif dans ce sens sur place. Finalement, Doña Flora ne quitte pas le pays, car elle a renoncé à brader les marchandises du magasin, comme cela avait été annoncé dans la presse locale. Ce qui conduit la sympathique Liliam à penser que la nouvelle concernant la prise de voile manque de véracité.

Sait-elle quelque chose à propos de María del Pilar? Peut-elle nous informer sur son état d'esprit actuel? L'a-t-elle vue depuis qu'elle a décidé de vivre cloîtrée?

Elle jette un coup d'œil vers les pièces intérieures, car le magasin communique avec la maison à travers la galerie, et elle affirme : une fois, à une date pas trop récente, elle l'a vue marcher d'un pas hésitant parmi les pots de fleurs du jardin, toute de noir vêtue, avec les boucles rebelles de ses cheveux prématurément blanchis, ses lèvres exsangues constamment en mouvement; comme si à dix-sept ans elle était une vieille femme parlant toute seule avec ses souvenirs. Et par la suite? Non, par la suite, elle ne l'a pas revue.

Il était midi trente quand le juge Fiallos est entré dans la maison. Carmen Contreras Guardia l'a reçu sur le pas de la porte et l'a conduit dans la salle à manger où l'attendaient sa mère et son frère, Fernando Guardia, et l'avocat de la partie civile, Mᵉ Juan de Dios Vanegas. Deux sièges avaient été disposés pour le juge et son secrétaire dans le coin occupé par la niche réservée à l'Enfant Jésus de Prague, face à quatre fauteuils d'osier, placés très près l'un de l'autre; au milieu, une petite table, haute sur pieds, devait permettre de rédiger la déposition. Quand le juge Fiallos et son secrétaire furent installés sur leurs sièges, doña Flora se rendit dans la chambre pour chercher María del Pilar et elle la conduisit par la main jusqu'au fauteuil du centre. Elle s'assit à côté de sa fille, et son frère de l'autre côté; près de ce dernier se trouvait Mᵉ Vanegas. Carmen, armé d'un revolver, allait de la galerie au salon, en surveillant la porte d'angle, qui était fermée.

La jeune fille adressa une légère révérence au juge Fiallos avant d'occuper le fauteuil, ensuite elle se tint tranquille, les mains posées sur ses genoux joints, serrant un petit mouchoir brodé, comme si elle attendait que débute un examen de fin d'année; sa tenue de deuil, avec une blouse au col fermé et des poignets de sage-femme, une jupe tombant au-dessous du genou et des bas de fil noir, ne faisait que renforcer son allure de collégienne. Il n'y avait pas un seul cheveu blanc dans ses boucles et elle ne remuait pas les lèvres en parlant en tête à tête avec ses souvenirs, comme Alí Vanegas devait le faire remarquer plus tard à Manolo Cuadra, en l'accusant d'avoir fabriqué lui-même ce détail croustillant.

Le juge Fiallos s'était mentalement préparé avant de se rendre au rendez-vous, afin de ne montrer aucune hésitation; et tandis qu'il revoyait ses notes, car il ne voulait pas se tromper à nouveau, il luttait contre l'impression de gêne que lui inspirait cette atmosphère chargée de rigueur et de circonspection familiales. Il lui fallait aller au fond d'un des aspects les plus sordides du procès, au risque d'apparaître impitoyable, et la déposition de la jeune fille devait lui révéler une grande partie de ce qu'il n'avait pas pu obtenir du Dr Salmerón. Le dossier contenait suffisamment de témoignages pour imputer à Oliverio Castañeda les crimes dont les analyses de laboratoire apportaient la preuve effective; mais, malgré le scandale, dont León bruissait encore, il fallait éclaircir les mobiles.

Cependant, quand cette épineuse confrontation fut terminée, il se sentit de nouveau frustré. Encore une fois, comme dans le cas du Dr Salmerón, il ne débouchait sur rien. Si la première fois il s'était montré énergique, au point de faire avorter la déposition, dans le cas présent c'est sa faiblesse qui l'avait perdu; il avait laissé intervenir la mère, encouragée par son avocat, en contradiction avec les règles judiciaires, et il lui avait permis, à la fin, d'interrompre l'interrogatoire.

Dans le dossier la déposition de María del Pilar Contreras figure dans les termes suivants :

LE JUGE : Quel rapport établissez-vous entre les décès de votre sœur Matilde Contreras, de votre père Carmen Contreras et de Marta Jerez, épouse Castañeda?

LE TÉMOIN : Ce sont des crimes commis par la même personne. Et la personne qui les a commis s'appelle Oliverio Castañeda. Il a empoisonné ma sœur Matilde en lui donnant de la strychnine dans un morceau de poulet qui était dans son assiette, alors qu'ils étaient assis à côté à table. Elle ne voulait pas le prendre, mais il lui disait : « C'est délicieux, c'est délicieux. » A mon papa il a mis le poison dans son médicament, qu'il laissait sur une table de la pièce où ils dormaient tous les deux. C'est moi qui suis allée chercher le médicament parce que mon papa me l'a ordonné, il m'a dit : « Apporte-moi mon médicament », et la petite boîte était là où mon papa l'avait laissée le soir et Oliverio Castañeda pouvait la toucher de son lit, il n'avait qu'à tendre le bras. Son épouse Marta, je ne sais pas comment il l'a tuée, mais il a dû se servir de médicament ou d'aliments empoisonnés par lui.

LE JUGE : Sur quoi fondez-vous cette conviction?

LE TÉMOIN : Il est prouvé que ces personnes sont mortes empoisonnées et que ces morts tournent autour d'Oliverio Castañeda, qui était constamment à côté d'elles. Il maniait du poison parce qu'il se consacrait à empoisonner les chiens et les gens et il avait déjà empoisonné Rafael Ubico au Costa Rica. Une fois ma maman lui a pris un livre sur les empoisonnements qu'il voulait prêter à ma sœur Mathilde pour qu'elle le lise, qui sait dans quelle intention.

LE JUGE : Quel objectif poursuivait Oliverio Castañeda, d'après vous, pour commettre ces crimes ?

LE TÉMOIN : L'objectif d'Oliverio Castañeda était de s'emparer des biens de mon papa à l'aide d'un plan, et ce plan était que son épouse devait mourir d'abord, et ensuite il tuerait ma sœur et ma maman, jusqu'à ce que je me retrouve seule et qu'il me propose le mariage pour pouvoir hériter. C'est pour cela qu'il était toujours en train de s'occuper des affaires de mon papa, et sans qu'on l'appelle il s'est proposé pour régler les problèmes qu'il avait avec la Compagnie des eaux. Il disait que mon papa l'avait nommé pour le remplacer dans ses affaires, en l'installant dans son bureau, ce qui était un mensonge.

LE JUGE : Pourquoi considérez-vous que vous proposer le mariage faisait partie de ce plan ? Vous a-t-il quelquefois adressé des requêtes amoureuses ?

LE TÉMOIN : Il ne m'en a pas adressé, parce que je me montrais très sérieuse avec lui. Mais je remarquais qu'il avait des attentions pour moi et pas pour ma sœur Mathilde, bien qu'il ne m'ait jamais fait de déclaration directe. Il n'y avait que ces attentions particulières.

LE JUGE : Et ces attentions particulières, il les avait à votre égard avant le décès de son épouse ?

LE TÉMOIN : Oui, je me souviens qu'il me les manifestait devant son épouse. Mais ce n'est que maintenant que je me rends compte qu'il voulait en réalité éliminer tout le monde, pour arriver jusqu'à moi. Mais j'avais soin de ne pas répondre à ces attentions et je restais très sérieuse.

LE JUGE : Vous dites qu'il n'avait pas les mêmes attentions pour votre sœur Matilde ?

LE TÉMOIN : Je ne me souviens pas qu'il en ait jamais eu. Ma sœur était très catholique et s'il lui avait parlé de ces histoires d'amour, elle lui aurait répondu que non.

LE JUGE : Avant le départ du ménage Castañeda de cette maison, Marta avait l'air gêné et elle pleurait, comme le rapporte dans sa déposition du 19 octobre 1933 l'employée de maison, Leticia Osorio. Savez-vous si Marta était jalouse de quelqu'un ?

LE TÉMOIN : Je ne savais pas que Marta était jalouse et je ne l'ai jamais vue pleurer. Avec nous elle était formidable et je me souviens qu'elle était partie d'ici toute contente pour aller installer son nouveau foyer et nous l'avons toutes aidée à arranger sa maison. Elle a dû partir pleine de reconnaissance parce que ma maman leur avait proposé un endroit où vivre, car ils étaient étrangers et ils ne connaissaient personne ; c'est pourquoi je ne crois pas qu'elle soit partie fâchée.

LE JUGE : Alors, croyez-vous qu'elle ne se rendait pas compte des attentions particulières qu'Oliverio Castañeda avait pour vous ?

LE TÉMOIN : Je ne répondais pas à ces attentions, à ces attentions particulières dont je parle, et pour cette raison elle ne se rendait pas compte, et elle ne m'a jamais fait de scènes de jalousie. Elle n'avait aucune raison d'être jalouse de qui que ce soit dans cette maison, où elle voyait que nous étions toutes sérieuses avec son époux.

LE JUGE : Pourriez-vous m'indiquer quel genre d'attentions particulières il avait pour vous ?

LE TÉMOIN : C'était des attentions d'homme bien élevé, à table il tirait la chaise pour que je puisse m'asseoir; il m'expliquait également ce qu'on m'apprenait au collège, car il est très intelligent; il me faisait des plaisanteries affectueuses, ce qui n'arrivait jamais avec Mathilde, et il ne plaisantait pas non plus avec son épouse comme il le faisait avec moi. Mais je m'aperçois aujourd'hui qu'il cherchait les fiançailles, bien qu'il ne m'en ait jamais fait part, car je ne m'y prêtais pas et je gardais mes distances.

LE JUGE : Aviez-vous l'habitude de faire des cadeaux à Oliverio Castañeda?

LE TÉMOIN : Je lui ai offert une bouteille de lotion parfumée, avec l'approbation de ma maman, qui l'a prise au magasin, parce que c'était son anniversaire. Mais quand ce n'était pas son anniversaire je ne lui offrais rien, parce que j'avais aucune raison de lui faire des cadeaux.

LE JUGE : Dans la déposition déjà citée, Leticia Osorio dit que le jour où Oliverio Castañeda a été arrêté vous lui avez préparé du linge et un repas, et qu'elle a apporté le tout à la prison avec le chauffeur. Elle affirme aussi qu'elle lui a remis une lettre écrite par vous.

LE TÉMOIN : Je n'ai envoyé aucune lettre et je n'ai écrit que la liste du linge que Leticia lui a apporté, pour qu'il soit au courant des vêtements qu'il recevait et qu'il puisse les retourner quand ils seraient sales. C'est sur ordre de ma maman que le linge et le repas lui ont été envoyés ce jour-là.

LE JUGE : Les jours suivants, tant que les autorités l'ont permis, ces envois vers la prison ont continué et ils contenaient divers articles, tels que parfums, mouchoirs, fleurs. Pouvez-vous me dire ce que signifiaient de tels présents? Et dans quelle intention lui a-t-on envoyé des meubles, y compris un chiffonnier?

LE TÉMOIN : C'était des choses qu'il nous demandait, en disant qu'il en avait besoin, et c'est à ma maman qu'il les demandait, et on les lui envoyait parce que nous ne savions pas s'il était coupable et qu'il jouait un double jeu avec moi, il voulait que je me retrouve seule, pour tout nous voler.

LE JUGE : Savez-vous si votre sœur a écrit des lettres à Oliverio Castañeda pendant qu'il a vécu dans cette maison?

LE TÉMOIN : J'ignore si elle lui en a écrit, mais je ne crois pas. Puisque nous étions tous rassemblés dans la même maison, ils n'avaient pas besoin d'échanger des lettres. Ils n'avaient pas non plus de raison de se confier des secrets amoureux, car il n'était pas épris de ma sœur.

(C'est à ce moment que le juge décide de montrer au témoin une lettre, sans signature ni date, saisie dans les bagages d'Oliverio Castañeda, le 13 octobre 1933.)

LE JUGE : Reconnaissez-vous l'écriture de cette lettre?

(Le témoin examine le document et le rend au juge.)

LE TÉMOIN : Je ne reconnais pas l'écriture de cette lettre et je ne l'ai jamais vue. J'ignore donc qui peut l'avoir écrite.

LE JUGE : Examinez-la à nouveau et répondez-moi sincèrement. Constatez que les initiales de la tierce personne mentionnée dans cette lettre, M. P., correspondent aux vôtres.

(Le juge lui tend à nouveau le document, que le témoin lui rend après un nouvel examen.)

LE TÉMOIN : Il se peut qu'elles correspondent, mais ce n'est pas à moi que se rapporte cette lettre. On y dit que la personne qui écrit est jalouse, et ma sœur n'avait pas de raison d'être jalouse des attentions particulières qu'il avait pour moi, car ce n'était pas son amoureux. On y dit que cette personne, M. P., est venue ensuite le lui enlever et moi je ne le lui ai pas enlevé, car il a eu pour moi des attentions particulières dès le début, quand il est venu vivre ici, et il n'y avait qu'avec moi qu'il était prévenant et avec aucune autre femme.

(Sur ce point, la mère du témoin intervient pour préciser que l'expression « je ne le lui ai pas enlevé » a un sens figuré et qu'elle doit être transcrite comme telle sur le procès-verbal; ce à quoi le juge répond que les éclaircissements ne peuvent venir que du témoin. Interrogée sur ce sujet, le témoin confirme qu'en effet elle a employé cette expression dans un sens figuré, pour renforcer son affirmation selon laquelle elle a été dès le début l'objet d'attentions particulières de l'accusé, quand celui-ci est venu vivre dans cette maison.)

LE JUGE : Mlle Rosario Aguiluz, chef du bureau de poste, a déclaré, en date du 17 octobre 1933, que votre sœur Mathilde envoyait des lettres à Oliverio Castañeda quand il est parti au Guatemala; et qu'elle recevait des lettres de lui. Pouvez-vous me donner votre opinion sur cette correspondance?

LE TÉMOIN : Puisqu'il lui écrivait, elle lui répondait peut-être, mais à coup sûr ils se disaient des choses amicales, elle le consolait parce que sa femme était morte et qu'il était parti tout triste après la mort de Marta. Ma sœur était une bonne catholique et elle a dû lui écrire des consolations de la religion. Je ne vois rien de mal là-dedans, car à ma maman il lui écrivait aussi des lettres avec des enveloppes qui disaient « Magasin *La Renommée* », boîte postale numéro tant.

(Sur ce point la mère du témoin tient à préciser qu'il s'agissait de lettres commerciales, car elle avait chargé l'accusé de se renseigner au Guatemala sur certaines machandises qui s'y vendaient à des prix plus abordables. Le juge doit rappeler avec insistance que le procès-verbal ne peut contenir que des affirmations du témoin; celle-ci demande alors d'ajouter comme venant d'elle l'affirmation qu'il s'agissait de lettres commerciales.)

LE JUGE : A une occasion, Oliverio Castañeda a montré à Octavio Oviedo y Reyes, comme cela figure dans la déposition faite par ce dernier le 17 octobre 1933, une lettre qui, selon ce que prétendait Castañeda, venait de vous. Quand avez-vous écrit cette lettre?

LE TÉMOIN : Je ne lui ai jamais de la vie envoyé de lettres, mais je ne suis pas étonnée qu'il ait dit le contraire à ses amis car c'est un menteur et un calomniateur qui a répandu des choses fausses sur beaucoup de jeunes filles de cette ville. S'il montrait des lettres de moi pour lui, c'est parce qu'il les a inventées, en imitant mon écriture pour porter atteinte à mon honneur.

LE JUGE : Quand Oliverio Castañeda est arrivé au Costa Rica au mois de juillet de cette année, était-il entré préalablement en contact avec vous pour vous prévenir de son arrivée?

LE TÉMOIN : Il n'était pas entré en contact avec moi, parce que nous ne nous écrivions pas de lettres. Nous nous sommes aperçues, maman et moi, qu'il venait au Costa Rica parce qu'il a envoyé un télégramme par Tropical Radio à mon frère Carmen et ça a été une surprise pour nous, car nous pensions que nous ne le reverrions plus, vu que quand il est parti d'ici pour le Guatemala il nous a dit : « Je ne reviendrai plus. »

LE JUGE : Au Costa Rica, il vous rendait visite?

LE TÉMOIN : Oui, il nous rendait visite chez mon oncle dans le quartier Amón, car c'était un ami de la famille, et il s'asseyait dans le salon pour bavarder en amis avec moi, et avec maman et mon oncle, par exemple à propos du temps humide de San José et du froid qu'il faisait, à propos d'un accident de tramway qui s'était produit, à propos de politique et de religion, il était toujours contre la religion; il passait aussi son temps à dire du mal de personnes que je ne connaissais pas, il commentait des affaires de grèves dans les plantations de bananes du Costa Rica, il était pour les grèves, il discutait de questions communistes où mon oncle le rembarrait toujours.

LE JUGE : Sortiez-vous avec lui quand vous étiez tous les deux au Costa Rica?

LE TÉMOIN : Nous sortions avec un groupe d'amis en promenade ou pour assister à des fêtes où des personnes respectables nous accompagnaient toujours. Nous sommes allés voir des spectacles chantés au Théâtre national et nous sommes allés au cinéma, toujours avec ces amis et d'autres fois avec mon oncle et maman, mais nous ne nous retrouvions jamais seuls lui et moi, car maman ne l'aurait pas permis.

LE JUGE : Votre sœur Mathilde souffrait beaucoup des nouvelles que vous lui donniez par lettre, à propos de vos rapports constants avec Oliverio Castañeda au Costa Rica, et elle était opposée à ce qu'il revienne vivre dans cette maison. Elle s'en est ouverte à son amie Alicia Duquestrada, selon ce que celle-ci affirme dans sa déposition du 19 octobre 1933. Qu'avez-vous à dire sur ce sujet?

LE TÉMOIN : Je ne crois pas qu'elle ait souffert parce que je lui racontais que j'étais très heureuse d'aller en promenade, à des fêtes, au théâtre et au cinéma, car puisqu'elle ne s'intéressait pas à Oliverio Castañeda, elle ne devait pas être jalouse; et si je lui racontais tout cela dans mes lettres c'est parce qu'il n'y avait pas de raison de lui cacher quoi que ce soit. Et si elle voulait plus le voir chez nous c'était parce qu'elle pensait que ce n'était peut-être pas convenable, à cause des racontars des gens à propos des attentions particulières qu'il avait pour moi. Même si elle a dit à son amie qu'elle allait le chasser, cela ne s'est pas produit et elle nous a très bien reçus tous les deux à notre retour.

LE JUGE : Oliverio Castañeda a-t-il continué à vous dispenser au Costa Rica ces attentions particulières dont vous avez parlé?

LE TÉMOIN : Il a poursuivi ces attentions qui consistaient à m'ôter mon manteau avec beaucoup de prévenance quand nous entrions dans l'endroit où nous nous rendions, à m'inviter pour la première danse dans les bals, et si j'avais soif il allait me chercher un rafraîchissement avec une paille, en me répétant à tout moment que j'étais joliment habillée et très élégante. Mais il disait aussi ces choses à maman, car il avait aussi des attentions particulières pour elle, et je ne voyais rien de mal à cela.

(A ce stade la mère du témoin sollicite du juge que l'on suspende la déposition pour la reprendre un autre jour, en raison de l'état de fatigue et d'énervement de sa fille. Le juge consulte le témoin sur son état d'esprit et, après avoir reçu confirmation de celle-ci qu'elle est fatiguée, il accède à la requête, laissant le procès-verbal ouvert.)

Une seconde occasion d'interroger María del Pilar ne se représenta pas, bien que le procès verbal fût resté ouvert. Et si le juge Fiallos concluait à un échec, Alí Vanegas était d'un avis contraire; l'arrière-plan sentimental était suffisamment patent dans les réponses, quoique d'une manière non explicite. Manolo Cuadra se rallie à cette opinion dans son article pour *La Nueva Prensa*, « Rien dans deux assiettes... ou tout dans deux assiettes? », déjà cité :

La déposition tant attendue de Mlle María del Pilar Contreras laisse beaucoup d'interrogations sans réponses, mais la façon de mener l'instruction en pose beaucoup plus encore. Mariano Fiallos a traité avec des pincettes trop délicates les sujets les plus scabreux et il a gardé pour lui des questions cruciales, peut-être parce que l'atmosphère n'a guère favorisé son enquête, quand il s'est vu contraint d'affronter le témoin à son domicile, entouré de ses parents les plus proches, qui se sont donné le luxe d'intervenir quand ils ont cru bon de le faire.

Interrogé sur ce point, le poète Alí Vanegas, secrétaire judiciaire, nous explique qu'une telle faveur est prévue par la loi, puisque le Code pénal stipule dans un de ses articles : « Quand il s'agira de témoins qui par leur position, leur rang ou leur investiture mériteront un tel traitement; ou quand le juge en charge de l'affaire l'estimera convenable et opportun, il dispensera le témoin de l'obligation de se rendre au tribunal et sera autorisé à remplir les formalités de l'instruction à son domicile particulier. » Le fils d'un citoyen quelconque n'a pas cette chance et cette prérogative se prête à la subornation, comme on le voit clairement dans cette affaire.

Les plus avisés pourront, malgré tout, trouver dans la lecture de la déposition, que nous transcrivons ici, suffisamment d'éléments pour en tirer des conclusions définitives. Ce qui remonte à la surface, c'est une histoire embrouillée d'amour et de jalousie, déjà en elle-même sujet de scandale dans une ville qui se raccroche à son passé colonial : « Regardez bien la partie émergée de l'iceberg et à partir de là vous pourrez calculer les dimensions et la solidité du bloc de glace qui se cache sous les ondes butées de la mer... », comme dit le père Brown, le subtil curé détective de Chesterton, à son ami Flambeau.

Mariano Fiallos a été peu bavard, comme d'habitude, face aux questions que lui a posées le reporter alors qu'il quittait la maison de la famille Contreras, et il nous a renvoyés au texte de la déposition, que nous avons pu copier plus tard dans le dossier. Arborant son sourire plein de franchise, il nous a demandé de parler plutôt de Jack London, chasseur de phoques dans l'Arctique et navigateur affrontant la houle féroce des mers du Sud..., du New Deal de Franklin Delano Roosevelt, de l'arrivée à la chancellerie allemande d'un obscur Autrichien, Adolf Hitler, issu de bruyants meetings tenus dans les brasseries de Munich, de l'incendie du Reichstag..., de toutes ces petites choses que véhicule le câble; ou de boxe, un thème qui le passionne en permanence : il n'aurait pas parié un sou sur le ragazzo Primo Carnera, qui vient de détrôner Sharkey en lui ravissant la couronne toutes catégories. Comme un bon arbitre qu'il est, il sait que le coup de gong du dernier round n'a pas encore sonné dans ce procès... et nous avons profité de l'occasion pour lui présenter nos félicitations, car c'est aujourd'hui son anniversaire. Tous nos vœux, Mariano Fiallos!

C'était effectivement l'anniversaire du juge Fiallos. Chez lui l'attendait une réception imprévue, préparée par son épouse, à laquelle elle avait invité quelques amis et voisins. Quand il arrive devant le porche, accompagné d'Alí Vanegas, un vieux joueur de marimba qui sommeillait assis sur un banc se met à jouer « le dernier éclat de rire à se décrocher la mâchoire », en faisant tinter énergiquement ses baguettes. Les invités, regroupés autour d'une table au milieu de la galerie, où trônent des bouteilles de rhum Champion et des plateaux d'amuse-gueule, se dispersent en entendant la musique pour venir à sa rencontre.

Le capitaine Anastasio J. Ortiz est le premier à lui donner l'accolade et il lui remet un bristol enroulé et attaché avec un ruban de soie, au milieu des sourires de complicité de l'assistance. C'est une reproduction de l'allégorie imprimée sur les boîtes de cholagogue de Lahmann & Kemp, dessinée aux crayons de couleur : un énorme moustique tenait prisonnier entre ses pattes de devant un homme amaigri par les fièvres paludéennes qui, impuissant, luttait sur le sol pour tenter de se délivrer de l'insecte. Une légende se déployant en arc de cercle au-dessus du dessin disait : « Félicitations à Mariano Fiallos qui vaincra à León la fièvre pernicieuse. »

Le juge Fiallos sourit à son tour, mais sans enthousiasme, et il passe, en s'excusant, le bristol à Alí Vanegas, avant de pénétrer dans sa chambre. Alí Vanegas réenroule le bristol et le pose sur la table, au milieu des bouteilles et des amuse-gueule.

« Comment ça s'est passé pour la déposition? » Le capitaine Ortiz détache l'étui contenant son pistolet et, écartant les bouteilles, il le dépose également sur la table.

« La victime avait bien appris sa leçon. » Alí Vanegas chasse les mouches et soulève le papier huilé qui recouvre un des plateaux où il y a des œufs de tortue et du yucca cuit. Il prend un cure-dents et pique un petit morceau de yucca. « Elle savait par cœur ce qu'elle devait répondre.

– Ce que veulent ces femmes c'est de sortir le plus vite possible de ce merdier. Elles sont nerveuses, à juste titre. » Le capitaine Ortiz plonge ses doigts à même le plateau, il prend un œuf et le frotte entre ses mains. « La Flora voulait même quitter le pays.

– La tendre petite n'était pas du tout nerveuse. » Alí Vanegas avale presque sans mâcher et garde le cure-dents à la bouche. « Elle a récité avec aplomb la leçon qu'on lui avait inculquée. Mais comme elle sortait de la partition, sa maman la corrigeait; et à la fin elle a dû la faire taire.

– Personne n'a le droit de les emmerder à ce point-là. » Le capitaine Ortiz fend la coque de l'œuf avec son ongle et arrose l'ouverture avec de la sauce au piment. « On ne veut pas les laisser en paix. Et quelqu'un doit prendre leur défense.

– Les étendards des confréries parcourent encore les rues. » Alí Vanegas, tout en mordillant son cure-dents, regarde le capitaine Ortiz aspirer avec avidité. « Ça fait trop d'eau bénite et trop de prières.

– Je ne fais pas allusion aux curés et aux bigotes. » Le capitaine Ortiz prend sur la table une serviette en papier pour s'essuyer le menton. « Je te parle du Dr Teodosio et de ses complices.

– N'oubliez pas que sans le Dr Teodosio vous n'auriez pas arrêté Baldomero. » Alí Vanegas découvre un autre plateau et avec le même cure-dents il embroche un petit morceau de porc rougi par du rocou.

« Tu ne vas pas me dire maintenant que toi aussi tu défends cet agitateur. » Le capitaine Ortiz froisse la serviette tachée et il la jette sous la table.

« Je ne suis que le scribe de Sa Seigneurie le Grand Justicier, et je ne me risque à défendre personne. » Alí Vanegas ôte le cure-dents de sa bouche et il le dépose délicatement sur la nappe. « Laissez Sa Seigneurie accomplir ce qui est de sa compétence et n'interférez plus.

– Belle justice, en vérité. C'est en la calomniant qu'on a fait justice à la Flora et à ses filles. » Le capitaine Ortiz prend sur la table son étui et soupèse son pistolet. « Et maintenant qu'on les a traînées dans la boue, qui va les indemniser ?

– En tant qu'offensées elles peuvent parfaitement réclamer réparation, en portant plainte pour injures et calomnie contre le sage Teodosio. » Alí Vanegas prend le rouleau de bristol pour chasser les mouches, maintenant plus nombreuses, de la table.

« La belle ânerie, pour qu'on se moque d'elles encore plus. » Le capitaine Ortiz rattache son étui et arbore son pistolet avec ostentation. « Et c'est Salmerón qui rit le plus fort. On va bien voir s'il va en profiter longtemps.

– Comment ? Vous allez peut-être publier un décret interdisant le rire ? » Alí Vanegas entend un applaudissement et il se retourne. Le juge Fiallos sort de sa chambre en arborant un nœud papillon rouge à pois blancs, cadeau d'anniversaire de son épouse. C'est elle-même qui applaudit. « Vous ne pouvez pas faire plus.

– C'est toi qui le dis. J'ai déjà l'autorisation de Managua pour le coller derrière les barreaux. » Le capitaine Ortiz finit d'attacher à sa cuisse la courroie retenant l'étui de son pistolet. « Ce fumier va tomber aujourd'hui même. »

Alors que le juge Fiallos s'approche, le capitaine Ortiz se dirige déjà vers le porche, en se fouettant la jambe avec son chapeau de marine, qu'il a pris au passage sur un tabouret. Le marimba se fait à nouveau entendre. Le joueur de marimba essaie de jouer « L'amour n'apparaît qu'une seule fois dans la vie », en répétant plusieurs fois les premières notes.

« Quelle mouche l'a piqué? » Le juge Fiallos cherche un verre, tout en finissant d'arranger son nœud papillon. « Il fait une sortie drapée.

– Ce n'est pas une mouche qui l'a piqué, c'est le moustique anophèle. » Alí Vanegas souffle dans le tube de bristol. « Les barbares, chère Lutèce! Il va enfin avoir le plaisir de mettre au trou le sage Teodosio. Il l'arrête aujourd'hui. »

41

La Packard noire pénètre
sur la ferme abandonnée

Malgré son état d'esprit calamiteux, le Dr Salmerón est pris d'un rire convulsif qui le fait pleurer à chaudes larmes, lorsque en regagnant son cabinet, au soir du 28 octobre 1933, il tombe sur Rosalío Usulutlán revêtu d'une soutane boutonnée de haut en bas, d'un cache-poussière et de bottines maculés de boue, dont les croûtes durcies et desséchées parsemaient le sol en suivant la trajectoire de ses déambulations inquiètes, car il y avait un bon moment qu'il attendait.

Rosalío, avec un sérieux papal, la nuque raide, lui donne sa bénédiction, renforçant l'hilarité que son déguisement provoque chez le Dr Salmerón; sans cesser de lui adresser des signes de croix, il s'approche furtivement de la petite fenêtre grillagée qui donne sur la rue. Il fait un geste de la tête, en étirant les lèvres, et le Dr Salmerón se penche à son tour. Sur le trottoir d'en face il y a deux hommes d'allure suspecte, postés près du réverbère.

« Ça ne date pas d'aujourd'hui. » Le Dr Salmerón s'éloigne de la fenêtre, en s'essuyant les yeux avec le gras du doigt. « Il y a des jours qu'ils sont là. Ce sont des gardes en civil. Tu n'aurais pas pu trouver un autre déguisement? »

Rosalío gesticule devant le Dr Salmerón avec des mimiques de sourd-muet, et il bouge les lèvres sans émettre un son.

« Eh bien, ce sont les gorilles qui vont m'attraper quand on leur en donnera l'ordre, c'est pour ça que Tacho Ortiz les a mis là! » Le Dr Salmerón se fait un porte-voix de ses mains, en se tournant vers la fenêtre.

Rosalío, épouvanté, s'empresse de lui fermer la bouche.

« Qu'est-ce qu'il y a? » Le Dr Salmerón le toise de la tête aux pieds. « Pourquoi as-tu peur? J'ai déjà préparé mon oreiller et mon balluchon de linge, pour le jour où ils viendront m'épingler. »

Rosalío baisse la tête et joint les mains, d'un air suppliant, comme s'il était un vrai curé.

« Avec cette soutane, tu aurais dû te joindre à la procession des bigotes. » Le Dr Salmerón éclate à nouveau de rire, mais avec moins de conviction. « Tu aurais même pu administrer la première communion à l'angélique María del Pilar.

– Je peux prouver avec certitude qu'elle a forniqué », lui souffle à l'oreille Rosalío, tout en reculant immédiatement.

« Ça ne sert plus à rien. » Le Dr Salmerón se dépouille de sa veste et, avec un geste d'abattement, il va la pendre à un des crochets du portemanteau de la salle d'attente, un pilier noir avec des pattes d'araignée, où il a déjà pendu son chapeau en arrivant. « Ce salaud de juge pourrait passer pour un curé plus facilement que toi, sans avoir besoin de se déguiser avec une soutane.

– Et toutes les preuves? Maintenant j'ai beaucoup plus de preuves. » Rosalío fait un nouveau pas en arrière, en mettant les mains sur ses hanches.

« Tu peux te torcher le cul avec tes preuves. » Le Dr Salmerón sort son lourd trousseau de clefs et il ouvre la porte du cabinet de consultation. « Ils ont déjà attesté la virginité de Mathilde Contreras. Maintenant il ne manque plus que le Dr Darbishire certifie la virginité de María del Pilar. Et celle de doña Flora.

– La Packard noire se rendait à la ferme. » Rosalío suit le Dr Salmerón en direction de la porte du cabinet, tout en cherchant au fond de la poche de sa soutane les feuilles de papier où il a noté l'information. « La lettre anonyme qu'a reçue le juge vient du régisseur. Il veut se venger parce qu'on lui a fait payer des régimes de bananes qui ont été volés sur la propriété. »

Le Dr Salmerón tâtonne le long du mur, en cherchant l'interrupteur. Quand il arrive à l'actionner, une lumière sale et jaunâtre envahit la pièce; la civière, la vitrine contenant les instruments, les cuvettes, ont l'air plus délabré et plus vieux que jamais.

« Passe-moi le journal qui est dans la poche de ma veste. » Le Dr Salmerón fait le tour du bureau. « Le comble de la saloperie c'est que le vieil emmerdeur a recommencé à m'insulter dans *El Centroamericano*.

– Ne faites plus attention à ce petit vieux. » Rosalío revient avec le journal et le jette sur le bureau. La photo de jeunesse du Dr Darbishire, de profil devant son microscope, apparaît au grand jour pendant que le journal se déplie.

« Même si je suis en tôle, je vais lui répondre. » Le Dr Salmerón se met à vider sa trousse. « Je dois lui rabattre le caquet une fois pour toutes.

– Vous devriez écouter mon rapport. » Rosalío gravit les marches de bois et s'assied sur la civière. « C'est inouï.

– Donne-le-moi, de toute façon. » Le Dr Salmerón sort de sa trousse le carnet offert par la maison Squibb et il le garde à portée de la main.

« Qu'est-ce qu'on va faire maintenant avec toutes ces révélations? Publier une brochure?» Rosalío lisse ses feuilles sur ses jambes. « On verra quand je sortirai de prison.» Le Dr Salmerón cherche une page blanche. Le carnet est presque plein.

Le lecteur doit savoir qu'au petit matin le Dr Salmerón avait fait parvenir à Rosalío un billet énergique jusqu'à sa cachette dans le moulin à huile de son père, en lui fixant la mission urgente de chercher le régisseur de la ferme *Notre Maître*, car les informations qu'il escomptait obtenir de cette interview, il pensait les utiliser lors de sa comparution de l'après-midi devant le juge. Rosalío avait finalement obtempéré, mais il s'était mis en route tardivement, parce qu'il avait eu du mal à trouver un cheval de louage. C'est pourquoi il était revenu tard de son incursion et il était arrivé au cabinet du Dr Salmerón alors que celui-ci était déjà parti pour le tribunal.

Si le lecteur le permet, cela vaut la peine de s'arrêter ici pour examiner les fils que le Dr Salmerón tenait alors entre les mains et la façon dont il comptait s'y prendre pour les relier les uns aux autres avant de comparaître devant le juge Fiallos.

Nous savons déjà qu'Olegario Núñez, l'homme à la morue, avait vu Oliverio Castañeda remettre une lettre à la servante Dolores Lorente sur le parvis de l'église de la Récollection, au matin du 13 février 1933, d'après le récit qu'il a fait à Cosme Manzo avant de mourir d'un coup de couteau. La femme devait confirmer plus tard au même Manzo que cette lettre était destinée à María del Pilar Contreras, qui attendait, comme tous les jours, à l'église de la Merced. Mais Dolores Lorente, paralysée par la peur, s'était abstenue de faire allusion à ce fait lors de sa comparution devant le juge, le 17 octobre 1933, bien que Manzo, qui l'avait alors à son service, lui eût expliqué à plusieurs reprises comment elle devait le révéler.

Il y a un autre fait important, que Dolores Lorente connaissait, mais qu'elle n'a appris à Cosme Manzo qu'après sa déposition et dont les membres de la table maudite décidèrent d'utiliser les éléments dans le reportage de Rosalío Usulután, avant même qu'ils soient pleinement confirmés : les rendez-vous clandestins d'Oliverio Castañeda et de María del Pilar Contreras à la ferme *Notre Maître*.

En février 1933, Dolores Lorente travaillait comme cuisinière à la ferme, située au bord de la route menant à la plage de Poneloya, comme nous le savons déjà; c'est là que doña Flora Contreras est venue la chercher pour qu'elle se mette au service du ménage Castañeda dans leur nouvelle maison, en lui offrant cinq cordobas par mois au lieu des quatre qu'elle gagnait à la ferme.

Elle habitait à l'époque à une demi-lieue de la propriété, dans le hameau de San Caralampio; elle arrivait avant le lever du jour et, une fois terminée la préparation du déjeuner, la charrette qui emportait du bois à León la laissait près du hameau, d'où elle rentrait à pied chez elle. Aussi, quand les amants apparaissaient à bord de la Packard noire de don Carmen, à la tombée du soir, elle n'était plus sur place. Mais le régisseur, Eufrasio Donaire, avec qui elle vivait maritalement, avait, lui, été témoin de ces rencontres furtives et il n'en avait fait part qu'à elle.

La Packard noire arrivait vers cinq heures du soir par la grand-route, qui traversait une plantation de palmiers poussiéreux, quand il ne restait plus que le régisseur sur la propriété abandonnée, car il avait la permission de dormir au rez-de-chaussée, où l'on rangeait les bidons de lait et les instruments de travail. C'est là que toutes les nuits il déployait son lit de camp à la lumière d'un quinquet.

Le bâtiment de la ferme, qui avait deux étages et un petit balcon de bois qui regardait au loin vers la mer, était en complet abandon, comme Rosalío Usulutlán avait pu le constater en arrivant vers midi, ce 28 octobre 1933. En octobre 1929, la sœur aînée de don Carmen, Mathilde Contreras Reyes, était morte de tuberculose dans une des chambres du second étage, après une réclusion de plusieurs années, comme on l'a déjà dit; c'est pour cette raison que la famille n'avait pas réutilisé la propriété comme lieu de loisir.

Eufrasio Donaire n'avait fait aucune difficulté pour raconter toute l'histoire à Rosalío Usulutlán, en lui avouant également que c'était lui qui avait envoyé au juge la lettre sous un faux nom, sur le conseil du comptable de l'entreprise C. Contreras & Cie, Demetrio Puertas, qu'il fréquentait parce que c'était lui qui lui remettait tous les samedis, dans les bureaux de la compagnie, la paie des ouvriers de la ferme. Le même Puertas l'avait également mis au courant des fraudes sur les livres de comptabilité de la compagnie.

Les rencontres avaient eu lieu à des occasions très diverses, d'après les souvenirs d'Eufrasio Donaire : les deux premières en décembre 1932; d'autres dans le courant du mois de janvier 1933, puis fin février et à la mi-mars; et les dernières, plus récemment, vers la fin septembre et au début d'octobre. La pièce même où était morte la phtisique et que Rosalío monta reconnaître, avait servi pour les rendez-vous. Pour tout mobilier elle avait un vieux lit de fer, dont les montants chromés, l'armature du baldaquin, étaient rongés par la rouille, ainsi que deux tabourets rachitiques au siège de paille défoncé et un broc de faïence.

Voici ce qu'a vu et entendu Eufrasio Donaire, si l'on en croit la transcription que le Dr Salmerón a tirée des notes de Rosalío Usulutlán et que nous copions dans son carnet de la maison Squibb :

La première fois, Donaire revenait des enclos où il était allé enfermer une vache aubère que les gardiens du troupeau avaient oubliée dans les champs. Il s'étonna d'entendre au loin le bruit d'un moteur d'automobile et il pensa que c'était don Carmen qui arrivait à cette heure tardive, bien que ce ne fût pas son habitude. C'était un homme en deuil, qu'il connaissait déjà pour l'avoir vu chez les Contreras à León, Oliverio Castañeda, qui conduisait. Près de lui était assise María del Pilar, la plus jeune. Il essayait de la convaincre de descendre, mais elle, qui portait l'uniforme à rayures noires de son collège, refusait. Il croit l'avoir entendue pleurer. Tout bas, mais elle pleurait.

Donaire s'est approché, ignorant le différend qui les opposait. Castañeda, l'homme en deuil, est descendu en le voyant, il lui a dit qu'ils venaient chercher des citrons doux pour la fête de l'Immaculée Conception et il lui a demandé s'il pouvait lui en cueillir. Donaire a obéi, il est entré dans le bâtiment pour prendre un panier et il est parti vers les citronniers. Quand il est revenu, il n'y avait plus personne; les portes avant de l'automobile étaient grandes ouvertes. Il pensa qu'ils devaient faire un tour dans le coin, même si c'était bizarre parce que la nuit tombait et on n'entendait que le vacarme des cigales. Il revint à la ferme, son panier plein de citrons, pour attendre leur retour. Il en était là, quand il a entendu des voix qui venaient d'en haut et des pas sur le plancher. Ensuite les ressorts du lit se sont mis à grincer, avec un bruit qui rappelait les cigales. Mais ce n'était pas les cigales. Il n'y en avait pas dans le bâtiment, elles étaient toutes dehors.

Donaire sortit, son panier sur la tête, il ne voulait pas qu'ils pensent qu'il les espionnait. Il posa le panier dans l'automobile, sur le siège arrière. Il s'assit sur la barrière de l'enclos pour attendre, le plus loin possible de ce qui se passait à l'intérieur. L'obscurité continuait à s'épaissir et on commençait à avoir du mal à apercevoir les cimes des palmiers près de la route nationale. Il était six heures passées, presque sept, quand il vit sortir la petite, María del Pilar, qui s'engouffra en courant dans l'automobile. Derrière, sans se presser, venait l'homme en deuil, Castañeda. Donaire hésitait à s'approcher, Castañeda l'a alors appelé en criant, comme si rien ne s'était passé. Il lui tendit un billet de deux cordobas, ce qui était trop pour quelques citrons cueillis, et il le remercia, il lui dit qu'ils reviendraient le soir chercher des citrons pour les fêtes de l'Immaculée Conception, mais qu'il ne devait le raconter à personne de la maison là-bas, à León, ils voulaient leur faire la surprise de ces citrons tant que ne seraient pas terminées ces fêtes de l'Immaculée Conception.

Ils revinrent la semaine d'après. Demetrio avait déjà cueilli les citrons et il les attendait. Ils ne les ont pas emportés parce que les fêtes étaient terminées. Castañeda lui donna quand même les deux cordobas.

« Des citrons pour l'Immaculée Conception. » Le Dr Salmerón secoue son stylo dans lequel il n'y a plus d'encre. « Pour eux c'était plutôt l'immaculée fornication. L'homme est prêt à faire une déposition?

– Il est prêt. » Rosalío s'allonge sur la civière, les mains derrière la nuque, en laissant les feuilles contenant ses notes sur sa poitrine. La lumière de la lampe baladeuse baigne la totalité de son corps. « Reste à savoir si on voudra recevoir sa déposition. Maintenant notez : janvier, troisième visite.

– Attends. » Le Dr Salmerón s'efforce d'ouvrir l'encrier, mais le couvercle ne cède pas. « Il a cru que tu étais curé ou bien il a découvert ton déguisement?

– Il m'avait vu au cours d'un voyage. » Rosalío s'appuie sur ses coudes. « C'est un homme très instruit. " Don Chalío, j'ai beaucoup aimé votre histoire de Laurentina et de Baldomero " : c'est la première chose qu'il m'a dite, alors que je n'étais pas encore descendu de cheval.

– " La troisième fois, il y a eu plus de pleurs. " Castañeda quittait la maison. » Le Dr Salmerón aspire l'encre avec la pompe de son stylo. « Ou bien ce rendez-vous se situe-t-il après, alors qu'il vivait déjà à part?

– " Ils ont laissé la Packard cachée derrière le hangar à bois. Ils avaient apporté un drap, les ressorts du lit n'étaient recouverts que par une natte. " J'ai vu cette natte. » Rosalío ramasse les papiers et les place devant ses yeux, sans lever la tête. « Ça a dû être avant, docteur. Comment pouvait-il la transporter dans la Packard de don Carmen s'il n'habitait plus chez les Contreras?

– C'est ce qui explique l'échange de lettres à l'église. » Le Dr Salmerón arrache une feuille de son ordonnancier pour nettoyer ses doigts pleins d'encre. « Tu as raison.

– " Ils ont emporté leur drap. Donaire s'occupait de balayer la pièce. Tous les jours il mettait de l'eau dans le broc de faïence et il les attendait. Ils sont revenus une nouvelle fois en janvier et ensuite vers la fin février. " » Rosalío se fait de l'ombre avec son bras en lisant, pour se protéger de la lumière de la baladeuse. « Marta était déjà morte. " Donaire est au courant de son décès. Il pense présenter ses condoléances au veuf, mais comme il ne lui trouve pas l'air triste, il croit que ce n'est pas convenable. "

– Il n'aurait plus manqué que cela, qu'il lui présente ses condoléances. » Le Dr Salmerón applique sur la page un buvard offert par les pilules du Dr Witt : " Douleurs d'intestin? Médicament utile chez vous, c'est le destin. " « Passons à la suivante. La séparation avant le voyage.

– " Ils ont plus tardé que les autres jours. " C'est la première fois qu'elle a osé regarder Donaire en face, quand ils sont sortis. » Rosalío laisse pendre la main qui tient les papiers. « " Elle lui a adressé un sourire triste en montant dans la Packard, et brusquement elle est descendue pour lui offrir le drap. " Donaire me l'a montré, il le garde dans un coffre. Un drap brodé de fils de couleur, avec des moineaux qui butinent des fleurs.

– Le corps du délit. » Le Dr Salmerón dégourdit la main qui écrit, en ouvrant et en fermant les doigts. « J'aimerais voir ce drap, avec ses petits oiseaux brodés, dans les mains de ce salaud de juge. Ce doit être sa sœur, la défunte Matilde, qui le lui a brodé.

– Il reste les deux derniers rendez-vous, avant les événements criminels. » Rosalío se met sur le côté, replie les jambes et arrange ses mains sous sa joue. « " Ils sont descendus de la Packard, en courant, en se tenant la main. Tout joyeux, ils ont salué Donaire. " On était loin des sanglots de jadis, docteur.

– Les sanglots allaient arriver plus tard. » Le Dr Salmerón s'arrête d'écrire et il adresse un sourire narquois à Rosalío. « C'est tout?

– C'est tout. Ils devenaient bavards avec Donaire. " Depuis si longtemps, c'est un miracle? " avait-il dit en les saluuant lors du premier des deux rendez-vous de la fin. » Rosalío se tient toujours de profil et sa voix se fait traînante. « " Vous nous avez manqué ", lui avait-elle répondu.

– C'est le lit qui leur manquait. » Le Dr Salmerón referme son carnet et visse son stylo. « Ça suffit, monsieur le curé.

– Il ne reste que le baiser qu'a vu le comptable, Demetrio Puertas. » Rosalío se recroqueville un peu plus et il ferme les yeux. « Demetrio Puertas les a aperçus en train de s'embrasser, depuis son bureau dans la galerie.

– Ne vous endormez pas, révérend. » Le Dr Salmerón tape à plusieurs reprises avec l'encrier sur le bois. « Puertas a déjà déposé et il n'a rien dit. Quand cela s'est-il passé?

– Récemment, après leur retour du Costa Rica. » Rosalío se redresse et il bâille, en se couvrant la bouche. « Il n'a rien dit non plus des livres de comptabilité fictifs. Mais j'ai ici ce qu'il a raconté à Donaire.

– Ils s'embrassaient en plein jour. » Le Dr Salmerón bâille à son tour, en se mordant les phalanges. « Qui a embrassé qui?

– C'est elle qui l'a embrassé la première, sur la porte de sa chambre à lui. Elle sortait avec son linge sale. » Rosalío descend de la civière, en retroussant sa soutane; les traces de boue de ses souliers sont restées marquées sur le drap. « Cette cavalcade à cheval m'a brisé, docteur. J'ai dû rentrer au galop et malgré tout je ne suis pas arrivé à temps.

– Ça ne fait rien, ce sont des détails. Ce ne sont pas les baisers qui manquent. » Le Dr Salmerón glisse le buvard dans le carnet et il le referme. « Tu peux aller dormir. Laisse-moi tes papiers pour que je copie ce qui a trait aux livres de comptabilité.

– Vous n'allez rien comprendre à mon écriture, il vaut mieux que je revienne demain. » Rosalío gagne la fenêtre qui donne sur la rue, et il l'entrouvre tout doucement.

« Demain il sera peut-être trop tard, passe-moi tes papiers. » Le Dr Salmerón s'approche, la main tendue.

« Les deux espions sont toujours là. » Rosalío lui transmet les papiers, tout en continuant à guetter. « Et s'ils m'attrapent en sortant?

– S'ils t'attrapent, dis-leur que tu étais en train de me convertir. » Le Dr Salmerón tente de rire, mais son rire s'étouffe dans un râle montant de sa poitrine.

42

Le dossier secret aboutit dans les tinettes

Le Dr Atanasio Salmerón regagnait son cabinet à bord d'un fiacre, vers sept heures du soir, le 12 novembre 1933, quand les espions postés sur le trottoir d'en face se mirent en devoir d'encercler la voiture, pistolet au poing, pour le capturer, obéissant ainsi aux ordres que le capitaine Anastasio Ortiz leur avait transmis en sortant de la fête d'anniversaire du juge Fiallos. Il fut brutalement contraint de descendre et un de ses ravisseurs lui porta un coup violent sur la tête avec la crosse de son revolver, lui provoquant une blessure au pariétal gauche qui ne nécessita pas de points de suture mais entraîna un saignement abondant.

Dans la voiture se trouvaient plusieurs paquets de feuilles volantes contenant sa réponse au dernier article du Dr Darbishire, publié dans *El Centroamericano* en date du 29 octobre 1933, qu'il avait fini par faire imprimer dans un petit atelier typographique du quartier de San José, après s'être adressé en vain à toutes les imprimeries de León et avoir essuyé un refus de publier son article aussi bien de la part de *El Cronista* que de *El Centroamericano*, même à titre payant.

Voyons ce que dit Manolo Cuadra dans son article « Capture et imposture », paru dans *La Nueva Prensa* du 14 novembre :

Un nouvel événement est encore venu échauffer l'atmosphère dans laquelle baigne l'affaire Castañeda, quand le 12 au soir s'est produite l'arrestation brutale du Dr Atanasio Salmerón, qui bien qu'il ait refusé précédemment de présenter ses preuves devant la justice reste un témoin clé, car on sait que ses investigations ont conduit les autorités sur les premières pistes concernant les crimes qui font actuellement l'objet d'une instruction. Ce médecin bien connu a été frappé et injurié au moment de la détention, de façon gratuite, si nous en croyons le témoignage du cocher qui le conduisait à son domicile, Santiago Mendoza, que nous avons retrouvé à son poste de stationnement habituel de la gare des chemins de fer, dans le but de recueillir ses impressions.

L'homme, d'environ soixante ans, père de huit enfants, nous a précisé, avec beaucoup de courage : « L'assaut a été d'une sauvagerie incroyable, j'ai tout vu. Le docteur m'a envoyé chercher pour faire des courses et je l'ai pris à son cabinet à cinq heures. Je l'ai conduit à l'atelier de typographie *Le Soleil d'Occident* dans le quartier San José, où on lui imprimait des feuilles volantes, et il a fallu attendre qu'elles soient prêtes. Il m'en a offert une, que j'ai gardée et que j'ai ici », nous dit-il en nous montrant la feuille. « En revenant au cabinet, il faisait nuit et il m'a demandé de l'aider à descendre les paquets de feuilles; c'est ce que nous allions faire quand des hommes armés nous ont entourés. »

Nous avons demandé à Mendoza s'il est vrai que le Dr Salmerón a opposé de la résistance et s'il a exigé de lui qu'il remette la voiture en marche afin de fuir à bride abattue, selon la version entendue par le reporter qui vous parle au commandement départemental de la Garde nationale. Ce à quoi il nous répond : « C'est faux. Il leur a demandé, avec beaucoup de civilité, de le laisser rentrer les paquets; pour toute réponse, un des hommes l'a attrapé par les cheveux et l'a fait brutalement descendre de voiture. Il est tombé et alors qu'il était par terre un autre lui a asséné un coup avec la crosse de son revolver, en lui ordonnant de se relever. Comme il était blessé, il leur a demandé de le laisser entrer pour se faire un pansement, mais ils n'ont pas voulu non plus et ils l'ont emmené en le tenant en joue. J'ai ramassé son chapeau dans la rue. »

D'autres témoins oculaires, habitants du quartier, rapportent qu'il a été conduit à pied au commandement départemental et il a dû déchirer pendant le trajet un pan de sa chemise pour se bander la tête. Informé de cette arrestation, le reporter qui vous parle est parvenu jusqu'au porche du commandement et il a pu apercevoir le médecin à travers les grilles, car on m'a interdit d'entrer. Après une longue attente dans la salle de garde, il a été transféré au second étage, où le capitaine Anastasio J. Ortiz l'a immédiatement condamné à trente jours d'arrêt et de travaux d'intérêt public, pour incitation au désordre et attentat contre la morale citadine, en accord avec l'article 128 du Code de police.

Les spectateurs qui à cette heure-là sortaient de la séance de cinéma au théâtre González et le reporter qui vous parle virent passer le Dr Salmerón qu'on conduisait, au milieu d'un peloton de soldats, à la prison XXI, toujours à pied. Nous avons constaté qu'il avait la tête bandée et que la veste de son costume de coutil était abondamment tachée de sang. « Docteur Salmerón », lui ai-je crié, tout en tentant de m'approcher. « Que pouvez-vous nous dire de votre arrestation? » Mais il n'a pas osé tourner la tête et encore moins répondre.

Les questions logiques qui surgissent à propos des véritables motifs de cette détention n'ont pas obtenu de réponses. L'a-t-on arrêté parce qu'il avait imprimé sur une feuille volante ses opinions scientifiques concernant l'affaire? Cette interprétation est peu probable, étant donné qu'on n'a pas saisi le matériel imprimé, comme nous en informe le cocher Santiago Mendoza, puisqu'il s'est chargé lui-même de descendre les paquets et de les remettre à l'employée de maison, une fois que les ravisseurs eurent emmené le prisonnier. Et cette feuille volante a commencé à circuler à profusion dans León, dès le soir même.

D'autres motifs? Que disent les autorités militaires? S'agit-il d'une ven-

geance, comme on le murmure déjà ? On impute au Dr Salmerón la responsabilité d'être l'instigateur du reportage signé par notre confrère Rosalío
Usulutlán, auquel nous avons fait référence dans des articles précédents et
dont la publication a suscité des réactions contrastées : les familles huppées
le jugent scandaleux ; la plèbe, amusant, car Usulutlán a su lui donner le
caractère d'une historiette tragi-comique.

Oviedo la Baudruche, qui sortait de la séance de cinéma, fut de
ceux qui virent passer le Dr Salmerón escorté par les soldats, en
direction de la prison XXI ; dans les heures qui suivirent il s'évertua à
sonner l'alarme : d'une des fenêtres de *Chez Prío* il informa le capitaine pour qu'il prévienne Cosme Manzo et Rosalío de se tenir sur
leurs gardes ; il se rendit au domicile du Dr Escolástico Lara, président de la Société médicale de León, qui tenta le soir même de réunir d'urgence son comité directeur, sans y parvenir ; il alla tirer Alí
Vanegas de son antre de la rue Royale et tous deux partirent chez le
juge Fiallos. Ils le tirèrent de son lit, car la célébration de son anniversaire était terminée mais apparemment il avait bu quelques verres
de trop.

Le juge Fiallos tenta de joindre au téléphone le capitaine Ortiz au
commandement départemental, mais l'officier de garde démentit sa
présence à cet endroit et prétendit qu'il ignorait où il se trouvait. Il
obtint la même réponse à son domicile, où il alla le chercher personnellement. Il n'eut alors d'autre recours que de lui envoyer une
note, en chargeant Alí Vanegas de la remettre au commandement et
de demander un reçu. Une transcription de la note est jointe au dossier :

Mon autorité a été informée que le Dr Atanasio Salmerón a été arrêté ce
soir sous des motifs d'inculpation que j'ignore et sur des ordres qui ne proviennent d'aucun juge ayant des compétences civiles, d'après ce que j'ai pu
déterminer ; j'en conclus que ces ordres proviennent de la Garde nationale.
Le susnommé Dr Salmerón a comparu comme témoin de l'affaire que ce tribunal instruit contre Oliverio Castañeda et il doit se tenir à ma disposition
pour des dépositions ultérieures, raison pour laquelle sa capture constitue
une atteinte injustifiée à ma juridiction, qui doit cesser immédiatement. Les
interventions réitérées de la Garde nationale dans ce procès sont non seulement clairement infondées, mais aussi illégales. J'exige la présentation du
détenu, demain à la première heure, dans mon bureau. Dans le cas
contraire, je me verrai dans l'obligation de transmettre une plainte à la
Haute Cour de justice.

Faisant fi de cette note péremptoire, le capitaine Ortiz envoya très
tôt le lendemain le Dr Salmerón balayer les rues. Manolo Cuadra
donne à ses lecteurs une description de l'épisode dans la suite de son
article :

Vengeance? La question semble banale. Le Dr Salmerón a été tiré de sa prison le 13, au milieu d'une troupe de détenus de droit commun, tous pourvus de balais, de pelles et de râteaux, pour exécuter des travaux de nettoiement et de décoration des rues sous l'œil vigilant de soldats armés de fusils. Il est certain que la sentence autorise la Garde nationale à lui imposer une telle humiliation, puisqu'il a été condamné à effectuer des travaux d'intérêt public; mais on a rarement vu un médecin respectable, dont les cheveux commencent à blanchir, être obligé de balayer les caniveaux, les trottoirs et le pavé de la rue Royale, la plus fréquentée de León.

La Société médicale se tait jusqu'à présent face à la violation des droits dont un de ses membres est la victime; la faculté de médecine se tait et la presse locale se tait elle aussi. Demain, nous dit-on, on l'emmènera travailler à l'élagage et au débroussaillage du cimetière de la Guadalupe, et on lui confiera, en particulier, le nettoyage de la tombe de Mlle Mathilde Contreras : vengeance peu méritoire. Aujourd'hui on l'a contraint à balayer le trottoir du cabinet du Dr Juan de Dios Darbishire, situé dans la rue Royale : là encore, vengeance mesquine, à laquelle, nous en sommes persuadés, le digne vieillard ne s'est pas prêté; on est étonné par la vulgarité avec laquelle on a voulu faire ravaler au Dr Salmerón ses propres paroles.

Quelle opinion inspirent ces mesures à Mariano Fiallos, à qui a été confiée l'instruction de l'affaire Castañeda? Nous avons foi en sa droiture et en sa qualité d'homme de bien, et nous lui laissons la parole.

Manolo Cuadra nous parle d'une vengeance, dont il se dit persuadé que le Dr Dasbishire n'a pas voulu l'assumer, quand il rapporte que le Dr Salmerón, contraint de ravaler ses paroles, a dû balayer le trottoir devant le cabinet de la rue Royale. Nous trouvons l'explication de cette allusion dans l'article imprimé sur les feuilles volantes que les ravisseurs oublièrent de saisir et qui commença à circuler le soir même.

L'article, sur lequel devait se clore définitivement la polémique entre maître et disciple, dit textuellement :

DES EAUX DU MÊME ÉGOUT

Mon ancien maître, le Dr Darbishire, m'invite, dans son article que publie *El Centroamericano* du 29 octobre de l'année en cours, à ne plus lui appliquer le titre de maître. Je lui donnerai donc satisfaction, puisque je ne le rappellerai plus jamais ainsi, ce qui du même coup m'incite à l'appeler, par contre, « Dr Ptomaïne », à cause de l'insistance avec laquelle il se rapporte à ces substances; quoique je ne doute pas qu'un plaisantin, comme il y en a beaucoup, préférerait l'affubler du sobriquet de « Dr Putrécine », ce qui, peut-être, lui conviendrait mieux.

Je n'ai rien à objecter au savant docteur en ce qui concerne les propriétés de ses commodes ptomaïnes, ni au fait qu'elles forment un précipité au contact des réactifs généraux des alcaloïdes; j'aurais l'air, sur ce point, de découvrir l'eau sucrée. Mais il n'est pas sûr qu'elles soient toutes des poisons mortels; car la choline, par exemple, qui est une ptomaïne, possède des propriétés curatives si on l'applique en solution à 5 % sur les plaques dyphtériques, en raison de son pouvoir de dissolution des membranes fibreuses.

Et au cas où le savant docteur ne me croirait pas, qu'il consulte le professeur émérite Oswaldo Soriano : *Notes sur les propriétés curatives des alcaloïdes animaux* (Buenos Aires, 1901).

Mais je vois bien qu'une aussi longue controverse est inutile, puisque nous ne voulons pas nous entendre; et puisque, comme le fait le savant docteur, nous nous limitons à accumuler de jolies citations choisies, arrangées selon notre goût et notre fantaisie, pour nous faire valoir et démontrer que nous savons l'araméen et l'espéranto, en truffant nos textes de paragraphes en langues étrangères.

Mais moi je vous parle en espagnol, savant Docteur. Et en espagnol je vous dis : si vous confondez les ptomaïnes avec un ou plusieurs des quatre seuls (entendez bien : seuls) alcaloïdes à base de strychnine, vous les confondez parce que vous le voulez ou parce que vous l'ignorez. Et le pire est quand on ne veut pas parce qu'on ne sait pas, car on tombe dans une forme d'ignorance sans recours, que j'appellerai ignorance réfractaire.

Si dans l'affaire qui occupe la justice de León on avait utilisé un poison comme la salanine, la delphinine, la nicotine, la cébadine ou la muscarine, on aurait effectivement dû recourir à des analyses plus fines et à des appareils qui peut-être n'existent pas dans toute l'Amérique centrale. Mais s'agissant d'un cas de vulgaire empoisonnement à la strychnine, peut-on douter de la validité des analyses honnêtes qui ont été pratiquées avec une rigueur toute scientifique dans notre université? On ne le peut pas, à moins qu'il n'existe par-derrière des intentions inavouables.

Je vous défie, savant docteur, de me démontrer, une fois pour toutes, trois propositions simples devant un jury formé de cinq professionnels de la médecine de cette ville, même si vous tenez nos hommes de science pour quantité négligeable; et nous pouvons les choisir d'un commun accord, s'il subsiste encore une possibilité d'accord entre nous. Et si, après nous avoir entendus, ils décident que vous avez raison, je m'engage solennellement à balayer le trottoir devant votre cabinet le jour que vous m'indiquerez. Ces trois propositions que vous devez me démontrer en présence du jury sont :

1. Qu'il existe des ptomaïnes en provenance de cadavres humains qui produisent les mêmes effets physiologiques que l'un des quatre alcaloïdes à base de strychnine. Je vous prouverai qu'il n'y en a pas.

2. Que la strychnine se désintègre par putréfaction de l'organisme humain. Je vous prouverai qu'elle ne se désintègre pas : au bout de vingt ans on en a trouvé dans des cadavres, comme le prouvent Bryce Echenique, Skarmeta, Monsiváis, etc.

3. Que la strychnine est soluble dans l'éther ou dans l'alcool, comme c'est, par contre, le cas pour la plupart des ptomaïnes. Je vous prouverai que ce n'est pas le cas et que ça ne l'a jamais été depuis que la science est science.

Démontrez-moi ces trois propositions et ce sera suffisant. Dans le cas contraire, ne continuons pas à discuter et considérez-vous comme vaincu, mais moi je n'exigerai pas que vous balayiez le trottoir devant mon cabinet, bien humble pour votre goût et pour votre ascendance. Renoncez à vouloir contre vents et marées démontrer l'indémontrable, et plutôt que de vous perdre dans des controverses scientifiques pour lesquelles vous manquez désormais de brillant et de brio, consacrez-vous, en bon pénitent, aux processions dont vous êtes aujourd'hui un participant assidu, car si je vous reconnais une qualité c'est bien de brandir votre étendard dans la plus pure tradition, hélas caduque, des dévots, alors que je vous vois mal brandir des arguments scientifiques.

Communiant confit de piété, vous n'hésitez pas à défendre à l'aide de raisonnements fossilisés un criminel, assassin de vos patients. Oui, savant docteur, un criminel, même si vous n'appréciez guère qu'on vous le rappelle. Accusez-moi de manger du même pain que Castañeda, alors que c'est vous, et personne d'autre, qui l'appuyez, en niant ce qui est clair pour la justice! Il ne vous reste plus qu'à proposer qu'on mette Castañeda sur un piédestal; vous iriez alors vous incliner devant lui avec la même ferveur que vous chantez aujourd'hui en chœur dans les rues accompagné – la belle compagnie, en vérité – d'autres qui, hypocritement, se frappent la poitrine. Vous êtes tous, en fin de compte, des eaux du même égout.

Et pour finir, étant donné que les lauriers que vous a valus votre sagesse dans cette ville commencent à être bien desséchés, je vous donne un conseil gratuit: écrivez un opuscule où vous expliquerez votre découverte récente selon laquelle on peut attester cliniquement la virginité d'un cadavre; et envoyez cet opuscule à Paris, à Rome ou à Berlin, où vous recevrez les applaudissements que vous n'avez pas mérités ici et où vos lauriers de pacotille reverdiront à nouveau.

Sur ce je prends congé de vous, en vous avouant que si j'ai bien été votre élève, il est vrai que je n'ai rien appris et que bien m'en a pris; on voit clairement que vous n'aviez rien à m'enseigner. Je prends congé parce que les sbires sont sur ma piste avec l'intention de me jeter en prison; on m'a déjà avisé qu'ils en ont fait la promesse, en m'accusant d'imposture et de calomnie, délits que vous me reprochez vous aussi dans votre article, qui mérite tous mes remerciements. Je me hâte car je ne veux pas échouer dans un cachot avant d'en avoir fini avec vous.

Adieu une fois pour toutes, docteur... Putrécine. Considérez que votre prédiction de chiromancien, à savoir que je finirais par être l'allié de Castañeda, s'est révélée fausse... Quel malheur! Il ne vous manque plus que de vous affubler de turban de voyant extra-lucide et de vous transporter, avec votre cape de soie et tout votre saint-frusquin, sous la tente des saltimbanques... pour y goûter la compagnie des boucs, des singes et autres animaux savants.

P.S.: Après avoir tenté vainement de faire publier ma réponse dans les journaux de cette ville, j'ai dû avoir recours à l'expédient consistant à la faire imprimer sur une feuille volante, parce qu'on m'applique la loi du bâillon, comme un châtiment supplémentaire pour oser faire usage de la vérité dans un lieu où les potentats locaux et les margoulins ont le contrôle du mensonge. Je vous conseille donc de placer cet écrit dans un cadre et de l'accrocher dans votre cabinet, pour avoir la preuve que, malgré tout, j'ai pu vous répondre. Comme en temps voulu je saurai répondre à tous mes détracteurs et à tous mes persécuteurs inutiles. Adieu.

Dans la matinée du 15 novembre, enhardi par l'indignation, le capitaine Prío eut l'idée de rendre visite dans son cabinet à son parrain, le docteur Darbishire. Il souhaitait que le vieillard intervînt en faveur du Dr Salmerón, qu'on avait sorti de prison pour la troisième journée consécutive, au milieu d'une équipe de prisonniers, afin qu'il aille cette fois balayer les allées de la place Jerez. Le capitaine vit arriver l'équipe de balayeurs alors qu'il réceptionnait de la glace sur le trottoir et il essaya d'envoyer au Dr Salmerón un pichet d'orangeade, mais les gardiens ne laissèrent pas le serveur s'approcher et ils confisquèrent le rafraîchissement en plaisantant, pour finalement le boire eux-mêmes.

Le Dr Darbishire venait de rentrer de sa visite quotidienne à l'hôpital San Vincente et il recevait pour le moment le Dr Escolástico Lara, venu lui réclamer sa signature pour la déclaration que la Société médicale de León se proposait enfin de publier et où elle demandait l'interruption de tout traitement infamant contre leur collègue détenu et sa libération immédiate.

Pendant qu'il attendait dans le couloir, le capitaine put entendre la discussion qui se déroulait dans le cabinet et qui alternait avec de puissants coups de marteau. Quand le Dr Escolástico Lara sortit, le visage décomposé, portant à la main les feuillets de la déclaration, Teodosio, le petit muet, le fit entrer. Le Dr Darbishire, qui venait de planter le clou, accrochait au mur le cadre de verre où il avait fait mettre la feuille volante du Dr Salmerón.

« Vous venez toucher le prix des repas ? » Le Dr Darbishire découvrit le capitaine alors qu'il se tournait à nouveau pour prendre le marteau. « Ce n'est pas encore la fin du mois, filleul.

– Non, parrain. » Le capitaine Prío était resté près de la porte de verre dépoli, sans lâcher la poignée. « Je viens seulement vous dire que ce qu'on est en train de faire au Dr Salmerón n'est pas juste.

– Et vous croyez que ce qu'il m'a fait à moi est juste ? Approchez-vous, regardez ce pamphlet insolent. » Le Dr Darbishire ajouta un nouveau coup de marteau pour renforcer le clou. « J'ai posé la même question au Dr Lara, est-ce que c'est juste ? Bien sûr que non. Mais je respecte la volonté de ce foutriquet, j'ai accroché son pamphlet.

– Je sais bien que je n'ai aucun droit de vous demander quoi que ce soit, parrain. » Le capitaine Prío hausse les talons et se dresse sur la pointe des pieds pour apercevoir le cadre, sans bouger de sa place. « Mais on va obliger un professionnel comme lui à balayer les ordures dans les rues ?

– Un professionnel déconsidéré. Seuls huit médecins, sur les quarante que compte León, ont voulu signer la déclaration. » Le Dr Darbishire se frappe la paume de la main avec la tête du marteau. « Et moi je ne signe pas non plus. Si cet individu était libre, j'aurais porté plainte auprès des tribunaux. Et de toute façon il aurait fini en prison.

– Parrain, ce sont des polémiques scientifiques, entre médecins. »

Le capitaine Prío pousse doucement la porte, pour finir de la fermer. « Le gagnant, c'est celui qui pardonne.

– Lui pardonner ? Ça, jamais. » Le Dr Darbishire soupèse le marteau, puis il le pose sur le bureau. « Ce monsieur m'a offensé. Personne ne m'avait jamais offensé de la sorte.

– Mais comment allez-vous admettre qu'il déambule dans les rues avec un balai ? » Le capitaine Prío s'approche, en ouvrant les bras. « Avec un bandage et tout taché de sang.

– Et que voulez-vous que je fasse, filleul ? » Le Dr Darbishire cale ses lorgnons d'un air hautain.

« Si vous réclamez sa liberté, Somoza vous écoutera. » Le capitaine Prío sort son paquet de cigarettes Sphynx de la poche de sa chemise. « Et la ville tout entière applaudira à votre noblesse.

– Je ne recherche pas les applaudissements. » Le Dr Darbishire croise les bras sur sa poitrine et relève le menton. « Que j'adresse une demande au général Somoza ? Je ne suis pas fou. Je n'ai même pas accepté de signer la déclaration de la Société médicale. Et ne fumez pas en ma présence, filleul.

– Parrain, pardonnez-moi de vous le dire. Mais si vous refusez, vous vous portez responsable de sa vie. » Le capitaine Prío remet la cigarette dans le paquet qu'il tient à la main.

« Ne me dites pas que la Garde va le fusiller pour calomnie. » Un sourire de mépris déforme la bouche du Dr Darbishire et il balance le torse, les bras croisés.

« On l'a mis dans la même cellule qu'Oliverio Castañeda et pour cette raison il est en danger. » Le capitaine Prío range son paquet de cigarettes. « On le tient à la merci du tigre, dans la même cage. »

Surpris, le Dr Darbishire cesse de balancer le torse et il entrouvre les lèvres.

« N'allez pas me dire que ce sont des inventions à moi, c'est véridique. » Le capitaine Prío fait un geste d'affirmation solenelle de la tête. « Il est encore a temps de le sauver.

– On n'aura pas permis à Castañeda d'avoir de la strychnine dans sa cellule. » Le Dr Darbishire ôte sa veste et il se dirige vers le portemanteau. « Ne vous inquiétez pas, filleul, Castañeda ne va pas l'empoisonner.

– Alors, quand on l'enverra à nouveau balayer le trottoir, portez-lui au moins de l'eau, parrain. » Le capitaine Prío s'avance pour lui enlever la veste des mains, il la porte lui-même au portemanteau et lui rapporte la blouse blanche qu'il met pour les consultations.

« J'ai déjà prévenu le capitaine Ortiz que cela ne devait pas se renouveler. » Le Dr Darbishire prend la blouse et il la secoue avant de commencer à l'enfiler par la tête. « Je n'ai pas besoin que qui que ce soit se venge en mon nom. Je ne suis pas d'un naturel vindicatif.

– Alors, dans ce cas, pardonnez, parrain. » Le capitaine Prío s'arrête, sur le pas de la porte, avec l'intention d'ajouter quelque chose, mais il renonce.

« Filleul. » Le Dr Darbishire l'appelle, la tête cachée par la blouse, les manches pendant hors de ses bras. « Ne partez pas sans ma bénédiction.

– Oui, parrain. » Le capitaine Prío s'approche et il baisse humblement la tête.

« Puisse le Seigneur te délivrer des mauvaises fréquentations, amen. » Le Dr Darbishire le bénit. « Et je pardonne à ce malotru. Mais je ne signerai foutrement rien en sa faveur. Dis à Teodosio de faire entrer le premier arrivé. »

A peine le Dr Salmerón avait-il été transféré à la prison XXI que le capitaine Ortiz se rendit à son cabinet du quartier San Sebastián pour diriger la perquisition personnellement. C'est là qu'il se trouvait quand le juge Fiallos se mit à sa recherche. Il voulait retrouver les paquets de feuilles volantes que les policiers avaient oublié de saisir dans le fiacre au moment de la capture et dont il avait constaté que les premières circulaient déjà en ville ; mais surtout, il recherchait le carnet offert par la maison Squibb et les chemises du dossier secret, dont il ne connaissait que trop l'existence.

Il ne restait plus une seule feuille volante. Soumise à interrogatoire, l'employée de maison assura qu'elle les avait données à des inconnus qui s'étaient présentés au cabinet après la capture, puisqu'il fallait les distribuer. Les gardes eurent beau retourner le mobilier, forcer les tiroirs du bureau et les vitrines d'instruments, on ne trouva pas trace du carnet ni des dossiers. Quand la perquisition fut terminée, la maison était complètement ravagée, car ils étaient entrés également dans la chambre pour ouvrir l'armoire à coups de crosse et défoncer le lit ; ils fouillèrent même la cuisine, tout ce que contenait le buffet fut éparpillé. Les traversins et le matelas furent éventrés à la baïonnette, les assiettes brisées, casseroles, livres de médecine, instruments de chirurgie, cuvettes et tabourets, tout fut finalement jeté dans la cour.

Le capitaine Ortiz ne pouvait pas deviner la cachette de ce qu'il cherchait avec tant d'acharnement. Plusieurs jours auparavant, le Dr Salmerón avait pris la précaution de glisser le livre *Secrets de la nature*, les chemises du dossier secret et le carnet de chez Squibb, à l'intérieur d'une boîte à biscuits qu'il attacha à une corde pour la faire descendre dans le trou des tinettes et il amarra l'autre bout de la corde à un crochet qu'il planta dans la partie intérieure du siège où l'on s'asseyait pour faire ses besoins.

Quand il sortit de prison le 28 novembre 1933, le jour même où Oliverio Castañeda était formellement inculpé d'homicide et de crime aggravé, il courut récupérer son trésor au fond des tinettes ; et bien que le livre, les dossiers et le carnet se fussent conservés dans des conditions parfaites, il ne réussit pas à les débarrasser de l'odeur qui les imprégnait, malgré tous ses efforts pour les désinfecter à la créosote.

43

Qu'est-il arrivé à notre galant?

Comme nous le savons déjà, Oliverio Castañeda fut formellement inculpé d'homicide et de crime aggravé, le 28 novembre 1933 ; sur cette accusation se fermait la période de l'instruction qui s'était ouverte le 9 octobre, date de la mort de don Carmen Contreras. A partir de ce moment, le procès entra dans sa phase plénière, destinée à accumuler les preuves contre l'accusé, en préparation du procès d'assises pour lequel on devait convoquer un tribunal composé de treize jurés tirés au sort.

L'accusé comparut devant le juge le 1er décembre 1933 pour faire sa déposition à charge, première étape de la phase plénière. L'interrogatoire minutieux commença à huit heures du matin et se termina à dix heures du soir, uniquement interrompu vers midi pour que le juge Fiallos pût recevoir le témoignage du jeune Carmen Contreras Guardia ; et c'est à cette occasion que se produisit entre l'accusé et le témoin l'incident que nous avons mentionné plus haut.

Tout au long de l'interrogatoire, dont nous avons également cité certaines des parties médulaires, l'inculpé rejeta toutes les accusations et repoussa les charges retenues contre lui ; mais, devant les questions du juge Fiallos, il persista dans son démenti d'avoir eu le moindre rapport amoureux avec aucune des Contreras, il se montra chevaleresque dans ses réponses et observa constamment une attitude empreinte de respect et de considération à l'égard de toutes les femmes de la maison, comme il l'avait fait jusqu'alors au cours de confrontations précédentes.

Une telle persévérance ne manquait pas d'attirer l'attention, car à ce niveau il ne pouvait plus rien espérer de ses anciennes protectrices, tant la veuve était décidée à mener ses accusations jusqu'au bout, après avoir menacé de quitter le pays ; et s'il est vrai que dans sa propre déposition María del Pilar démentait à son tour la moindre relation sentimentale avec lui, par ailleurs elle le désignait clairement comme le responsable des crimes.

Mais le 6 décembre 1933, quelques jours après avoir fait sa déposition à charge, l'accusé comparut devant le juge Fiallos pour donner lecture d'un document inattendu et explosif où ne subsistait plus aucune trace de sa retenue et de sa délicatesse vis-à-vis des femmes de la famille.

Ce document, qui constitue le plaidoyer le plus complet en sa faveur que Castañeda parvint à prononcer au cours du procès, contient plusieurs éléments qui, nous en sommes persuadé, intéresseront le lecteur. Nous le copions à la suite intégralement :

Je soussigné Oliverio Castañeda Palacios, ayant déjà subi plusieurs interrogatoires, comparais respectueusement devant vous, monsieur le Juge d'instruction chargé des affaires criminelles, et expose les faits suivants :

J'ai été arrêté de manière arbitraire et illégale le 9 octobre 1933, sans qu'aucune autorité judiciaire compétente ait lancé le moindre mandat d'arrêt, et on ne m'a informé des charges qui pesaient contre moi que le 15 octobre 1933, alors que le dossier comportait déjà plus de cent cinquante feuillets utiles. C'est à cette occasion que vous m'avez notifié ma détention, procédure éminemment singulière, si l'on considère que cette notification m'a été faite dans la prison où j'étais déjà détenu.

Avant cette date et après cette date, je suis resté au secret dans un cachot de la prison XXI, où l'on m'a privé de tous les recours indispensables à l'exercice légitime de mon droit à la défense, sans que je puisse même disposer d'encre et de papier, dont l'usage m'a été interdit, et dont je n'ai pu me pourvoir que récemment grâce à l'aide d'amis charitables qui ne m'ont pas tourné le dos dans l'adversité. C'est ainsi que je peux vous adresser le présent écrit, bien que le 18 octobre 1933, quand vous avez recueilli ma déposition « à des fins d'enquête », je vous aie notifié que j'assurerais moi-même ma défense ; ce qui, en contradiction avec toutes les dispositions de la loi, n'a changé en rien l'absence totale de défense dont je pâtissais, car on ne m'a jamais accordé d'audience lorsque je le demandais.

Il s'agit, par conséquent, d'un procès qui a été instruit dans l'ombre, contre toute règle de justice, et même contre tout principe humanitaire ; car tandis que l'autorité militaire et peut-être également vous-même, monsieur le Juge, vous m'avez maintenu ligoté et bâillonné, le jugement s'est poursuivi dans mon dos, avec la claire intention de satisfaire les appétits de ceux qui veulent me voir succomber sous les balles, attaché au poteau d'exécution, et qui y sont incités pour les raisons les plus diverses : haine personnelle, antipathie, intérêts sordides, sans exclure des motifs d'ordre politique, car il est bien connu que le dictateur Jorge Ubico réclame ma tête au gouvernement suprême du Nicaragua en gage d'amitié.

L'article 75 du Code d'instruction criminelle prescrit que l'enquête sur le corps du délit doit se faire en présence de l'accusé et de l'avocat de la défense ; bien que je sois les deux à la fois, on ne m'a pas permis d'être présent lors des interrogatoires des témoins ni d'assister aux expérimentations effectuées, qui se disent scientifiques et qui ne le sont pas, dans un endroit comme celui-ci où il n'y a pas de véritables laboratoires, comme l'a fort bien souligné l'éminent praticien, le Dr Juan de Dios Darbishire, dont l'opinion est insoupçonnable puisqu'il est le médecin personnel de la famille Contreras. Tout cela s'est tramé loin de moi, à la façon d'une conspiration, tandis que l'on me maintient reclus en prison, comme si j'étais un accusé dans l'antichambre de la mort, qui ne doit espérer que l'heure inéluctable de l'exécution.

Et tandis que cette conspiration progressait, je me suis efforcé de me comporter en véritable gentleman, en acceptant avec une patience spartiate de me voir couvrir de boue et en me refrénant pour ne pas attenter à des honneurs qui n'en sont plus, confiant qu'arriverait le moment où les esprits devraient se rasséréner, et que celles qui ont plus à perdre que moi dans cette affaire se reprendraient enfin, car veillant avec un excès de zèle à leurs réputations, elles permettent que la mienne soit galvaudée dans tous les salons de León, où règne, telle une souveraine abjecte, l'hypocrisie. Je constate donc, monsieur le Juge, que la vertu qui consiste à continuer à me taire favorise avant tout celles qui auparavant me prodiguaient l'hommage de leurs faveurs et qui aujourd'hui s'acharnent sur moi.

Dans le dossier du procès abondent les dépositions élaborées avec une pauvreté d'imagination affligeante, et destinées à me peindre sous les traits terrifiants d'un psychopathe, d'un malade sexuel, d'un abject calomniateur, d'un menteur professionnel ; on m'y affuble d'un cerveau déréglé, et tout le bien que l'on y dit de moi, lorsqu'on en dit, mon aptitude à plaire, mes manières raffinées, mes traits d'esprit et ma civilité en société, ma sympathie et mes dons naturels ne servent à mes détracteurs que pour affirmer que derrière ces qualités se cache le venin du plus ignoble des assassins.

Doña Flora, veuve Contreras, et sa fille, ou bien ont cédé sous la contrainte à la violence des pressions, ou bien participent de façon volontaire et consciente à la conspiration où l'on devine la main du Costaricien Fernando Guardia, qui a établi son quartier général à León dans le but plus qu'évident de s'emparer de la fortune de sa sœur et de ses neveux, en m'accusant, en outre, avec une audace inouïe, de crimes que j'aurais commis au Costa Rica et pour lesquels, si je les avais commis, on m'aurait sans aucun doute jugé et condamné dans ce pays ; on peut constater qu'on ne m'a ni jugé ni condamné, et il est clair que le dénommé Fernando Guardia ne vous soumet que des témoignages viciés parce que tardifs, qui n'ont pas été enregistrés par une autorité judiciaire compétente et qui ont été fabriqués à la mesure de ses ambitions dans l'étude d'un notaire qui n'est pas légalement habilité pour une telle démarche. Tel est le cas des « documents » sur la foi desquels on tente de me faire endosser la mort de mon cher ami Rafael Ubico, dont je n'ai jamais assez pleuré la disparition. Je dis et je soutiens que ledit Guardia, ou bien manifeste une ambition démesurée, ou bien n'est qu'un agent déguisé de la tyrannie d'Ubico, qui dépense des quantités de dollars à rétribuer les services d'une tribu de canailles de la pire engeance dans toute l'Amérique centrale.

Dans ces « documents », l'intention de nuire est plus que patente chez ceux qui en sont la source, des personnes qui ne m'ont jamais manifesté la moindre sympathie quand j'ai eu le malheur de les fréquenter au Costa Rica, et sur le comportement desquelles je pourrais écrire tout un livre. J'y dépeindrai, de pied en cap, la propriétaire de la Pension allemande, une dame aux appétits luxurieux qui exigeait d'Ubico qu'il la rejoigne dans son lit en échange de savoureux déjeuners, et qui prodiguait ses faveurs au pharmacien Rovinski en échange de médicaments pour les rhumatismes et de drogues hormonales afin de reconquérir sa jeunesse enfuie.

Et ce sont eux, laissez-moi rire, monsieur le Juge, qui m'accusent dans leurs « dépositions » de façon imprudente et peu charitable, me dispensant du même coup d'être moi-même charitable à leur égard. Imaginez quel sérieux on peut accorder aux déclarations d'une femme qui, apprenant qu'un crime a été commis dans sa pension, ne le dénonce pas à la justice ; et à celle d'un apprenti apothicaire qui fournit le poison pour l'accomplissement de ce même crime et qui se tait, uniquement parce qu'on ne lui a rien demandé. Si Rovinski rend toujours visite à la Gerlach dans son alcôve, au milieu de la nuit, c'est là, dans l'intimité de leur couche, qu'ils ont dû ourdir le plan puéril destiné à m'enfoncer, quand ils m'ont su prisonnier et sans défense : elle parce que je n'ai jamais accepté de faire un pas en direction de son lit ; et lui parce que, pusillanime et envieux comme il l'a toujours été, il tient là l'occasion de parader gratuitement dans les journaux, aux dépens d'un innocent.

Mais je reviens à ce qui est important pour moi dans ma situation actuelle. Dans l'un ou l'autre cas, doña Flora et sa fille veulent ou acceptent qu'on me conduise à l'échafaud, afin de mettre un terme en me réduisant au silence de la tombe à toute cette pantomime et pour que cette tombe garde les secrets que jusqu'à présent je me suis jalousement attaché moi-même à ne pas divulguer.

Or, monsieur le Juge, j'ai décidé de ne pas me taire davantage. Mettant à profit les prérogatives qui me reviennent en tant qu'avocat défenseur de ma propre cause, ainsi que mon droit sacré d'accusé contre lequel vous avez formulé des charges d'homicide et d'assassinat aggravé dans votre mandat d'arrêt du 28 novembre 1933, je demande que l'on procède à une enquête sur les faits que j'expose plus loin ; que l'on convoque chacun des témoins que je cite ; et qu'on reçoive les preuves documentaires que je vous présenterai en temps opportun, bien qu'un tel acte signifie que je m'expose à me rendre coupable du délit de parjure ; car pour faire éclater la vérité, je contredis, dans le détail et dans leur totalité, mes affirmations antérieures :

1. J'affirme, et je suis prêt à le prouver, que Mme Flora veuve Contreras avait l'habitude de m'importuner de ses assiduités amoureuses, avant même de m'inviter à venir habiter chez elle en compagnie de ma défunte épouse, déménagement auquel je me suis vu contraint comme unique moyen d'apaiser son insistance ; et que ces assiduités se sont poursuivies pendant le temps que j'ai séjourné chez elle et jusqu'à la date où j'ai cherché un foyer à moi, ce qui m'a constamment placé dans une situation gênante et embarrassante, étant donné qu'elle ne se contentait pas de m'aduler, comme je vous l'expliquerai dans les paragaphes qui suivent.

Mais le harcèlement et la promiscuité auxquels me soumettait doña Flora en tant que femme n'ont pas cessé avec mon départ de chez elle ; lorsque nous nous sommes retrouvés plus tard au Costa Rica, elle a persisté dans ses desseins, tandis que moi je m'obstinais à la tenir à distance, car, en outre, elle perturbait mes entretiens avec sa fille María del Pilar, qui ont continué pendant que nous séjournions à San José, comme je vais le consigner plus loin ; constante dans son entêtement, elle me proposa alors à nouveau qu'à mon retour à León, qui faisait partie de mes projets, je revienne habiter chez elle, dans la mesure où elle voyait là l'occasion de consommer enfin ce que j'avais toujours défini comme inconsommable.

J'en veux pour preuve de son attachement opiniâtre à ma personne les envois que j'ai reçus de sa part en prison, délicats présents que seul un être amoureux peut faire à un autre, même si cet autre ne lui rend pas la pareille, car je n'ai jamais répondu à ses sollicitations, sans toutefois les repousser de façon tranchante afin de ne pas éveiller son courroux et son inimitié; je l'ai maintenue dans l'expectative, non pas parce qu'elle me déplaisait physiquement, étant donné qu'elle n'est pas dépourvue de charmes ni d'attraits, mais je n'avais aucun intérêt à m'embourber dans les complications d'une liaison de ce genre, avec une femme mariée et plus âgée que moi; pourtant je constate aujourd'hui que je me retrouve finalement victime de son dépit, dont je m'étais toujours méfié.

Dans le paragraphe suivant je vous présenterai des lettres de dates différentes, écrites de sa main, qu'une tierce personne conserve pour moi, et dont la lecture vous prouvera la vérité de ce que j'affirme; et je vous prie, en outre, de faire établir une attestation des listes d'objets consignés sur le livre des entrées de la prison XXI, où apparaît le nombre et la nature des présents reçus de la part de la susnommée.

2. J'affirme, et je suis prêt à le prouver, que j'ai entretenu avec Mathilde Contreras des rapports de caractère intime, qui ont débuté en décembre 1932, quand je suis allé vivre dans la maison de ses parents; et que c'est elle qui a manifesté la première un penchant pour moi dans une lettre que malheureusement je n'ai pas conservée. Mais je conserve d'autres lettres, qui sont également entre les mains de la même tierce personne, qu'elle m'a écrites alors que je séjournais à León; et d'autres qu'elle m'a adressées au Guatemala entre les mois de mars et de juin 1933, qui sont celles auxquelles fait allusion l'employée du bureau de poste, Rosaura Aguiluz, dans sa déposition du 23 octobre 1933; et vous-même disposez d'une lettre sans date ni signature qu'on a trouvée dans mes affaires lorsqu'elles ont été saisies, et dont une vérification graphologique simple ordonnée par vous montrera qu'elle est de sa main; lettre qu'elle m'a adressée dans la dernière semaine du mois de février 1933, après le décès de mon épouse et quand elle a eu confirmation de ses soupçons à propos des relations intimes que j'entretenais également avec sa sœur María del Pilar.

Sur ce point, je demande que les employées de maison, Salvadora Carvajal et Leticia Osorio, témoins de faits qui attestent de ces relations, ainsi que des heures, lieux de la maison et circonstances où elles se sont produites, soient de nouveau appelées à déposer pour être soumises à l'éventail des questions que je vous proposerai en temps opportun. A travers les réponses des témoins et la lecture des lettres, vous aurez une idée précise, monsieur le Juge, de la nature des liens existant entre nous deux, ce qui invalidera complètement le certificat qu'on exhibe hâtivement dans le procès-verbal d'exhumation de son cadavre et qui est supposé attester de l'intégrité de ses organes génitaux.

Vous serez étonné d'apprendre, monsieur le Juge, mais cela est aussi véridique que tout ce que contient ce recours, que c'est précisément dans la solitude et l'éloignement du cimetière que nous avons accompli à plusieurs reprises l'acte d'amour. En effet, elle insistait pour m'accompagner dans les visites que je rendais, quand arrivait le soir, à la tombe de ma défunte épouse, prétexte à ses appétits charnels; et je peux indiquer les mausolées où nous nous protégions de la curiosité des regards d'un quelconque visiteur attardé, afin de consommer ce qu'il nous était impossible de faire ailleurs. A ce propos, vous devez procéder à l'interrogatoire de l'administrateur du cimetière de Guadalupe, le bachelier Omar Cabezas Lacayo, qui pourra vous fournir un compte rendu détaillé de ces visites et des heures tardives où elles se sont produites, car à maintes reprises il a dû ouvrir le portail, alors que le cimetière était fermé aux visiteurs, pour que nous puissions sortir.

3. J'affirme également que María del Pilar Contreras est ma femme illégitime, car nous avons eu ensemble une vie maritale; et que si doña Flora renonce à son accusation contre moi, je suis disposé à me marier avec elle. Je possède également, déposées auprès de la même tierce personne, des lettres que la susdite m'a adressées et où ces relations apparaissent clairement; des lettres qui, une fois qu'elles seront en votre pouvoir, devront être comparées à l'écriture de l'expéditrice, pour qu'on ne dise pas que je mens; une de ces lettres est celle que cite Me Octavio Oviedo y Reyes dans sa déposition du 17 octobre 1933, où il affirme que je la lui ai montrée, ce qui est exact.

Sur ce point, je demande qu'on fasse déposer la servante Dolores Lorente, qui tant qu'elle a travaillé chez moi, au mois de février de cette année, a servi de facteur dans ma correspondance sentimentale avec la dénommée María del Pilar; ainsi que le régisseur de la propriété rurale *Notre Maître*, Eufrasio Donaire, qui a été témoin de nos rencontres secrètes dans les bâtiments de la ferme située sur cette propriété, rencontres qui se sont produites entre décembre 1932 et octobre 1933, mais qui ont également eu lieu à d'autres dates et en d'autres endroits, y compris à San José de Costa Rica, où nous nous sommes retrouvés à plusieurs reprises, entre juillet et septembre de l'année en cours, dans une chambre de la pension Paris, sur le cours des Étudiants.

Dans le même esprit, je vous prie de citer comme témoin le comptable de la firme C. Contreras & Cie, Demetrio Puertas, qui a assisté à une scène où la susnommée m'embrassait sans aucune retenue sur le seuil de la chambre qu'on m'avait assignée dans sa maison, à une date qu'il précisera lui-même.

L'interrogatoire des témoins ici indiqués, auxquels j'ajoute les domestiques de la maison, déjà cités, Salvadora Carvajal et Leticia Osorio, devra être mené en fonction de l'éventail de questions que je vous soumettrai également en temps opportun. On utilisera comme pièce à conviction en rapport avec ce qui vient d'être affirmé l'attestation des registres d'entrée de la prison XXI, que je vous ai déjà demandée par ailleurs, où apparaîtront également les cadeaux qui m'ont été remis de la part de la susdite.

Clause secondaire : je demande que l'on ajoute au dossier l'article de presse que je joins, publié dans le journal *La República* de San José de Costa Rica, en date du 27 novembre 1933, sous la signature de M. Franco Cerutti, et intitulé « Témoin fortuit », afin que l'on puisse apprécier à travers sa lecture la vérité sur la rivalité amoureuse des deux sœurs Contreras autour de ma personne, de même que l'attitude complaisante de doña Flora en ce qui me concerne.

4. Je demande que l'on procède, par l'entremise d'experts comptables, à l'examen minutieux des livres qui se trouvent dans le coffre-fort de C. Contreras & Cie, examen qui montrera l'existence de deux jeux de livres,

dont l'un a servi à couvrir des manœuvres frauduleuses ; on y découvrira l'indication des pots-de-vin qui par mon intermédiaire ont été versés à plusieurs conseillers municipaux de León afin d'obtenir la signature du contrat de la Compagnie métropolitaine des eaux, pour laquelle don Carmen Contreras Reyes (qu'il repose en paix) a montré un véritable acharnement.

J'ai eu ces livres sous les yeux parce que don Carmen lui-même (qu'il repose en paix) m'a demandé des conseils légaux sur l'occultation et la falsification de factures concernant des marchandises importées, dans le but d'éviter de payer des impôts, délit que je suis prêt à reconnaître et à expier, mais qui n'a rien de comparable avec les accusations fantaisistes d'empoisonneur, dont on veut me rendre responsable. Le comptable Demetrio Puertas est au courant de toute cette affaire, mais il n'en est nullement le complice. C'est pourquoi je demande qu'il soit cité à témoigner également sur ce point, pour répondre à un ensemble de questions que je vous soumettrai séparément.

Dans ce coffre-fort se trouve, en outre, la preuve qu'une lettre de change présentée au recouvrement à l'extérieur, en janvier 1933, portait la signature falsifiée de M. José Padilla Paiz, qui n'a jamais été tenu au courant d'une telle opération ; de même qu'il y a aussi copie d'autres lettres également fausses, sur lesquelles on doit interroger le comptable Demetrio Puertas, ou bien faire appel au témoignage de M. Duncan R. Valentine, gérant général de la maisin P. J. Frawley, de cette ville, qui a eu entre les mains ces lettres, dont les originaux doivent maintenant avoir été restitués par la banque correspondante.

Je vous déclare, le front haut, que si j'ai été le conseiller forcé de ces fraudes, prix ignoble que j'ai dû payer pour vivre sous le toit de la famille Contreras, au moins ce n'est pas moi qui ai inventé de tels procédés, puisqu'ils étaient déjà d'un usage courant quand on m'a donné accès aux secrets des affaires de la compagnie.

Les charges que vous avez retenues contre ma personne, selon votre résolution du 28 novembre de l'année en cours, sont fondées sur la présomption que, des crimes ayant été commis à l'aide d'un même type de poison, à des dates différentes, c'est moi qui ai servi de facteur commun à ces crimes, puisque je me suis trouvé, dans les trois cas, dans l'entourage des personnes décédées. Or, sur la base de la même présomption, je vous déclare qu'une autre personne s'est également trouvée à proximité des trois victimes, en même temps que moi.

Par conséquent, s'il y a eu une main criminelle et si pour consommer ses crimes le malfaiteur ou plutôt la malfaitrice a utilisé le poison, une fois que vous aurez recueilli tous les témoignages sollicités, une fois que vous aurez examiné les lettres qui vous seront remises ; une fois que vous aurez mené à bien la révision attentive des livres de comptabilité, la lumière la plus éclatante éclairera l'affaire qui vous a été confiée, et les mobiles de ces crimes deviendront patents ; du même coup, je deviendrai peut-être moi-même accusateur pour le délit d'empoisonnement sur la personne de mon épouse, si tant est qu'une jalousie débridée ait conduit une personne à l'éliminer.

Vous vous apercevrez que Mathilde Contreras a pu elle aussi être la victime de cette même jalousie, si une personne a voulu l'ôter de sa route ; et que don Carmen a pu être assassiné de la même façon, parce qu'il constituait une gêne à une manigance passionnelle et parce que en même temps on prétendait dissimuler les fraudes dans les affaires de la compagnie, afin de pouvoir mieux en bénéficier par la suite.

Je dis également que si don Carmen Contreras Largaespada, père et grand-père des deux personnes décédées que je viens de mentionner, a décidé de retirer son accusation contre moi, en dessaisissant M⁰ Juan de Dios Vanegas des pouvoirs très larges qui lui avaient été accordés, c'est certainement parce qu'il connaît la vérité sur tout ce dont je vous informe dans cet écrit, et qu'il doit savoir, par conséquent, que les charges qu'on retient contre moi sont dénuées de fondement, parce que la seule coupable est quelqu'un autre, dévorée par la jalousie d'un amour non partagé et poussée au crime par un être complice de ses ambitions et très proche par le sang.

J'aurais préféré me taire, monsieur le Juge, mais pas au prix de ma tête. Ma main ne tremble pas en rédigeant ce texte, bien que je sache que quand il sera connu, la prison sera l'endroit le moins sûr pour moi, étant donné que mes geôliers seront certainement invités à devenir mes bourreaux.

La justice est imparfaite parce qu'elle est administrée par des hommes, mais c'est une raison supérieure à la mesquinerie et à la calomnie, aux fabulations et au prurit de trouver des pécheurs, vices de la race et de la civilisation. C'est à vous, monsieur le Juge, dont la jeunesse et l'honnêteté sont les armes les plus efficaces contre l'infamie concertée, qu'il revient de faire de la justice cette raison supérieure, en demandant de m'entendre, comme j'ai le droit d'être entendu, et sans mépriser les preuves que je présente, car elles se rapportent à l'essence des faits qui sont l'objet même de votre enquête. Cherchez les coupables ou la coupable, en suivant la voie que je vous ouvre, et vous les trouverez.

Je suis dans les temps et je suis dans mon droit, et ma cellule dans la prison XXI est toute désignée pour entendre des notifications.

Le journal *El Centroamericano* publie dans son édition du 9 octobre 1933 un éditorial en première page, signé par son directeur-propriétaire, le général Gustavo Abaunza, sous le titre « Le dernier recours d'une crapule », où il presse le juge de rejeter « les requêtes stupides et aventureuses d'un étranger nuisible qui, en entendant les coups de marteau sur les clous de la charpente de l'échafaud, fait comme les lépreux qui, dans leur désespoir mortel, veulent contaminer les autres, en empoisonnant tout ce qui passe à leur portée ».

De son côté, Manolo Cuadra, en annonçant la nouvelle de la remise du document au juge, dans son article intitulé « Une bombe à retardement », que publie *La Nueva Prensa* du 9 décembre, fait le commentaire suivant :

Il est évident qu'avec la présentation du recours inattendu de M⁰ Oliverio Castañeda, le juge Fiallos a dans ses mains une bombe à retardement. La ville de León s'est à nouveau émue et ne parle plus d'autre chose; les esprits sont plus que jamais divisés et l'affaire prend désormais les couleurs d'un affrontement social, car ceux d'en bas, éblouis par la subtile intelligence et l'agilité intellectuelle de l'accusé, transformé maintenant en accusateur, en profitent pour exhaler leur éternel ressentiment contre ceux d'en haut; tandis que ceux d'en haut sont pris d'une indignation plus forte encore que naguère face aux affirmations impudentes de l'accusé, qui met de nouveau au pilori les membres d'une vieille famille, enlisée dans une tragédie qui la meurtrit et qu'on croirait tirée d'une œuvre d'Eschyle.

Que ceux d'en bas se sentent éblouis par l'habileté de l'accusé et qu'ils ne lui marchandent pas leur sympathie, nous avons eu l'occasion de le constater au moment où il a comparu devant le juge Fiallos pour donner lecture de son écrit, car il fut applaudi à tout rompre et interrompu à chaque paragraphe; quant à lui, très conscient de son succès, il donnait des intonations dramatiques et péremptoires à sa voix. A la fin, alors qu'il sortait de la salle d'audience, il a été porté en triomphe, comme cela s'était déjà produit d'autres fois, et accompagné jusqu'à la prison par une procession imposante; et l'aveugle Miserere chante à présent dans les couloirs du parquet des couplets sur la musique du « Charognard », qu'accompagnent les bourdons des guitares dans les faubourgs de León et qui commencent ainsi :

> *Oliverio est sorti vainqueur.*
> *Il ne faut surtout pas le tuer :*
> *si ses amours suscitent l'envie,*
> *de l'amour encore il peut en donner.*

La question qui brûle les lèvres de tous ceux qui ont connu Mᵉ Oliverio Castañeda comme un homme aimable, de commerce facile et agréable, est : qu'est devenu notre galant? Car maintenant, traqué, sans espoir de se tirer de ce procès où il joue sa vie, comme le souligne la chanson et comme il le dit lui-même sur un ton pathétique dans son récit, il sort ses griffes, seule arme qui lui reste pour se défendre.

Mariano Fiallos fera-t-il appel aux témoins? Examinera-t-il les lettres qu'Oliverio Castañeda prétend avoir confiées à une mystérieuse « tierce personne »? Qui peut bien être cette personne, si tant est qu'elle existe, et l'accusé, acculé par le désespoir, ne ment-il pas au sujet des lettres? Les témoins convoqués ne risqueront-ils à confirmer ses graves affirmations, dont il semble si sûr?

Quelle valeur attribuera Mariano Fiallos aux accusations voilées que l'inculpé lance à présent contre une personne du sexe féminin, qu'il n'ose pas nommer, mais dont quiconque peut deviner l'identité? Maître Castañeda a lancé le boomerang, en retournant les accusations formulées contre lui, pour certains d'une façon insidieuse, pour d'autres avec beaucoup de finesse, car il sème la confusion et met la justice dans l'embarras...

Telles sont les questions qui se posent à León dans tous les cercles, qu'ils soient populaires ou élégants.

Mᵉ Juan de Dios Vanegas, en sa qualité d'avocat de la partie civile, introduisit, quelques heures après, un recours péremptoire dans lequel il demandait de rejeter les requêtes de l'accusé, qui contenaient des allégations infondées, impudentes, étrangères au procès et, en outre, dommageables pour l'honneur et la vie privée de la famille Contreras. Le juge Fiallos fit la sourde oreille et il décida de convoquer le soir même les témoins et d'accepter les lettres qui lui seraient présentées, afin de les soumettre à un test d'authenticité; il récusa simplement la demande concernant les livres de comptabilité de C. Contreras & Cie, considérant qu'il s'agissait là, effectivement, d'une requête étrangère aux intérêts du procès.

Comme le juge Fiallos devait l'avouer bien des années plus tard à celui qui écrit ces lignes – et nous reviendrons bientôt sur ces confessions –, il ne lui fut pas facile de se décider, car il nourrissait de sérieuses réserves et de nombreux doutes à l'égard de l'écrit de Castañeda. Il contenait, selon lui, trop de provocations et d'incongruités. Ses révélations, brutales et prétentieuses, lui avaient laissé une impression de dégoût; et il prenait pour une ruse banale cette façon de retourner les accusations. Mais les arguments de l'accusé sur le fait qu'il ne pouvait pas se défendre étaient corrects en droit strict, et il comprenait qu'il ne devait pas progresser dans la connaissance de cette affaire sans reconnaître la responsabilité qui lui revenait dans les irrégularités de procédure dénoncées; et il ne pouvait pas non plus refuser, en droit strict, d'entendre les témoins proposés par la défense, s'il devait accepter que Castañeda assure lui-même sa propre défense ni de recevoir des preuves à la décharge de l'accusé dans la phase plénière. C'est sur ces raisons qu'il fonda finalement l'acte résolutoire.

Il était conscient, me dit-il, de ce qui allait lui tomber dessus; et comme il l'attendait, une hostilité ouverte ne tarda pas à se manifester contre lui. Depuis sa chaire, le chanoine Oviedo y Reyes, plein de courroux, le menaça de lui refuser dorénavant les sacrements; des pressions officielles se manifestèrent, les deux journaux de León condamnèrent son inexpérience et sa précipitation et à plusieurs reprises, au sein du comité directeur du Club social on parla de l'expulser comme indésirable. Mais si quelque chose l'avait poussé à ne pas réfléchir davantage, en infraction avec la règle qui consistait à consulter constamment ses deux meilleurs conseillers, son oreiller et son épouse, c'est bien la visite que ce soir-là lui fit le capitaine Ortiz au tribunal.

Le capitaine Ortiz se présenta, tout pomponné et parfumé, car il était invité à un mariage, avec les plis de sa tenue kaki bien amidonnés, ses bottes et ses courroies bien astiquées, mais sans abandonner le pistolet automatique qui, comme d'habitude, pendait lourdement à sa ceinture. On venait de le raser et les coupures du rasoir sur son menton proéminent luisaient, soulignées par des touches de mercurochrome. Le juge Fiallos, décoiffé et en manches de chemise, discutait depuis des heures sur la meilleure décision à prendre avec son secrétaire Alí Vanegas, qui, légèrement somnolent, attendait assis à sa machine.

« Quoi? Tu ne vas pas aller à la noce? » Le capitaine Ortiz a remplacé son Stetson par un képi à visière de cuir verni, qu'il enlève prestement et place sous son bras. « Tu devrais déjà être habillé.

– Heureux les yeux qui le voient. » Le juge Fiallos, appuyé sur son bureau, lève à peine son regard des écrits de l'accusé et accusateur. « Enfin il apparaît.

— D'accord, je ne suis pas apparu, mais je t'ai sorti Salmerón de prison, ce n'est pas ce que tu voulais? » Le capitaine Ortiz mouille ses doigts de salive pour frotter l'écusson de cuivre sur le képi. Ensuite il passe la main sur son crâne chauve. « Il est sorti avant les trente jours qu'il devait faire.

— Je vous ai envoyé une note, à laquelle vous n'avez pas répondu. » Le juge Fiallos retourne lentement des feuillets sans dévier les yeux de ce qu'il lit. « Il ne vous a pas suffi de me soustraire un témoin. Il a fallu que vous le mettiez dans la même cellule que l'accusé.

— Ça n'a été que la première nuit, pour lui apprendre à vivre. » Le capitaine Ortiz refuse le siège que lui avance Alí Vanagas, il ne veut pas froisser son uniforme de gala. « Mais il ne s'est rien passé. C'est dommage, Castañeda ne l'a pas bouffé.

— Il ne l'a pas bouffé. » Le juge Fiallos trempe un porte-plume dans l'encrier pour parapher un des feuillets dans la marge. « Mais maintenant c'est son allié. C'est lui qui, ce matin, dirigeait les applaudissements et les acclamations.

— Tout ça, c'est la même engeance, Darbishire avait raison. » Le capitaine Ortiz fait tourner son képi sur son doigt avant de le remettre, à contrecœur. « Je peux le recoller en prison, si tu veux, pour qu'il cesse d'agiter les gens.

— Il va falloir que vous colliez en prison la moitié de León. » Le juge Fiallos transmet les dossiers à Alí Vanegas. Depuis sa place devant la machine, celui-ci tend le bras pour les attraper. « Aujourd'hui il n'y avait pas moins de deux cents personnes ici.

— Et si tu acceptes de prendre en compte ce qu'écrit Castañeda, il va y en avoir cinq cents, pour écouter les dépositions. » Le capitaine Ortiz, comprimant le ventre, ôte le baudrier de son pistolet et le pose sur le bureau. « Cet homme est un malade moral, et celui qui lui prête attention est encore plus malade. Bon, mais toi tu vas l'ignorer.

— Pour ça, c'est moi qui décide. » Pour la première fois le juge Fiallos regarde le capitaine Ortiz en face; sa pomme d'Adam est prise de tremblements. « Et enlevez-moi cette arme de là.

— Bien sûr, c'est toi qui décides. Mais si tu l'écoutes, tu vas te retrouver dans la mouise, et tu l'auras voulu. » Le capitaine Ortiz sort son mouchoir imprégné d'eau de Cologne et il se le passe de façon ostentatoire sur le cou et le front. « Rappelle-toi que tu es à León et que c'est là que tu es né.

— J'avais bien raison de m'étonner de votre visite. » Le juge Fiallos ramasse le baudrier du pistolet et il le lui tend. « Je n'ai pas eu assez de couilles pour me plaindre à propos du cas du Dr Salmerón, mais maintenant je ne suis plus disposé à en supporter davantage. Je vais faire savoir que la Garde nationale ne me laisse pas agir. Et collez-moi en prison moi aussi.

– Je ne te parle pas en tant que militaire, mais en tant que Léonais. » Le capitaine Ortiz, obligé de reprendre l'arme contre son gré, doit rentrer son mouchoir. « Ne va pas dire, demain, que je ne t'ai pas prévenu à temps. On t'a finalement apporté les lettres ?

– Je n'avais pas encore décidé de répondre favorablement à l'écrit de l'accusé, mais maintenant c'est fait. On peut me les apporter sur-le-champ. » En deux enjambées le juge Fiallos se retrouve derrière Alí Vanegas et il introduit lui-même une feuille de papier dans le chariot de la machine. « Tape : " Acte résolutoire. "

– D'accord, creuse toi-même ta tombe. C'est Oviedo, le copain de Castañeda, qui va t'apporter les lettres. » Le capitaine Ortiz jette son baudrier sur son épaule, laissant pendre son pistolet sur sa poitrine. « C'est ce fumier qui les a toutes.

– " Première cour d'assises du district de León. Six décembre mille neuf cent trente-trois. A huit heures quinze du soir. » Le juge Fiallos consulte le cadran de sa montre-bracelet, tandis qu'Alí Vanegas se met à taper à toute vitesse. « " Vu le recours introduit à dix heures du matin de ce même jour par l'accusé Oliverio Castañeda, en sa qualité conjointe de défenseur dans le procès instruit comme lui par ce tribunal... "

– Plus tu jetteras de terre sur toi, plus tu auras du mal à sortir de la fosse. » Le capitaine Ortiz tend son menton marqué de touches de mercurochrome et il plisse ses petits yeux bleus. « Et moi, comme un con, je reste là, à parler à un mur. Les jeunes mariés doivent être déjà sortis de la cathédrale.

– " ... le juge soussigné décide : Premièrement : D'admettre dans son ensemble le recours indiqué et de lui donner suite avec les réserves qui seront spécifiées plus loin... " » Le juge Fiallos se penche sur Alí Vanegas pour relire ce qui est tapé et il ne lève même pas la tête quand il entend la porte claquer violemment, décollant de la poussière et de la chaux du mur.

– Le centurion de Caïphe est arrivé parfumé comme une prostituée. » Alí Venegas fronce le nez, cherchant l'odeur que le capitaine Ortiz a laissée dans l'atmosphère. « S'il veut séduire, il lui faut utiliser au moins de la lotion de luxe Reuter.

– Il pue comme une pute au Danemark. » Le juge Fiallos éclate de rire, retroussant les manches de sa chemise, sans quitter des yeux la feuille sur le chariot de la machine.

Le lecteur a certainement dû être surpris par les nouvelles concernant la présence active du Dr Atanasio Salmerón dans les manifestations de sympathie en faveur d'Oliverio Castañeda ; les causes d'un changement aussi soudain dans sa conduite nous seront bientôt révélées. Laissons pour l'instant Manolo Cuadra revenir sur cette nouveauté dans la suite de son article intitulé « Bombe à retardement ».

Mais il existe en outre d'autres interrogations non moins intéressantes. Le Dr Atanasio Salmerón, gracié de la condamnation à trente jours de prison qui lui avait été primitivement infligée, fait preuve à présent d'une attitude nouvelle et surprenante, étant donné qu'on le voit à la tête des bandes de cochers, de portefaix, de marchandes des quatre-saisons du marché municipal, d'artisans, etc., qui se réunissent au tribunal pour y clamer leur soutien à l'accusé, et que c'est lui qui organise avec une véhémence extrême les démonstrations, car les manifestants le consultent constamment en sa qualité de leader. C'est ce qui s'est produit au moment où avait lieu la présentation du singulier recours auquel on a fait référence précédemment et comme cela s'était déjà produit durant la confession à charge quelques jours plus tôt.

Il s'agit d'un changement radical et tout à fait surprenant, car avant même d'être appréhendé, le praticien se montrait le plus acharné des ennemis de M° Castañeda; et maintenant, en revanche, il s'affirme comme le plus fervent de ses admirateurs, nous l'avons interrogé à ce sujet dans les couloirs du tribunal; mais, très aimablement, il s'est refusé à nous répondre.

Quel mystère se cache derrière une telle transformation? La *vox populi* soutient que lorsqu'il était en prison, on l'a mis dans la même cellule que l'accusé; sur ce point précis, le Dr Salmerón s'est également refusé de répondre. De quoi se sont-ils entretenus tous les deux dans ce lieu clos et solitaire qu'est une cellule, si la rumeur se révèle exacte? Qu'est-ce qui a pu, en tout cas, rapprocher les deux adversaires? Nous promettons à nos lecteurs de suivre cette piste, si notre directeur, don Gabry Rivas, encouragé par l'augmentation du tirage de *La Nueva Prensa*, continue à nous maintenir sur cette affaire, qui réserve encore bien des surprises.

Comme l'avait constaté le capitaine Ortiz, Oviedo la Baudruche, la mystérieuse tierce personne en possession des lettres, se présenta devant le juge Fiallos le 9 décembre 1933, afin de procéder à leur remise. Dès qu'il descendit de voiture à la porte du tribunal il fut reçu par un énorme tohu-bohu provoqué par les partisans d'Oliverio Castañeda, et le Dr Salmerón se chargea de lui frayer un passage, car on ne le laissait pas avancer. Il entra dans la salle d'un pas très solennel, serrant contre son ventre la boîte de fil à coudre Ancre, où il avait mis les lettres, et avec une solennité tout aussi grande, en inclinant sa tête aux boucles brillantinées, il la laissa entre les mains du juge Fiallos.

Les lettres étaient classées en trois paquets distincts, selon le nom des expéditrices, et ordonnées par date dans chacun des paquets. Une fois admises sous réserve d'une expertise graphologique qui déterminerait leur authenticité, Alí Vanegas procéda à leur enregistrement indispensable sur l'accusé de réception et il remit à Oviedo la Baudruche le reçu correspondant.

Nous ne connaissons que la liste des lettres, qui apparaît ajoutée au dossier. Le jour même, à minuit, des cambrioleurs inconnus pénétrèrent dans le tribunal, en ouvrant une brèche dans le plafond du bureau du juge Fiallos, et ils les emportèrent, après avoir fracturé les serrures de sa table de travail.

44

Une rencontre imprévue en prison

Quand, au soir du 12 février 1933, le Dr Atanasio Salmerón, la tête bandée et son costume de coutil souillé de sang, fut poussé par les geôliers à l'intérieur de la cellule, on aurait dit qu'Oliverio Castañeda l'attendait dans l'ombre depuis longtemps. Sans s'écarter du trou obscur de la fenêtre il se retourna un instant et le regarda, avec un clignement de paupières tenace, à peine éclairé par la lumière de la bougie solitaire qui brûlait comme une braise sur le point de s'éteindre.

Le claquement métallique de la porte résonnait encore dans les couloirs. Soulevant son bandage, le Dr Salmerón découvrit, surpris, la silhouette en deuil dans la pénombre et comme un coup de poignard la douleur lui transperça sauvagement le front, tel un signal d'alarme devant le danger; mais sans se montrer le moins du monde menaçant, Oliverio Castañeda se remit à contempler l'obscurité devant la fenêtre garnie de barbelés.

Avec ses stricts vêtements de deuil, son air calme et mélancolique, il semblait revenir à nouveau d'un enterrement, comme s'il n'avait rien fait d'autre tout au long de sa vie que d'assister à des enterrements; sa cravate noire était nouée avec une grande élégance, et aux poignets amidonnés de sa chemise les deux pierres rouges enchâssées d'or resplendissaient avec le même éclat sanglant que ce jour de février où il l'avait vu pour la première fois près du lit de son épouse agonisante.

Oliverio Castañeda se retourna de nouveau un instant, ses yeux de myope le scrutant avidement, derrière les lunettes; mais il n'y découvrit aucune lueur de haine, aucun soupçon de sarcasme; il vit plutôt qu'un rictus miséricordieux gonflait douloureusement ses lèvres.

Bien qu'il eût toutes les chances d'être vaincu, car on le jetait dans ce piège blessé et exténué, et parce qu'il se savait, en outre, plus vieux et moins robuste que son ennemi, il serra instinctivement les poings; s'il projetait de le surprendre avec son air inoffensif et apparemment détaché, et s'il se jetait soudain sur lui pour l'agresser, il était prêt à se défendre de toute façon; ou à répondre à ses moqueries et à ses insultes, car lui qui était un maître dans l'art de la simulation et des faux-semblants pouvait très bien, tout d'un coup, passer de cet état de tristesse et de calme à la grossièreté et à l'infamie. Il ne le connaissait que trop.

Mais quand au bout d'un long moment Oliverio Castañeda lui parla pour la première fois, il n'y avait aucune raillerie, aucune agressivité dans sa voix, c'était comme le murmure d'un vent plaintif soufflant parmi les tombes du cimetière d'où il revenait à nouveau; et dans son souffle il semblait distinguer le parfum de vieilles guirlandes et de vieilles couronnes qui se fanent.

« Vous êtes le seul qui puisse m'aider, docteur. » Oliverio Castañeda continuait à chercher quelque chose au-delà de la fenêtre, au-delà des murs.

« T'aider? Et pourquoi moi? Fous-moi la paix. » Le Dr Salmerón tarda à répondre et s'essaya vainement à prendre un ton humain. Mais terrassé par ce parfum malsain, ses paroles se brisèrent comme les fragments d'un cristal trouble dans sa gorge desséchée et finirent de s'émietter dans sa bouche.

« Parce que vous et moi nous ne sommes pas des ennemis. Nous ne l'avons jamais été. » Oliverio Castañeda approcha les doigts des pointes des barbelés, pour en éprouver négligemment le piquant.

Le Dr Salmerón ajusta derrière sa tête le nœud du bandeau fabriqué avec un lambeau de sa chemise qui, à nouveau desserré, lui retombait sur les yeux. La voix traînante continuait à flâner dans l'obscurité des mausolées fermés et des caveaux funéraires.

« Dites-moi : pourquoi serions-nous des ennemis? Ce sont nos ennemis communs qui vous ont fait frapper, qui vous ont enfermé ici avec moi pour que nous nous déchirions. » Oliverio Castañeda avança vers lui d'une démarche silencieuse.

Le Dr Salmerón recula en le voyant s'avancer et il en perdit une de ses chaussures, car les geôliers l'avaient dépouillé de ses lacets.

« Vous n'avez pas à avoir peur de moi. » Oliverio Castañeda lui montra les paumes de ses mains et s'arrêta à quelques pas de lui. Le parfum de fleurs fanées semblait émaner maintenant de ses vêtements de deuil et de son haleine.

« Et pourquoi aurais-je peur de toi, il ne manquerait plus que ça. » Le Dr Salmerón sautait à cloche-pied, essayant à tâtons de remettre sa chaussure, sans le quitter des yeux.

« Voilà qui est bien. » Oliverio Castañeda hocha posément la tête, les mains toujours tendues. « Vous n'avez pas peur de moi, moi je n'ai pas peur de vous. Alors écoutez-moi sans peur.

— Tout ce que je sais c'est que ces tueurs m'ont abusivement jeté dans ce cachot. » Le Dr Salmerón, en essayant toujours de ne pas le perdre de vue, s'accroupit finalement pour enfiler sa chaussure. « Et je ne sais foutrement pas pourquoi je devrais t'écouter.

– Parce que vous êtes le seul qui puisse m'aider. » Oliverio Castañeda laisse retomber ses bras, en baissant la tête, comme s'il n'attendait de son ennemi que le pardon, ou le coup de grâce.

« Qu'est-ce que tu me chantes? T'aider en quoi? On est tous les deux dans la merde jusqu'au cou. Et pour moi c'est pire, parce qu'on m'a fendu le crâne, tandis que toi tu ne t'en tires pas si mal, avec tes habits bien repassés. » Sa blessure recommence à l'élancer et le Dr Salmerón porte la main à son front. Ses doigts se mouillent du sang qui continue à suinter à travers le bandage.

« Mais vous, on ne va pas vous assassiner, moi si. » Oliverio Castañeda enlève avec soin ses lunettes et il se frotte entre les sourcils.

Le Dr Salmerón fronce les lèvres comme s'il allait cracher, avec une expression de surprise amusée.

« Ça vous faire rire de penser qu'un criminel craigne qu'on ne l'assassine, pas vrai? » Oliverio Castañeda garde un doigt entre les sourcils, les yeux fermés.

« Tu lis bien dans les pensées. On voit que tu n'es pas seulement doué pour séduire les femmes. » Le Dr Salmerón, étourdi par la douleur de sa blessure, appuie son dos contre la porte de la cellule et il laisse reposer sa tête contre le battant.

« Parmi mes qualités il y a aussi la sincérité, docteur. » Oliverio Castañeda remet ses lunettes, en les prenant délicatement par les branches.

« Je ne suis pas un assassin. C'est pourquoi il est injuste qu'on décide de me tuer comme un chien.

– Comme le chien du Dr Darbishire. » Le froid du battant transperce le dos du Dr Salmerón, et il frissonne, comme s'il avait la fièvre.

Oliverio Castañeda s'éloigne de nouveau, d'une allure lasse, vers la fenêtre obscure.

« Prenez précisément votre maître, le Dr Darbishire. Comme ce vieillard vous hait! Et tous les autres vous haïssent de la même façon. Comment expliquer que les riches de León vous haïssent tellement, docteur?

– Tu dois le savoir mieux que moi, puisque tu te trouvais si bien parmi eux. » Le Dr Salmerón se détache de la porte. Les frissons lui parcourent tout le corps et il s'abrite avec ses bras. « Moi, on ne m'a jamais aimé parce que je ne suis pas de leur milieu. Mais toi...

– Je suis fils naturel, docteur, ne l'oubliez pas. » Le murmure d'Oliverio Castañeda parfume à nouveau la cellule avec sa senteur de bouquets fanés. « Un bâtard qui a osé pénétrer dans l'enclos qui n'était pas le sien, comme vous l'avez si bien tous dit dans *El Cronista*. Mais je n'ai empoisonné personne.

– Va le dire au juge. » Le Dr Salmerón se déplace prudemment, pour ne pas perdre ses chaussures. « Les preuves t'accablent.

– Le juge. Et c'est vous qui le mentionnez. Pourquoi croyez-vous qu'il n'a pas voulu recevoir vos preuves ? » Oliverio Castañeda abandonne la fenêtre et il s'approche du grabat, en en palpant le bord comme un aveugle. « Parce que c'est un timoré, semblable à tous les autres, ceux qui se traitent entre eux d'aristocrates. Des aristocrates qui n'ont jamais évolué au point d'adopter la chasse d'eau. Ils continuent à chier dans des tinettes.

– Ç'aurait été pire pour toi. Ce sont ces preuves-là qui t'accablent. » Le Dr Salmerón fixe timidement des yeux la petite carafe qui étincelle sur la table de pin, avec un verre renversé sur le goulot, à quelques pas de lui. Il l'avait déjà remarquée avant ; et à la vue de l'eau cristalline, la gorge lui brûle à nouveau. « Les preuves que tu as utilisé de la strychnine.

– Ne soyez pas aussi naïf, docteur. Vos découvertes n'ont aucune valeur. » Oliverio Castañeda s'assied lourdement sur le grabat. « C'est sur mes amours avec les femmes Contreras, sur les fraudes de don Carmen que le juge n'a pas voulu vous entendre. Buvez, il n'y a pas de strychnine dans l'eau.

– J'ai la bouche tellement amère que je ne vais même pas m'en rendre compte. » Le Dr Salmerón traîne les pieds jusqu'à la table et enlève le verre du goulot. « Et quant à cette histoire que mes preuves ne valent rien, ça reste à démontrer.

– Ni les preuves que vous croyez détenir, ni les expériences avec des chiens sans défense ne valent rien, docteur. Sur ce point, votre maître le Dr Darbishire a raison. » Oliverio Castañeda tire de sous l'oreiller une courtepointe jaune jaspée de noir, comme une peau de tigre, et il la déplie. « Mais quelle importante cela a-t-il maintenant ? De toute façon, vos ennemis et les miens ont déjà décidé de m'assassiner.

– Tes victimes n'ont plus d'importance ? » Le Dr Salmerón absorbe une gorgée et retient l'eau dans sa bouche. Ensuite, il boit avidement jusqu'à ce que le verre soit vide, puis il se ressert.

« Les victimes, à présent, c'est vous et moi. » Oliverio Castañeda s'approche avec la courtepointe dépliée dans les mains et il la place soigneusement sur les épaules du Dr Salmerón.

« Pourquoi as-tu empoisonné ton épouse ? » Le Dr Salmerón pose le verre sur la table et il attrape les bords de la courtepointe pour s'en recouvrir. Le parfum de fleurs fanées s'est dissipé et la cellule retrouve son odeur d'urine, d'excréments entassés et de créosote. « Tu aurais pu continuer à baiser toutes les Contreras sans avoir besoin de la sacrifier.

– Je ne l'ai pas empoisonnée, je n'ai empoisonné personne. » Oliverio Castañeda boit l'eau qui reste dans le verre. « On va vous emme-

ner de cette cellule dès qu'il fera jour et il se peut qu'on ne se revoie
jamais. Croyez-moi maintenant, parce que nous n'avons pas beaucoup de temps.

– Et tu aurais pu te marier avec María del Pilar sans avoir besoin
d'empoisonner sa sœur ni don Carmen. » Le Dr Salmerón sort une
main de sous la courtepointe, pour arranger à nouveau son bandeau.
« Lui, plus qu'aucun autre, puisque tu le tenais en ton pouvoir.

– Je ne cherchais pas le mariage. » Oliverio Castañeda entoure les
épaules du Dr Salmerón. « Mais si j'avais dû épouser quelqu'un,
ç'aurait été Mathilde; elle, je l'ai toujours respectée. Venez vous
asseoir sur le lit.

– Tu ne vas pas me dire qu'elle a pris du poison à cause de toi,
quand elle a su que tu vivais avec María del Pilar. » Le Dr Salmerón
se laisse conduire et asseoir sur le lit. « Parce qu'avec María del Pilar
tu vivais vraiment. J'ai en mon pouvoir une déclaration du régisseur
de la ferme où vous vous retrouviez.

– N'offensez pas la mémoire de Mathilde en l'accusant de suicide,
docteur. Je l'aimais, elle je l'ai vraiment aimée. » Oliverio Castañeda
s'assied près du Dr Salmerón sur le lit et il n'enlève pas son bras de
ses épaules. « Elle m'en a souvent donné l'occasion, mais je ne l'ai
jamais touchée. L'autre si. Je reconnais qu'elle est ma femme.

– Maintenant on va apprendre que tu n'as pas non plus touché
doña Flora. » Le Dr Salmerón, à présent pelotonné dans la courtepointe, regarde d'un air absent les languettes de ses souliers sans
lacets.

« Moins, docteur. Elle, moins. » Oliverio Castañeda ôte son bras
des épaules du Dr Salmerón et, appuyant ses coudes sur ses genoux,
il se penche pour regarder lui aussi en direction du plancher. « Et si
vous aviez vu comment elle me poursuivait.

– Alors tu t'es contenté de María del Pilar. » Le Dr Salmerón
tourne la tête vers Castañeda et ensuite il fixe à nouveau les languettes de ses chaussures; il les attrape avec sa main pour tenter de
les étirer. « Et Mathilde est morte vierge. Tu raconteras ça à d'autres.

– On l'a enterrée aussi pure que je l'ai connue. » Oliverio Castañeda repose son menton sur ses mains, gardant ses coudes sur ses
genoux. « Pourquoi irais-je vous mentir là-dessus? En quoi cela me
fait-il du tort?

– Et Rafael Ubico, pourquoi tu l'as empoisonné? » Le Dr Salmerón commence à sentir la chaleur et, desserrant la courtepointe où il
se drape, il se découvre la poitrine. « Ne me dis pas que tu l'as fait
aussi par affection, comme tu as empoisonné Mathilde.

– Je vous l'ai déjà dit, je ne l'ai pas empoisonnée. Quant à l'histoire d'Ubico, c'est la plus belle invention générale. » Oliverio Castañeda plonge la tête entre ses genoux. « Un crime pour lequel on ne
m'a jamais accusé. De quelle sorte de crime s'agit-il? Le général

Ubico a demandé ma tête à Somoza ; mais parce que je suis son ennemi politique, pas parce que j'aurais tué son neveu. C'est pour ça qu'ils veulent me fusiller.

– Tu as toutes les lettres qu'elles t'ont écrites ? » Le Dr Salmerón se lève, laissant la courtepointe sur le lit, et il s'avance vers la fenêtre sombre à la recherche de la caresse de l'air.

« C'est Oviedo la Baudruche qui les a. » Oliverio Castañeda le suit du regard dans son déplacement vers la fenêtre. « Mais qu'importent à présent ces lettres ? C'est de votre aide que j'ai besoin.

– Tu es disposé à me remettre ces lettres ? » Le Dr Salmerón approche la tête du fenestron traversé de barbelés. De loin, avec la brise, arrivent des mugissements, des aboiements, les cris d'une bagarre de rue.

« Elles sont à vous, si vous m'aidez, elles sont à vous. » Oliverio Castañeda se pousse avec empressement sur le côté pour laisser une place au Dr Salmerón qui revient vers le grabat en faisant claquer ses chaussures dans sa hâte.

« Il ne me reste qu'une chose à te demander. » Le Dr Salmerón écarte la courtepointe avant de s'asseoir.

– Tout ce que vous voudrez. » Oliverio Castañeda tire sur les poignets de sa chemise et les pierres enchâssées dans ses boutons de manchettes scintillent sous la faible lumière placée au coin du lit avec un éclat de sang vieilli. « Il n'y a plus de secrets entre nous deux, docteur.

– Si, il reste un secret. » Le Dr Salmerón s'assied sur le bord du grabat, une fesse en dehors, complètement tourné vers Oliverio Castañeda. « Je veux seulement que tu me dises s'il est vrai que tu as empoisonné ta mère. »

Le Dr Darbishire lui avait mentionné une fois que le galant souffrait d'halitose ; et maintenant, alors que Castañeda ouvre la bouche et reste sans répondre, le Dr Salmerón perçoit cette odeur malsaine dans la proximité de son haleine.

« L'as-tu empoisonnée pour qu'elle cesse de souffrir ? Je veux que tu me dises si c'est vrai ou non. Et ne me mens pas. » L'haleine fétide retourne l'estomac vide du Dr Salmerón.

« Je n'ai jamais été à l'hôpital de Chiquimula jusqu'à ce qu'elle soit morte. » La voix d'Oliverio Castañeda se brise soudain dans un sanglot. « Mon père n'a pas voulu se déplacer de Zacapa pour aller chercher son cadavre à la morgue. J'y suis allé seul. C'est moi qui lui ai mis son linceul, c'est moi qui l'ai placée dans son cercueil. Et j'avais à peine quatorze ans, docteur.

– Et ce livre, *Secrets de la nature ?* Que faisait la photo de ta mère malade dans ce livre sur les poisons et l'euthanasie ? » Le Dr Salmerón approche encore le visage, en retenant sa respiration.

« Le Dr Castroviejo, le directeur de l'hôpital, l'avait prêté à ma mère, qui était férue de botanique. » Oliverio Castañeda tremble, secoué par les sanglots. « Je l'ai rangé avec toutes ses affaires dans sa valise, quand je suis venu emmener le cadavre. Personne ne me l'a réclamé. Et je l'ai emporté avec moi, avec sa photo, parce que ce sont des souvenirs d'elle.

— Tu peux me le jurer ? » Le Dr Salmerón l'attrape par les revers de sa veste et le secoue.

« Je vous le jure. » Oliverio Castañeda fait une croix avec ses doigts et il l'embrasse.

« Bon, je te crois. » Le Dr Salmerón le lâche, les doigts mouillés de larmes. « Je te crois, mais malheur à toi si tu me trompes !

— Je ne vois pas pourquoi je vous tromperais. » La voix d'Oliverio Castañeda est soudain dure et implacable, comme un couteau qu'on viendrait d'affûter sur une pierre.

« Maintenant, passons à l'affaire des lettres. » Le Dr Salmerón le presse, claquant des mains.

« Je vais vous en remettre deux, qui se sont croisées en route. » Oliverio Castañeda ôte ses bottines et cherche sous les semelles intérieures. « Celle-ci est une copie d'une lettre que j'ai envoyée à Mathilde depuis le Costa Rica. L'autre est d'elle pour moi, avec quelques jours de différence. Vous verrez dans la mienne l'honnêteté de mon affection. Vous verrez dans la sienne sa passion pour moi. Je ne me suis pas séparé de ces lettres parce qu'elles sont la preuve de l'amour sincère que nous nous portions, au-delà de la mort. Gardez-les, je ne veux pas les voir souiller dans un tribunal.

— Et les autres ? » Le Dr Salmerón reçoit les lettres, aplaties et humides de sueur, et il les glisse rapidement dans la poche de sa veste.

« Oviedo la Baudruche vous remettra les autres. » Oliverio Castañeda se rend jusqu'à la table et, debout, il commence à rédiger une note. « Mais ce sera après.

— Comment ça après ? » Le Dr Salmerón, assis sur le grabat, entend crisser le porte-plume. « Après quoi ?

— Après ma fuite d'ici. » Oliverio Castañeda agite la feuille pour faire sécher l'encre. « Vous allez m'aider à fuir. C'est le marché.

— Fuir ? » Le Dr Salmerón se redresse d'un bond. « Et moi, qui est-ce qui va me tirer d'ici ?

— Ils sont obligés de vous faire sortir, malgré toute la haine qu'ils ont pour vous. » Oliverio s'approche avec la feuille et la lui remet. « Ils veulent seulement vous en faire baver, à cause de votre insolence. Soyez assuré que le corps médical va protester. Le seul condamné à mort ici, c'est moi.

— Le corps médical... » Le Dr Salmerón lit l'en-tête, en éloignant le papier de ses yeux : « Cher Montgolfier » et, se considérant satisfait, il le range. « Ces salauds sont les pires.

– Le plan d'évasion commencera à fonctionner dès que vous serez dans la rue. » Oliverio Castañeda étend la courtepointe tigrée sur les dalles. Il enlève sa veste et va l'accrocher à un clou dans le mur ; il ôte également sa cravate et déboutonne sa chemise. « Premièrement, vous ne devez rien dire de tout cela quand vous sortirez d'ici. C'est très dangereux pour nous deux. Et en deuxième lieu, vous devez continuer à vous comporter comme le pire de mes ennemis. Attaquez-moi sans pitié. Personne ne doit soupçonner que nous sommes alliés. Couchez-vous.

– Que dois-je faire d'autre ? » Le Dr Salmerón cherche le chevet du lit pour s'étendre. « Une évasion n'est pas un amusement.

– Vous recevrez toutes mes instructions à travers une femme, Salvadora Carvajal. Il n'y a qu'elle et vous à être au courant de l'évasion. » Oliverio Castañeda, en petite tenue, s'approche pour arranger l'oreiller, dur et crasseux, sous la tête du Dr Salmerón.

« Je la connais. » Le Dr Salmerón, couché sur le dos, laisse aller sa tête sur l'oreiller. « Je sais où elle vit.

– Magnifique, docteur. Et n'oubliez pas : vous êtes toujours mon ennemi et je suis toujours un gentleman qui se tait. » Oliverio Castañeda se couche sur la courtepointe déployée sur le sol. « Vous continuez à m'attaquer et moi je continue à nier mes amours avec les Contreras, ainsi j'apaise un peu la meute. Quand je serai au Honduras, faites-vous plaisir en publiant les lettres. Sauf les deux que je vous ai remises. Et maintenant, dormez.

– Pourvu qu'ils ne nous aient pas entendus. » Le Dr Salmerón obéit sans résistance à l'ordre de dormir, envahi à nouveau par le parfum malsain des bouquets funéraires. Tandis que sa tête endolorie plonge dans la torpeur, il se dit que c'est le parfum doux et enivrant de la vengeance contre ses ennemis.

– Ne vous inquiétez pas, ils ne reviendront pas avant demain matin pour voir si on s'est entre-tués. » Le murmure s'élève depuis le sol, indolent et lointain, faisant tourbillonner les pétales tombés, fouettant les gerbes de fleurs, secouant les cadenas des mausolées fermés. « Mais avant qu'on vous emmène de cette cellule, n'oubliez pas de glisser les lettres dans la doublure de votre cravate. Ou dans votre caleçon. Dormez. »

L'ordre se transformait en murmure, mais il pénétrait dans son sommeil avec la fulguration d'un couteau acéré.

45

Une évasion hasardeuse se prépare

L'occasion ne s'est plus présentée pour Oliverio Castañeda d'expliquer au Dr Salmerón quel étrange caprice l'avait poussé à présenter ce recours audacieux et inattendu, le 6 décembre 1933, ultime adieu à ses débordements amoureux, à ses provocations et à ses attitudes velléitaires. Mais le Dr Salmerón n'a pas pu lui expliquer non plus pourquoi il n'avait pas joué son rôle dans le marché conclu, car au lieu de continuer à apparaître comme son ennemi le plus tenace, dès le lendemain de sa sortie de prison il prit la tête des manifestations de soutien et de sympathie en sa faveur.

Aucun des deux ne respecta sa part de l'engagement et pourtant le plan d'évasion fut poursuivi jusqu'à son accomplissement. Le 6 décembre même, quand il se présenta au tribunal pour lire son recours, Oliverio Castañeda fit parvenir le premier message à son complice à travers Salvadora Carvajal, comme il avait été convenu. Depuis le début novembre, l'ancienne servante de la famille Contreras avait accès à la prison, car elle avait finalement reçu l'autorisation de prendre une fois par semaine le linge de l'accusé, occasion dont elle profitait pour lui porter quelques aliments.

Voici le message lapidaire qu'elle sortit de la prison, caché dans son corsage, tel que nous pouvons le lire dans le dossier secret du Dr Salmerón :

L'ange qui porta l'annonce à Marie battra des ailes le jour où les crèches seront sur les porches. Il sera six heures de l'après-midi, quand éclatent les fusées qui célèbrent la nativité du Messie. Tenez prêt un cheval robuste, bien bâté, qui sera attaché à la rambarde du pont sur la rivière Chiquito, vers la rue Guadalupe. Le cheval devra être seul.

L'ange vous attendra à neuf heures du soir dans la demeure de celle qui vous porte ce message. La porte de la maison sera fermée du dehors par un cadenas. Vous devrez entrer par la porte de la cour. C'est là que nous prendrons congé.

Vous devrez trouver : un guide de confiance qui connaisse la route vers la frontière avec le Honduras ; une arme, de préférence un revolver, avec assez de cartouches ; la somme de cent cordobas et de cinquante lempiras. L'ange montera à cheval à l'heure où la procession de l'Enfant Jésus part pour la cathédrale (dix heures du soir). Le guide devra l'attendre sur la route qui part de l'hippodrome vers Posoltega, dans le quartier de San Felipe.

L'ange vous rappelle de ne rien révéler sur le vol à personne, pas même à ceux qui partagent votre TABLE, ni à l'ami commun (Montgolfier), pour qui vous avez reçu le message. L'ange continue à vous faire confiance, et à vous seul, jusqu'à la mort, mais vous, vous ne devez faire confiance à PERSONNE.

Bien à vous,

L'ANGE

On aurait dit que les deux alliés s'acharnaient à enfreindre, point par point, ce qui avait été convenu à la prison. Nous savons déjà qu'Oliverio Castañeda avait décidé de remettre entre les mains du juge Fiallos les lettres promises au Dr Salmerón, qui, loin d'être contrarié par cette nouvelle violation du pacte, se chargea lui-même de frayer un chemin à Oviedo la Baudruche quand il arriva au tribunal pour les déposer, en portant solennellement la boîte de fil à coudre Ancre ; et le Dr Salmerón, malgré le rappel contenu dans le message, demanda à ses comparses de la table maudite de l'aider dans la préparation de l'évasion, en faisant fi de l'accord et de toute prudence.

Le capitaine Prío traite de jongleries du destin ces infractions aux promesses mutuelles, dans un entretien enregistré par l'auteur le 17 octobre 1986 dans le nouveau et plus modeste local de son établissement, car l'ancienne maison Prío, face à la place Jerez, fut incendiée pendant l'insurrection finale contre la dictature, en juin 1979. Voici une partie la transcription de la cassette :

C'était un 7 décembre, le célèbre jour des Clameurs comme nous l'appelons ici à León. Le docteur nous fixa un rendez-vous après six heures du soir à Subtiava, au domicile de Salvadora Carvajal, que tu as bien connue. On n'avait pas eu de réunion depuis l'emprisonnement du docteur... non, c'est bien avant cela qu'on avait cessé de se voir. Le prétexte était qu'on allait clamer notre foi en la Vierge Immaculée devant l'autel de Salvadora et devant d'autres autels de Subtiava, où abondent ces statues de la Vierge. Personne ne devait s'en étonner, car c'est une nuit où tous les gens sortent dans les rues. Quant à une réunion dans l'imposante maison Prío, il valait mieux ne pas y songer ; avec tout ce qui s'était passé, cela aurait été très dangereux.

Rosalío Usulutlán ne vivait plus en se cachant. Il arriva mêlé à un groupe de gens en fête venus de La Españolita ; il portait une de ces étoiles garnies de papier moiré, avec une lanterne à l'intérieur, on en trouve encore aujourd'hui le jour des Clameurs. Mais Cosme Manzo n'est plus revenu, il a fait prévenir qu'il était cloué au lit par une inflammation du gland et qu'il avait peur que ça ne lui tombe dans les testicules s'il se déplaçait. Je ne peux pas t'assurer s'il s'agissait d'un prétexte ou si c'était vrai, cette histoire d'inflammation, le fait est qu'il n'est pas venu; quoique, avec la trahison qu'il a commise plus tard, je ne serais pas étonné qu'il ait menti.

J'ai répondu présent, tout en devant abandonner mon commerce à une heure de grande presse. On s'est retirés dans la cour pour parler, tandis qu'à l'intérieur, où se trouvait l'autel, retentissait le bruit des pétards et des chants à la Vierge, dans la meilleure tradition. J'ai écouté le docteur exposer ce qu'il avait à nous dire, mais, en vérité, je n'étais pas d'accord avec ce plan. Cela signifiait se risquer dans l'inconnu et, en plus, faire maintenant tout le contraire de ce qu'on avait fait avant, pour moi il n'en était pas question. J'ai été aidé par le fait qu'il n'y avait pas de rôle pour moi, comme je le lui ai dit. « Votre rôle est de vous taire, capitaine », m'a-t-il répondu. o.k., je me suis tu, mais alors pourquoi m'avoir appelé? Savoir signifiait courir un danger, sans nécessité. Et comment aurais-je pu, moi, lui montrer sa volte-face, lui dire : comment est-ce possible, docteur? Il était inutile de chercher à couler Castañeda si c'était pour en arriver là où vous en êtes à présent. Aussi j'ai pensé en moi-même : tiens-toi tranquille, ne la ramène pas. En plus, je mettais rarement mon grain de sel dans toutes nos discussions, j'étais une sorte d'amphitryon, j'écoutais, j'émettais un avis par-ci par-là, mais ça n'allait pas plus loin.

Rosalío pensait comme moi. Là-bas, dans la cour, il me regardait, comme pour me dire : qu'est-ce qui lui prend? Ce n'est pas le docteur, je ne le reconnais pas. Mais c'était un homme loyal et il a pris sa part dans le projet, part qui consistait à trouver le cheval, celui-là même qu'il avait loué pour se rendre à la ferme quand on l'avait envoyé remplir cette fameuse mission. « Ne dis pas où on compte aller avec le cheval, car ils ne le loueraient pas; s'il ne revient pas, je le paie », lui recommandait le docteur, oppressé. Le pauvre, il voulait que tout réussisse.

Il a fait parvenir le message à Manzo par l'entremise de Rosalío. Manzo devait trouver les lempiras parce qu'il faisait du commerce avec des Honduriens, de contrebande je crois, car Manzo n'était pas trop regardant, il grappillait partout où il pouvait. Je ne me souviens pas aujourd'hui du revolver, je crois que c'est aussi Manzo qui l'a donné, je n'en suis pas sûr. Pour le guide, en revanche, je me rappelle que le docteur allait le chercher à Somotillo, vers la frontière avec le Honduras, il avait des clients dans le coin.

Manzo? Je ne sais pas ce qu'il est devenu, cette crapule; très probablement, il a dû rentrer au Honduras, puisqu'il était de là-bas, de Tela. Ici il a tout vendu, mais ne t'imagine pas qu'il est parti sous le coup de la honte, pas du tout, il a tenu encore pendant des années son épicerie L'Effort. Ce que je sais, c'est qu'en 1936, quand Somoza le vieux a donné un coup de main à son oncle Juan Bautista, il n'était plus là. Il a dû mourir là-bas au Honduras, le cornet à dés à la main. Si tant est qu'il soit mort.

La vie est une chose incroyable, mon vieux Sergio. Manzo était cul et chemise avec le docteur, et au moment où celui-ci a le plus besoin de lui, l'autre le trahit. Il a collaboré, c'est vrai, il a donné ce qu'on lui a demandé, mais il était déjà entré secrètement en contact avec le capitaine Ortiz, comme le docteur l'a appris plus tard. Il a vendu tout le plan; pas pour de l'argent, à mon avis, il n'avait pas besoin de sous pour faire ça, en réalité un traître est un traître et la peur est comme le ressort de la trahison. S'il n'était pas d'accord, il aurait dû se taire, comme moi. Mais pas s'empresser d'aller tout raconter au commandement; je l'ai vu qui en sortait ce jour-là, mais comment imaginer ce qu'il venait de faire, il s'est même arrêté chez moi prendre une bière Xolotlán. « Je suis en train de voir comment obtenir un permis pour qu'on me laisse balader la morue dans la rue, aujourd'hui il faut un permis pour tout, une façon de vous piquer de l'argent, ils ne savent plus quoi inventer pour vous en piquer. » Il m'a doré la pilule, sans broncher.

Selon ce même enregistrement de la conversation de l'auteur avec le capitaine Prío, non seulement Rosalío Usulutlán exécuta dans le plan d'évasion ce qui lui avait été assigné, mais il en vint même, quoique de façon assez timide et craintive, à se joindre à la cabale dirigée par le Dr Salmerón qui semait la pagaille au tribunal; et de temps à autre il se risquait à accompagner les manifestations qui escortaient l'accusé jusqu'aux marches du porche de la prison XXI.

Les lettres remises par Oviedo la Baudruche furent volées au tribunal, autour de minuit, le 9 décembre 1933. Le lendemain matin, le juge Fiallos n'attendit pas une minute de plus et il envoya au président de la Cour suprême le télégramme de démission dont il avait repassé bien des fois le texte dans sa tête :

Empêché continuer exercer mes activités judiciaires avec célérité et soin extrême pour cause invasions de mes prérogatives de la part autorités militaires enfreignent délibérément lois et procédures devraient plutôt être dans l'obligation de respecter ne me reste d'autre recours que présenter Distinguée Cour ma démission irrévocable. En attendant soit procédée nomination mon remplaçant vous prie désigner immédiatement autorité judiciaire de substitution dois transmettre mes pouvoirs. Me consacre dès à présent préparer inventaire meubles et matériel bureau et registre affaires en cours.

Nous pouvons lire dans le dossier de l'affaire la réponse de Me Manuel Cordero Reyes, président de la Cour suprême, qui arriva de Managua par la même voie l'après-midi.

Cour suprême réunie session plénière a pris connaissance votre message démission charge président cour d'assises district León. Étant donné extrême gravité et impact social affaire vous instruisez actuellement en relation avec crimes inqualifiables a été victime estimable famille Contreras de cette ville, veuillez vous abstenir abandonner obligations instruction judiciaire jusqu'à ce que la Cour vous notifie nomination successeur. Vous avertis à propos responsabilité civile et administrative implique non-respect cette résolution. Accusez réception.

En 1964, alors que le juge Fiallos arrivait à la fin de son mandat de recteur de l'université et que sa mort était proche, j'étais son secrétaire et je devais l'accompagner lors de ses visites hebdomadaires dans les facultés qui fonctionnaient à Managua. Pendant les trajets aller-retour à bord d'une vieille Oldsmobile de louage, et pendant nos déjeuners au restaurant *El Patio,* la conversation portait sur les expériences de sa jeunesse, sur les échecs et les désillusions de sa vie politique, sur son attitude face à l'évolution du monde, sur ce qu'il appelait son humanisme belligérant; sur l'art et la littérature, et sur le métier d'écrivain – il avait déjà prologué à l'époque mon premier recueil de nouvelles. J'avais pour habitude d'introduire dans nos entretiens l'affaire Castañeda, thème d'étude dans notre cours d'instruction criminelle à la faculté de droit, mais qui m'intéressait par-dessus tout parce qu'on pouvait lire le volumineux dossier comme un roman et parce qu'il était un des protagonistes de ce roman.

En me servant de mes souvenirs personnels, car je ne garde pas de notes de ces entretiens, j'ai inclus dans certains chapitres précédents quelques-unes de ses appréciations sur le procès. Pourtant je dois dire que ce n'était pas son thème préféré. Il l'évoquait avec nostalgie, comme un épisode de sa jeunesse; mais dans ses souvenirs perçait toujours un soupçon d'ironie amère, surtout quand il me parlait de ces dernières semaines de frustration permanente, où il avait été contraint de continuer à exercer sa charge, alors qu'il avait perdu toute motivation et que le véritable cours du procès se décidait derrière son dos.

Une fois l'affaire terminée, certaines évidences ne tardèrent pas à apparaître au grand jour : la Garde nationale, qui détenait la réalité du pouvoir, derrière la façade fragile du gouvernement du président Juan Bautista Sacasa, conspirait pour empêcher les témoins nommés par Castañeda de venir déposer, et si quelques-uns se présentèrent, ce fut uniquement pour se montrer fuyants et peu explicites. Des années plus tard, comme nous l'expliquera le capitaine Prío, les procédés concoctés par la Garde nationale pour cambrioler le tribunal et s'emparer des lettres furent à leur tour révélés.

Seule Salvadora Carvajal, la cuisinière, interrogée le 10 décembre 1933, répondit sans hésiter à l'ensemble de questions, bien qu'elle ait été convoquée la veille au commandement départemental par le capitaine Ortiz, qui la menaça, en lui montrant des dénonciations à propos d'un abattoir clandestin de porcs installé dans sa maison. Cependant, il ne lui fit aucune remontrance sur sa participation au plan d'évasion, car il n'était pas de l'intérêt de la Garde nationale de le faire échouer, comme on verra par la suite.

La jeune Leticia Osorio, dont le juge Fiallos avait un souvenir précis en raison de son intelligence éveillée et de l'aisance surprenante qu'en dépit de son âge elle montrait dans ses réponses, se présenta ce même 10 décembre pour répondre aux questions de la défense, accompagnée de Me Juan de Dios Vanegas, l'avocat de la partie civile. Cette fois, il ne restait rien de sa vivacité passée.

QUESTIONNAIRE CONCERNANT MATHILDE CONTRERAS

Question n° 1 : Que le témoin dise s'il est vrai, comme cela s'est effectivement passé, que pendant que nous étudiions le soir dans la galerie de la maison, Mathilde Contreras, que vous avez connue, me caressait les cheveux et le menton. C'est ce que vous avez vu quand vous êtes venue nous apporter le café, et vous avez vu également que nous nous tenions la main et que j'embrassais la sienne.
Réponse : Je ne me suis rendu compte de rien.
Question n° 2 : Que le témoin dise s'il est vrai, comme effectivement cela s'est passé, qu'un jour elle m'a vu sortir de la chambre de la susnommée Mathilde, en pleine nuit, et qu'elle y dormait seule, car María del Pilar était à Chichigalpa où elle rendait visite à la famille de don Enrique Gil.
Réponse : Je ne vous ai pas vu sortir, et je ne me rappelle pas que la jeune Mathilde ait dormi seule.
Question n° 3 (rejetée par le juge, qui la considère captieuse).
Question n° 4 : Que le témoin dise s'il est vrai, comme cela s'est effectivement passé, que mon épouse, Marta Jerez femme Castañeda, a interpellé un jour en votre présence ladite Mathilde, en l'accusant de perturber notre mariage, la traitant de vulgaire prostituée et d'autres termes injurieux.
Réponse : Je n'ai pas entendu les choses que vous dites. Je n'ai rien entendu.
Question n° 5 (rejetée par le juge, qui la considère captieuse).
A ce stade, la défense demande la suspension de l'interrogatoire, tant il est évident que la bonne volonté du témoin a été achetée, en profitant de son âge, et comme on peut le constater simplement à son aspect extérieur, étant donné qu'elle porte des souliers et une robe neuve, le tout de bonne qualité, vêtements qui ne lui ont jamais été fournis auparavant dans la maison où elle sert comme domestique; et en outre parce que le juge a biffé des questions clés, ce qui annule la portée du questionnaire.
L'accusation intervient pour protester contre les assévérations de l'accusé à propos de la véracité des réponses du témoin, et elle demande qu'elles soient réfutées en raison de leur caractère fantasque.
Le juge accepte la suspension de l'interrogatoire puisque la demande en vient du défenseur lui-même, qui a préparé les questions; mais il admet la protestation de l'accusation et il décide de ne pas donner suite aux affirmations sur la bonne volonté du témoin. En ce qui concerne l'objection sur la suppression d'interrogations contenues dans le questionnaire, il est rappelé à la défense que l'article 225 In. habilite le juge à une telle démarche, sans qu'il ait besoin de s'expliquer sur ses motifs.

Eufrasio Donaire, qui n'a pas été formellement identifié et qui est cité par la défense en tant que témoin oculaire de certains rendez-vous amoureux, a fait l'objet de recherches de la part du greffier sur la propriété rurale *Notre Maître,* qui était apparemment son domicile et son lieu de travail, afin de lui remettre la citation à comparaître. Personne n'a su, sur place, indiquer l'endroit où il se trouvait; et il ne s'est pas présenté pour déposer, bien qu'il ait été incité à le faire par l'intermédiaire d'avis affichés par trois fois sur les tableaux du tribunal, comme l'ordonne la loi.

Dolores Lorente, dont l'identité a été formellement enregistrée, mentionnée par la défense comme messagère de certaines lettres sentimentales, répondit aux questions de la défense le 14 décembre 1933 en niant avoir quelque rapport avec ces lettres et en exigeant en revanche de l'accusé, au cours de l'interrogatoire, le paiement du solde de son salaire correspondant au temps passé à servir chez lui, salaire qui, selon ses dires, ne lui avait jamais été payé. De son côté, la défense demanda qu'on vérifie si le témoin avait bien été employé dans les jours précédents comme cantinière au commandement départemental, et réclama que l'on révèle du même coup le montant de son salaire. L'officier de l'intendance, requis à cet effet, tarda à effectuer la démarche et il répondit finalement que personne ne figurait sous ce nom sur l'état des paiements.

Demetrio Puertas, qui tenait les livres et était employé comme comptable par la firme C. Contreras & Cie, introduisit le 15 décembre 1933 un recours accusant formellement l'accusé de fausses imputations; il invoquait en outre, en sa qualité d'offensé, le droit de s'abstenir de comparaître tant que son accusation n'aurait pas été élucidée. Ce recours, sujet à résolution postérieure, vint grossir le dossier de l'affaire.

La défense introduisit le 21 décembre 1933 un nouveau recours, demandant que le dépositaire originel des lettres disparues, Octavio Oviedo y Reyes, dont l'identité avait été formellement enregistrée, fût appelé à témoigner sur le contenu de ces lettres, qu'il avait pu parcourir. Le recours fut accepté à la même date et Oviedo cité à comparaître; mais au jour et à l'heure fixés, c'est son père, don Isidro Oviedo Mayorga, qui comparut et produisit les documents accréditant le témoin comme consul du Nicaragua à Santa Ana, en République du Salvador, et une attestation du ministère des Affaires étrangères et du Culte où il s'avérait qu'ayant reçu le passeport officiel n° 27, il était parti rejoindre son poste, à bord du vapeur *Acajutla*, comme le confirmait également l'attestation fournie à cet effet par la capitainerie du port de Corinto.

Le juge Fiallos ne put pas entendre les témoins, tant et si bien que toutes les affirmations d'Oliverio Castañeda, contenues dans son recours du 6 décembre 1933, restèrent sans effet. Et nous savons déjà que, comme la comparution du Dr Salmerón s'était soldée par un échec, il n'eut pas accès non plus aux annotations du carnet offert par la maison Squibb ni aux chemises du dossier secret qui se rapportaient aux liaisons amoureuses des personnages de cette affaire. Je n'avais pas encore eu ces documents entre les mains à l'époque de nos entretiens, en 1964, puisque je ne les ai obtenus qu'en 1981; de sorte qu'il est impossible de savoir, dans l'un et l'autre cas, quel rôle ces révélations auraient pu jouer dans le procès et quelle renommée elles auraient value au juge Fiallos.

Mais je lui rappelai que l'expertise qu'il avait ordonnée lui-même avait déterminé l'authenticité de la lettre découverte dans la malle de Castañeda et que sa calligraphie, selon le rapport des experts, correspondait à l'écriture de Mathilde Contreras ; et qu'il avait eu entre les mains les lettres présentées par Oviedo la Baudruche avant qu'elles fussent volées. S'était-il informé de leur contenu ? En outre, en se préparant pour l'interrogatoire du Dr Salmerón, voulait-il vraiment dévider l'écheveau amoureux ? Ses questions à María del Pilar, même formulées de façon prudente, poursuivaient le même but.

Je ne me rappelle pas aujourd'hui ses paroles exactes. Même en admettant que derrière tout cela il y avait une histoire sordide de manigances et de jalousie, comme la lettre de Mathilde le démontrait, il ne se risquait pas à affirmer que les choses auraient pu aller beaucoup plus loin. Il n'avait pas eu le temps de lire les lettres présentées par Oviedo la Baudruche. Il était évident qu'il ne voulait pas s'impliquer à fond dans cette partie de l'affaire, mais il n'en était pas moins étrange que même pour lui, un homme à la pensée moderne et dépourvu de préjugés, cette histoire restât taboue, comme elle l'est toujours pour la famille Contreras, encore nombreuse à León.

L'auteur doit nécessairement le juger avec bienveillance ; en effet, comme Rosalío Usulutlán dans son reportage, tout au long de ces pages j'ai dû déguiser les membres de la famille Contreras sous des noms et des prénoms d'emprunt, car j'étais prévenu de la sensibilité des réactions de ses descendants quand on évoque cette affaire, plus d'un demi-siècle après.

Écoutons à nouveau le capitaine Prío parler, dans l'enregistrement du 17 octobre 1986, de ces moments pénibles pour le juge Fiallos et d'autres sujets non moins importants :

Tout cela a été un véritable échec pour Castañeda, mais pour Mariano Fiallos ce fut encore pire. On lui fit sentir l'acide du mépris à León, pour avoir accepté ce sacré recours. En plus, on vint lui voler les lettres au tribunal. Quand le colonel Manuel Gómez s'est retourné contre Somoza à cause de la fraude aux élections de 1947, une des choses qu'il a dénoncées depuis l'exil a été qu'on lui avait ordonné de diriger le vol : il avait envoyé deux prisonniers inculpés pour vol s'introduire dans le tribunal par le toit. Tacho Ortiz a envoyé les lettres à Somoza, à Managua, en avion et sous bonne escorte.

Ensuite, personne ne venait déposer, et quand quelqu'un se présentait, il ne savait pas de quoi on lui parlait. Mariano Fiallos s'était mis à dos la Garde et le président Sacasa, qui était de León ; et en bon Léonais, Sacasa prit à cœur de défendre les femmes Contreras. Et ne parlons pas de l'intérêt de Somoza à ce qu'on enterre l'affaire, car il était léonais d'adoption et d'une servilité de bas étage. Il avait touché le gros lot en épousant une Debayle Sacasa, et les Debayle et les Sacasa étaient parents avec les

Contreras. Même si, au moment de renverser Sacasa, il devait oublier que c'était son oncle par alliance.

Et il s'était aussi mis à dos Castañeda lui-même, qui l'accablait de ses récriminations chaque fois qu'il arrivait au tribunal, comme si lui, Mariano Fiallos, était responsable du vol des lettres et du silence des témoins. Et Oviedo la Baudruche, qui ne dit même pas au revoir quand on l'expédie au Salvador. C'est Sacasa qui l'a expédié. Il ne pouvait pas faire grand-chose, mais nommer un consul, si. La demande lui en a été faite par le chanoine Oviedo y Reyes, qui ensuite fut évêque de León, on l'avait surnommé « le Frisé » alors qu'il était déjà évêque *(rires)*, il est devenu de plus en plus fou, à la fin il ne parlait plus dans ses sermons que des satyres et des faunes de Rubén Darío. Que des canéphores pubères t'offrent l'acanthe! hurlait-il du haut de sa chaire *(rires)*.

Toute la famille s'est réunie en conclave après qu'Oviedo la Baudruche se fut présenté au tribunal avec sa besace pleine de lettres. Ce n'était pas une besace? Une boîte? Bon, la boîte de fil à coudre où il transportait les lettres qu'il avait toujours nié posséder. Et pendant cette réunion, son père, sa mère, « le Frisé », l'ont assis au banc des accusés et ils ont décrété : « Tu quittes le pays tout de suite, dégénéré, et tu emmènes ton épouse et tes enfants. » Ils lui ont préparé sa provision de saucissons et de sandwiches au porc *(rires)* et quand il est monté dans le train il pleurait comme une fontaine. Par la suite, Oviedo la Baudruche est rentré, bien sûr, il est devenu magistrat auprès de la cour d'appel d'Occident, mais il n'avait plus rien d'une baudruche, il avait dégonflé, il avait une saloperie de sucre dans le sang. Et quand il est mort, il n'était plus qu'un sac de peau avachi.

Son meilleur ami l'abandonnait. Finalement Oliverio Castañeda s'est retrouvé tout seul au milieu de la tempête. Qui allait le lui dire. Il n'y avait plus que le docteur qui le soutenait, lui qui jadis voulait le voir condamner à mort, il le soutenait au même titre que les va-nu-pieds, les gens en chemise, ce sont les caprices de la roulette.

Le docteur a cessé à jamais d'être ami avec mon parrain, le Dr Darbishire, et il a également perdu beaucoup d'amis, à vrai dire, des amis qu'il n'avait jamais eus; toi qui as fait des recherches, tu auras constaté qu'à León on le prenait pour un moins que rien. Mais la rupture avec mon parrain fut un coup dur pour lui, il s'accrochait à mon parrain, et il a perdu cette amitié qui était comme une consolation pour lui , dans un endroit aussi étouffant que celui-ci, où on ne l'aimait pas; et s'ils se sont fâchés à mort, c'est à cause de Castañeda. Et tu vois comme la roue tourne : la prophétie de mon parrain s'est révélée juste, quand il a dit qu'on allait les voir manger tous les deux dans la même assiette.

Le décès du Dr Darbishire, mon parrain, est survenu en 1960, tu étais déjà à León, pour tes études? Évidemment, tu étais déjà là le 23 juillet, quand les gardes de Tacho Ortiz ont massacré, en 1959, les étudiants dans la rue, devant la maison Prío. On a enterré mon parrain l'année d'après, il est mort très âgé, il ne pouvait plus bouger de sa chaise à roulettes, il était même resté sans un chien, il n'y avait plus que Teodosio le petit muet qui s'occupait de lui. Comme « le Frisé », l'évêque, il est devenu toqué, il ne parlait plus que français, et Teodosio lui répondait par signes, comme s'il le comprenait.

Le docteur a prononcé un discours d'hommage dans le grand amphithéâtre de l'université, au nom de la Société des médecins, une oraison funèbre tirée au cordeau, on l'a imprimée en opuscule. Ils ont passé toutes ces années sans se parler, regardant ailleurs quand ils se rencontraient, presque trente ans d'inimitié, et au moment des funérailles il n'a eu pour lui que des éloges : un savant, a-t-il dit, une sommité scientifique. C'est ce que j'appelle de la noblesse.

(Comme le signale le capitaine Prío, Tacho Ortiz, promu major à l'époque, était à la tête d'un peloton de la Garde nationale qui tira contre une manifestation d'étudiants sans défense, au soir du 23 juillet 1959, dans la rue qui conduit de l'université à la maison Prío, cette même rue où avait été transporté en procession le réfrigérateur Kelvinator à destination du laboratoire de la faculté de pharmacie, à la tombée de la nuit, le 9 octobre 1933. Ce massacre avait fait quatre morts et plus de soixante blessés.

Le recteur, Mariano Fiallos, prit la tête de l'enterrement qui se transforma en une bruyante manifestation de protestation contre la dictature; et l'évêque de León, Mgr Isidro Augusto Oviedo y Reyes, refusa d'ouvrir les portes de la cathédrale pour qu'on célèbre une messe funèbre en l'honneur des victimes. La maison de Tacho Ortiz, proche de l'université, fut incendiée la nuit suivante par une foule en colère.)

Dans cette même rue du massacre, se produisit le 10 décembre 1933, vers midi, un incident sérieux, qui se traduisit par un échange de mots et de coups entre le capitaine Ortiz et le juge Fiallos, comme se le rappelle le capitaine Prío, qui y assista de la porte de son établissement, et comme me l'a rapporté le juge Fiallos lui-même en 1964.

Le juge Fiallos se rendait au tribunal au volant de sa Ford, l'Oiseau bleu, afin de mettre de l'ordre dans ses papiers, après avoir déposé le télégramme de sa démission au bureau des télégraphes, situé entre le commandement départemental et la maison Prío. Le capitaine Ortiz l'avait vu sortir et il monta à toute vitesse dans son automobile pour le rattraper, en le klaxonnant de loin jusqu'à l'obliger à s'arrêter.

« Tu es au courant du vol? » Le capitaine Ortiz, arrêtant son véhicule au niveau de celui du juge Fiallos, passa la tête par la portière. Alí Vanegas, serrant contre sa poitrine les dossiers qu'il avait sur les genoux, se tassa sur son siège pour ne pas faire écran entre eux deux.

« Je suis au courant. » Le juge Fiallos garde les mains sur le volant, prêt à poursuivre sa route. « Je suppose que vous avez déjà fait détruire les lettres.

– Je savais que tu allais en rejeter la faute sur moi. » Tout en riant, le capitaine Ortiz passe au point mort et garde le pied sur la pédale de frein.

« Eh oui, j'ai mauvais esprit. » Le juge Fiallos, gêné par le soleil réverbéré contre le pare-brise, cherche son chapeau sur le siège; le bord du chapeau est coincé sous les fesses d'Alí Vanegas, qui le lui tend. « Vous êtes bien à plaindre, vous autres les gardes, tout le monde vous calomnie.

– Tu es bien comme ton médecin légiste, le Dr Escolástico Lara. » Le capitaine Ortiz relâche le frein et le véhicule avance légèrement. « Tu sais qu'il a fait prévenir Sandino à San Rafael del Norte ? De ne pas prendre le risque de venir à Managua, parce que la Garde veut l'assassiner. Lui non plus n'a pas confiance dans la Garde.

– Si vous ne les avez pas fait brûler, vous feriez mieux de restituer ces lettres à mon successeur. » Le juge Fiallos avait mis son chapeau, mais, malgré tout, le soleil lui tapait sur le visage. « Moi, j'ai démissionné.

– Tu m'accuses de vol et, tu vois, je ne me fâche même pas. Je me suis levé de bonne humeur. » Le capitaine Ortiz se passe de la salive sur les mains; le volant brûle comme un fer à repasser. « Mais revenons au cas du Dr Lara : ce rêveur de Sandino est allé se chercher un drôle de représentant.

– Il n'a pas volé les lettres. » Le juge Fiallos, ignorant le capitaine Ortiz, s'adresse à Alí Vanegas tout en dépliant son mouchoir pour l'introduire par un bout dans le cercle de cuir de son chapeau. « Et il ne sait pas non plus pourquoi le Dr Lara se méfie de la Garde.

– Si nous trouvons les voleurs, aujourd'hui même tu as tes lettres. » Le capitaine Ortiz essaie de manœuvrer le levier d'embrayage en entendant le moteur hoqueter. « Et ton histoire de démission, c'est du réchauffé.

– La démission a déjà été transmise. » Alí Vanegas sort la copie de télégramme du dossier qu'il tient contre sa poitrine.

« Arrête de faire ta mijaurée et de dire des âneries. » Le capitaine Ortiz finit par repousser le starter et le moteur s'arrête en tressautant. « Ces lettres n'ajoutent ni n'enlèvent rien au procès. C'est une affaire d'empoisonnement que tu instruis, pas de viol ni de prostitution. »

« Tu as vu ? Ce sont eux qui décident ce que je dois instruire. » Le juge Fiallos arrange le mouchoir par-dessus ses oreilles. « Ils décident d'exhumer des cadavres, ils séquestrent mes témoins, et maintenant ils volent des preuves du procès. Voilà la nouvelle loi qui règne au Nicaragua. Celle qu'ils vont appliquer à Sandino, à coup sûr.

– Bon, c'est ton opinion. » Le capitaine Ortiz ouvre la portière et une de ses bottes apparaît sous les yeux d'Alí Vanegas. « Une opinion malsaine, comme celle du Dr Lara. Tu crois toi aussi que nous sommes capables de faire tuer Sandino ? En tant que bandit et assassin, il le mérite largement, mais de la parole aux actes...

– Je les en crois capables. » Le juge Fiallos regarde Alí Vanegas, qui acquiesce en fronçant les lèvres; la sueur brille entre les troncs minuscules de ses cheveux. « Et je les crois capables aussi de tuer Castañeda.

– Tu continues à m'insulter avec ces accusations. » L'autre botte du capitaine Ortiz touche le pavé. « Nous le fusillerons si ton jury le condamne à mort. Quand se réunit le jury ? Cette affaire commence à puer.

– Ils vont le tuer parce qu'ils n'admettent pas d'autre justice que celle des fusils. » Alí Vanegas, tourné vers le juge Fiallos, utilise le dossier pour s'éventer énergiquement. « Ça leur est égal que ce soit un héros comme Sandino ou un accusé comme Castañeda.

– Alors, c'est ce " puète " bolchevique qui te conseille. Ça ne m'étonne pas de lui, parce qu'il passe son temps à couvrir Sandino de fleurs dans ses vers. » Le capitaine Ortiz, qui est maintenant dans la rue, glisse la tête par la vitre. Alí Vanegas s'écarte. « Mais de toi...

– Mieux vaut qu'ils ne vous parlent pas de vers, poète, car les gardes n'y connaissent rien. » Le juge Fiallos coupe à son tour l'alimentation du moteur et l'auto fait un bond en avant, puis s'arrête. « Quant à moi, je n'ai jamais instruit le moindre procès contre Sandino. Je parle du cas Castañeda.

– Je ne m'en prends pas aux " puètes ". » Le capitaine Ortiz fait le tour de l'Oiseau bleu et vient se pencher à l'autre vitre. « Tu veux me faire croire que si tu instruisais un procès contre Sandino pour banditisme, tu l'aurais déjà remis en liberté ?

– Par conséquent il faut tuer Castañeda avant que je le remette en liberté. » Le juge Fiallos pose un bras sur le volant et il sourit, le visage dur, à Alí Vanegas.

« Ne sois pas mal élevé, c'est à toi que je parle. » Le capitaine Ortiz donne un coup de pied dans la portière. « Ce qui veut dire que tu veux les lettres pour remettre Castañeda en liberté. Dans ce cas, tu peux toujours attendre pour les récupérer.

– Tu as entendu ? Il a volé les lettres pour que je ne remette pas Castañeda en liberté et en plus il se vexe. » Le juge Fiallos tourna la poignée, bien décidé à remonter la vitre de la portière. « Note-moi cela, même si c'est pour la postérité.

– Si tu continues à m'accuser de vol, ça va aller mal pour toi. » Le capitaine Ortiz passe la main pour arrêter la vitre qui a à peine commencé à monter. « Tu devrais remercier celui qui a volé les lettres, il t'a fait une fleur.

– Note ça aussi, le voleur avoue qu'il me fait une fleur. » Le juge Fiallos, qui se bat avec le lève-vitre, pince sa langue entre ses dents.

« Je t'ai déjà dit que je ne suis pas un voleur, ne me fais pas chier. » Avec difficulté, le capitaine lui assène une claque, bousculant son chapeau. « Mais toi tu es le vrai complice de ce fils de pute, qui, en plus, vient se moquer de ses victimes.

– Maintenant ayez le cran de me frapper comme un homme. » Le juge Fiallos fait reculer le capitaine Ortiz en poussant très violemment la portière, il se plante au milieu de la rue et se met en garde, les poings serrés. Plusieurs joueurs apparaissent sur le seuil de la salle Lezama, leurs queues de billards à la main.

Le capitaine Ortiz écarte le visage et tente d'esquiver le coup, mais le poing du juge Fiallos lui arrive sur le nez. Alí Vanegas court s'interposer et il retient le juge Fiallos par les bras. Les joueurs de billard descendent dans la rue, ils les entourent et plusieurs passants s'approchent à toute allure.

« C'est vous qui nous avez suivis pour le provoquer. » Alí Vanegas tente de maîtriser le juge Fiallos, effrayé au spectacle du sang qui s'écoule abondamment du nez du capitaine Ortiz, tachant sa bouche et son menton. « Retirez-vous ou je ne réponds pas de lui. Vous ne voyez pas que Mariano est boxeur ?

– Nous nous reverrons. » Le capitaine Ortiz porte son mouchoir à son visage, et avec le mouchoir maculé de sang il fait des signes furieux aux badauds pour qu'ils s'en aillent. Tous obéissent immédiatement. « Mais pour ce qui est d'accepter ta démission, tu peux courir. C'est toi qui as débuté cette affaire et c'est toi qui dois la terminer.

– Vous allez donner vos ordres à la Cour suprême ? » Le juge Fiallos se dégage des bras d'Alí Vanegas et secoue sa veste. « Dites-moi aussi quand s'achève le jugement. Quand allez-vous tuer Castañeda ?

– Le jour où il essaiera de s'évader. » Le capitaine Ortiz, son mouchoir sur le nez, va vers le coffre de sa voiture pour prendre la manivelle. « Parce qu'il a déjà échafaudé un plan d'évasion. C'est Salmerón qui l'aide.

– Et comment savez-vous tout ça ? » Intrigué, Alí Vanegas s'approche prudemment du capitaine Ortiz qui se dirige vers l'avant de l'automobile, la manivelle à la main.

« Si je ne le savais pas je serais un pauvre type, " puète " de merde. » Le capitaine Ortiz se penche pour faire partir le moteur à la manivelle et son sang s'égoutte sur le pavé. « Ton boxeur n'a qu'à le demander à Cosme Manzo. Lui il sait. Et tu as bien fait de me le tirer des pattes, parce que pour un peu je le flinguais.

– C'est sûr, ils vont le tuer. Ils vont lui appliquer le " délit de fuite ". » Alí Vanegas gratte sa tête échauffée par le soleil et regarde s'éloigner vers le bas de la rue l'auto du capitaine Ortiz. « Si Manzo est au courant d'un plan, il est tout à fait capable d'être allé le dénoncer à la Garde.

– S'il y a évasion, que mon remplaçant s'en occupe. » Le juge Fiallos, ruisselant de sueur, se bat avec la manivelle pour tenter de faire démarrer le moteur de l'Oiseau bleu, qui se refuse à partir. « Moi, je ne veux plus entendre parler de strychnine, ni de lettres et encore moins d'évasion. Un joli témoin, Manzo.

– Ils ne jouent pas. Dès que Castañeda fait un pas hors de sa cellule, ils l'exécutent. » L'auto du capitaine Ortiz a maintenant disparu au coin de la rue, mais Alí Vanegas continue à regarder dans cette direction.

« Qui peut foutrement arrêter ces sauvages s'ils veulent le tuer ? » Le juge Fiallos fait à nouveau tourner la manivelle avec une débauche d'énergie. Le moteur ne répond toujours pas. « Et toi, saloperie de voiture, tu penses rester ici ? »

46

Billet chimérique à une dame
réponse de la dame

I

Comment cela est-il arrivé, madame? Eh bien, comme toutes choses, quand elles viennent du cœur. Aujourd'hui, le train roulait sur ses rails quand tout à coup je vous ai vue, à quelques sièges du mien, rayonnante d'une beauté sereine et triomphale. L'eau de vos yeux était d'un vert chatoyant et d'un gris si changeant que l'opale et le diamant en dissimulaient l'ardente flamme tropicale.

Et je vous ai revue ce soir, à votre porte, alors que je croyais déjà que votre première apparition s'estompait dans les brumes du mystère. L'amour n'apparaît qu'une seule fois dans la vie. J'ai pour vous, parmi mes disques, une chanson. J'ai traversé la rue pour vous rejoindre, en quête d'une parole, du son inconnu de votre voix. Mais vous aviez déjà quitté votre seuil et il ne m'est resté que le creux de votre corps dans l'espace. Ne l'oubliez pas : j'apporte de loin avec moi une musique qui n'était qu'à moi. Quand vous l'entendrez, nous la partagerons.

Une simple rue nous sépare, la seule rue que mes pas ont connue depuis mon arrivée. Elle est à quelqu'un, me dit-on. Qu'importe! dis-je. Nous devrons nous rencontrer sans témoins, car l'éclair de vos yeux m'a aveuglé; et vous qui avez la lumière, ne me la refusez pas, ou mon cœur amer continuera à vivre dans les ténèbres.

Rangez, là où personne ne le verra, ce billet que votre adorateur inconnu improvise aux hautes heures de la nuit, dans la fièvre et l'angoisse. Demain sera un autre jour et la nuit de mon bonheur, intime et voluptueuse, finira par arriver. Et tout en attendant cette nuit, je rêve que sur son terme érigé vous placez une couronne de roses fraîches dont la pourpre éclate; et pendant que l'eau chante sous les sombres bosquets, c'est vous, dans ce rêve, qui m'initiez au mystère céleste; et moi, pour alterner avec ce doux exercice, je vide les amphores dorées du divin Épicure.

II

J'ai beaucoup médité avant de répondre par écrit à votre billet et parce que je cède à la courtoisie, vous ne devez pas voir dans cette réponse la moindre insinuation d'un quelconque écart de conduite. Vous êtes très jeune, comme j'ai pu l'apprécier de loin alors que vous vous occupiez hier de vos bagages, en compagnie de votre épouse, jeune elle aussi, et c'est à votre jeunesse que j'attribue l'audace de votre message, dont je préfère oublier les allusions et les insinuations, que je ne comprends pas totalement.

Je suis une lectrice de poésie, j'aime Amado Nervo et José Asunción Silva, ainsi que Rubén Darío, car j'ai eu, au collège de Sion au Costa Rica, un professeur de littérature très sensible et émotive qui a éveillé chez moi un penchant pour les choses belles et aimables ; c'est ce qui m'a fait trouver de l'esprit à vos lignes écervelées.

J'espère, puisque nous sommes voisins, avoir l'occasion de vous rencontrer en société ; et une visite de votre part, en compagnie de votre épouse, ne serait pas incorrecte, afin d'entamer les présentations familiales de rigueur, telles qu'elles doivent se faire.

Ne conservez pas ce billet. Je me fie à votre sagesse.

47

Les événements tragiques de Noël à León

Maître Oliverio Castañeda tué par la Garde nationale. Il avait réussi à s'évader de sa prison. Compte rendu officiel des faits. D'autres versions indiquent qu'on a appliqué le « délit de fuite ». Le président Sacasa était à León avec sa famille et il a participé à la procession de Noël. Le général Somoza était-il là lui aussi? Surveillance militaire accrue dans les rues. Les partisans les plus ardents de l'accusé s'évanouissent. *La Nueva Prensa*, témoin de l'enterrement précipité du fugitif. Une affaire sensationnelle est close.

(De notre envoyé spécial, Manolo Cuadra.)

NUIT DE FÊTE, NUIT DE DEUIL

Il a été donné cette année à la vénérable ville de León de vivre un Noël funeste, bien que les traditionnelles célébrations religieuses aient empêché les citadins de s'occuper des graves événements qui ont culminé tragiquement le 24 décembre à minuit, et dont aucune nouvelle n'a circulé, à la surprise générale, jusqu'au lendemain. Ces événements m'ont également surpris, moi qui suis allé me coucher dans l'ignorance de tout ce qui s'était passé, après avoir partagé le dîner du réveillon avec la famille de Mᵉ Juan de Dios Vanegas, grâce à l'aimable invitation de son fils, le poète Alí Vanegas.

Noël à León. Douceur de l'instant et chagrin des regrets. Les constellations, noyaux de lumière éclatante, palpitaient dans l'abîme céleste en nous contemplant d'un regard attendri, comme elles ont dû regarder Oliverio Castañeda quand sa dernière heure est arrivée. La senteur pénétrante des arbousiers, ornement humble et gracieux des crèches, se répandait sur chaque seuil pour rappeler à notre odorat l'ivresse de l'enfance. Ce parfum a dû parler au fugitif lorsqu'il a atteint le quartier de Subtiava, regorgeant d'autels, la première étape de son évasion. Pipeaux, tambourins, explosions argentées de la poudre des fêtes, ces échos joyeux résonnaient-ils encore à ses oreilles quand tonnèrent les balles qui ont fauché sa vie hasardeuse?

Le rideau s'ouvrait déjà sur le premier acte de ce drame fatidique quand à la tombée du soir nous avons quitté la pension *Chabelita*, pour déambuler dans les rues en compagnie du poète Vanegas. Nous désirions nous imprégner de la joie sereine des passants et dissiper ainsi la peine d'être loin des nôtres à une date comme celle-ci, car le devoir journalistique commandait notre présence dans la ville métropolitaine. Oliverio Castañeda, plus éloigné des siens que nous de notre foyer de Masaya, était-il envahi par la nostalgie et le regret lancinant de sa terre natale au moment où il abandonnait sa cellule? Il s'était déguisé avec un uniforme de garde national, uniforme que nous avons nous-même malencontreusement revêtu un jour pour combattre dans le maquis de Las Segovias contre le héros de la race indo-hispanique... Sandino. Mais ceci est une autre histoire.

PRÉSENCE DU DOCTEUR SACASA ET DE SA FAMILLE. SES OPINIONS

On nous a prévenu que le train présidentiel, qui amenait le Président, le Dr Sacasa, sa famille et son cortège, allait arriver à la gare du chemin de fer du Pacifique, et c'est dans cette direction que nous avons orienté nos pas, alerté par les longs coups de sifflet de la locomotive. Le Président est descendu, accompagné de la Première Dame, doña María, de leurs rejetons et de leurs frères et sœurs, des ministres d'État et de l'escorte. Il nous a salués sur le quai, en gentleman oublieux des offenses et soucieux de bonnes manières, bien que nous l'ayons durement attaqué, dans les pages de ce journal, pour s'être montré trop docile. Il a même accepté de répondre à nos questions sur le cas Castañeda, dont le dénouement n'était plus l'affaire que de quelques heures : « L'exécutif suit avec attention l'action de la justice, pouvoir indépendant et souverain dans son domaine, et nous faisons confiance à la droiture des juges chargés de résoudre cette affaire. Nous n'interférerons en rien dans leurs démarches. » Puis il a ajouté : « Mais je ne veux pas m'occuper de sujets douloureux. Je viens dans ma ville natale passer Noël avec les miens et, comme de coutume, participer à la procession de l'Enfant Jésus, dont la statue a été offerte à la cathédrale par mon grand-père. »

UNE PROCESSION DE NOËL PLÉTHORIQUE

Dans son train le Dr Sacasa a amené la fanfare des Pouvoirs suprêmes. Le corps de musiciens, vêtus de leurs tenues militaires de gala, de leurs uniformes bleu et grenat, a immédiatement gagné le kiosque de la place Jerez pour donner un concert composé de joyeux chants de Noël et d'airs de fêtes de fin d'année. Le Dr Sacasa a également apporté, payé sur son pécule personnel, un spectacle pyrotechnique et artistique qui a répandu son aubade magique sur cette même place ; et toujours accompagné de sa suite, il a suivi la procession sur tout son parcours au long des rues centenaires, comme il nous l'avait lui-même annoncé ; et à plusieurs reprises, aussi bien le Président que les membres de sa famille et de son escorte se sont relayés pour porter dans leurs bras la statue de l'Enfant Jésus.

Cette chronique n'est pas l'espace le plus approprié pour rendre compte de cette rutilante procession, car c'est la fin dramatique d'Oliverio Castañeda qui doit nous occuper ; mais il est intéressant de noter, au passage, afin de mieux saisir certains contrastes, que dès la sortie de la cathédrale, à dix heures du soir, l'affluence populaire a été nombreuse ; que la haute société métropolitaine s'est retrouvée autour du Dr Sacasa et de la Première Dame ; et que la fanfare des Pouvoirs suprêmes a de nouveau brillé avec ses airs de Noël, en défilant à l'arrière-garde de la foule.

Le contraste : tandis que les célébrations se déroulaient de cette façon, réunissant toutes les couches de la société autour du mystère de la Nativité, même si c'était pour une seule fois, un drame, qui comme nous l'avons dit passait inaperçu, connaissait une mise en scène sombre et sinistre, qui n'avait rien à voir avec la débauche de poudre et le tintement des tambourins : l'évasion imprévue, l'arrestation postérieure et l'exécution d'Oliverio Castañeda par la Garde nationale.

DES DÉCLARATIONS DU CAPITAINE ANASTASIO J. ORTIZ : DES COMPLICES À L'INTÉRIEUR DE LA PRISON

Le lendemain matin, je me suis mis en quête d'informations précises, décidé comme je l'étais d'offrir aux lecteurs de La Nueva Prensa un compte rendu détaillé des événements. En premier lieu, j'ai rendu visite au capitaine Anastasio J. Ortiz, chef de la police locale, qui a accepté de nous recevoir dans son bureau, bien qu'hier fût un jour férié. Les informations essentielles que nous consignons ici sont le fruit de cet entretien.

Oliverio Castañeda a réussi à quitter la prison XXI à six heures du soir, heure où dans tous les quartiers de León s'élevaient les fusées et éclataient des pétards puissants pour annoncer les célébrations imminentes. Aucune des sentinelles n'a remarqué son départ, dans la mesure où un de ses complices à l'intérieur de la prison, le sergent Guadalupe Godínez, lui avait fourni l'uniforme militaire qu'il a utilisé comme déguisement.

Ainsi a-t-il franchi sans encombre la galerie inférieure où était située sa cellule, dont, mystérieusement, la porte n'avait pas été cadenassée, responsabilité que le capitaine Ortiz impute au même Godínez. Il est sorti dans la cour entourée de murailles, où à cette heure-là les prisonniers étaient alignés en rangs et attendaient l'assiette de nourriture que, comme c'est maintenant la tradition, les dames de l'Ordre tertiaire leur offrent tous les ans à cette date. Et finalement il a franchi le porche de la rue où il a présenté à la sentinelle de faction un laissez-passer falsifié. Après quoi il a gagné définitivement la voie publique.

LA GARDE NATIONALE NIE AVOIR VOLONTAIREMENT FACILITÉ L'ÉVASION

« Si l'accusé a réussi la prouesse de franchir les murs de la prison sans difficulté, c'est parce qu'il avait gagné la confiance de plusieurs conscrits et soldats, responsables de la surveillance de la prison. Nous sommes en train de faire des recherches sur ce sujet. Grâce à ses dons et à ses ruses multiples, Castañeda était parvenu à gagner à sa cause le sergent Guadalupe Godínez. Par exemple, mettant à profit son ignorance et sa simplicité, il s'était attaché à lui enseigner les rudiments de l'alphabet, tâche dans laquelle il avait relativement progressé », nous précise le capitaine Ortiz.

Nous lui avons demandé : On dit à León que l'évasion a été manigancée au vu et au su de la Garde nationale. Qu'en est-il exactement? Il nous répond :

« Faux, monsieur le journaliste. Des complices de Castañeda déambulent encore dans León, prêts à dissimuler sous des mensonges leur propre participation au plan, tout cela parce qu'il a échoué. Castañeda était particulièrement doué pour préparer des stratagèmes et il semble qu'il ait consacré tous ses efforts à la préparation méticuleuse de son évasion, depuis le moment où il est arrivé comme hôte forcé à la prison XXI. Il n'a pas négligé un seul détail. Je vous ai déjà dit qu'il comptait sur des alliés à l'intérieur. Nous enquêtons sur la falsification du laissez-passer de sortie, de même que sur la provenance d'un mémorandum, faux lui aussi, qui a été déposé sur le bureau de l'officier de garde, dans la salle du drapeau, alors que le fugitif avait déjà quitté le pénitencier. »

LE MYSTÉRIEUX MÉMORANDUM

Le capitaine Ortiz nous procure le mémorandum pour que nous puissions le copier. Le voici :

QUARTIER GÉNÉRAL GARDE NATIONALE POLICE DE LEÓN
León, le 24 décembre 1933
De : Capit. G. N. Anastasio J. Ortiz
A : Lieut. Rafael Parodi, prévôt de la Prison XXI
Objet : Ordre spécial de permission pour un accusé
1. Aucune alarme ne sera déclenchée quand on prendra connaissance de l'absence de l'accusé Oliverio Castañeda Palacios, à qui l'officier soussigné a donné permission de s'absenter de la prison, de 18 heures à 24 heures. L'accusé sort sans escorte et en engageant sa parole.
2. Le prévôt ou à défaut l'officier de garde sont responsables de la stricte application de cet ordre dans le plus grand secret, et ils garantiront que personne ne s'apercevra de l'absence de l'accusé. Si quelqu'un, qu'il soit officier, conscrit, engagé ou civil, demande quel est son point de chute, on doit l'informer qu'il a été transféré dans un cachot de « La Chiquita », par mesure de sécurité.
3. Le chef de la police de la ville interdit toute violation de ce secret. On ne doit parler de cette affaire ni dans des conversations ni par téléphone, tant que l'accusé ne réintégrera pas sa cellule, ni même après, sous peine d'application des sanctions réglementaires prévues à cet effet.

A. J. ORTIZ

La signature du capitaine Ortiz est très ressemblante, selon l'original que nous avons eu sous les yeux, et nous remarquons qu'elle a été reproduite à partir d'un autre document, à l'aide de papier carbone; puis, en suivant les traces laissées par le papier carbone, elle a été repassée à l'encre. Sur ce curieux mémorandum on observe de petites particules de charbon, si on y regarde avec une loupe, démonstration qui nous a été faite par le capitaine Ortiz lui-même.

Nous lui suggérons que la confection d'un tel document pourrait être attribuée aux autorités militaires elles-mêmes, dans le cadre de leur propre plan consistant à faciliter l'évasion de l'accusé, puis à l'exécuter. Il répond :

« Pourquoi, si telle avait été notre intention, aurions-nous eu besoin de documents? Un accusé en fuite est hors la loi et pour mettre un terme à sa fuite les autorités sont habilitées à tirer à corps. Celui qui a falsifié le mémorandum savait que le lieutenant Parodi était en permission à Managua. Lui ne serait jamais tombé dans le piège. »

UN « PRESSENTIMENT ». L'ALARME EST DONNÉE

Et il continue : « Je me préparais, comme tous les pères de famille de León, à assister à la procession de l'Enfant Jésus avec mon épouse et mes enfants, sans songer à faire la moindre visite d'inspection à la prison ce soir-là; mais j'ai eu un pressentiment et, déjà vêtu de mon uniforme de gala, avant de me rendre à la cathédrale, j'ai décidé de faire un tour par la prison XXI et d'en profiter pour vérifier si les prisonniers étaient contents du dîner de Noël qui leur avait été servi quelques heures plus tôt.

« Quelle ne fut pas ma surprise d'être appelé à part, de façon mystérieuse, par l'officier de garde, qui m'informa que mes ordres avaient été exécutés; et quand j'ai cherché à savoir de quel type d'ordre il s'agissait, il m'a montré ce fameux mémorandum falsifié. C'est à ce moment que j'ai donné l'alerte.

« Ma première démarche a été de faire avouer le sergent Godínez, qui était le suspect le plus visible. Se voyant perdu, il n'a pas tardé à me révéler tout ce qu'il savait, à commencer par la complicité de la femme Salvadora Carvajal dans le plan d'évasion. Il ne fallait pas perdre de temps. J'ai réuni une escouade de quinze hommes et nous nous sommes rendus chez la femme dans le quartier de Subtiava, en empruntant la camionnette du commandant départemental et deux automobiles.

La femme avait servi chez la famille Contreras et Castañeda s'entendait très bien avec elle. Par pure bonté de ma part, elle avait été autorisée à laver et à repasser le linge du prévenu. C'est pourquoi elle avait l'occasion de lui rendre fréquemment visite à la prison et elle agissait en liaison avec les complices du dehors. »

UN CADENAS SUR LA PORTE DE SON REFUGE. CAPTURÉ EN ESSAYANT DE S'ENFUIR PAR LE TERRAIN VAGUE

Le capitaine Ortiz nous rapporte qu'il était près de dix heures du soir quand ils se sont approchés de la maisonnette, sans faire de bruit, en laissant leurs véhicules stationnés assez loin. « Nous avons trouvé la porte fermée par un cadenas, comme pour faire croire qu'il n'y avait personne. Ce coup de bluff m'a mis sur mes gardes. Castañeda pouvait se cacher à l'intérieur. J'ai mis des hommes en faction aux coins des rues et j'en ai laissé plusieurs cachés derrière une charrette dételée qui se trouvait dans la rue. Les soldats ont reçu l'ordre de faire monter une balle dans le canon de leurs fusils.

« Nous avons franchi la clôture et nous avons commencé à nous rapprocher de la maison, en rampant. Sur ce, une masse s'est détachée en courant de la cabane où se trouve la cuisine, exactement dans notre direction. Je lui ai crié halte et, en s'arrêtant, elle est venue cogner contre les canons des fusils. C'était Castañeda.

« A première vue il nous a été difficile de le reconnaître, car il avait des vêtements de la région, avec un chapeau de palme à larges bords, un pantalon de toile chinoise et des guêtres de cuir; en outre il portait une fausse barbe de couleur noire, confectionnée avec des cheveux de femme. En tremblant, il m'a supplié de ne pas tirer sur lui et il m'a remis un revolver Smith & Wesson de calibre 38, qu'il portait sur lui. »

A la même heure, la procession de l'Enfant Jésus entrait dans la cathédrale et le tintement lointain des cloches a dû parvenir jusqu'au terrain vague plongé dans l'obscurité, où se produisait cette sensationnelle capture.

SON INTENTION ÉTAIT D'ATTEINDRE LE HONDURAS, À CHEVAL

C'est sur ce même terrain vague que la patrouille de la Garde nationale saisit la monture dûment harnachée, prête pour le voyage jusqu'à la frontière avec le Honduras. Dans la maison, après une fouille, on découvre l'uniforme militaire, caché dans une jarre. On ramène le prisonnier à la prison XXI; et pendant le trajet en automobile, où il voyage en compagnie du capitaine Ortiz, il précise qu'il n'a pas de complices et qu'on ne doit accuser personne de son évasion. Une fois da.._3 la prison il révèle, après un interrogatoire pénible, qu'il pensait quitter León par un chemin vicinal jusqu'à Chinandega, en partant de l'hippodrome, aux abords du quartier de San Felipe.

« Il est presque minuit quand je décide, afin de compléter l'enquête sur l'évasion, qu'il est nécessaire d'emmener l'accusé sur le lieu indiqué par lui, pour vérifier s'il n'y a pas des complices qui l'attendent à cet endroit », nous informe le capitaine Ortiz.

FUITE OU « DÉLIT DE FUITE » ?

Nous entrons dans la partie la plus controversée du récit du capitaine Ortiz. Était-il vraiment nécessaire de conduire l'accusé dans cet endroit désolé, à minuit, alors que le juge d'instruction, Mariano Fiallos, n'avait pas été informé de sa tentative d'évasion et de sa capture postérieure? Cette vérification ne pouvait-elle pas attendre le lendemain, afin d'être effectuée en présence des autorités judiciaires? Nous le lui faisons remarquer.

« Si ses complices l'attendaient là-bas, comme c'était mon devoir de le suspecter, ils n'allaient pas rester sur place jusqu'au lendemain, nous répond-il. Et c'était lui qui devait les identifier. Je ne le croyais pas quand il me répétait à tout bout de champ qu'il n'avait pas de complices. »

On procède donc à la vérification prévue. On prend une seule automobile, avec à son bord l'accusé, le capitaine Ortiz et quatre soldats d'escorte. L'un d'eux porte une mitraillette Lewis. Pendant la campagne contre Sandino, dans la région de Las Segovias, nous appelions cette arme, introduite dans le pays par les marines américains, « la Lewita », et finalement « la Luisita ».

Nous invitons le lecteur à imaginer la scène. Silence dans les rues.

Depuis longtemps les explosions de poudre et la musique se sont tues. La lumière brille aux portes de quelques foyers où l'on dîne encore, dans l'intimité de la famille. Un chien errant traverse peut-être devant l'automobile et s'arrête momentanément, ébloui par les phares.

Ils passent devant la cathédrale, fermée à cette heure. Le prévenu a dû regarder pour la dernière fois ses portes de chêne massives, ses murs couleur de cendre, insondables et sourds au désarroi qui agite son cœur. Il a pénétré un jour en cet endroit, portant le cercueil de son épouse, et par un soir de pluie, quelques mois plus tard, le cercueil blanc de Mathilde Contreras. Il aperçoit, dans l'ombre, l'université où les expérimentations controversées sur les viscères des cadavres ont aidé à sceller son destin.

L'*Hôtel Métropolitain* apparaît sur son trajet. On ne célèbre pas Noël dans la maison de la famille Contreras, comme le révèle sa porte close. María del Pilar dort-elle à ces hautes heures de la nuit, ou bien veille-t-elle? L'éclat des phares de l'automobile se glisse-t-il un instant sous la porte de sa chambre, et est-ce là le dernier flamboiement d'un amour qui s'éteint? Autant de questions que nous soumettons à la méditation du lecteur.

L'HEURE SUPRÊME A SONNÉ

Ils s'éloignent maintenant des rues pavées. Le véhicule tressaute dans les ornières et Oliverio Castañeda, brinquebalé par les inégalités du terrain et par les aléas de sa propre détresse, cogne de la tête contre le plafond, tassé et silencieux entre ses gardiens. Les lumières de l'éclairage public ne brillent plus. L'air froid et turbulent de la nuit de décembre pénètre par les vitres ouvertes et traverse en rafales le véhicule, fouettant son visage. L'obscurité, les bruits de la campagne... et l'automobile freine brusquement... l'heure suprême a sonné. A nouveau une loi barbare va s'appliquer, celle du « délit de fuite ».

« Il n'est pas question de " délit de fuite " », affirme le capitaine Ortiz sur un ton coupant. « La Garde nationale respecte la vie des prisonniers. Consultez si vous le voulez nos règlements militaires, il s'agit d'un ordre formel. Et ce ne sont pas les règlements qui manquent. Vous qui avez été soldat, vous savez que l'honneur de l'uniforme est bien plus fort que n'importe quel règlement. » Nous réprimons un sourire ironique, nous n'allons pas le contredire; l'occasion ne s'y prête pas.

« Face au cimetière de San Felipe, où sont les vieilles écuries de l'hippodrome, j'ai donné l'ordre de descendre pour procéder à l'inspection du terrain, poursuit le capitaine Ortiz. Nous sommes tous descendus, sauf lui, qui tardait à sortir. Je lui ai demandé de se presser. Tout à coup, il s'est élancé hors du véhicule et il s'est mis à courir en direction du mur du cimetière. Il atteignait déjà le mur, avec l'intention de l'escalader, quand le mitrailleur, remis de sa surprise, l'a couché d'une rafale bien ajustée de la Lewis. Une balle est entrée dans la tête, une autre dans la nuque et deux dans le dos. Il est mort instantanément. »

Minuit. Le cimetière. Le prisonnier court. Nous connaissons cette histoire. Qui ne la connaît pas dans notre malheureux Nicaragua ? « Un tribunal militaire d'enquête a été formé sur l'ordre exprès du général Somoza, pour déterminer les responsabilités dans cette affaire. Laissons parler le rapport officiel, ainsi la Garde nationale fera taire les ragots, qui ne manquent pas. Je vous l'ai déjà dit, Castañeda avait des complices à León. Il s'agit d'aigris sociaux, de factieux de première grandeur. Nous allons combattre leurs mensonges. »

ON DIT AVOIR VU LE GÉNÉRAL SOMOZA À LEÓN

Le capitaine Ortiz a mentionné le général Somoza et nous en profitons pour lui demander : Est-il vrai qu'il se trouvait à León hier ? Il y a des gens qui affirment l'avoir vu sortir à minuit du commandement départemental de la Garde nationale, avec son escorte, et traverser la place Jerez, pour se diriger vers la demeure de son beau-père, le Dr Luis H. Debayle, proche de la cathédrale, où il a passé la nuit.

« Quelle sornette, répond le capitaine Ortiz. S'il en avait été ainsi, il n'aurait pas manqué de participer à la procession de l'Enfant Jésus. En outre si M. le Président voyage, le général Somoza ne peut pas quitter la capitale. »

NI MARIANO FIALLOS NI LE MÉDECIN LÉGISTE N'APPARAISSENT

Dernières questions : a-t-on informé des faits le magistrat instructeur ? Le médecin légiste a-t-il reconnu le cadavre ?

« Aux premières heures de la matinée j'ai notifié les événements au juge Fiallos. Il est dix heures du matin et il n'a toujours pas pris contact avec moi. Ce n'est pas moi qui vais l'obliger à faire son devoir. Le médecin légiste ne s'est pas présenté non plus, parce que c'est le juge qui doit lui ordonner de reconnaître le cadavre. Si à midi aucun des deux n'apparaît, nous procéderons à l'enterrement. Et pour que vous constatiez que la Garde nationale n'a rien à cacher, allez vous-même à la prison XXI et voyez le cadavre de vos propres yeux. Vous pouvez assister à l'enterrement, si vous le souhaitez. »

Telle est, comme nous l'avons entendue et intégralement transcrite, la version de la Garde nationale. Nous sommes allé chercher le juge Fiallos chez lui, sans parvenir à le trouver; nous avons eu beau frapper, les portes étaient fermées et personne n'est sorti pour nous recevoir.

LA VILLE EST CALME. D'AUTRES VERSIONS SUR LES ÉVÉNEMENTS

Il n'y a eu à León aucune agitation dans les rues le 25 décembre. Les fébriles partisans d'Oliverio Castañeda brillaient par leur absence. Comme c'était jour de fête, billards, bistrots, restaurants étaient fermés. La ville était calme, insouciante, comme si la réalité du drame ne s'était pas encore imposée ou comme si elle ne lui donnait aucune importance. Ou bien la peur était-elle la cause de cette aboulie? Il y avait plus de soldats que de coutume dans les rues du centre, fortement armés, sous prétexte de protéger le président Sacasa, qui séjournait encore à León.

Mais une version différente de la mort d'Oliverio Castañeda circulait déjà *sotto voce*, version qui est loin de coïncider avec celle que nous a proposée le capitaine Ortiz. A León, tout se sait, si vite. Je copie ce que j'apprends de sources que je ne peux ni ne dois révéler.

– La Garde nationale connaissait à l'avance le plan d'évasion, qui lui a été révélé par un des conjurés. Je dois taire le nom de ce conjuré, car je m'y suis engagé auprès de mon informateur.

– Le sergent Godínez, le complice de Castañeda qui lui a permis de s'échapper de la prison, agissait sur instructions de ses supérieurs. L'uniforme militaire qui a été fourni à l'accusé correspondait exactement à sa taille, qui n'est pas celle de Godínez, un homme plutôt trapu.

– L'ordre de ne pas ébruiter la fuite, portant la signature du capitaine Ortiz, a été préparé intentionnellement, ainsi que le laissez-passer.

– La Garde nationale savait qu'une fois dans la rue Castañeda irait directement chez Salvadora Carvajal pour changer de vêtements, et que le guide l'attendrait aux abords de l'hippodrome, lieu où s'est produite l'exécution. Le guide a disparu.

– Le revolver et une somme d'argent trouvée dans les poches de Castañeda lui ont été remis dans la maison même par d'autres personnes dont la Garde nationale connaissait la présence, car depuis longtemps elle avait placé cette zone sous surveillance. Ces personnes s'étaient retirées quelques instants avant l'arrivée de la patrouille et aucun ordre n'a été donné de les arrêter. On n'a pas arrêté non plus Salvadora Carvajal.

– En sortant de la prison XXI, désormais assuré de son sort, l'accusé a supplié qu'on ne lui tire pas dans le dos. Et que s'ils étaient d'accord pour le tuer de face, qu'on ne le défigure pas.

– Une fois arrivé à sa destination finale, l'accusé a prononcé les mots suivants : « C'est un crime politique. Le dictateur Ubico a enfin obtenu qu'on m'assassine. »

– On lui a ordonné de courir. Il a refusé au début, puis finalement il s'est résigné et l'a fait sans enthousiasme. Il savait qu'il allait à la mort. Personne ne court en direction d'un mur, s'il veut fuir.

– Le cadavre a été attaché au pare-choc avant de l'automobile et il a été transporté ainsi jusqu'à la XXI ; la tête, déjà fracassée par les balles, pendait sur le sol et a reçu de graves lésions pendant le trajet.

Qui dit la vérité et qui ment ? En nous en tenant à la loi de la presse, nous donnons les deux versions, en toute sérénité et sans crainte. Que le lecteur juge.

LE CADAVRE D'OLIVERIO CASTEÑEDA. UN ENTERREMENT SOLITAIRE

Après avoir vainement cherché le juge Fiallos, nous avons fait usage de l'autorisation accordée par le capitaine Ortiz et nous nous sommes rendu à la prison XXI, dans la cour de laquelle se trouvait encore le cadavre, étendu sur une planche. Couché sur le ventre, sans chaussures, portant les vêtements grossiers de paysan qui devaient lui servir de déguisement pour fuir, maculés de sang, il gisait là, sans gloire, cet homme si attentif à son impeccable et rigoureuse tenue de deuil, à la netteté raffinée de son apparence, à l'emploi des cosmétiques les plus précieux et les plus distingués. Des mains apitoyées avaient étendu sur sa tête, pour la protéger des rayons ardents du soleil de midi, un mouchoir d'indienne rouge.

Nous étions là quand on déposa le corps dans un cercueil fruste fait de planches non rabotées et c'est alors, quand le mouchoir est tombé, que nous avons vu son visage, horriblement défiguré par la balle qui était entrée à la hauteur de la nuque et avait fracassé dans sa trajectoire de sortie l'os maxillaire, en lui déchirant toute la bouche et une partie du nez. La balle qui l'avait atteint à la tête, avait ouvert une brèche dans le crâne et fait sauter une partie de la masse encéphalique.

Une fois le couvercle cloué, quatre prisonniers ont transporté le cercueil. Le long du trajet jusqu'au cimetière, où une fosse commune avait déjà été préparée, il n'eut d'autre cortège que celui des gardiens des prisonniers, sous les ordres du lieutenant Baca, et nous-même. Aucun de ses amis rencontrés dans tant de fêtes galantes, aucun de ses camarades d'étude ne l'accompagna dans son dernier voyage.

Ses fervents partisans n'étaient pas là non plus, ceux qui au cours des dernières semaines ponctuaient ses interventions de vivats et d'applaudissements, et faisaient de lui une sorte d'idole cinématographique. Ils l'avaient porté en triomphe alors, des processions immenses l'avaient escorté jusqu'aux portes de la prison. Aujourd'hui, il n'y avait personne pour transporter son cadavre.

Des exceptions? Il y en a toujours. Nous en avons d'autant plus remarqué la présence du Dr Salmerón, qui se joignit silencieusement au pauvre cortège squelettique à la porte du cimetière, où il attendait son arrivée sous un soleil implacable. Et il ne s'est pas éloigné du bord de la fosse tant que la dernière pelletée de terre n'était pas tombée.

Nous l'avons abordé alors que l'enterrement se déroulait, mais il a rechigné à parler, en nous indiquant avec un clin d'œil ironique la présence des militaires. Et quand ceux-ci se sont retirés, notre insistance n'a pu arracher de ses lèvres qu'une brève réponse : « C'est un assassinat. Le " délit de fuite ", ami journaliste. Je n'en dis pas plus. Attendez l'opuscule que je vais écrire à ce propos. »

Nous avons regardé notre montre. Nous avions à peine le temps de faire nos bagages et d'arriver à la gare, car, notre mission s'étant terminée de façon si imprévue, nous devions prendre le train de deux heures de l'après-midi, pour rentrer dans la capitale. Une fois dans le wagon, nous avons commencé à mettre de l'ordre dans ce reportage.

Sur le tumulus qui recouvre la dépouille d'Oliverio Castañeda on ne trouve aucune marque, aucun bouquet de fleurs, bien évidemment aucune couronne. Ce jeune homme bien mis, énigmatique et avenant, entre dès à présent dans l'oubli, tandis que s'estompe le bruit de ses exploits. Quelqu'un s'en souviendra-t-il demain?

Innocent, coupable? Laissons ces questions au vent qui agite de son souffle capricieux les araucarias bordant les allées silencieuses du cimetière où maintenant il repose.

48

Nous porterons les mêmes vêtements

I

San José, 23 juillet 1933

Ma chère et inoubliable Mati,

Comme je vous en avais avisé dans une lettre envoyée par avion, dont j'espère qu'elle est bien aujourd'hui entre vos douces mains, j'ai dû partir vers ces terres lugubres, sous la pression des circonstances. Les sbires locaux n'ont pas voulu me donner de passeport pour le Nicaragua, frustrant ainsi mon désir ardent de revenir une fois pour toutes auprès de vous et de jouir du réconfort de votre présence adorée. N'en soyez pas affligée, tout cela est du passé, mais j'en ai vu de dures aux mains de ces bandits. Il ne leur a plus manqué que de me passer les menottes pour me conduire enchaîné jusqu'au port, comme si j'étais un criminel et non pas un patriote dont le seul délit est de ne pas accepter que son cher Guatemala vive souillé par un tyran de l'engeance d'Ubico, par un crétin qui se prend pour Napoléon Bonaparte et qui se ridiculise au point de se coiffer comme le grand Corse, alors que ce n'est qu'un gredin inculte. Mais je préfère avec vous ne pas parler de basse politique.

J'ai envoyé un radiotélégramme urgent à Mito avant de m'embarquer et il m'attendait très fidèlement à Puntarenas depuis le soir précédant mon arrivée. Vous m'avez dit : « Ne faites pas boire d'alcool à mon frère. » Mais vous pourriez constater que cette interdiction n'a plus cours. Il m'a invité lui-même à boire quelques verres en attendant le départ du train, nous avons trinqué à mon arrivée et au souvenir de notre camaraderie à León, il a insisté pour qu'on nous serve plusieurs tournées d'anis et pour les payer sur son propre pécule. Je dois vous avouer que nous étions assez gais en montant dans le train et nous avons même chanté pendant le voyage. Vous souvenez-vous d'une chanson que cette étrange aveugle, qu'on appelle Miserere, a chanté un jour qu'elle est passée sur le trottoir et que je l'ai appelée pour qu'elle entre et vous dédie quelque chose :

La tendresse te va mieux que l'orgueil,
la tendresse te va mieux que la beauté,
pense qu'au fin fond de la fosse
nous porterons les mêmes vêtements...

Eh bien, je l'ai chantée dans le train, sans guitare et certainement sans l'intonation, mais j'ai reçu en retour les applaudissements inattendus des passagers du wagon de première. Nouveaux toasts. Si vous pouviez voir combien Mito m'est reconnaissant d'être intervenu auprès de votre père pour qu'il l'envoie faire ses études à San José. Il est devenu un véritable gentleman et il a très bien profité de son séjour pour ses études... et pour tout, car il m'a raconté qu'il était très sollicité par la gent féminine. N'en prenez pas ombrage, mais je compte le présenter à de vieilles « amies » que j'ai connues ici il y a longtemps et qui ne sont plus pour moi d'aucun intérêt. Que Mito en profite et moi je vais lui mettre le pied à l'étrier. Ici les mœurs sont très différentes de celles de León, où il faut être chaperonné même pour aller au cinéma, des mœurs que je ne critique pas car je suis partisan de la morale et pour ce qui est des écarts de conduite je pense comme un vieux.

Savez-vous, Mati, que Mito m'a demandé dans le train, dans la chaleur de notre intimité : « Dites-moi, Oli, quelle est celle de mes deux sœurs que vous préférez? » Et moi, sans hésiter, je lui ai répondu : « Quelle question, Mito. J'ai choisi Mati. L'absence de ces derniers mois a confirmé à mon cœur qu'elle en est la seule souveraine. » Que pensez-vous de cette réponse? Vous pouvez le lui demander, si vous le voulez, pour que vous ne cédiez plus à ces craintes stupides et que vous sachiez que si je suis venu échouer ici, c'est uniquement parce qu'on ne m'a pas permis de me jeter directement dans vos bras, demoiselle incrédule; mais j'ai dans mon portefeuille l'itinéraire des bateaux comme s'il s'agissait d'un scapulaire miraculeux, pour savoir en permanence quel est le premier en partance pour Corinto.

Je continue mon histoire : nous sommes arrivés à San José vers six heures et demie. Il tombait une bruine froide et les montagnes qui entourent la vallée centrale étaient aussi sombres que mon humeur. Oui, Mati, je me suis senti submergé par le chagrin, en sachant que cette ville n'était pas mon but, que mon but est l'endroit où vous lisez actuellement cette lettre. J'ai pris congé de Mito, avec tristesse. Je suis parti tristement vers la pension, en ne pensant qu'à me coucher tôt, sans dîner, pour pouvoir jouir de ma tristesse dans la solitude de ma chambre et m'asseoir pour vous écrire une lettre sur-le-champ.

Mais j'ouvrais à peine mes valises quand on m'a prévenu qu'il y avait un appel téléphonique pour moi : c'était votre mère, qui me saluait et m'invitait à dîner le soir même. Je me suis excusé, en disant que j'avais la migraine ; mais comme elle a tellement insisté, vous la connaissez, je n'ai pas pu refuser l'invitation. Je vous rapporte ces détails pour qu'on ne vous raconte pas n'importe quoi, je veux éduquer votre oreille à la vérité de mes paroles, ma chère Mati.

J'ai fait repasser mon linge et je me suis habillé à contrecœur. La tristesse ne m'avait pas quitté quand je suis sorti de la pension pour prendre le tramway. Comment expliquer que San José me rende maussade ? Est-ce la pluie, la froideur des chambres, la solitude des pensions, la lueur blafarde des réverbères ? Ou est-ce parce que la tristesse a laissé en moi sa marque profonde ? Ces questions sont inutiles, Mati. Pour moi la tristesse n'est pas plus forte à San José qu'ailleurs, il en serait de même à Berlin ou à Bruxelles, si votre présence me manquait. Vous êtes la personnification de ma tristesse, votre absence me transperce le cœur comme le tranchant acéré d'une dague et me le déchire impitoyablement.

Vous souvenez-vous de San José, Mati ? Je suis descendu à la pension Barcelone, face à La Sabana. Regardez-moi sortir, s'il vous plaît, de la pension. J'ai un parapluie, ici on utilise cet instrument à toute heure. Je marche sur le pavé humide du trottoir, très glissant parce que les pieds des passants transportent à leurs semelles la cire des planchers de bois des maisons. On entend aboyer les chiens enchaînés derrière les murs surmontés de massifs de bougainvillées noyés de pluie. A l'arrêt situé face à l'aéroport, fermé à cette heure, le tramway attend, avec ses fenêtres éclairées par un scintillement jaunâtre et morbide, sans passagers, je suis seul à bord. Ensuite montent quelques rares personnes, des couples qui se rendent au cinéma, au théâtre, dans les salons de thé. Pour eux aller vers ces endroits animés et pleins de monde est un divertissement, pour moi ce serait une torture. Je suis gêné par l'odeur de renfermé des manteaux, par le parfum douceâtre de ces femmes qui mâchent du chewing-gum tout en attendant le départ du tram et qui parlent à voix basse comme si nous étions dans la salle d'attente d'un hôpital ou dans une chambre mortuaire.

Suivez-moi dans mon trajet au long du cours Colón vers l'avenue Centrale. Le wagon grince avec des accents funèbres. Une petite affiche avec des caractères de cirque annonce la séance de gala de dimanche prochain au Théâtre national, *Payasse* avec le « célèbre ténor costaricien Melico Salazar, doublure de Caruso au Metropolitan Opera de New York ». A côté, une autre affiche : « Sirop de radis iodé " Printemps ", anémies, rachitisme, manque d'appétit..., tout n'est que mythe. Refusez de vous sentir mal, prenez cet efficace produit national » ; et une autre encore : « Ne crachez pas par terre et ne jetez pas vos mégots sur le sol, l'administration. » Tout ce qui est pro-saïque m'assomme, Mati; les âmes rêveuses comme la mienne sont nettement désavantagées quand elles doivent affronter la sottise de la vie... ténors à trois sous, sirops « Printemps », ne pas cracher sur le sol, des femmes qui mâchent du chewing-gum. Face à ce prosaïsme vous incarnez la rêverie.

Maintenant je descends du tramway dans le quartier Amón et j'ouvre mon parapluie pour me protéger des gouttes que distillent les arbres sur le trottoir. Je pense à vous : quand ma pensée glisse vers toi elle se parfume, Mati; et je scrute le bonheur que le dessin nous réserve quand je reviendrai à León et que je parlerai à votre père pour formaliser nos rapports. Accepterez-vous que je lui parle? Je ne compte pas anticiper ici devant votre mère, car je veux tout leur pré-senter à León comme un fait accompli... si tant est que vous êtes tou-jours d'accord avec mes desseins. Est-ce que je vous mérite? Me gar-dez-vous cet endroit rêvé dans votre cœur? Mouillez cette lettre de vos larmes de bonheur pour que mon cœur sache que vous pleurez, car je suis sûr qu'il entendra tomber ces larmes bienfaisantes sur le papier. Riez, si vous le souhaitez, mais j'enrage de ne pas être cette simple feuille qui aura la chance d'être emprisonnée entre vos mains.

J'arrive enfin à la villa de votre oncle. Depuis le trottoir on voit les lumières allumées dans le salon, on entend une musique, sur le gra-mophone passe le disque « Jure-moi », le Dr Ortiz Tirado chante. Et si je n'entrais pas? Si je retournais à ma pension? Mais je vous entends me dire à l'oreille que ce ne serait pas correct. « Allez, allez, Oli, faites-moi ce plaisir, je vous en prie. » C'est bien, Mati, je vais entrer, mais qu'il soit clair que ce n'est pas parce que vous me le demandez.

Votre Oli appuie sur la sonnette et María del Pilar vient ouvrir la porte. Je remarque son air défraîchi, le froid ne lui va pas, elle a perdu de sa fougue. Je me dis : comment cette créature peut-elle être la sœur de mon trésor, comment le charme peut-il être si inégalement distribué? Elle a l'air d'être l'aînée de vous deux. J'espère vous retrouver identique à vous-même, je ne veux pas que vous changiez, Mati, je veux revoir vos yeux divins et votre visage d'ange, je veux que vous soyez coiffée de la même façon, et je veux vous admirer avec votre robe bleue aux broderies blanches, garnies d'oiseaux, sur le corsage. Vous souvenez-vous de cette robe que vous portiez pour mon anniversaire? Et vous rappelez-vous que je vous ai dit : « Mati, on dirait que vous sortez des pages du *Chic parisien* »?

Ne me croyez pas discourtois, Mati, mais vous savez qu'il est pré-férable de montrer par son attitude ce qu'on ressent vraiment. C'est pourquoi j'ai tendu la main poliment à votre sœur, mais sans effu-sions : « Bonjour, María del Pilar, content de vous voir. Avez-vous des nouvelles de Mati? » Votre mère est arrivée aussitôt, très heureuse de me voir. « Ah, ah, Oli, j'ai l'impression que vous ne vouliez pas venir nous voir, pas vrai? Vous avez déjà oublié vos amis. – Pas du tout, madame, simplement le voyage en bateau m'a fatigué. Dites-moi, Mati vous a-t-elle écrit? » C'est ainsi que nous nous sommes salués tous les trois, mon intention était que votre mère et votre sœur sachent, une bonne fois pour toutes, que mes pensées ne sont occupées que par vous. Aussi, ne soyez pas triste, Mati, et sachez que pendant le repas vous avez été le seul sujet de conversation, parce que je l'ai voulu ainsi et que j'ai longuement vanté vos vertus, votre intelligence et vos charmes. Imaginez-vous qu'à un moment je me suis risqué à dire : « Mati serait acclamée par la bonne société de Guatemala City si un jour elle venait y vivre... » Répondez-moi, cette affirmation de ma part était-elle irréfléchie?

Vous allez m'accuser de grossièreté car je connais votre noblesse, mais María del Pilar, vexée par ma sincérité, a voulu nous quitter rapidement, prétextant qu'elle devait se lever tôt parce qu'elle était invitée à une excursion au volcan Irazú. Votre oncle, qui agit chez lui en seigneur et maître, l'a retenue et il n'a pas tardé à inventer d'autres sujets de conversation, tirant ainsi de l'embarras votre sœur et votre mère, jusqu'à ce que je trouve moi-même l'occasion de prendre congé. Ne parlons pas de Mito, qui n'a pas levé la tête de dessus son assiette pendant tout le dîner, car il se rappelait la réponse très claire que je lui avais faite dans le train.

Point final. Je veux fuir leur fréquentation pour que vous vous sentiez tranquille. Fermez maintenant les yeux et imaginez mon retour proche à León. Que diriez-vous d'un mariage avant le jour de l'an? D'ici là nous avons le temps de régler tous les préparatifs, car il faut que ce soit une noce qui fera du bruit. Vous allez me dire : un an ne s'est pas écoulé, attendons un an, c'est l'affaire de quelques mois. Mais je vous réponds : faisons fi des vieilles conventions mondaines et écoutons l'appel de la tendresse pour vivre ensemble, comme Dieu et la loi l'ordonnent, car le pire serait que toutes les langues de vipère qui prolifèrent dans la ville s'en prennent à votre pureté, si je reviens vivre chez vous et si nous prolongeons cette situation, ne serait-ce que pendant quelques mois de plus. Dans une lettre précédente vous m'avez dit que ma chambre m'attend toujours, que vous la balayez et la nettoyez tous les jours, en gardant des draps propres dans le lit et un petit vase avec des fleurs fraîches du jardin sur la table de nuit. Conservez-vous cette disposition d'esprit?

Je ferai ce que vous m'ordonnerez. Ne suis-je pas l'esclave de votre bon vouloir? Vous pouvez m'envoyer attendre dans la plus sordide des pensions de León, Mati, ça n'a pas d'importance, car j'accepterais n'importe quelle porcherie en échange de l'assurance de votre consentement. Ce qui m'atterre c'est que, connaissant votre bonté, vous me disiez : « Je ne peux pas passer par-dessus ma sœur, si elle aime mon Oli, je lui céderai, quand bien même mon âme en serait navrée. » Eh bien, sachez-le une bonne fois, Mati, votre Oli n'accepterait jamais une telle transaction, on ne peut donner de tels ordres à mon amour, même venant de vous. Une telle mansuétude devient de l'arrogance, la bonté de l'orgueil, de la fatuité. La tendresse vaut-elle plus que l'orgueil ?

Mais pardonnez-moi de telles digressions, qui ne sont que les fantasmes harcelant l'esprit d'un être tourmenté. Faites fuir ces sinistres fantasmes en m'offrant le présent de votre « Oui, j'accepte ». Finalement, si vous le souhaitez, je suis également disposé à un mariage discret et à un voyage immédiat au Guatemala, où nous vivrions heureux, loin de toute présence gênante ou désagréable. Pensez-le dans votre petite tête adorée. De mon côté, mes pensées n'arrêtent pas de tourner autour de votre personne bien-aimée. Vous aimer est atteindre aux sommets de la félicité, Mati. C'est avoir tout le firmament dans son âme et c'est mourir en adoration à vos pieds. Ne me refusez pas ce qui me revient comme un droit. Je vous en supplie à genoux.

J'embrasse chastement votre front. Votre

Oli.

P.S. : Saluez de ma part votre père, doña Yoyita, Leticia et tout le personnel de service, de même qu'Alicia. Montrez-lui cette lettre et vous verrez qu'elle me donnera raison.

II

León, 8 août 1933

Oliverio,

Après vous avoir fidèlement salué j'en viens à vous dire ceci : si vous êtes très heureux dans cette capitale car je sais que vous vous y divertissez comme un fou dans des bals, des théâtres et des excursions avec d'autres femmes, celle qui finalement vous écrit cette lettre après y avoir longtemps pensé n'est pas contente du tout. Vous continuez à ignorer mes souffrances, Oli, et vous semblez prendre beaucoup de plaisir à ouvrir une blessure qui veut guérir mais que vous empêchez de se refermer. Mon amour, ne me dites pas qu'il n'est pas vrai que vous vous amusez beaucoup avec d'autres car j'en ai les preuves, bien que vous gardiez le silence et que vous n'en disiez rien. Décidez-vous une fois pour toutes et laissez se reposer une âme en peine. Ou bien est-ce que par hasard tu veux ma mort ? S'il en est ainsi, tuez-moi une fois pour toutes, je vous le demande à genoux, car la mort est préférable à cette torture. Envoyez-moi ne serait-ce qu'un salut dans les lettres que d'autres femmes qui partagent ta compagnie m'écrivent, puisqu'il semble que tu ne saches plus où se trouve la poste dans cette ville.

Tes baisers me manquent, ma perdition a commencé quand tu m'as embrassée pour la première fois, je ne suis pas contente et je voudrais que tu ne te souviennes de personne car je suis même jalouse de la pensée qui puisse te rappeler une « personne » aimée. Qu'êtes-vous allé faire au Costa Rica ? Vous n'aviez rien perdu là-bas, puisque votre trésor c'est moi qui l'ai ou bien vous avez déjà oublié que vous avez fait de moi ce que vous avez voulu, je n'avais jamais connu de gens cruels mais maintenant j'en connais, et s'il en est ainsi mieux vaut que vous ne reveniez pas au Nicaragua car ici personne ne vous attend et je n'ai pas l'intention de vous adresser la moindre parole ni le moindre regard si vous réapparaissez, sachez-le une bonne fois.

Tuez-moi, oui, de toute façon ma vie est un calvaire et je ne fais que vous adresser des prières comme si vous étiez un saint, de même que dans la solitude sacrée d'une église on ressent la présence de Dieu sans le voir, j'ai pressenti dans le monde ta présence et comme Dieu je t'ai adoré sans te voir, pourquoi es-tu venu à moi, méchant homme ? Tu étais bien loin de moi car je ne te connaissais pas, je n'avais pas senti la chaleur de ton corps ni le feu de tes baisers et si tu n'étais jamais venu tu n'aurais été pour moi qu'un de ces parfums qu'on respire mais dont on ne sait où il est ni d'où il vient.

Mon amour, il y a des années, alors que je ne pensais même pas faire votre connaissance, parce que heureusement tu n'avais pas croisé ma route, j'adorais aller au cirque Ringler Brothers à San Francisco, en Californie, et le mage Krasnodar venait lui-même dans le public vendre des chewing-gums enveloppés dans un petit papier écrit à l'encre invisible, on approchait une allumette et les lettres du message apparaissaient, elles disaient : tu seras toujours heureuse en amour car tu es née sous l'étoile de la fortune.

Or hier nous sommes allées Alicia et moi nous promener l'après-midi dans le parc San Juan et il y avait un manchot avec d'adorables petites perruches qui vivent dans une cage de bois ressemblant à un château avec ses tours et ses fenêtres, j'ai tenté ma chance avec une de ces perruches qui sort d'une porte, frappe du bec sur une cloche et tire ensuite avec son bec un petit papier d'un tiroir où des petits papiers pliés sont rangés comme des lettres : il y en a des bleus, des verts, des jaunes; pour moi elle a sorti un papier jaune que j'ai ici et qui dit :

POUR UNE DEMOISELLE CÉLIBATAIRE

L'amour a frappé à la porte de votre cœur et vous avez bien fait de le laisser entrer, ne vous en repentissez pas et ne succombez pas au doute car il n'y a aucune raison, et face aux difficultés, persévérez. Celui à qui vous avez remis les clefs de votre cœur est absent mais il reviendra. Ne vous inquiétez pas, il est en bonne santé et ne court aucun danger. Ne vous désespérez pas, tout finira bien. Le gentleman absent pense toujours à toi et il pense te conduire à l'autel. Dites trois fois avant de vous endormir : « Sainte Lucie, toi qui pour ta foi as perdu les yeux, illumine ceux de mon galant pour qu'il trouve le chemin du retour. Saint Christophe, patron des voyageurs, fais qu'il soit bientôt ici et qu'il ne s'écarte pas de sa route. » Fermez les yeux aux voix qui vous parlent dans des lettres qui arrivent de loin, elles ne vous conviennent pas. Vous êtes une personne chanceuse. Tu vivras longtemps. Achète le billet de loterie n° 2784.

Si la perruche ne m'avait pas menti comme le mage Krasnodar mentait, je serais tranquille, mais le manchot fait imprimer ces petits papiers à l'imprimerie de mon grand-père et ils en font beaucoup de la couleur que j'ai tirée et si je me fiais à la perruche je serais perdue. Pour la même raison je ne me fie pas à vous. Reviens vite, mon amour, que peux-tu avoir au Costa Rica que tu n'aurais pas ici ou que je ne pourrais te donner ou dis-moi que la perruche a raison et qu'elle ne me trahit pas, quand tu viendras tu pourras peut-être m'apporter trois mètres de cette dentelle qu'on trouve au magasin Feoli de l'avenue Centrale tout près de la bijouterie Müller, pour une robe que j'ai commencée pour me faire belle quand tu seras là, mais ici on ne trouve pas cette dentelle, je ne veux rien demander à M. P. car je la déteste, j'espère qu'elle ne reviendra pas et qu'elle restera là-bas à s'amuser, je déteste le Costa Rica, n'allez pas lui dire ni à maman que je vous ai écrit cette lettre, Dieu m'en garde.

Reviendrez-vous, Oli? J'aimerais me glisser dans cette enveloppe de courrier aérien. Mon père dit que vous allez revenir, c'est aussi ce que disent les servantes, je ne sais pas pourquoi tous vous aiment tant puisque vous ne méritez pas qu'on vous aime, parfois je rêve de m'endormir et de ne plus me réveiller pour ne pas être là comme une sotte à penser à ce que vous faites et me monter la tête par plaisir, je vous jure que j'ai demandé à Dieu qu'arrive vite la nuit où je me coucherai pour ne plus me relever.

Celle qui ne sait même plus ce qu'elle veut prend congé de vous. Très sincèrement,

M.

ÉPILOGUE

QUE L'ON COPIE, NOTIFIE ET PUBLIE

Arrête-toi, brave messager,
même si tu penses qu'il est tard.
Que Dieu nous préserve des écrits
d'un chevalier pédant.
Je suis don Pascal, je me meurs
au pays des vivants,
après tous ces impératifs.
Si tu veux en savoir plus,
arrête-toi, les archives t'en diront
plus et plus courtoisement

GONGORA
Letrillas

Châtiment divin

A l'aube du 28 décembre 1933, jour des Saints-Innocents, on entendit des détonations lointaines dans la ville de León et une pluie de sable brûlant commença à planer avec légèreté au-dessus des toits, comme si les flammèches d'un formidable incendie retombaient. A mesure que les vents forcissaient, la pluie noire devint plus intense et un ciel crépusculaire recouvrit les rues. Le Cerro Negro était entré en éruption.

Le phénomène tellurique, qui devait durer plusieurs semaines, jeta dès le début le trouble parmi les citadins. Les toitures de plusieurs constructions coloniales s'effondrèrent, écrasées sous le poids du sable ; l'abside de l'église San Sebastián et la grande nef de l'église de Subtiava subirent des dégâts importants, de même que la salle des hommes et les cuisines de l'hôpital San Vincente. Le sapement de la voie ferrée entraîna l'interruption prolongée du trafic ferroviaire.

Les services sanitaires de la province recensèrent de nombreux cas d'affections respiratoires, plusieurs d'entre eux fatals chez des enfants en bas âge. On vit se multiplier d'autres maladies, de type oculaire, par inflammation suppurante de la conjonctive ; les diarrhées, par irritation de la muqueuse intestinale ; et les céphalgies aiguës, le tout résultant de la persistance dans l'air des particules et de leurs effets insalubres sur les aliments et l'eau potable. La contamination du cours des rivières voisines entraîna la mort d'un nombre considérable de têtes de bétail, ce qui eut pour conséquence une pénurie de lait et de viande de bœuf. On aurait pu en dire de même pour d'autres produits, par exemple les tubercules et les graminées, qui commencèrent à manquer sur les marchés.

Le deuxième jour on organisa des processions de rogations, on parcourut la ville avec la statue de la Vierge de la Merced, patronne de León, et avec celle de San Benito de Palermo. Mais comme, loin de se calmer, l'éruption redoublait, les habitants du centre entreprirent rapidement de se déplacer vers des propriétés, des plages et des villages voisins non exposés à l'action nuisible des vents fatidiques. Quand la voie n'était pas coupée, les trains disponibles ne suffisaient pas et le transport des émigrants se fit également par d'autres moyens. Des automobiles aux phares allumés en plein jour, des voitures et des charrettes attelées de chevaux, des chars à bœufs, des mules chargées d'ustensiles divers se bousculaient dans l'obscurité des rues à la recherche des sorties vers les chemins vicinaux.

Le 31 décembre à midi l'agitation était à son comble dans la maison du juge Fiallos. Il partait avec sa famille sur ses terres de la vallée de Las Zapatas, fuyant l'éruption. Ils devaient se presser d'empaqueter besaces, hamacs, lits de camp, lampes à kérosène et autres provisions, pour pouvoir les embarquer dans le train qui partait vers El Sauce à une heure de l'après-midi.

Le juge Fiallos, le visage à demi recouvert par un foulard qui lui protégeait le nez et la bouche, attachait les courroies d'une des besaces où il emportait les originaux de son livre *Horizon brisé*, que cette fois il pensait vraiment terminer. Alí Vanegas, un mouchoir également noué sur le visage et la tête recouverte par une serviette de toilette, attachée à son col par une agrafe, était venu prendre congé de lui.

« Quand ils l'obligèrent à descendre de la voiture, il a dit tranquillement au capitaine Ortiz : " Je ne vous demande qu'une faveur, ne me défigurez pas. " » Alí Vanegas ne cessait de manipuler son éventail. Il suivit le juge Fiallos qui montait la besace au grenier, et revint avec lui jusqu'à la table de la salle à manger où quelques livres devaient encore être empaquetés. Le chevalet de peinture du juge Fiallos était posé contre la table, attaché par des cordes, prêt pour le voyage.

Les yeux du juge Fiallos fixent son secrétaire avec curiosité pardessus le mouchoir. Il se propose de dire quelque chose mais il renonce et il va chercher la besace destinée aux livres, qu'il pose sur un tabouret.

« Et il a dit, après s'être signé : " C'est ce chien d'Ubico qui me fait tuer. Heureux Guatemala, que le bourreau ne souille jamais ton sol... Mort au tyran! Je suis prêt. " » Alí Vanegas prend un livre sur le dessus de la pile, *Le Trésor de la sierra Madre*, de Bruno Traben, et il le repose, en nettoyant le sable qu'il a sur les doigts.

« Tu ne l'as pas raconté comme ça à Manolo Cuadra. » Le juge Fiallos secoue précipitamment les livres avant de les glisser dans la besace : « Où as-tu pêché toutes ces conneries? Il n'y avait que la Garde qui était là.

– Le 25, Rosalío Usulutlán est venu me voir très tôt. Il savait déjà. » Alí Vanegas se touche la poitrine avec son éventail. « Les gardes sont allés tout raconter le matin même. Ils passaient vendre des objets volés sur le cadavre. Une montre avec sa chaîne, une bague avec une pierre rouge. J'ai transmis textuellement à Manolo les paroles exactes d'adieu du condamné, mais il a oublié de les consigner dans son reportage.

– Ces gardes avaient une sacré bonne mémoire. Je vois que la table maudite continue à fonctionner, prends garde. » Le juge Fiallos resserre les courroies de la besace. « Tu vas rester comme secrétaire d'Ernesto Barrera?

– Si les forces de la nature n'ensevelissent pas le tribunal, je reste. » Alí Vanegas range son éventail et transporte le chevalet, dans le sillage du juge Fiallos. « Et pour ce qui est de la célèbre table maudite, elle a été proprement décimée. Au milieu des grondements du volcan, on étudie l'expulsion de Cosme Manzo, pour trahison.

– Eh bien, pour moi cette petite histoire est terminée. » Le juge Fiallos fait signe au charretier pour qu'il charge tout ce qui reste dans le vestibule, puis il fouille dans sa poche. « Remets de ma part les clefs à Barrera.

– Le subtil Rosalío affirme également que la barbe postiche d'Oliverio Castañeda a été tricotée avec les cheveux de María del Pilar Contreras. » Alí Vanegas prend le trousseau et il le tient en l'air par la chaîne, comme un pendule. « La femme Carvajal est allée les lui demander et elle se les est coupés avec plaisir. Une barbe frisée. Manolo a aussi omis de parler de la provenance des cheveux.

– Que l'on procède à un supplément d'information en convoquant la dénommée María del Pilar Contreras, dont l'identité a été authentifiée, afin de déterminer si effectivement elle a accepté de couper ses cheveux aux fins susdites. » Le juge Fiallos détache son mouchoir et il sourit légèrement. « Tu aimes bien ces détails un peu macabres, style Chateaubriand.

– Si elle a accepté de les couper, cela signifie qu'elle l'aimait encore, d'une passion débridée. » Le souffle d'Alí Vanegas gonfle le mouchoir qu'il a sur la bouche. « Et aujourd'hui, par-delà la mort, elle continue à l'aimer. Elle a découvert sa tombe et elle a l'audace de lui porter des bouquets de lis frais au cimetière.

– Protégée des regards importuns par le voile que l'éruption étend sur cette ville châtiée par la providence. » Le juge Fiallos ouvre les bras dans un geste théâtral, dirigeant son regard vers le toit. « Il pleut du feu et nous payons tous le prix du péché. Châtiment divin.

– C'est une histoire qui dégage un parfum étrange. » Alí Vanegas ferme les yeux. Le sable entre par le porche, s'amoncelant impétueusement dans le vestibule.

« Un parfum? » Le juge Fiallos remonte son mouchoir et l'ajuste sur l'arête de son nez. « Quel parfum?

– Celui d'un bouquet de magnolias macérés dans un bassin rempli d'urines. » Alí Vanegas se tourne contre le mur pour se protéger du tourbillon de poussière.

« Un bassin plein d'urines conservé pendant des mois dans une pièce fermée. » Le juge Fiallos se retourne lui aussi contre le mur. Dans son trajet vers la cour, la bouffée de sable collant leur fouette le dos.

« Un jour, on va vouloir faire un roman de tout ça. » Le tourbillon s'apaise et Alí Vanegas se dirige vers le porche. « Et ce parfum va se transmettre au livre.

– Que celui qui l'écrira précise que tout s'est terminé par une éruption. » Le juge Fiallos prend Alí Vanegas aux épaules et, tout en l'étreignant de la sorte, il le conduit vers la sortie.

Dans la pénombre, ils voient s'approcher la lumière d'une lanterne au milieu de la rue. Rosalío Usulutlán, enveloppé dans un ciré, marche devant en tenant la lanterne, pour éclairer sa route. Derrière lui, un enfant porte une effigie de Jésus de la Délivrance, enfermée derrière des barreaux de bois. Un âne chargé de différents objets personnels, tiré par un autre enfant, les suit.

Rosalío Usulutlán pose la lampe par terre pour lever son chapeau en signe de salut. Puis il poursuit son chemin et se perd dans l'ombre.

« Et le journaliste Rosalío Usulutlán s'éloignait de León vers une destination inconnue, fuyant à son tour la catastrophe. » Alí Vanegas baisse sur son visage la serviette qui lui couvre la tête et, ployant l'échine, il se lance dans la rue. « Que le romancier n'oublie pas de donner cette fin à son livre. S'il a commencé avec Rosalío, il est juste qu'il se termine avec lui. »

Managua, septembre 1985/août 1987

Table

*Cet ouvrage a été réalisé
par la Société Nouvelle Firmin-Didot
Mesnil-sur-l'Estrée
pour le compte des Éditions Denoël
en avril 1994*

Dépôt légal : avril 1994
N° d'édition : 3620 – N° d'impression : 26682
Imprimé en France

Ville de Montréal **MR** Feuillet de circulation

À rendre le		
Z 26 MAR '98	2 9 SEP	1 4 JUIL. 2004
Z 0 8 AVR '98	0 5 OCT. 1999	0 5 NOV. 2004
Z 24 AVR	Z 26 OCT '99	2 5 NOV. 2004
	1 6 NOV. 1999	
1 2 MAI '98	0 1 FEV. 2000	
Z 21 JUIL '98	1 5 MAR. 2000	
Z 1 7 AOU '98	0 6 AVR. 2000	
Z 2 SEP '98	2 6 JAN. 2001	
2 24 SEP '98	0 6 JUIN 2001	
Z 0 7 OCT '98	2 8 JUIL. 2001	
0 5 NOV '98		
Z 16 JAN '99	2 2 SEP. 2001	
Z 20 AVR '99	1 3 NOV. 2001	
Z 2 1 MAI '99		
Z 2 2 JUIL '99	2 7 AOUT 2003	06.03.375-8 (05-93)